© 2020 Herdeiros de Florestan Fernandes
Editora Contracorrente.

Direitos reservados e protegidos pela lei n. 9.601, de 19.02.1998.
É proibida a reprodução total ou parcial sem autorização, por escrito, das editoras.

Reimpressão Revisada.

coordenação editorial: Rafael Valim e Sálvio Nienkötter

editores executivos: Daniel Osiecki/ Raul K. Souza/ Gustavo Marinho

estabelecimento e revisão de texto: Daniel Osiecki

projeto gráfico: Isadora M. Castro Custódio

capa: Maikon Nery

produção: Cristiane Nienkötter

conselho editorial da coleção: Bernardo Ricupero, Florestan Fernandes Junior e Rafael Valim.

Dados Internacionais de Catalogação na Publicação (CIP)
Angélica Ilacqua CRB-8/7057

Fernandes, Florestan
A revolução burguesa no Brasil: ensaio de interpretação sociológica / Florestan Fernandes. – Curitiba: Kotter Editorial; São Paulo: Editora Contracorrente, 2020.
p. 432
ISBN 978-8569220749
1. I. Título
19-2593
CDD B869.1

Rua Dr. Cândido Espinheira, 560 3º andar.
05004-000 | São Paulo/SP
www.loja-editoracontracorrente.com.br
contato@editoracontracorrente.com.br

Kotter Editorial
Rua das Cerejeiras, 194
82700-510 | Curitiba/PR
+55 41 3585-5161

6ª edição
2020

FLORESTAN FERNANDES

A REVOLUÇÃO BURGUESA NO BRASIL: ENSAIO DE INTERPRETAÇÃO SOCIOLÓGICA

CONTRACORRENTE

KOTTER EDITORIAL

À memória de Marialice Mencarini Foracchi
e aos colegas e amigos a quem estive ligado mais intimamente,
durante vários anos, na aventura comum de vincular a investigação
sociológica à transformação da sociedade brasileira:

Fernando Henrique Cardoso
Octavio Ianni
Luiz Pereira
Maria Sylvia Carvalho Franco
Leoncio Martins Rodrigues Netto
José de Souza Martins
Gabriel Cohn
José Cesar A. Gnaccarini
e
João Carlos Pereira

PREFÁCIO
A REVOLUÇÃO BURGUESA NO BRASIL: COSMOPOLITISMO SOCIOLÓGICO E AUTOCRACIA BURGUESA

André Botelho & Antonio Brasil Jr.[1]

A revolução burguesa no Brasil de Florestan Fernandes é um dos livros mais cosmopolitas da sociologia brasileira. A começar pelo título, apenas aparentemente simples. Afinal do que trata esse livro que ganha agora reedição no centenário de nascimento de seu autor? De um fenômeno geral ou do seu contexto particular? Da revolução burguesa, e do capitalismo moderno ao qual está associada, ou do Brasil? A resposta a essa pergunta, argumenta um de seus intérpretes mais argutos, não permite disjuntivas. "São ambas as coisas" é a única resposta possível, diz Gabriel Cohn. Estudar a revolução burguesa no Brasil significa, para Florestan Fernandes, "reconstruir como se dá nesta particular configuração histórica um processo de proporções mundiais que é simultaneamente econômico, político, social, cultural e que se estende até à estrutura da personalidade e às formas de conduta individuais". Formulação lapidar que, ademais, faz justiça à complexidade do raciocínio e à sofisticação teórica de Florestan, cuja concepção de sociedade (e também de sociologia) não cabe em fórmulas disjuntivas rotinizadas como coerção duradoura desde fora ou interações contínuas de ações individuais dotadas de sentido subjetivo.

---

[1] Professores do Departamento de Sociologia e do Programa de Pós-graduação em Sociologia e Antropologia (PPGSA) da Universidade Federal do Rio de Janeiro (UFRJ).

Mas, seu cosmopolitismo não está apenas na matéria, que se tornou, digamos, "universal" — afinal, o tipo de sociedade forjada pelo capitalismo moderno. Mas mais ainda nas provocações teóricas e políticas que a proposta de Florestan Fernandes contém. Se já é ousada a pergunta sobre o "estilo próprio" conferido pela sociedade brasileira ao capitalismo, imagine levar uma resolução histórica particular a interpelar tanto a compreensão da "universalidade" quanto os termos de um debate intelectual internacional geopoliticamente tão hierárquico e assentado. Pois é tudo isso e muito mais que *A revolução burguesa no Brasil* realiza e permite compreender. E, talvez, hoje, melhor ainda do que em 1975, quando da sua publicação original. Aliás, desde a página de abertura do livro, Florestan lamentava que até então não se tivesse criado entre os cientistas sociais brasileiros "uma perspectiva de interpretação histórica livre de etnocentrismos, aberta a certas categorias analíticas fundamentais e criticamente objetivas".

Não são muitos os livros brasileiros que rejuvenesceram com o tempo. *A revolução burguesa no Brasil* é um deles. É certo que os problemas tratados no livro dizem respeito a processos históricos, sociais e políticos de longa duração que constituem, mas também excedem as circunstâncias originais de sua publicação. A revolução burguesa, afinal, não se restringe a um evento datado, mas envolve e implica a temporalidade múltipla própria dos processos. Então o tema do livro ainda nos diz respeito. Ainda mais numa sociedade, como a brasileira, em que a mudança se realiza mais pela reiteração e acomodação, do que apenas pela ruptura — como, aliás, estamos protagonizando/testemunhando em acontecimentos cruciais em curso novamente neste momento. Mas isso não é suficiente para que se possa constatar a atualidade de uma intepretação. Se assim o fosse, toda obra do passado poderia ser mais ou menos ainda atual hoje.

A atualidade de *A revolução burguesa no Brasil* é também de ordem teórica, e pode ser testada na concepção, na fatura do texto e na análise crítica forjadas de um ponto de vista sociológico muito próprio. Muito próprio, mas que também vem recebendo desdobramentos importantes e enlaçando diferentes gerações na sociologia brasileira, como mostrou Elide Rugai Bastos em seu trabalho *Pensamento social da escola sociológica paulista* (2002). A nosso ver, a potente comunicação do livro com o contemporâneo se deve ainda aquele gesto teórico transgressor que sempre caracteriza o que há de melhor na sociologia, que nasce do descontentamento profundo e bem meditado com as explicações reificadas e da coragem de contrariar o estabelecido — não apenas pelo

PREFÁCIO

senso comum da sociedade, mas também pela rotina intelectual da universidade. Tensão e desconforto com a sociedade envolvente e com o seu tempo sempre alimentaram a sociologia de Florestan Fernandes. E estão na base de seu projeto de uma sociologia crítica.

Assim, embora não fosse ela mesma obra de juventude, seu autor contava com 55 anos de idade quando a levou a público, reunindo, porém, textos escritos desde a década anterior e reflexões de toda uma vida, *A revolução burguesa no Brasil* traz essas marcas críticas fortes. Naturalmente, como tem lembrado Elide Rugai Bastos em seus trabalhos, ousar repensar e até mesmo recusar o assentado na teoria sociológica desde a periferia, abrindo mão inclusive da segurança que os modelos pré-concebidos e estabelecidos também oferecem aos intelectuais, implica não apenas em acertos. Mas potencialmente também em equívocos. Não se trata, portanto, de corroborar uma perspectiva triunfalista e, por isso, algo ingênua sobre Florestan Fernandes e a própria dinâmica da sociologia. Mas, antes, de uma reconexão crítica com seu projeto teórico de forma a fazer frente aos desafios do nosso próprio tempo, quarenta e cinco anos depois da edição original do livro que a leitora e o leitor tem agora em mãos.

O momento para a reedição de *A revolução burguesa no Brasil* não poderia ser mais propício. O contexto social e político atual da sociedade brasileira, não é segredo, caracteriza-se pelo aumento crescente das desigualdades sociais e pela intensificação de sua naturalização ideológica, como se elas decorressem do comportamento dos indivíduos e não de contradições sociais. Do ponto de vista político, a vida social está marcada por um novo e intenso retraimento da esfera pública e pelos ataques diretos às instituições democráticas e à democracia como valor universal que, a muitos, parecia constituir a essa altura da história um mero pressuposto analítico de suas teorias, ou um dado consolidado da realidade social. Isso para não falar das mudanças associadas em curso no capitalismo global. Esses fenômenos estão mesmo exigindo interpretações sociológicas mais vigorosas e de conjunto em meio à fragmentação e a ultraespecialização vigentes nas ciências sociais. Esperemos, então, que a reedição de *A revolução burguesa no Brasil* possa constituir também uma contribuição para a renovação em curso da sociologia, após certo refluxo das chamadas grandes narrativas. O aumento das desigualdades sociais e as reviravoltas na espiral da democracia, no Brasil e no mundo, recolocam a sociologia no centro do debate intelectual e político, na medida em que vai se tornando mais claro do que nunca que as inovações institucionais e tecnológicas não se realizam num vazio de relações sociais.

Por certo, a reedição poderá reavivar enfrentamentos conhecidos entre pontos de vistas de leitura habituais. Mas não iremos aqui, por exemplo, jogar água na fervura do debate se houve ou não uma revolução burguesa no Brasil. Deixamos, nesse caso, a palavra como o próprio Florestan escreveu: "A questão estaria mal colocada, de fato, se se pretendesse que a História do Brasil teria de ser uma repetição deformada e anacrônica das histórias daqueles povos. Trata-se ao contrário de determinar como se processou a absorção de um padrão estrutural e dinâmico de organização da economia, da sociedade e da cultura". Mas essa reedição, sobretudo, poderá despertar a curiosidade e o interesse de novas leitoras e novos leitores dessa segunda década do século XXI que se inicia. Hoje, inclusive, quando a crítica ao eurocentrismo e as chamadas epistemologias pós-coloniais ou do Sul Global ganham mais visibilidade, no Brasil e na sociologia como um todo, o livro tem potencialmente novas aberturas e interesses internacionais.

A reedição encontra também uma universidade pública, em geral, e a sociologia acadêmica e as ciências sociais, em particular, muito maiores, mais desenvolvidas institucionalmente com consolidada pós--graduação e produção científica competitiva, além de mais diversificadas regional e socialmente e bem mais plurais teoricamente do que a dos anos 1970. Com a presença em seus quadros discentes também de perfis sociais bem mais diversos graças às políticas públicas criadas entre 2003 a 2016 que combinaram, pela primeira vez entre nós, inaudita expansão do número de vagas e implementação de ações afirmativas e inclusivas. Perfis sociais, aliás, até mais próximos ao do próprio Florestan, cujo notável percurso intelectual se confunde em parte com um dos aspectos mais relevantes da sociologia. Como disciplina intelectual, de fato, as experiências sociais dos seus praticantes sempre contam para a sociologia, e muito. Particularmente para o alargamento de suas temáticas, mas também, nos melhores casos, como o do próprio Florestan, para o questionamento e a inovação das formas de abordagens estabelecidas. Não será a isso que, ao menos em parte, se deve aquilo que Max Weber chamava de "eterna juventude" da sociologia?

Não temos como, neste prefácio, recensear as múltiplas provocações ao assentado e ao rotineiro no debate intelectual brasileiro de publicação de *A revolução burguesa no Brasil*, nos anos 70 do século passado. Mas assinalamos algumas delas para poder destacar sua capacidade de interpelação teórica e sociológica contemporânea, o que certamente poderá ser experimentado diretamente na leitura das páginas do livro.

A revolução burguesa no Brasil contraria de saída uma das visões mais assentadas sobre a sociologia brasileira, a de que o sentido de urgência

PREFÁCIO

para a resolução de graves problemas sociais em que nos vemos premidos em nossa sociedade tão desigual e antidemocrática tornaria de alguma forma o nosso trabalho, na periferia do capitalismo, inadequado à formulação teórica. Melhor seria deixar a teorização para nossos colegas do centro, Europa e Estados Unidos. Florestan fez o contrário do que se esperava nessa geopolítica do conhecimento sociológico ainda hoje vigente. A sua interpretação sobre a constituição da sociedade moderna no Brasil problematiza aquela posição, justamente ao qualificar a fragilidade do moderno em romper com a tradição não apenas de um ponto de vista histórico, mas propriamente teórico. Isto é, ao invés de se limitar a apresentar um caso que discrepava da tendência eurocêntrica, fez a particularidade da modernização brasileira interpelar a própria teoria sociológica adotada como ponto de partida da análise.

Também do ponto de vista político, *A revolução burguesa no Brasil* não foi um livro fácil para os leitores dos anos de 1970. Para retomar um exemplo central, ao qual ainda voltaremos com mais vagar adiante, um de seus conceitos centrais, o de "autocracia burguesa" não deixava também de ser algo desolador para aqueles seus contemporâneos que buscavam diretamente no livro um meio, digamos, operacional, de combate à ditadura civil-militar. Afinal, Florestan faz nele uma distinção heurística crucial que torna a compreensão da realidade social e da transição democrática muito mais complexa e matizada do que, talvez, estivessem prontos seus leitores de então. Mostra que a "democracia" não constituiria apenas uma forma de "exercício" do poder político (que se contraporia à ditadura então vigente), mas que dizia respeito também às formas sociais de "organização" do poder político. Aqui toda a qualidade sociológica apurada em mais de duas décadas de trabalho rigoroso como que atinge seu ápice, e Florestan passa a interrogar os fundamentos sociais tanto da política quanto da economia. Por isso, Florestan forja a ideia de "autocracia" para interpretar o fenômeno da persistência de um princípio ordenador radicalmente antidemocrático mais geral do Estado, da sociedade e do mercado até mesmo em momentos formal ou abertamente democráticos. A relação da autocracia com a democracia não é de oposição, mas, precisamente, parafraseando a imagem de Gabriel Cohn, "sua sombra sempre presente em segundo plano, para emergir, com maior ou menor virulência, em situações de crise do poder burguês". As reviravoltas na espiral da democracia não pararam — como bem sabemos hoje, no Brasil e no mundo. E então, a distinção crucial de Florestan parece fazer até mais sentido para nós, do que no contexto de transição democrática. A autocracia saiu da sombra.

São gestos definitivos que, pode-se dizer, Florestan vinha perseguindo em toda a sua obra. Por exemplo, e para lembrar apenas de um de outros dos seus livros incontornáveis, *A Integração do Negro na Sociedade de Classes*, de 1964, que escreveu como tese para o concurso da Cátedra de Sociologia I da Universidade de São Paulo, da qual foi titular entre 1964 e 1969. Nesse livro notável, Florestan consolida uma agenda de pesquisas sobre mudanças sociais e a reprodução de desigualdades sociais enraizadas na sociedade brasileira a partir de várias questões: do preconceito racial operante nas relações sociais que desmistificava o mito da "democracia racial". A partir da formação de uma sociedade competitiva de classes por dentro dos escombros daquela precedente, ordenada em estamentos fechados (senhores e escravos), sem mobilidade ou com mobilidade limitada, formalmente vigente até a Abolição. E ainda a partir dos alcances e limites dos princípios liberais meritocráticos adotados na República.

A revolução burguesa no Brasil representa, porém, um momento culminante nesse percurso intelectual e de pesquisa. Mais do que isso, talvez. Constitui também uma espécie de acerto de contas sociológico com a sociedade brasileira e sua história infeliz do ponto de vista das desigualdades sociais e da democracia. Primeiro, do ponto de vista pessoal, pois antecede uma última reorientação da sua trajetória, quando Florestan entra na vida político-partidária, elegendo-se deputado federal pelo Partido dos Trabalhadores em 1986 e 1990, quando integrou os trabalhos da Assembleia Nacional Constituinte. Segundo, do ponto de vista sociológico, pois, quando comparado aos seus trabalhos anteriores que, no entanto o propiciaram, o livro de 1975 realiza importantes avanços teóricos. Abandonam-se os casos clássicos de análise da sociedade burguesa, eurocêntricos eles todos, naturalmente; como também os casos "atípicos", o japonês e o alemão, por exemplo, de que tanto se ocuparam alguns dos melhores sociólogos seus contemporâneos estadunidenses ou lá estabelecidos, como Barrington Moore Jr. ou Reinhard Bendix, que forjaram a sociologia histórico-comparada. Florestan se dedica ao "nosso" caso enquanto, argumenta, "uma realidade histórica peculiar nas nações capitalistas dependentes e subdesenvolvidas, sem recorrer-se a substancialização e à mistificação da história".

Não há paroquialismo sociológico em *A revolução burguesa no Brasil*, como se numa suposta tradição intelectual brasileira autóctone ou, pior ainda, num nacionalismo ufanista — de esquerda ou de direita — fosse possível encontrar um fio da meada para nossos desacertos. Pelo contrário, a recusa aos casos estabelecidos na sociologia na modernização ou na sua reação representada pela sociologia histórico-comparada

PREFÁCIO

não é localista, mas antes cosmopolita. A interpretação de uma sociedade *dependente* exige do sociólogo que ele saiba manusear com maestria as categorias europeias até praticamente o seu esgotamento teórico e ideológico. De alguma forma, concepção política, método sociológico e de escrita se imbricam aqui, exigindo do sociólogo e dos leitores e leitoras que acompanhem na trama da análise o conflito entre não apenas o tema (tipo Brasil vs. Europa), mas entre abordagens, entre categorias — novas, velhas, recriadas. Em suma, tratando-se de interpretação "de uma sociedade *dependente*, o sociólogo teria de usar necessariamente certas categorias de pensamento que naturalmente mostrassem a ligação, a dependência, mas que ao mesmo tempo dessem conta de todas as forças, digamos, progressistas, que tentavam neutralizar esta dependência".

É esta uma das sugestões mais originais feitas por Silviano Santiago, que se inclui entre os ótimos leitores de primeira hora de *A revolução burguesa no Brasil*. Pouco lembrado pela fortuna crítica do livro, Silviano escreveu uma das primeiras resenhas sobre ele, ainda em 1977, e, note-se, a pedido do próprio Florestan. Os autores se conheceram pessoalmente nos anos 1970, em Nova York, apresentados por Abdias do Nascimento, quando o resenhista, fazendo carreira no exterior, era então *Associate Professor* no Departamento de Francês da State University of New York at Buffalo; e o autor do livro resenhado iniciava sua estadia como visitante na Universidade de Toronto, no Canadá, parte de seu périplo cosmopolita no exterior impingido pela sua aposentadoria compulsória em 1969.

Em sua resenha, Santiago acentua de saída o aspecto teórico original de *A revolução burguesa no Brasil* para o qual estamos chamando a atenção. Para ele, Florestan Fernandes deu-se conta de que o aparato teórico do livro "não podia vir-de-fora sem se tomar as devidas preocupações epistemológicas (heurísticas, como quer ele) no processo de adaptação das categorias de análise às nossas expectativas e à nossa realidade". Argumenta que o sistema conceitual que Florestan arma para apreender a "realidade brasileira" — que surge no século XIX em decorrência da Independência — o permite surpreender a especificidade, tanto nos seus elementos "estruturais quanto dinâmicos", de uma burguesia nascida de uma economia capitalista, dependente e subdesenvolvida. Daí, a necessidade de rever o modelo teórico importado, para dar conta do duplo movimento que estrutura teoricamente o livro, nomeado por Silviano pelo par de oposições dependência/independência. Florestan Fernandes, o resenhista argumenta, vai trabalhar com "as categorias estruturais e semânticas de *repetição e diferença*. No processo de repetição, existe por um lado uma atitude de absorção e de cópia, e que redunda do ponto de vista semântico, em silêncio significativo para o sociólogo. No processo de diferença, existe transgressão a valores estabelecidos e imperialistas, e do ponto de vista semântico, significação".

Não vamos discutir nesta oportunidade as afinidades eletivas de certa forma percebidas e trabalhadas por Santiago entre o livro resenhado e seu próprio programa crítico da cultura então em construção. Mas cabe assinalar que vale sim a pena levá-las a sério. A começar pela tarefa teórica comum de rever e enfrentar modos específicos de ler a diferença no interior de práticas discursivas, materiais e institucionais que ajudaram a modular algumas das mais persistentes linhas de interpretação sobre o Brasil e seus dilemas. *A revolução burguesa no Brasil* ultrapassa simultaneamente tanto uma valorização afirmativa e algo ufanista da "originalidade da diferença", quanto uma "sociologia da falta", voltada ao inventário dos pressupostos históricos que emperrariam nosso desenvolvimento, em chave eurocêntrica. *A Revolução Burguesa no Brasil* — nos ensina o livro ao seu modo — é também uma desconstrução em chave cosmopolita da própria ideia de origem (tão assentada no paradigma da "formação") pela afirmação da diferença como reescritura, suplemento e repetição deslocada no espaço e no tempo. Voltemos agora com mais vagar à questão da "autocracia burguesa" para encerrar esses comentários com um exemplo heurístico crucial do que estamos discutindo.

Autocracia burguesa e brasilianização do mundo

A revolução burguesa no Brasil, já dissemos, é um livro que reúne capítulos escritos em diferentes momentos e com níveis distintos de acabamento, o que revela ao mesmo tempo um percurso amadurecido de reflexão e um sentido de urgência para a comunicação pública de suas reflexões. Por exemplo, a segunda parte, que contém o quarto capítulo, é um fragmento. Porém, se o livro não deixa de apresentar algumas diferenças entre as partes um e dois, redigidas (segundo a "Nota explicativa") em 1966, e a terceira parte, elaborada entre 1973 e 1974, isso não quer dizer que não haja um fio comum a percorrer toda a obra: a questão da "autocracia burguesa" como um modo de realização do capitalismo ao mesmo tempo específico da periferia e heurístico para a compreensão do movimento mais geral da sociedade capitalista mundial.

PREFÁCIO

Como já devidamente anotado por Silviano Santiago em sua leitura ao calor da primeira edição do livro, analisar *A revolução burguesa no Brasil* implica ver as diferenças específicas no interior de um processo global e assimétrico (portanto, colonial, neocolonial ou imperialista) de imposição de um padrão societário-civilizacional. Não está em jogo nem a valorização dos modos centrais de realização do capitalismo, nem, por outro lado, um discutível elogio das "vantagens do atraso". O cerne da preocupação de Florestan é a estruturação das desigualdades e sua consequente naturalização na ordem social capitalista, em todas as suas latitudes. Porém, se o capitalismo é constitutivamente desigual — e, logo, em todos os contextos as classes e os grupos privilegiados buscam cronicamente limitar os benefícios da mudança social aos seus próprios interesses —, as formas pelas quais se organiza socialmente o conflito pela democratização da riqueza, do poder e do prestígio (para usarmos uma formulação cara ao autor) se estruturam de modo diverso no centro e na periferia.

Pelo esforço comparativo que está presente em toda a terceira parte do livro, entendemos melhor os dinamismos específicos da revolução burguesa possível no capitalismo dependente e periférico, em contraste com as revoluções burguesas "clássicas". Nas últimas, a sua realização não resulta em uma ordem integralmente democrática, mas num tipo de experiência que faz com que a dominação de classe seja relativamente elástica e flexível a ponto de absorver — em proveito próprio várias vezes — as impulsões igualitárias do radicalismo burguês ou do protesto operário. De certa forma, desloca-se o eixo de gravitação da ordem política mais acima dos interesses imediatos das classes e dos estratos burgueses, passando a incorporar interesses coletivos ou de origem extraburguesa. Isso dotaria, em comparação ao caso brasileiro, de maior amplitude, flexibilidade e elasticidade a "ordem social competitiva" (outro termo caro ao autor), que cumpriria suas funções de classificação positiva mais universalmente, uma vez que se tornaria possível projetar a condição burguesa a vários estratos e classes sociais extraburguesas. As camadas intermediárias, mais vastas, e a quase completa incorporação das classes trabalhadoras ao mercado de trabalho livre dariam lastro social a esta "universalização" do consenso burguês e de uma maior tolerância em relação aos protestos de origem extra ou antiburguesa. Em suma, a democratização social possível nesses contextos seria resultado direto da legitimação pública do conflito e da abertura concomitante da sociedade às diferentes camadas da sociedade — mas isso não quer dizer que a "autocracia burguesa" não lhe fizesse sombra permanentemente, como sugere sua extensa discussão sobre o chamado "capitalismo monopolista". Seja como for, ao estenderem para além de seu autoprivilegiamento imediato os proventos e benefícios da mudança social, as classes burguesas das nações hegemônicas conseguiriam fortalecer o consenso burguês a longo prazo, não obstante as contradições intrínsecas a esse processo.

Já as revoluções burguesas nas condições do capitalismo dependente e periférico contariam com uma ordem social competitiva muito mais rígida e inflexível, embora não menos dinâmica, já que, igualmente sujeita a transformações contínuas. Florestan persegue, no livro, uma forma de entender teoricamente a perturbadora coexistência de arcaísmo e modernização, reiteração e mudança, repetição e diferença que marca tão decisivamente a sociedade brasileira — daí sua aposta de que ela propiciaria um ângulo privilegiado de observação da expansão do capitalismo para as margens do sistema. O caminho encontrado por ele foi analisar a conexão entre transformação capitalista e autocracia burguesa, já que aqueles que podem se classificar positivamente *nessa* ordem social competitiva — como empresários, classes médias ou mesmo operários, qualificados ou não — não seriam a maioria da população. Além disso, os que poderiam efetivamente competir pelas posições sociais estratégicas se limitariam ao pequeno círculo burguês, seja na iniciativa privada ou no Estado (o que ele denomina de "burguesia burocrática", isto é, os altos funcionários recrutados das camadas médias). Nesse quadro, até o radicalismo burguês passa a contar como ameaça real ou potencial ao autoprivilegiamento das classes proprietárias, pois mesmo as transformações estruturais que se mostraram compatíveis com as ideologias e utopias burguesas em outros contextos — reforma agrária, universalização das garantias jurídicas e sociais etc. — trariam ameaças (reais ou imaginárias) à ordem de desigualdades abissais e persistentes em que se estrutura a sociedade brasileira.

Esta faixa estreita de abertura da ordem social competitiva, que permite ao mesmo tempo mobilidade social para indivíduos e alguns grupos específicos e reiteração estrutural de vários regimes de exclusão, também está associada aos tipos de conexão do capitalismo dependente com os dinamismos globais do capitalismo. Durante a fase do capitalismo "competitivo" no Brasil, o eixo dinâmico de sua evolução se associava aos processos de comercialização da produção agrícola, fortemente assentada em estruturas de origem colonial ou semicolonial. Mesmo o Oeste paulista teria apenas "depurado" as estruturas coloniais em sentido mais consistentemente burguês e capitalista, isto é, sem renunciar à concentração fundiária e apenas em último caso convertendo-se ao emprego da mão de obra livre. Ou seja: o próprio processo de expansão interna do capitalismo não se fazia *contra*, mas a *partir* do legado social colonial, com seus efeitos terríveis de desenvolvimento desigual interno e articulação dependente com as burguesias centrais (o que ele chama de "dupla articulação"). Na etapa mais avançada, de capitalismo monopolista urbano-industrial, a dupla articulação se aprofundaria, pois se agravaria o desenvolvimento desigual interno, com vastas parcelas da população e do território submetidas a formas pré ou extracapitalistas de trabalho ao lado de novos setores privilegiados, de primeira ou de segunda ordem em função da expansão de camadas médias, médias baixas e o aumento da proletarização. Nesse processo, a dominação das burguesias centrais se internalizaria mais efetivamente, sendo elas que, ao fim e ao cabo, financiam e possibilitam diretamente o surto de modernização acelerada e o crescimento urbano industrial.

Neste sentido, a tese da dupla articulação é central para o raciocínio de *A revolução burguesa no Brasil*, pois coloca em evidência a revolução burguesa que nos coube experimentar. Qual, afinal, o sentido da atuação das camadas burguesas no processo de incorporação da sociedade brasileira ao capitalismo? Trata-se, diz-nos Florestan, de uma espécie de capitalismo difícil, pois a nossa "burguesia" não possui autonomia — afinal, sem a sua associação como sócia menor das burguesias centrais, as camadas burguesas na periferia não seriam capazes de acelerar a acumulação capitalista. Porém, sua condição heterônoma (outra expressão do agrado do autor) não é antitética a uma margem de manobra imensa no plano interno, o que se associa a uma crônica irresponsabilidade coletiva dos "de cima". Na primeira parte do livro, em uma de suas teorizações mais densas, ele mostra como as nossas camadas burguesas teriam passado por uma espécie de "aprendizagem", que foi retirando das ideologias e utopias burguesas qualquer acento de radicalismo até chegar à clareza máxima com que ela aceitou o seu autoprivilegiamento ostensivo.

Nesse terreno estreito de uma ordem social competitiva que não gravita em torno da democratização da sociedade, mas do autoprivilegiamento burguês, o Estado autocrático daí resultante teria uma dupla face de Jano: uma voltada para o passado — a reiteração da tradição brasileira de "mandonismo" e democracia restrita — e outra para o futuro, que deseja modernizar o poder institucionalizado através da "normalização" da autocracia burguesa em termos jurídicos e democrático-representativos. Era nesse registro que Florestan começava a desconfiar do caráter efetivamente democratizante — nos termos das formas de organização e distribuição social do poder, e não apenas nos modelos institucionais de exercício do poder político, como ressaltamos mais acima — do processo de abertura política que se anunciava no horizonte. Quem leu os trabalhos de Florestan publicados depois de *A revolução burguesa no Brasil* verá com muita clareza que, para ele, a transição para o regime democrático não teria implicado uma ruptura estrutural com a autocracia burguesa e sua ordem de privilégios.

Começamos esse prefácio localizando o caráter cosmopolita do livro, mostrando ainda como ele amadureceu bem no atual contexto de desdemocratização social e política não só na periferia, mas no próprio centro dinâmico do capitalismo. Lembremos que Ulrich Beck, ainda na virada do milênio, já discutia pioneiramente uma espécie de "brasilianização" do mundo (expressão sua), posto que o agravamento das desigualdades estruturais redesenharia também as sociedades afluentes e "desenvolvidas" do Atlântico Norte. Seria a "autocracia burguesa", discutida por Florestan explorando o caso brasileiro como heurístico, uma propriedade agora "universal" do capitalismo contemporâneo? Diluiríamos finalmente nossas *diferenças* em relação às sociedades de capitalismo central, não pela "redenção" da sociedade brasileira, mas graças a uma regressão aparentemente inédita no plano dos direitos e das garantias sociais mínimas em todas as latitudes?

Voltando à provocação de Silviano Santiago ao resenhar o livro, parece certo que Florestan não deixaria de perseguir, neste contexto de explicitação do caráter autocrático da dominação burguesa em várias partes do mundo, as *diferenças* de seu desdobramento no Brasil e na periferia do capitalismo. Até porque, uma vez que o capitalismo é *um* padrão civilizatório que se realiza *diferencialmente* nos seus vários contextos temporais e espaciais, observá-lo desde as margens implica perceber com mais clareza os fenômenos que desafiam a imaginação sociológica no presente. O Brasil dos dias que correm não deixa de apresentar simultaneamente antigos e novos aspectos desse capitalismo que (finalmente) parece dizer a que veio.

Naturalmente, estamos cientes de que não bastam inventividade, dedicação contínua e rigor científico para definir a recepção do trabalho sociológico acadêmico. Muitos outros fatores sociais e históricos entram aí, constrangendo voluntarismos que, de todo modo, se repetem a cada geração intelectual entre nós. Também nessa esfera da vida social e na do conhecimento, em geral, prevalecem hierarquias e relações desiguais do ponto de vista geopolítico. Um bom exemplo continua sendo o do próprio Florestan Fernandes e de seu pioneirismo na definição de uma tríade de autores clássicos para a sociologia (Marx, Durkheim, Weber). *Em Fundamentos empíricos da explicação sociológica*, publicado em 1959, Florestan já refutava a exclusão de Karl Marx desse lugar proposta pelo mais influente sociólogo da segunda metade

PREFÁCIO

do século XX, o norte-americano Talcott Parsons que, em *A estrutura da ação social*, publicado em 1937, considerou que apenas a geração de 1890-1920 teria rompido com as formas mais especulativas de interpretação social. Publicada em português e, portanto, pouco lida pelo mundo sociológico, a crítica de Florestan, como era de se esperar, teve pouca repercussão internacional. Então, duas décadas depois, o sociólogo britânico Anthony Giddens pode arrogar para si aquele pioneirismo, sem grandes contestações.

E a chamada mundialização da cultura não parece estar, de fato, gerando exatamente relações multicêntricas ou mais equitativas, apesar da intensificação de trocas de todos os tipos garantidas inclusive pelo desenvolvimento tecnológico. O que cabe então à sociologia produzida na periferia? Ora, a nosso ver, considerar o cosmopolitismo de *A revolução burguesa no Brasil*, e da cultura brasileira, não implica necessariamente o gesto algo bovarista associado à valorização daquilo que se costumava chamar de "vantagens do atraso", de um lado; mas, tampouco, sua contraparte, como se praticar a sociologia na periferia constituísse necessariamente mera "comédia ideológica". Entre um e outro, há um espaço para um campo problemático, histórica e teoricamente denso, cuja primeira tarefa é justamente, como também nos ensina Florestan, rever esses modos hegemônicos de ler a diferença *na e a partir da* sociedade brasileira. Cosmopolitismo sociológico talvez seja então, antes de tudo, um tipo de relação descentrada de convivência com o universal a partir da diferença local — que no caso da sociologia e, especialmente, na de Florestan, nunca é demais acentuar, sempre implica na consideração das desigualdades —, que envolve movimentos e aberturas em várias direções. No lugar da reificação da decantada "sociologia da falta", a pergunta consequente pela "diferença como repetição". E *A revolução burguesa no Brasil* volta a ser, assim, um bom ponto de partida para velhos e novos embates. Alguns deles urgentes.

NOTA EXPLICATIVA

Comecei a escrever este livro em 1966. Ele deveria ser uma resposta intelectual à situação política que se criara com o regime instaurado em 31 de março de 1964.

A primeira parte foi escrita no primeiro semestre daquele ano; e o fragmento da segunda parte, no fim do mesmo ano. Vários colegas e amigos leram a primeira parte, alguns demonstrando aceitar os meus pontos de vista, outros combatendo-os.

Isso desanimou-me, levando-me a desistir do ensaio e a investir o tempo livre em atividades vinculadas ao ensino e ao movimento universitário (de 1967 a 1968). De 1969 a 1972 estive ocupado com os cursos que lecionei na Universidade de Toronto. Se trabalhei sobre o assunto, de uma perspectiva teórica e comparada, jamais sonhei em voltar a ele para terminar o livro.

Graças aos estímulos de vários colegas (entre os quais devo salientar os professores Luiz Pereira, Fernando Henrique Cardoso e Atsuko Haga) e, em particular, ao incentivo entusiástico de minha filha, a professora Heloisa Rodrigues Fernandes, no segundo semestre de 1973 retomei os planos iniciais, reformulei-os (adaptando-os aos meus pontos de vista atuais) e iniciei a redação da terceira parte. Os capítulos 6 e 7 foram escritos este ano e contêm, na essência, a parte mais importante da contribuição teórica que porventura esta obra possua.

É preciso que o leitor entenda que não projetava obra de "sociologia acadêmica". Ao contrário, pretendia, na linguagem mais simples possível, resumir as principais linhas da evolução do capitalismo e da sociedade de classes no Brasil. Trata-se de um ensaio livre, que não poderia escrever se não fosse sociólogo. Mas que põe em primeiro plano as frustrações e as esperanças de um socialista militante.

Gostaria de agradecer o apoio e o incentivo que recebi dos colegas e amigos que me animaram a concluir o livro. De maneira especial, queria agradecer a Jorge Zahar, por seu interesse em acolher o ensaio em sua fecunda programação editorial.

FLORESTAN FERNANDES
São Paulo, 14 de agosto de 1974

SUMÁRIO

PRIMEIRA PARTE

As origens da revolução burguesa	25
Introdução	27
Capítulo 1 — Questões preliminares de importância interpretativa	29
Capítulo 2 — As implicações socioeconômicas da Independência	45
Capítulo 3 — O desencadeamento histórico da revolução burguesa	97

SEGUNDA PARTE

A formação da ordem social competitiva (fragmento)	155
Capítulo 4 — Esboço de um estudo sobre a formação e o desenvolvimento da ordem social competitiva	157

TERCEIRA PARTE

Revolução Burguesa e capitalismo dependente	203
Introdução	205
Capítulo 5 — A concretização da revolução burguesa	207
Capítulo 6 — Natureza e etapas do desenvolvimento capitalista	225
Emergência e expansão do mercado capitalista moderno	227
Emergência e expansão do capitalismo competitivo	230
Emergência e expansão do capitalismo monopolista	251

Capítulo 7 — O modelo autocrático-burguês de transformação capitalista 287
    Dominação burguesa e transformação capitalista 296
    Contrarrevolução prolongada e "aceleração da história" 306
    Estrutura política da autocracia burguesa 317
    Persistência ou colapso da autocracia burguesa? 346

Posfácio 359

Bibliografia selecionada 375

PRIMEIRA PARTE

AS ORIGENS DA REVOLUÇÃO BURGUESA

INTRODUÇÃO[1]

A análise da "revolução burguesa" constitui um tema crucial no estudo sociológico da formação e desenvolvimento do capitalismo no Brasil. Naturalmente, existe um antes e um depois. De um lado, a economia exportadora prepara, estrutural e dinamicamente, o caminho para essa revolução socioeconômica e política. De outro, existem três alternativas claras para o desenvolvimento econômico ulterior da sociedade brasileira, as quais podem ser identificadas através de três destinos históricos diferentes, contidos ou sugeridos pelas palavras "subcapitalismo", "capitalismo avançado" e "socialismo". Nesta exposição, porém, não vamos nos concentrar sobre esse assunto, pois o que se impõe examinar agora, com a profundidade possível, é o durante: ou seja, a etapa na qual se inicia a própria consolidação do regime capitalista no Brasil, como uma realidade parcialmente autônoma, com tendências bem definidas à vigência universal e à integração nacional.

Serão abrangidos e focalizados, de preferência, aspectos gerais da "Revolução Burguesa", cuja interpretação sintética já se pode tentar com alguma margem de erro mas com relativa segurança, graças às investigações econômicas, históricas e sociológicas realizadas nos últimos quarenta anos. Primeiro, vamos tentar pôr em evidência aquilo que se poderia chamar "nossa maneira de ver as coisas". Em seguida, serão discutidos os seguintes temas: 1) a emergência da "Revolução Burguesa"; 2) seus caracteres estruturais e dinâmicos; 3) os limites, a curto e a longo prazo, que parecem confiná-la e reduzir sua eficácia como processo histórico-social construtivo.

---

[1] A primeira parte deste ensaio foi redigida com base nas notas de aula, desenvolvidas em classe, como parte do programa da Cadeira de Sociologia I no curso sobre "Formação e desenvolvimento da sociedade brasileira" (Faculdade de Filosofia, Ciências e Letras da Universidade de São Paulo, ano letivo de 1966). A outra parte do programa era da responsabilidade do professor José de Souza Martins e versou sobre a obra de historiadores, economistas e sociólogos que tentaram estudar o "Brasil moderno" (com ênfase sobre Euclides da Cunha, Alberto Torres, Oliveira Viana, Gilberto Freyre, Nestor Duarte, Celso Furtado, Caio Prado Júnior e Florestan Fernandes).

CAPÍTULO 1
QUESTÕES PRELIMINARES DE IMPORTÂNCIA INTERPRETATIVA

A discussão do tema proposto exige que se tenham em mente certas noções de caráter explicativo. A tradição dominante em nossa historiografia conduziu os melhores espíritos a uma espécie de "história oficial" singularmente desprendida de intenções interpretativas e, em particular, muito sujeita a converter os móveis declarados e as aspirações ideais conscientes dos agentes históricos em realidade histórica última, tão irredutível quão verdadeira em si mesma. A reação a esse padrão deficiente e deformado de descrição histórica é recente e ainda não conseguiu criar uma perspectiva de interpretação histórica livre de etnocentrismos, aberta a certas categorias analíticas fundamentais e criticamente objetiva. Por isso, aí reina uma confusão conceptual e metodológica prejudicial a qualquer tentativa de investigação macrossociológica.

Não nos cabe examinar os aspectos mais gerais desse dilema, em que se encontram a Historiografia e a Sociologia histórica brasileiras. Contudo, tivemos de enfrentá-lo no setor das presentes indagações. Daí a necessidade de estabelecer, preliminarmente, certas questões de alcance heurístico. Primeiro, como a noção de "burguês" e a de "burguesia" têm sido explicadas e como devem ser entendidas (de acordo com a opinião do autor) no estudo da sociedade brasileira. Segundo, a própria questão da "Revolução Burguesa" como realidade histórica em nosso país. Terceiro, como essa noção pode ser calibrada a partir de situações históricas vividas ou em processo no seio da sociedade brasileira.

Quanto às noções de "burguês" e de "burguesia", é patente que elas têm sido exploradas tanto de modo demasiado livre, quanto de maneira muito estreita. Para alguns, o "burguês" e a "burguesia" teriam surgido e florescido com a implantação e a expansão da grande lavoura exportadora, como se o senhor de engenho pudesse preencher, de fato, os papéis e as funções socioeconômicas dos agentes que controlavam, a partir da organização econômica da Metrópole e da economia mercantil europeia, o fluxo de suas atividades socioeconômicas. Para outros, ambos não teriam jamais existido no Brasil, como se depreende de uma paisagem em que não aparece nem o Castelo nem o Burgo, evidências que sugeririam, de imediato, ter nascido o Brasil (como os Estados Unidos e outras nações da América) fora e acima dos marcos histórico-culturais do mundo social europeu. Os dois procedimentos parecem-nos impróprios e extravagantes.

De um lado, porque não se pode associar, legitimamente, o senhor de engenho ao "burguês" (nem a "aristocracia agrária" à "burguesia"). Aquele estava inserido no processo de mercantilização da produção agrária; todavia esse processo só aparecia, como tal, aos agentes econômicos que controlavam as articulações das economias coloniais com o mercado europeu. Para o senhor de engenho, o processo reduzia-se, pura e simplesmente, à forma assumida pela apropriação colonial onde as riquezas nativas precisavam ser complementadas ou substituídas através do trabalho escravo. Nesse sentido, ele ocupava uma posição marginal no processo de mercantilização da produção agrária e não era nem poderia ser o antecessor do empresário moderno. Ele se singulariza historicamente, ao contrário, como um agente econômico especializado, cujas funções construtivas diziam respeito à organização de uma produção de tipo colonial, ou seja, uma produção estruturalmente heteronômica, destinada a gerar riquezas para a apropriação colonial. Uma das consequências dessa condição consistia em que ele próprio, malgrado seus privilégios sociais, entrava no circuito da apropriação colonial como parte dependente e sujeita a modalidades inexoráveis de expropriação controladas fiscalmente pela Coroa ou economicamente pelos grupos financeiros europeus, que dominavam o mercado internacional. O que ele realizava como excedente econômico, portanto, nada tinha que ver com o "lucro" propriamente dito. Constituía a parte que lhe cabia no circuito global da apropriação colonial. Essa parte flutuava em função de determinações externas incontroláveis, mas tendia a manter-se em níveis relativamente altos dentro da economia da Colônia porque exprimia a forma pela qual o senhor de engenho participava da apropriação colonial (através da expropriação de terras e do trabalho coletivo dos escravos). No conjunto, nada justificaria assimilar o senhor de engenho ao "burguês", e é um contrassenso pretender que a história da burguesia emerge com a colonização.

De outro lado, a orientação oposta peca por uma espécie de historicismo anti-histórico. Trata-se, no fundo, de considerar "histórico"

CAPÍTULO 1 - QUESTÕES PRELIMINARES DE IMPORTÂNCIA...

somente o que ocorre sob o marco do "aqui e agora", como se a história fosse uma cadeia singular de particularidades, sem nenhuma ligação dinâmica com os fatores que associam povos distintos através de padrões de civilização comuns. Ora, acontecimentos com esse caráter, apesar de "singulares" e "particulares", podem não ser históricos. O que é ou não é histórico determina-se no nível do significado ou da importância que certa ocorrência (ação, processo, acontecimento etc.) possua para dada coletividade, empenhada em manter, em renovar ou em substituir o padrão de civilização vigente. Tomado nesse nível, o histórico se confunde tanto com o que varia quanto com o que se repete, impondo-se que se estabeleçam como essenciais as polarizações dinâmicas e que orientem o comportamento individual ou coletivo dos atores (manter, renovar ou substituir o padrão de civilização vigente). Sob esse aspecto, o elemento crucial vem a ser o padrão de civilização que se pretendeu absorver e expandir no Brasil. Esse padrão, pelo menos depois da Independência, envolve ideais bem definidos de assimilação e de aperfeiçoamento interno constante das formas econômicas, sociais e políticas de organização da vida imperantes no chamado "mundo ocidental moderno". Portanto, não seria em elementos exóticos e anacrônicos da paisagem que se deveriam procurar as condições eventuais para o aparecimento e o desenvolvimento da "burguesia". Mas, nos requisitos estruturais e funcionais do padrão de civilização que orientou e continua a orientar a "vocação histórica" do povo brasileiro. À luz de tais argumentos, seria ilógico negar a existência do "burguês" e da "burguesia" no Brasil. Poder-se-ia dizer, no máximo, que se trata de entidades que aqui aparecem tardiamente, segundo um curso marcadamente distinto do que foi seguido na evolução da Europa, mas dentro de tendências que prefiguram funções e destinos sociais análogos tanto para o tipo de personalidade quanto para o tipo de formação social.

Na verdade, assim como não tivemos um "feudalismo", também não tivemos o "burgo" característico do mundo medieval. Apesar da existência e da longa duração forçada das corporações de ofícios, não conhecemos o "burguês" da fase em que não se diferenciava o mestre do artesão senão nas relações deles entre si - o "burguês" como típico morador do "burgo". O burguês já surge, no Brasil, como uma entidade especializada, seja na figura do agente artesanal inserido na rede de mercantilização da produção interna, seja como negociante (não importando muito seu gênero de negócios: se vendia mercadorias importadas, especulava com valores ou com o próprio dinheiro; as gradações possuíam significação apenas para o código de honra e para a etiqueta das relações sociais e nada impedia que o "usurário", embora malquisto e tido como encarnação nefasta do "burguês mesquinho", fosse um mal terrivelmente necessário). Pela própria dinâmica da economia colonial, as duas florações do "burguês" permaneceriam sufocadas, enquanto o escravismo, a grande lavoura exportadora e o estatuto colonial estiveram conjugados. A Independência, rompendo o estatuto colonial, criou condições de expansão da "burguesia" e, em particular, de valorização social crescente do "alto comércio". Enquanto o agente artesanal autônomo submergia, em consequência da absorção de suas funções econômicas pelas "casas comerciais importadoras", ou se convertia em assalariado e desaparecia na "plebe urbana", aumentavam o volume e a diferenciação interna do núcleo burguês da típica cidade brasileira do século XIX. Ambos os fenômenos prendem ao crescimento do comércio e, de modo característico, à formação de uma rede de serviços inicialmente ligada à organização de um Estado nacional mas, em seguida, fortemente condicionada pelo desenvolvimento urbano.

Tratava-se antes de uma *congérie* social que duma classe propriamente dita. Aliás, até a desagregação da ordem escravista e a extinção do regime imperial, os componentes da "burguesia" viam-se através de distinções e de avaliações estamentais. Um comerciante rico mas de origem plebeia não poderia desfrutar o mesmo prestígio social que um chefe de repartição pobre mas de "família tradicional". Contudo, o que unia os vários setores dessa *congérie* não eram interesses fundados em situações comuns de natureza estamental ou de classes. Mas, a maneira pela qual tendiam a polarizar socialmente certas utopias. Pode-se avaliar esse fato através do modo pelo qual os diversos setores dessa ambígua e fluida "burguesia" em formação iria reagir: l) às ocorrências de uma sociedade na qual imperava a violência como técnica de controle do escravo; 2) aos mores em que se fundavam a escravidão, a dominação senhorial e o próprio regime patrimonialista; 3) à emergência, à propagação e à intensificação de movimentos inconformistas, em que o antiescravismo disfarçava e exprimia o afã de expandir a ordem social competitiva. Foi nas cidades de alguma densidade e nas quais os círculos "burgueses" possuíam alguma vitalidade que surgiram as primeiras tentativas de desaprovação ostensiva e sistemática das "desumanidades" dos senhores ou de seus prepostos. Também foi aí que a desaprovação à violência se converteu, primeiro, em defesa da condição humana do escravo ou do liberto e, mais tarde, em repúdio aberto à escravidão e às suas consequências, o que conduziu ao ataque simultâneo dos fundamentos jurídicos e das bases morais da ordem escravista. Por fim, desses núcleos é que partiu o impulso que transformaria o antiescravismo e o abolicionismo numa revolução social dos "brancos" e para os

CAPÍTULO 1 - QUESTÕES PRELIMINARES DE IMPORTÂNCIA...

"brancos": combatia-se, assim, não a escravidão em si mesma, porém o que ela representava como anomalia, numa sociedade que extinguira o estatuto colonial, pretendia organizar-se como nação e procurava, por todos os meios, expandir internamente a economia de mercado.

O "burguês", que nascera aqui sob o signo de uma especialização econômica relativamente diferenciada, iria representar, portanto, papéis históricos que derivavam ou se impunham como decorrência de suas funções econômicas na sociedade nacional. Ele nunca seria, no cenário do Império, uma figura dominante ou pura, com força socialmente organizada, consciente e autônoma. Mas erigiu-se no mento daquele espírito revolucionário de que fala Nabuco, que "a sociedade abalada tinha deixado escapar pela primeira fenda dos seus alicerces".[1] Um "espírito revolucionário", em suma, que eclodia em condições ambíguas e vacilantes, afirmando-se mais indiretamente e segundo objetivos egoísticos difusos, que de modo direto, organizado e esclarecido. Ainda assim, mesmo manifestando-se dessa forma, ele teve um alcance criador, pois deixou o palco livre para um novo estilo de ação econômica: a partir daí, seria possível construir "impérios econômicos" e abrir caminho para o "grande homem de negócios" ou para o "capitão indústria", figuras inviáveis no passado recente (como o atesta o infortúnio de Mauá).

Esse breve painel sugere que contamos com os dois tipos tidos como "clássicos" de burguês: o que combina poupança e avidez de lucro à propensão de converter a acumulação de riqueza em fonte de independência e de poder; e o que encarna a "capacidade de inovação", o "gênio empresarial" e o "talento organizador", requeridos pelos grandes empreendimentos econômicos modernos. Além disso, os dois tipos sucedem-se no tempo, como objetivações de processos histórico-sociais distintos, mas de tal maneira que certas qualidades ou atributos básicos do "espírito burguês" se associam crescentemente ao estilo de vida imperante nas cidades e às formas de socialização dele decorrentes. Embora aí não esteja tudo (pois haveria outras coisas a considerar, como se verá adiante), tais fatos justificam o recurso apropriado às duas noções (de "burguês" e de "burguesia"), entendidas como categorias histórico-sociais e, pois, como meios heurísticos legítimos da análise macrossociológica do desenvolvimento do capitalismo no Brasil.

A segunda questão leva-nos a uma pergunta dramática: existe ou não uma "Revolução Burguesa" no Brasil? Há uma tendência, bastante

---

[1] *Minha formação*, p. 179.

forte e generalizada, no sentido de negá-la, como se admiti-la implicasse pensar a história brasileira segundo esquemas repetitivos da história de outros povos, em particular da Europa moderna. A questão estaria mal colocada, de fato, se se pretendesse que a história do Brasil teria de ser uma repetição deformada e anacrônica da história daqueles povos. Mas não se trata disso. Trata-se, ao contrário, de determinar como se processou a absorção de um padrão estrutural e dinâmico de organização da economia, da sociedade e da cultura. Sem a universalização do trabalho assalariado e a expansão da ordem social competitiva, como iríamos organizar uma economia de mercado de bases monetárias e capitalistas? É dessa perspectiva que o "burguês" e a "Revolução Burguesa" aparecem no horizonte da análise sociológica. Não tivemos todo o passado da Europa mas reproduzimos de forma peculiar o seu passado recente, pois este era parte do próprio processo de implantação e desenvolvimento da civilização ocidental moderna no Brasil. Falar em Revolução Burguesa, nesse sentido, consiste em procurar os agentes humanos das grandes transformações histórico-sociais que estão por trás da desagregação do regime escravocrata-senhorial e da formação de uma sociedade de classes no Brasil.

Portanto, ao se apelar para a noção de "Revolução Burguesa", não se pretende explicar o presente do Brasil pelo passado de povos europeus. Indaga-se, porém, quais foram e como se manifestaram as condições e os fatores histórico-sociais que explicam como e por que se rompeu, no Brasil, com o imobilismo da ordem tradicionalista e se organizou a modernização como processo social. Em suma, a "Revolução Burguesa" não constitui um episódio histórico. Mas, um fenômeno estrutural, que se pode reproduzir de modos relativamente variáveis, dadas certas condições ou circunstâncias, desde que certa sociedade nacional possa absorver o padrão de civilização que a converte numa necessidade histórico-social. Por isso, ela envolve e se desenrola através de opções e de comportamentos coletivos, mais ou menos conscientes e inteligentes, através dos quais as diversas situações de interesses da burguesia, em formação e em expansão no Brasil, deram origem a novas formas de organização do poder em três níveis concomitantes: da economia, da sociedade e do Estado.

Esse resultado coloca-nos diante da terceira questão. Uma revolução social, por diluída e débil que seja, não se processa sem uma complexa base psicocultural e política. Em primeiro lugar, é preciso que existam certas categorias de homens, capazes de atuar socialmente na mesma direção, com dada intensidade e com relativa persistência. Em segundo lugar, é preciso que essas categorias de homens disponham de um mínimo de consciência social, de capacidade de ação conjugada e solidária, e de inconformismo em face do *status quo*, para poderem lidar, coletivamente, com "meios" e "fins" como parte de processos de reconstrução social. Estes impõem, desejem-no ou não os agentes humanos, um complicado amálgama entre interesses sociais imediatos (e por isso mais ou menos claros e impositivos), valores sociais latentes (e por isso imperativos, mas fluidos) e interesses remotos (e por isso essenciais, mas relativamente procrastináveis).

Aqui surgem duas variáveis, que sempre atormentaram os sociólogos nas interpretações de natureza macrossociológica: as condições externas da ação, que se formam e evoluem objetivamente; e os modos subjetivos de ser, pensar e agir socialmente. As críticas endereçadas a Sombart, principalmente, puseram em evidência que o enigma do ovo e da galinha pode ser proposto a respeito de qualquer fato da vida, mesmo os sociais. Em particular, o que se forma antes: as classes, com suas situações de interesses, suas ideologias e utopias – ou seja, a "burguesia", as "classes médias", o "proletariado"; ou o "espírito burguês", a "mentalidade pequeno-burguesa", a "consciência operária", com suas encarnações na personalidade, nas orientações do comportamento e nas aspirações ideais? Em outras palavras: o "capitalismo" ou o "espírito capitalista"? As páginas dedicadas por Sombart a esse assunto são, ainda hoje, dignas de consideração.[2] A emergência e a difusão de atitudes, avaliações e comportamentos típicos do "espírito capitalista" antecedem a formação do "capitalismo"; mas esse processo, por sua vez, modifica o "espírito capitalista" em sua organização, conteúdos psicossociais e socioculturais tanto quanto em suas orientações exclusivas. Essas conclusões confirmam o esquema dialético de explicação das formações sociais, segundo o qual as fases de desagregação e colapso de uma forma social são essenciais para o aparecimento e a constituição da forma social subsequente, tanto em termos estruturais quanto em termos dinâmicos.

Se a "burguesia" e o "espírito burguês" são fenômenos relativamente recentes na evolução da sociedade brasileira, isso significa que ambos os fenômenos lançam raízes em transformações dessa mesma sociedade que também são recentes. A questão, vista deste ângulo, apresenta duas facetas distintas. Uma, relacionada com as origens dos móveis capitalistas de comportamento econômico; outra, vinculada à reelaboração e à expansão desses móveis capitalistas, sob o impacto da ruptura do estatuto colonial e das suas consequências socioeconômicas.

---

[2] Cf. *Il borghese*, Parte III, capítulo VI.

Os móveis capitalistas do comportamento econômico foram introduzidos no Brasil juntamente com a colonização. Às plantações era inerente um propósito comercial básico, que orientou as adaptações econômicas imprimidas à grande lavoura pelas formas de apropriação colonial (da seleção dos produtos exportáveis, que deviam alcançar os mais altos valores possíveis por unidade, aos mecanismos de apropriação de terras, de trabalho escravo ou mesmo livre, que asseguravam os custos mais baixos possíveis de produção e provocavam, ao mesmo tempo, extrema concentração da renda). Todavia, graças à posição marginal que ocupava no circuito externo de mercantilização dos produtos exportados (mesmo a Metrópole não participava das principais fases desse circuito, que se desenrolavam fora de Portugal), as funções econômicas do senhor de engenho quase equivaliam, no âmbito do referido circuito, às dos administradores e beneficiários das feitorias. Assim, as influências dinâmicas que o capitalismo comercial poderia exercer, em outras condições, sobre a organização e o desenvolvimento da economia interna, eram pura e simplesmente neutralizadas. A elaboração daqueles móveis capitalistas passava a depender, portanto, do modo pelo qual a situação de interesses do senhor de engenho se refletia em suas probabilidades de ação econômica dentro da Colônia. Vendo-se as coisas dessa perspectiva, descobre-se que os efeitos daquela situação de interesses sobre a manifestação dos móveis capitalistas absorvidos antes foram negativos e regressivos que estimulantes e positivos. Na verdade, os referidos móveis capitalistas foram rápida e irremediavelmente deformados em três direções concomitantes

Primeiro, em consequência da própria natureza do sistema colonial, a parte da renda gerada pelo processo que ficava em mãos do agente econômico interno era, comparativamente à absorvida de fora (pela Coroa; pelos agentes de financiamento da produção, dos negócios com o produto bruto, de refinação ou da comercialização final), demasiado pequena.[3] Os cálculos conjecturais apontam uma renda *per*

---

[3] É quase impossível estimar, mesmo grosseiramente, as parcelas da apropriação colonial que cabiam a cada agente. Pode-se ter uma ideia grosseira por certas conjecturas de Simonsen (*História econômica do Brasil*, vol. 1, pp. 139 e 183). O valor dos artigos exportados corresponderia a 15% do capital imobilizado; no entanto, a rentabilidade dos negociantes e armadores, sobre o produto bruto, a 70%. Por sua vez, as rendas diretas e indiretas da Coroa, sobre o açúcar, seriam da ordem de 25%. Aí estão incluídos os interesses dos capitais não-portugueses, que financiavam a produção colonial e as atividades dos negociantes e armadores. Nem se pode estimar o que sucedia em seguida, através das operações mais compensadoras relacionadas com o beneficiamento e a mercantilização do produto beneficiado, controlados pelos flamengos, alemães, franceses etc.

CAPÍTULO 1 - QUESTÕES PRELIMINARES DE IMPORTÂNCIA...

capita relativamente alta, em comparação com ciclos econômicos ulteriores. Mas, ao que parece, ela nunca foi suficientemente grande para criar alternativas ao agente econômico interno. Este ficou escravizado à sua fonte de renda mesmo nas piores fases de depressão do mercado e nunca chegou a forçar os ajustamentos permitidos pelo estatuto colonial, movido por alternativas daquela espécie (como sucederia em outras colônias).

Segundo, o que esse montante de renda representava, não obstante, como produto de atividades econômicas, dificilmente poderia ser compreendido mesmo à luz dos padrões do capitalismo comercial. O típico senhor de engenho da era pioneira era, de um lado, agente humano da conquista (daí precisar ser "nobre" e "militar") e, de outro, agente potencialmente econômico (servindo, nessa qualidade, à Coroa, às companhias comerciais e a si próprio). A respeito dele, seria difícil escolher as palavras exatas, pois arriscava, ao mesmo tempo, os cabedais, a honra e a vida. "Lucro", "ganho", "risco calculado", nada disso exprime o que ele perseguia (e se sentia com o direito de perseguir), que deveria ser o equivalente econômico, pelo menos, da grandeza da aventura e da audácia. Nesse sentido, era um autêntico soldado da fortuna, o que levou Sombart a afirmar que "o espírito que animava o comércio e todas as empresas coloniais (excluindo o escopo eventual de fixar nas colônias núcleos europeus) era, portanto, em meu entender, o espírito dos flibusteiros" (op. cit., p. 108). Desse complexo contexto psicossocial resultou uma tradição extraeconômica persistente, graças à qual a grande lavoura "só paga a pena" quando e enquanto for uma espécie de "mina de ouro".

Terceiro, o sistema colonial organizava-se, tanto legal e política, quanto fiscal e financeiramente, para drenar as riquezas de dentro para fora. Por isso, ele não previa, senão dentro de limites muito estreitos e tênues, condições institucionais apropriadas para a organização interna do fluxo da renda. Daí resultavam dois efeitos estruturais globais, adversos ao crescimento interno da economia da Colônia.

De um lado, os processos econômicos, que ligavam tangencialmente a grande lavoura ao mercado externo (e portanto ao capitalismo comercial), desenrolavam-se na Metrópole ou nos países em que operavam os grupos financeiros que detinham o controle econômico do mercado dos produtos coloniais. Produzia-se, assim, uma inelutável canalização da renda de dentro para fora, ou seja, para a Coroa e, principalmente, para aqueles grupos financeiros (pois Portugal não possuía as condições econômicas para absorver com exclusividade ou predomínio as vantagens de sua conquista). Na medida em que todas as fases essenciais dos processos econômicos se desenrolavam fora da Colônia (do financiamento da produção agrária, dos transportes, da estocagem e venda do produto bruto, ao refinamento e venda do produto beneficiado), operava-se uma espécie de despojamento econômico residual que ocasionava, por si mesmo, estímulo ao crescimento econômico horizontal, estancamento da diferenciação econômica e eternização do estado de heteronomia econômica. Em outras palavras, o capitalismo comercial provocou o aparecimento e exigia o incremento da produção colonial. Contudo, não inseriu o produtor colonial no processo pelo qual a circulação dos produtos coloniais, como mercadorias, engendrava uma forma específica de capitalização. No fim, o que ficava nas mãos do produtor colonial não era um excedente gerado por esta forma de capitalização; mas constituía, literalmente, uma espécie de remuneração (em dinheiro, em crédito ou em outros valores) à parcela da apropriação colonial que não era absorvida pela Coroa e pelas companhias ou agências comerciais.

De outro lado, por todas essas razões, o sistema colonial forçava um tipo de acomodação que retirava da grande lavoura qualquer poder de dinamização da economia interna. Ela era compelida a especializar-se como unidade econômica estanque e fechada sobre si mesma, tendo de prover as suas principais necessidades fundamentais, apesar de ser uma "empresa exportadora". Certas consequências da abundância de terras, do trabalho escravo e da agricultura extensiva agravaram esses efeitos, resultando do conjunto que essa unidade produtiva possuía escassa capacidade para originar um circuito de reinversão com tendências autonômicas e de bases capitalistas mais ou menos consistentes. Isso contribuiu para a economia colonial fechar-se sobre si mesma, apesar de organizar-se para a exportação: seu único pólo dinâmico era neutralizado nos limites que transcendessem (ou pudessem romper) o controle econômico vindo de fora.

Esses fatos possuem importância evidente. Acima de tudo, porque indicam que a formação da mentalidade econômica do principal agente econômico interno estava sujeita a "uma distorção inevitável". Sob muitos aspectos, ele era compelido a definir-se mais como parte e delegado das agências que operavam, política e comercialmente, a partir de fora (pois era através delas que se definiam e se manifestavam os centros de decisão) que em termos de situações internas de interesses econômicos, sociais e políticos. Isso era perfeitamente normal, na condição heteronômica em que se achava a Colônia, mas anulava o único fator humano que poderia empenhar-se, a longo termo, na realização de processos socioeconômicos que poderiam redundar em

CAPÍTULO 1 - QUESTÕES PRELIMINARES DE IMPORTÂNCIA...

maior margem de autonomia e, mesmo, conduzir à Independência. Além disso, porque tais fatos sugerem a natureza e as fontes das debilidades, que acabaram desviando aquele agente econômico da mentalidade propriamente capitalista. Aceitando sua incorporação direta ou indireta à rede de existência e de operações das agências políticas e econômicas externas, ele aceitava ao mesmo tempo a posição de "parceiro nas colônias" (pouco importando o caráter dos motivos que facilitavam ou impunham essa identificação: lealdade ao soberano ou à Coroa, interesse pessoal, impossibilidade de agir de outro modo etc.). Em outras palavras, aceitava uma especialização no nível da economia internacional da época que o convertia no principal elemento humano da preservação, fortalecimento e expansão do próprio sistema colonial como e enquanto sistema colonial. O que nos interessa, aqui, é o que significam, subjetiva e funcionalmente, tais acomodações econômicas. Passava a fazer parte da mentalidade econômica do agente a ausência de ambições que pudessem conduzir seus comportamentos ativos em novas direções, inclusive na de romper os bloqueios que pesavam sobre a grande lavoura por causa da existência e persistência do sistema colonial.

No conjunto, portanto, o contexto socioeconômico em que se projetava a grande lavoura no sistema colonial anulou, progressivamente, o ímpeto, a direção e a intensidade dos móveis capitalistas instigados pela situação de conquista e animados durante a fase pioneira da colonização. Isolado em sua unidade produtiva, tolhido pela falta de alternativas históricas e, em particular, pela inexistência de incentivos procedentes do crescimento acumulativo das empresas, o senhor de engenho acabou submergindo numa concepção da vida, do mundo e da economia que respondia exclusivamente aos determinantes tradicionalistas da dominação patrimonialista. Não só perdeu os componentes do patrimonialismo que poderiam dirigi-lo, em sua situação histórica, para novos modelos de ação econômica capitalistas; condenou tais modelos de ação, em nome de um código de honra que degradava as demais atividades econômicas e que excluía para si próprio inovações audaciosas nessa esfera. Até que ponto isso é verdade (e, também, quão profunda e duradoura se tornou essa influência) evidencia-nos o que sucedeu com Mauá. No horizonte cultural engendrado e universalizado pelo sistema colonial, iniciativas econômicas arrojadas, de teor capitalista mais puro, suscitavam desconfiança, temor e desaprovação. Elas quebravam o decoro, mas, acima de tudo, punham em evidência as verdadeiras forças que iriam destruir, internamente, as estruturas de poder erigidas através do sistema colonial.

A discussão precedente insinua que o principal fator da estagnação econômica da Colônia não provinha dos empreendimentos econômicos desenvolvidos, mas do contexto socioeconômico e político que os absorvia, sufocando-os e subordinando-os às dimensões de uma sociedade colonial. Essa sugestão possui, em nosso entender, enorme importância analítica e coloca em novas bases a questão da formação do capitalismo no Brasil. O fato é que os móveis capitalistas inerentes à grande lavoura voltariam à tona e poderiam expandir-se com relativa intensidade, depois que se rompesse o estatuto colonial. Como se verá adiante, graças à extinção desse estatuto e, especialmente, à criação de um Estado nacional e às suas consequências socioeconômicas, a primeira esfera na qual ocorre a reelaboração dos móveis capitalistas de ação econômica prende-se à grande lavoura. Isso não quer dizer que ela mudasse em sua organização interna ou que a própria estrutura da sociedade global sofresse alterações imediatas, por causa dessa mudança. Apenas, que as potencialidades capitalistas da grande lavoura passaram a manifestar-se com plenitude crescente (em particular e de formas historicamente decisivas nas regiões que lograriam vitalidade econômica graças ao café). Assim, se não todas, pelo menos uma parte considerável das potencialidades capitalistas da grande lavoura foi canalizada para o crescimento econômico interno, permitindo o esforço concentrado da fundação de um Estado nacional, a intensificação concomitante do desenvolvimento urbano e a expansão de novas formas de atividades econômicas, que os dois processos exigiam.

Essas transformações marcam a transição para a era da sociedade nacional. Uma nação não aparece e se completa de uma hora para outra. Ela se constitui lentamente, por vezes sob convulsões profundas, numa trajetória de zigue-zagues. Isso sucedeu no Brasil, mas de maneira a converter essa transição, do ponto de vista econômico, no período de consolidação do capitalismo. Esse processo abrange duas fases: 1) a ruptura da homogeneidade da "aristocracia agrária"; 2) o aparecimento de novos tipos de agentes econômicos, sob a pressão da divisão do trabalho em escala local, regional ou nacional.

À medida que se intensifica a expansão da grande lavoura sob as condições econômicas, sociais e políticas possibilitadas pela organização de um Estado nacional, gradualmente uma parcela em aumento crescente de "senhores rurais" é extraída do isolamento do engenho ou da fazenda e projetada no cenário econômico das cidades e no ambiente político da Corte ou dos governos provinciais. Por aí se deu o solapamento progressivo do tradicionalismo vinculado à dominação patrimonialista e começou a verdadeira desagregação econômica, social e política do sistema colonial. Essa porção de senhores rurais tendeu a secularizar suas ideias, suas concepções políticas e suas aspirações sociais; e, ao mesmo tempo, tendeu a urbanizar, em termos ou segundo padrões cosmopolitas, seu estilo de vida, revelando-se propensa a aceitar formas de organização da personalidade, das ações ou das relações sociais e das instituições econômicas, jurídicas e políticas que eram malvistas e proscritas no passado. Em uma palavra, ela "aburguesou-se", desempenhando uma função análoga à de certos segmentos da nobreza européia na expansão do capitalismo. Simultaneamente, surgiram novos tipos humanos, que não estavam enraizados nem eram tolhidos pelo código ético senhorial. Muito antes da extinção da escravidão e da universalização do trabalho livre, a esfera de serviços sofrera extensa modificação, tanto no nível das elites, quanto no nível das massas ou dos assalariados. Esse processo se intensifica nas regiões que se beneficiaram do surto econômico provocado pelo café ou pela imigração (em alguns lugares, os dois fenômenos somaram os seus efeitos inovadores). De tais estratos é que procediam os representantes mais característicos e modernos do "espírito burguês" — os negociantes a varejo e por atacado, os funcionários públicos e os profissionais "de fraque e de cartola", os banqueiros, os vacilantes e oscilantes empresários das indústrias nascentes de bens de consumo, os artesãos que trabalhavam por conta própria e toda uma massa amorfa de pessoas em busca de ocupações assalariadas ou de alguma oportunidade "para enriquecer". Nesses estratos, a identificação com o mundo moral da "aristocracia agrária" era superficial ou se baseava em lealdades pessoais e em situações de interesses que não tolhiam uma crescente liberdade de opiniões e de comportamentos. Por isso, nelas medrou, bem depressa, uma tendência nítida de defesa do desnivelamento dos privilégios daquela aristocracia. As marcas exteriores e mesmo os índices subjetivos das aspirações sociais desses estratos importavam numa mobilidade ascendente que se restringia à ampliação do número de "privilegiados". Daí o caráter que a urbanização iria assumir (de disseminação de privilégios em áreas cada vez maiores) e o aparecimento de formas agressivas de "dualidade ética", nas quais o nosso grupo com frequência se reduzia à família dos interessados e o grupo dos outros acabava sendo a coletividade como um todo. Sob semelhante clima de vida material e moral, um vendeiro, por exemplo, podia galgar dura mas rapidamente os degraus da fortuna. Em seguida, fazia por lograr respeitabilidade e influência, através dos símbolos da própria "aristocracia agrária", convertendo-se em "comendador" e em "pessoa de bem".

Eis aí um escorço apertado, mas que esboça como surgem e quais são os novos tipos de homens que iriam projetar os toscos móveis capitalistas do velho "senhor rural" no horizonte cultural da "burguesia" emergente e que iriam encarnar, portanto, o "espírito burguês". Esses tipos de homens, malgrado sua variedade e heterogeneidade, impulsionaram silenciosamente, na trilha de seus êxitos e fracassos, a revolução que pôs em xeque os hábitos, as instituições e as estruturas sociais persistentes da sociedade colonial. Eles se afirmam, num primeiro momento, pelo *élan* de "modernizar", compondo-se assim, através de compromissos tácitos, com as elites da "aristocracia agrária". Mais tarde, porém, evoluem para opções mais definidas e radicais, embora dissimuladas, pelas quais tentam implantar no Brasil as condições econômicas, jurídicas e políticas que são essenciais à plena instauração da ordem social competitiva. Em nenhum dos dois momentos esse "espírito burguês" exige a defesa implacável dos direitos do cidadão. Porém, em ambos ele se volta, específica e concentradamente, contra o que havia de "arcaico" e de "colonial" tanto na superfície quanto no âmago da ordem social patrimonialista. Isso é curioso, porque o "antigo regime", no caso, aparecia como uma noção histórica vaga e confusa. Não era a sociedade nacional em si mesma, nascida da Independência. Mas, a sociedade nacional que, apesar da Independência, manteve-se (por causa da escravidão e da dominação patrimonialista), esclerosada pelos componentes do mundo colonial que subsistiam, indefinidamente, com renovada vitalidade. Contra o "antigo regime", assim percebido e concebido, o "espírito burguês" era espontânea e substancialmente revolucionário.

Na análise da emergência da "Revolução Burguesa" no Brasil, vamos nos limitar, apenas, a um reduzido conjunto de fatores histórico-sociais que podem ser considerados, para fins descritivos ou interpretativos, como possuindo importância dinâmica tópica. Como se sabe, de acordo com Simiand,[4] um fator deve ser considerado tópico, para os fins da investigação sociológica, quando é possível determinar-se sua contribuição específica na causação de determinados efeitos conhecidos. Um fator também poderá ser considerado tópico, no mesmo sentido, quando é possível determinar-se, indiretamente, como e dentro de que limites ele concorre para criar as condições conhecidas de manifestação dos fenômenos observados (e, portanto, torna-se possível evidenciar as relações dessas condições com os efeitos descritos por meio da análise

---

[4] Cf. *Le salaire, l'evolution sociale et la monnaie.*

estatística ou histórica e por via de interpretação causal). Graças às observações que realizamos, chegamos à conclusão de que quatro fatores histórico-sociais correspondem a esse caráter, pela significação que tiveram seja para o aparecimento e a expansão das condições externas de atuação dos agentes econômicos ou de funcionamento das instituições econômicas, seja para a formação, o controle subjetivo ou exterior e o desenvolvimento de novas conexões de sentido das ações e relações econômicas, seja para a constituição e a consolidação de uma *situação de mercado* de escala nacional. Esses fatores podem ser identificados historicamente, através de um processo político (a Independência vista à luz de suas implicações socioeconômicas seculares); dois tipos humanos (o "fazendeiro de café" e o "imigrante", encarados como figuras centrais das grandes transformações do cenário econômico, social e político); um processo econômico (mudança do padrão de relação dos capitais internacionais com a organização da economia interna); e um processo socioeconômico (expansão e universalização da ordem social competitiva). Na exposição subsequente, esses fatores histórico-sociais não serão objeto de uma análise exaustiva, pois apenas serão retidos alguns dos seus efeitos diretos ou indiretos que tiveram importância decisiva para o desencadeamento da "Revolução Burguesa" e sua assimilação sociocultural pela sociedade brasileira.

CAPÍTULO 2
AS IMPLICAÇÕES SOCIOECONÔMICAS DA INDEPENDÊNCIA

A Independência, não obstante a forma em que se desenrolou, constituiu a primeira grande revolução social que se operou no Brasil. Ela aparece como uma revolução social sob dois aspectos correlatos: como marco histórico definitivo do fim da "era colonial"; como ponto de referência para a "época da sociedade nacional", que com ela se inaugura. Na verdade, as tensões que minavam a sociedade colonial não afetavam a ordem social interna de modo bastante profundo para colorir esse processo de modo mais dramático. Muitos estudiosos, por isso, não lhe atribuem o valor histórico e sociológico que ele possui. Baseados na evidência fornecida pelos fatos, que atestam a persistência daquela ordem social de forma inabalável, e na inexistência de mobilização das massas para a luta política, concluem que a Independência representou uma transação política pacífica, inteligente e segura da casa de Bragança. Não obstante a veracidade dessas ilações, a simples extinção do estatuto colonial já tivera um significado socialmente revolucionário. A Independência acrescenta-lhe o início de um novo tipo de autonomia política: com ela, instaura-se a formação da sociedade nacional. É nesta conexão que está o aspecto verdadeiramente revolucionário e que transcendia os limites da situação de interesses da casa reinante. Em contraste com o que ocorria sob o estatuto colonial e, mesmo, sob a ambígua condição de Reino, o poder deixará de se manifestar como imposição de fora para dentro, para organizar-se a partir de dentro, malgrado as injunções e as contingências que iriam cercar a longa fase do "predomínio inglês" na vida econômica, política e diplomática da nação.

Sob o estatuto colonial, não só o controle do poder se operava de fora para dentro; as probabilidades de atuação social das elites "nativas" subordinavam-se às conveniências da Coroa e dos que representassem, dentro da sociedade colonial, os seus interesses econômicos, sociais e políticos mais profundos. Sob essa perspectiva, a ruptura do estatuto colonial converteu-se numa inegável "necessidade histórica", que teria culminado em movimentos de grande violência coletiva se as coincidências não favorecessem a transferência da Corte e uma secessão quase pacífica, na qual antes transparece a impotência da antiga Metrópole que qualquer vocação passiva da ex-Colônia. A maneira pela qual as coisas se passaram contribuiu ainda mais para manter o caráter de "revolução encapuçada" de todo o processo. As elites nativas não se erguiam contra a estrutura da sociedade colonial. Mas, contra as implicações econômicas, sociais e políticas do estatuto colonial, pois este neutralizava sua capacidade de dominação em todos os níveis da ordem social. Por conseguinte, a natureza e o alcance revolucionários da Independência não se objetivaram (nem poderiam se objetivar!) através de manifestações de grandes massas humanas, do uso organizado da violência e de anseios coletivos irredutíveis de transformação da estrutura social. Se objetivaram na obstinação e na eficácia com que aquelas elites se empenharam na consecução de dois fins políticos interdependentes: a internalização definitiva dos centros de poder e a nativização dos círculos sociais que podiam controlar esses centros de poder. Assim, sem negar a ordem social imperante na sociedade colonial e reforçando-a, ao contrário, as referidas elites atuaram revolucionariamente no nível das estruturas do poder político, que foram consciente e deliberadamente adaptadas às condições internas de integração e de funcionamento daquela ordem social.

Dessa perspectiva, a Independência pressupunha, lado a lado, um elemento puramente revolucionário e outro elemento especificamente conservador. O elemento revolucionário aparecia nos propósitos de despojar a ordem social, herdada da sociedade colonial, dos caracteres heteronômicos aos quais fora moldada, requisito para que ela adquirisse a elasticidade e a autonomia exigidas por uma sociedade nacional. O elemento conservador evidenciava-se nos propósitos de preservar e fortalecer, a todo custo, uma ordem social que não possuía condições materiais e morais suficientes para engendrar o padrão de autonomia necessário à construção e ao florescimento de uma nação. A coexistência de elementos tão antagônicos provinha de uma realidade inexorável, percebida e apontada mesmo pelos homens que conduziam os acontecimentos (como José Bonifácio, por exemplo). A grande lavoura e a mineração, nas condições em que podiam ser exploradas produtivamente, impunham a perpetuação das estruturas do mundo colonial da escravidão à extrema concentração da renda e ao monopólio do poder

CAPÍTULO 2 - AS IMPLICAÇÕES SOCIOECONÔMICAS DA INDEPENDÊNCIA

por reduzidas elites, com a marginalização permanente da enorme massa de homens livres que não conseguia classificar-se na sociedade civil e a erosão invisível da soberania nacional nas relações econômicas, diplomáticas ou políticas com as grandes potências. Portanto, a Independência foi naturalmente solapada como processo revolucionário, graças ao predomínio de influências histórico-sociais que confinavam a profundidade da ruptura com o passado. O estatuto colonial foi condenado e superado como estado jurídico-político. O mesmo não sucedeu com o seu substrato material, social e moral, que iria perpetuar-se e servir de suporte à construção de uma sociedade nacional.

Contudo, o elemento revolucionário era o componente verdadeiramente dinâmico e propulsor. Por isso, embora tolhido aqui ou deformado ali, ele se converteu no "fermento histórico" do comportamento social inteligente. A curto prazo, alimentou e orientou as opções que delimitaram, nos planos ideológico e utópico, os ideais de organização do Estado nacional. A longo prazo, em qualquer nível ou esfera em que ocorresse estruturalmente, a integração nacional produzia efeitos que ultrapassavam o mero despojamento dos caracteres heteronômicos da antiga ordem conduzindo de fato à sua desagregação e à intensificação concomitante da formação de caracteres autonômicos típicos de uma sociedade nacional. Isso redundava na reelaboração constante daquele elemento revolucionário, que voltava à tona, continuamente, em condições sociodinâmicas mais ou menos favoráveis à sua atuação como fator histórico-social construtivo. O primeiro aspecto teve importância indireta para o desenvolvimento econômico, pois foi através dele que se deu um maior envolvimento das elites de origem rural na construção de uma política econômica nacional. O segundo aspecto afetou diretamente o desenvolvimento econômico, pois foi na esfera econômica e no nível da expansão do mercado interno que surgiram as primeiras consequências dinâmicas da Independência e da integração nacional.

Quanto ao primeiro aspecto, parece-nos que se impõe o reexame das condições e dos efeitos histórico-sociais da absorção do liberalismo pelas elites nativas. Essa absorção apresenta duas polarizações dinâmicas distintas. Havia uma polarização que associava o liberalismo aos processos de consciência social vinculados à "emancipação colonial". As elites nativas sentiam-se econômica, social e politicamente "esbulhadas", em virtude da espoliação que sofriam através das formas de apropriação colonial e das consequências especificamente políticas do estatuto colonial, que alimentava a neutralização inexorável das probabilidades de poder inerentes ao status que elas ocupavam na ordem da sociedade colonial. Sob a perspectiva dessa polarização, o liberalismo assume duas funções típicas. De um lado, preencheu a função de dar forma e conteúdo às manifestações igualitárias diretamente emanadas da reação contra o "esbulho colonial". Nesse nível, ele se propõe o problema da equidade da maneira pela qual era sentido por aquelas como emancipação dos estamentos senhoriais das limitações oriundas do estatuto colonial e das formas de apropriação colonial. Tratava-se de uma defesa extremamente limitada, tosca e egoística, mas muito eficaz, dos "princípios liberais", pois só entravam em jogo as probabilidades concretas com que os membros desses estamentos contavam para poderem desfrutar, legitimamente, a soma de liberdade, o poder de igualdade e a fraternidade de interesses inerentes ao seu status na estrutura social. De outro lado, desempenhou a função de redefinir, de modo aceitável para a dignidade das elites nativas ou da nação como um todo, as relações de dependência que continuariam a vigorar na vinculação do Brasil com o mercado externo e as grandes potências da época. Nesse nível, ele se propõe o problema da soberania como se existisse, de fato, uma interdependência vantajosa e consentida, resultante e corretiva, ao mesmo tempo, da especialização econômica internacional e da complementaridade da influência civilizadora das nações. No fundo, porém, apenas encobria, através de ficções toleráveis, diversas modalidades evidentes de subordinação, que não seriam suprimidas nem alteradas, fundamentalmente, com a extinção do estatuto colonial. A outra polarização do liberalismo o associava, definidamente, com a construção de um Estado nacional. Na fase de transição, as elites nativas encaravam o Estado, naturalmente, como "meio" e "fim": "meio", para realizar a internalização dos centros de decisão política e promover a nativização dos círculos dominantes; e o "fim" de ambos os processos, na medida em que ele consubstanciava a institucionalização do predomínio político daquelas elites e dos "interesses internos" com que elas se identificavam. Nesse nível, o liberalismo possui nítido caráter instrumental e se propõe o complexo problema de como criar uma nação num país destituído até das condições elementares mínimas de uma "sociedade nacional". O Estado impôs-se como a única entidade que podia ser manipulável desde o início, a partir da situação de interesses das elites nativas mas com vistas a sua progressiva adaptação à filosofia política do liberalismo. A primeira polarização conduz-nos ao reino da ideologia; a segunda, ao reino da utopia. Assim o liberalismo esteve tão presente nas concepções que impulsionaram os conflitos com o Reino ou com os "reinóis" e nas acomodações impostas pela persistência da ordem social colonial, quanto nos ideais que projetavam o Estado e a sociedade nacionais como um destino a ser conquistado no futuro.

CAPÍTULO 2 - AS IMPLICAÇÕES SOCIOECONÔMICAS DA INDEPENDÊNCIA

Portanto, ao contrário do que se proclama com frequência, o liberalismo exerceu influências sociais construtivas em várias direções concomitantes. Em vez de procurar-se ver um elemento "postiço", "farisaico" ou "esdrúxulo", seria melhor determinar o sentido e o alcance dessas influências que também exprimem as condições e as necessidades histórico-sociais que regulavam sua elaboração sociocultural no seio de uma sociedade colonial em mudança. Na medida em que o Brasil já se integrara no sistema mercantil engendrado pela expansão do capitalismo comercial e em que a ruptura dos nexos coloniais formais não implicava nenhuma alteração profunda nas formas dessa integração, impunha-se uma evolução paralela interna, que implantasse no país concepções econômicas, técnicas sociais e instituições políticas essenciais para o intercâmbio e a associação com as nações hegemônicas do sistema. Os "senhores rurais" tinham de aprender, em outras palavras, a pensar e a agir sobre si próprios, os negócios da coletividade e os assuntos políticos de interesse geral sem a mediação dos nexos coloniais, mas com a mesma eficácia ou sob as mesmas garantias de continuidade que as referidas nações encontravam nos nexos coloniais formais. Sob esse aspecto as categorias de pensamento inerentes ao liberalismo preenchiam uma função clara: cabia-lhes suscitar e ordenar, a partir de dentro e espontaneamente, através do estatuto nacional, mecanismos econômicos, sociais e políticos que produzissem efeitos equivalentes aos que eram atingidos antes, a partir de dentro e compulsoriamente, através do estatuto colonial. Pode-se dizer sem subterfúgios, pois, que a absorção do liberalismo respondia a requisitos econômicos, sociais e políticos que condicionavam a associação livre mas heteronômica do Brasil às nações que controlavam o mercado externo e as estruturas internacionais de poder. Isso explica por que a absorção do liberalismo se inicia anteriormente à crise do sistema colonial e por que ele possuía implicações mais radicais e definidas no nível dos padrões de relação com o mercado externo (inclusive animando uma visão altamente passiva e complacente da "interdependência econômica internacional"). Todavia, também indica por que, acima ou além dos interesses internos imediatos dos estamentos senhoriais, mais ou menos harmonizados com essa transformação, o liberalismo só contribuiu para intensificar a desagregação do *status quo* antes de modo indireto, gradual e intermitente. É que ele não preenchia, aqui, as funções de dinamizador cultural da consolidação de uma ordem social nacional autônoma. Concorria para precipitar a formação e para orientar o desenvolvimento de uma ordem social nacional, mas heteronômica (ou dependente).

À luz de tais considerações, é patente que o liberalismo forneceu, não obstante todas as limitações ou deformações que pairaram sobre sua reelaboração sociocultural no meio brasileiro, as concepções gerais e a filosofia política que deram substância aos processos de modernização decorrentes, primeiro, da extinção do estatuto colonial e, depois, da desagregação lenta e heterogênea, mas progressiva, da própria ordem colonial. Ele não afetou (nem poderia afetar) os aspectos da vida social, econômica e política que continuaram a gravitar em torno da escravidão e das formas tradicionais da dominação patrimonialista. No conjunto, o impacto inicial foi pouco profundo e sua importância decisiva aparece apenas nos níveis da adaptação dos agentes econômicos internos aos mecanismos diretos do mercado internacional e da criação de um Estado nacional. Todavia, uma apreciação mais rigorosa revelaria que ele produziu outros dividendos positivos.

De um lado, malgrado a contenção de sua amplitude revolucionária (calibrada por "interesses senhoriais" e nos limites da supressão do "esbulho colonial" em termos desses interesses), ele concorreu para revolucionar o horizonte cultural das elites nativas. Primeiro, propiciando-lhes categorias de pensamento e de ação que conduziram ao desmascaramento do "esbulho colonial" e à oposição ao "sistema colonial". Segundo, alterando suas perspectivas de percepção do uso, da importância e da organização do poder em termos da sociedade global. Terceiro, preparando-as intelectualmente tanto para os conflitos que as uniam contra o estatuto colonial, quanto para a defesa da Independência, da Monarquia constitucional e da democratização do poder político no âmbito de sua camada social.

De outro lado, situam-se certas influências mais complexas e, por isso, menos visíveis. Para os fins desta exposição basta-nos lembrar as mais significativas. Tomando-se em conta as condições em que se deram a extinção do estatuto colonial e a Independência — sob a persistência e o fortalecimento de estruturas sociais coloniais —, merece ser ressaltada a influência desempenhada pelo liberalismo na separação e na superposição dos planos de organização do poder. Os antigos modelos patrimonialistas continuaram a ter plena vigência no nível do domínio senhorial propriamente dito (ou seja, da organização da economia escravista e das estruturas sociais que lhe serviam de base) e, como irradiações locais ou regionais, no nível das relações sujeitas ao prestígio pessoal dos senhores e ao poder de mando das grandes parentelas. Todavia, a organização do "poder central" foi colocada num plano independente e superior, no qual aqueles modelos de dominação se faziam sentir apenas de maneira indireta e condicionante (principalmente

CAPÍTULO 2 - AS IMPLICAÇÕES SOCIOECONÔMICAS DA INDEPENDÊNCIA

através de controles sociais reativos, que se vinculavam às opções feitas pelos representantes dos estamentos senhoriais no exercício do poder político). Estabeleceu-se, assim, uma dualidade estrutural entre as formas de dominação consagradas pela tradição e as formas de poder criadas pela ordem legal. Na prática, com frequência os controles reativos, suscitados pela tradição, prevaleciam sobre os preceitos legais. Mas nada disso diminuía o alcance do influxo mencionado, que introduzia uma cissura entre o presente e o passado (coexistentes e interdependentes como dimensões da vida societária), compelia as camadas senhoriais a organizar sua dominação especificamente política através da ordem legal, ao mesmo tempo que conferia ao "poder central" meios para impor-se e para superar, gradualmente, o impacto sufocante do patrimonialismo. Na apreciação de efeitos dessa natureza, também parece fora de dúvida que a influência do liberalismo se deve à composição que redundou na criação de um Estado nacional, que combinava o princípio da representação à existência de um forte poder executivo. Na verdade, o domínio senhorial se assentava nos interesses mercantis da grande lavoura. Se esses interesses tivessem prevalecido de modo cru e absoluto, a solução normal seria a constituição de uma Monarquia forte, exclusivamente empenhada na expansão da grande lavoura e do comércio externo. Embora o princípio da representação (por causa dos efeitos da concentração do poder no nível estamental, regulada constitucionalmente), o poder executivo e o poder moderador fossem convergentes, em particular em matérias referentes à política econômica, é de presumir-se que o referido princípio não teria encontrado acolhida tão favorável sem a difusão e o entusiasmo suscitado pelas "ideias liberais". Por fim, o liberalismo desencadeou uma vaga de idealismo político, que repercutiu de modo construtivo na organização, no funcionamento e no aperfeiçoamento da Monarquia constitucional. Esse ponto precisa ser devidamente ponderado, pois aí parece achar-se a explicação de uma aparente incongruência. Um país que mal emergia do estatuto colonial, e que não podia pôr termo à ordem social herdada do sistema colonial, engendrava não só um Estado nacional bastante moderno mas, sobretudo, virtualmente apto à modernização ulterior de suas funções econômicas, sociais e culturais. Foi graças a essa consequência que o liberalismo "cresceu" com as instituições políticas que ele ajudou a moldar e que, especialmente, os princípios liberais ganharam, com o tempo, maior consistência e eficácia, tanto quanto advogados mais puros, convictos e denodados.

Portanto, sem perder-se de vista as limitações e deformações que sofreu numa sociedade e numa cultura tão avessas às suas implicações socioeconômicas, políticas, intelectuais e humanitárias, e aceitando-se que, ainda assim, ele só se constituiu em realidade histórica para as minorias atuantes dos estamentos senhoriais, o liberalismo foi a força cultural viva da revolução nacional brasileira. Guardando-se as proporções, a ele se pode aplicar, no acanhado cenário em que serviu de fermento para as mais variadas e contraditórias ousadias e esperanças, o que dele afirmou Laski com referência à Europa: "O liberalismo aparece, pois, como uma nova ideologia para satisfazer as necessidades de um novo mundo".[1]

Isso posto, as polarizações ideológicas e utópicas do liberalismo interessam à nossa discussão na medida em que elas logravam inserir-se no horizonte cultural dos componentes dos estamentos senhoriais. Não é fácil discernir o que é ideológico do que é utópico nas objetivações do liberalismo no contexto histórico considerado. Essa separação interpretativa, em si mesma tão difícil (como assinala Mannheim: "Os elementos utópicos e ideológicos não aparecem isolados no processo histórico. Muitas vezes as utopias das classes ascendentes estão grandemente impregnadas de elementos ideológicos"),[2] complica-se sobremaneira, porque a ideologia liberal se equacionou historicamente, acima de tudo, como uma ideologia da emancipação dos estamentos senhoriais da "tutela colonial" e só derivadamente, como interferência inevitável, ela assumiu o caráter de uma ideologia de "emancipação nacional". Contudo, concretizada a Independência e garantida a estabilidade do novo regime político, ela se anula como polarização dinâmica específica dos interesses senhoriais (em consequência do desaparecimento das tensões provocadas pela "tutela colonial"), mas ganha força e importância crescentes como polarização dinâmica específica dos interesses de integração nacional (em consequência das conexões da ordem legal constituída com o princípio da representação e com a democratização do poder político no nível dos estamentos dominantes). Graças a essa transformação, o elemento senhorial volta ao centro do palco, agora transfigurado em "cidadão", que era no que o convertia, para os fins da organização do poder político, a ordem legal vigente. Assim, a ideologia liberal, inócua e excluída no nível da dominação patrimonialista (pela persistência concomitante da escravidão, do mandonismo, do privatismo e do localismo), encontra na sociedade civil, nascida da Independência,

---

[1] *The rise of European liberalism*, p. 19.

[2] *Ideologia e utopia*, p. 179.

CAPÍTULO 2 - AS IMPLICAÇÕES SOCIOECONÔMICAS DA INDEPENDÊNCIA

uma esfera na qual se afirma e dentro da qual preenche sua função típica de transcender e negar a ordem existente. A utopia liberal esbate-se no mesmo pano de fundo. Ela só adquire consistência através e depois da transfiguração do elemento senhorial em "cidadão". A partir daí, porém, ela iria preencher sua função típica, de forçar a transformação da realidade histórica, o que se dá com algum vigor na esfera da adaptação paulatina da sociedade global aos requisitos ideais da ordem legal vigente. Nesse processo, a utopia liberal converteu-se em condição sociodinâmica de formação e consolidação da sociedade nacional. No entanto, nos conflitos com as estruturas coloniais persistentes, nem sempre esses componentes ideológicos e utópicos levaram a melhor. Tudo dependia da lealdade, esclarecimento ou tenacidade com que os mesmos homens pertencentes aos mesmos estamentos dominantes se identificavam com os interesses do domínio senhorial ou com os interesses da sociedade civil. Embora com o tempo estes adquirissem maior densidade e eficácia, enquanto a escravidão se associou à grande lavoura nunca conseguiram prevalecer de forma decisiva e determinante. Por isso, as inconsistências e as ambiguidades do liberalismo se refletiam por igual na ideologia e na utopia liberais, tornando precária qualquer tentativa de distingui-las com algum rigor interpretativo.

De qualquer maneira, é em si mesmo deveras importante, para a análise sociológica, o fato de as polarizações ideológicas e utópicas do liberalismo se dinamizarem através de requisitos estruturais e funcionais da ordem legal.[3] Se as coisas transcorressem de outro modo, a identificação e o apego das elites senhoriais ao liberalismo seriam, além de superficiais e contraditórios, inevitavelmente episódicos e efêmeros. Graças a esse fato, porém, o liberalismo adquire a qualidade e a continuidade de força política permanente, embora sua influência tópica fosse variável, por depender da constituição, do funcionamento e da evolução da sociedade civil. Doutro lado, esse fato também explica

---

[3] É preciso notar que na presente discussão não nos ativemos às implicações dos "ideais liberais", absorvidos e consagrados pela Constituição de 25 de março de 1824, através dos artigos correspondentes ao seu título VII. Na prática, as disposições legais deles decorrentes eram solapadas ou neutralizadas por fatores interferentes incontroláveis. Demos preeminência aos requisitos da ordem legal que regulavam o princípio da representação e a democratização do poder no nível dos estamentos senhoriais (estabelecidos nessa Constituição e pelas leis de 1º de outubro de 1828, 12 de outubro de 1832, 12 de agosto de 1834 e 23 de novembro de 1841). Se aqueles "ideais" ganharam crescente eficácia e universalidade, com o tempo, isso se deve, em grande parte, à consolidação da sociedade civil, condição e resultado do funcionamento daquela ordem legal.

como as formas de poder político, criadas através da implantação de um Estado nacional, foram assimiladas pelos estamentos senhoriais e convertidas, desse modo, em dominação estamental propriamente dita. As normas constitucionais que regulavam os direitos de escolha e de representação, através das eleições primárias e das eleições indiretas, bem como o poder de decisão inerente aos diferentes mandatos eletivos e a possibilidade aberta ao poder moderador de recrutar ministros e conselheiros de Estado entre deputados e senadores, condicionavam uma tal concentração do poder político no nível dos privilégios senhoriais, que "sociedade civil" e "estamentos sociais dominantes" passaram a ser a mesma coisa. De fato, não só o grosso da população ficou excluído da sociedade civil. Esta diferenciava-se, ainda, segundo gradações que respondiam à composição da ordem estamental, construída racial, social e economicamente na Colônia: a chamada "massa dos cidadãos ativos" servia de pedestal e de instrumento aos "cidadãos prestantes",[4] a verdadeira nata e os autênticos donos do poder naquela sociedade civil. No entanto, foi essa relação entre a ordem legal estabelecida e a constituição da sociedade civil que deu sentido social à revolução política encarnada pela Independência. As elites dirigentes dos estamentos senhoriais absorveram as funções que antes eram desempenhadas mediante a "tutela colonial", privilegiando politicamente seu prestígio social (processo que Weber considera frequente e comum;[5] nesse sentido, também se justifica considerar "legítima" a revolução da Independência, embora a legitimidade diga respeito, em tal caso, aos méritos ou fundamentos de uma "posição privilegiada").

Ao contrário do que se tem afirmado, esse processo provocou mudanças de estrutura (evidentes quando se compara a "sociedade colonial" com a "sociedade imperial"), que foram negligenciadas por dizerem respeito a diferenciações que afetaram a integração dos estamentos senhoriais e sua relação com a sociedade global. Essas mudanças de estrutura aparecem em três níveis. Primeiro, na diferenciação dos papéis políticos do senhor, que se metamorfoseia em senhor-cidadão. Essa transformação é digna de nota e possui significado estrutural-funcional (para não dizer dialético), porque ela pressupõe uma nova dimensão do poder, na qual as probabilidades de mando do senhor, pela primeira vez, transcendem os limites do domínio senhorial e alcançam o poder

---

[4] Termo que, em nosso entender, permite qualificar objetivamente o eleitor ultraprivilegiado no contexto da sociedade imperial.

[5] Cf. *Economia y sociedad*, vol. IV, cap. 1, passim

CAPÍTULO 2 - AS IMPLICAÇÕES SOCIOECONÔMICAS DA INDEPENDÊNCIA

político especificamente falando. Segundo, no aparecimento de formas de socialização que converteram privilégios sociais comuns em fonte de solidariedade social e de associação política. Enquanto perdurou o estatuto colonial, o poder do senhor ficou confinado a unidades sociais estreitas, isoladas e fechadas. A dominação senhorial traduzia um estilo estamental de pensamento e de ação, mas não integrava a visão do mundo e a organização do poder dos seus agentes, como e enquanto membros de estamentos dominantes. Ao romper-se aquele estatuto e, especialmente, ao projetar-se o senhor nos papéis relacionados com a implantação de um Estado nacional, sua capacidade de entender a significação política dos privilégios sociais comuns aumentou. Ao mesmo tempo, descobriu que a proteção e a expansão dos mesmos privilégios dependiam da extensão da dominação senhorial aos outros planos da vida social, principalmente àqueles em que qualquer senhor se tornava um aliado natural de outro senhor. As preferências pela Monarquia constitucional favoreceram essa evolução, pois canalizaram tais desdobramentos para esferas especificamente políticas, conferiram à dominação senhorial os quadros para ampliar-se e burocratizar-se, e mantiveram em larga margem as bases locais ou regionais do privatismo e do grau de autonomia inerentes à dominação senhorial, na forma que ela assumira na sociedade colonial. A dominação senhorial alcança, dessa maneira, as formas de poder político da sociedade "nacional" e passa a ser um dos fatores mais importantes da integração de sua ordem social. Ela se transforma, portanto, em dominação estamental propriamente dita. Terceiro, na redução do espaço social dentro do qual as garantias sociais estabelecidas legalmente podiam e deviam ter vigência ou eficácia. A rigor, esse espaço social era demarcado pelas fronteiras estamentais da sociedade civil. Em consequência, o liberalismo (motor e alvo daquelas garantias sociais) também se convertia em privilégio social. Ele fazia parte de concepções e ideais que se aplicavam a "relações entre iguais" e, por isso, ficava confinado à convivência e ao destino dos membros dos estamentos dominantes. Como esse era o mundo por excelência do senhor-cidadão (em alguns papéis sociais, como "cidadão ativo"; em outros, como "cidadão prestante"), é nele que se vão desenvolver e eclodir as tensões insopitáveis do liberalismo com a dominação estamental. Dele saem os defensores mais ardorosos da "liberdade", da "justiça", da "nacionalidade" e do "progresso", os campeões da luta contra o escravismo e os primeiros advogados convictos da "causa da democracia".

O retrato que fizemos situa terrivelmente as limitações histórico-sociais da "revolução da Independência". De um lado, ele põe em relevo que o sentido social e as consequências políticas dessa revolução praticamente impuseram o império da dominação senhorial, como uma cadeia de ferro, sobre toda a nação. Sob a forma de dominação estamental, ela não passaria de uma "tutela", por vezes tão egoísta, acanhada e insensível quanto fora a "tutela colonial". De outro lado, ele demonstra o caráter dúplice do liberalismo. Representava a via pela qual se restabeleceriam, encoberta mas necessariamente, os nexos de dependência em relação ao exterior; desvendava o caminho da autonomia e da supremacia não de um povo, mas de uma pequena parte dele, que lograra privilegiar seu prestígio social e apossar-se do controle do destino da coletividade. Todavia, ao lado desses aspectos sombrios, o retrato mostra a dignidade histórico-sociológica da Independência, como revolução política e social, e as funções construtivas do liberalismo. Não é que pensemos que "as coisas tinham de passar-se como se desenrolaram" ou que elas "poderiam ter sido piores". Descartamo-nos, por completo, da ilusão de que a sociedade colonial poderia esboroar-se de uma hora para outra. Também não supomos que o liberalismo teria forças para impor, por si mesmo, a grandeza de sua medida histórica. Jamais ele poderia realizar o milagre de mudar a natureza social das elites senhoriais ou de colocar em outro contexto histórico a formação e a evolução de nossas instituições políticas. A transição da sociedade colonial à sociedade nacional iria desencadear e exigir processos históricos seculares. O importante, com referência às fases imediatas do processo, consistia em determinar-se como os fenômenos apontados concorriam para implantar as bases da integração nacional na ordem social herdada da Colônia. Agora vamos dar alguma atenção a este problema em outro nível, apenas para concluir e encerrar a discussão das influências do liberalismo no período de formação da sociedade nacional.

A sociedade civil não era tão somente o palco em que se movimentava o senhor-cidadão. Ela era literalmente, para ele, a "sociedade" e a "nação". As bases perceptivas e cognitivas de semelhante representação seriam fáceis de explicar, como decorrência da identificação psicossocial do sujeito com o mundo em que transcorria sua existência e no qual suas probabilidades de ação social ganhavam significação política. Por essa razão (e também como consequência semântica da dominação estamental: os outros não contavam, sendo portanto desnecessário pensar ou falar em nome deles), as elites no poder tendiam a localizar-se e a afirmar-se, historicamente, através e em nome da sociedade civil (a qual, como apontamos, delimitava o espaço social de sua vivência e de sua experiência). Termos ou expressões como "povo", "nação", "opinião pública", "o povo exige", "o povo aguarda", "o povo espera",

CAPÍTULO 2 - AS IMPLICAÇÕES SOCIOECONÔMICAS DA INDEPENDÊNCIA

"interesses da nação", "a segurança da nação", "o futuro da nação", "a opinião pública pensa", "a opinião pública precisa ser esclarecida", "a opinião pública já se manifestou contra" (ou "a favor") etc. indicavam pura e simplesmente que os diversos estratos das camadas senhoriais deviam ser levados em conta nos processos políticos, desta ou daquela maneira. As verbalizações desse teor não eram meras ficções semânticas. Algumas vezes isso sucedia. Mas, com frequência, elas denotavam o nível dentro do qual a dominação estamental aparecia como momento de vontade dos agentes e traduzia alternativas políticas de consenso ou de oposição. Nessa esfera, imperavam a "liberdade" e a "igualdade", tornando-se indispensável atender aos requisitos da "opinião livre", como condição para garantir o substrato social, moral e político da dominação senhorial no plano estamental. Em suma, sem precisar ser "monolítica" e 'inflexível", esta precisava ter um mínimo de homogeneidade e devia exprimir, real ou virtualmente, a solidariedade política existente no nível dos estamentos senhoriais. A democracia não era uma condição geral da sociedade. Porém, necessidade e recurso do equilíbrio, eficácia e continuidade da dominação estamental. O debate democrático tinha por fim estabelecer os limites de acordo (ou de desacordo) e as linhas possíveis de solução (ou de omissão) recomendáveis, suscetíveis de merecer a aprovação ou de obter o consentimento dos "cidadãos prestantes" e da parte socialmente válida dos "cidadãos ativos". Por essa razão a sociedade civil constituía o ponto de referência do debate político e encarnava, em última instância, o árbitro figurado que iria julgar ou estaria julgando o mérito das decisões.

Essa situação fomentou um desequilíbrio persistente entre o comportamento político das elites no poder e os requisitos jurídico-políticos da ordem legal, instituída sob o modelo ideal de um Estado nacional. Embora aquelas elites tivessem de adaptar-se às formas de organização do poder político impostas pela ordem legal, no próprio processo através do qual enfrentavam suas funções políticas transformavam o governo em meio de dominação estamental e reduziam o Estado à condição de cativo da sociedade civil. Em consequência, a ordem legal perdia sua eficácia onde ou quando colidisse com os interesses gerais dos estamentos senhoriais e sua importância para a integração jurídico-política da sociedade nacional passou a depender do modo pelo qual aqueles interesses filtravam ou correspondiam às formas de poder político instituídas legalmente.

Por motivos que não podem ser discutidos aqui, a correlação entre "os interesses gerais dos estamentos senhoriais" e "as formas de organização do poder político instituídas legalmente" tendia a definir-se em função da equivalência entre "nação" e "sociedade civil". Daí resultavam severas consequências para a integração jurídico-política da sociedade nacional. Ela só existia nos níveis em que a ação do governo e a presença do Estado envolviam concentração de poder suficiente para neutralizar o particularismo da dominação estamental. Ou, alternativamente, nas áreas nas quais suas funções eram neutras para os desígnios ou para os efeitos desse mesmo particularismo. As perspectivas abertas por essas duas possibilidades eram tão acanhadas que elas não chegaram a interferir na manifestação de vários fatores estruturais, adversos à integração nacional, herdados da sociedade colonial (da persistência da escravidão ao monopólio do poder político pelos estamentos senhoriais). Contudo, ainda assim, a esfera neutra, dentro da qual se desenvolviam, bem ou mal, as funções normais do governo e do Estado, contribuiu para a criação e a expansão de estruturas administrativas, jurídicas e políticas de extensão nacional (embora sua eficácia se medisse por outra escala e às vezes chegasse a ser nula). Doutro lado, no plano propriamente societário, as tendências de integração nacional dependiam, de maneira direta, muito mais dos efeitos resultantes das orientações da dominação estamental que da atuação do governo ou da influência do Estado. Para objetivar-se e agir politicamente, no patrocínio de seus "interesses gerais", os estamentos dominantes precisavam do aparato administrativo, policial, militar, jurídico e político inerente à ordem legal. E precisavam dele não privada e localmente, mas no âmbito da nação como um todo. Além e acima disso, a dominação estamental exprimia e dinamizava alternativas políticas que pareciam essenciais ao "favorecimento" ou ao "progresso da livre iniciativa". Por aí, ela se tornava o único polarizador considerável do crescimento econômico interno e das alterações que ocorriam na estrutura da sociedade. No conjunto, porém, o padrão de integração nacional da ordem social refletia, direta ou indiretamente, as disposições, os anseios e as exigências imperantes no seio da sociedade civil. Ela era a "alma da nação" — o eixo em torno do qual gravitavam suas instituições políticas e o núcleo em que se condensavam seus centros de decisão.

Ora, essa sociedade civil, no período da extinção do estatuto colonial e da implantação da Monarquia constitucional, estava mais comprometida com a defesa da propriedade, da escravidão e de outros componentes tradicionais do *status quo ante*, e mais empenhada na apropriação dos meios de organização do poder que então se criaram, que com as questões concernentes aos requisitos ideais de integração da sociedade nacional. Mesmo nos limites acanhados em que ela se mostrou sensível e racional diante de tais questões, parece evidente que

CAPÍTULO 2 - AS IMPLICAÇÕES SOCIOECONÔMICAS DA INDEPENDÊNCIA

as coisas teriam sido piores não fora a influência do liberalismo (em tal caso, teríamos como ponto de partida uma organização estatal de modelo mais retrógrado; ou talvez ocorresse a fragmentação do país). Por isso, convém dar alguma atenção a este problema. A necessidade de adaptar a dominação senhorial a formas de poder especificamente políticas e organizadas burocraticamente não teria produzido os resultados reconhecíveis se o horizonte cultural médio dos "cidadãos de elite" não absorvesse ideias e princípios liberais, de importância definida para a sua orientação prática, a sua ação política e o seu comportamento social.

Isso nos leva a retomar as polarizações ideológicas e utópicas do liberalismo, agora para focalizá-las com vistas às funções sociais construtivas que preenchiam nas relações dos estamentos intermediários e superiores com a organização e a estrutura da sociedade global. Sem dúvida, nenhuma revolução sepulta todo o passado de um povo. Uma revolução que adquiriu conteúdo e consequências sociais por sua natureza política estava fadada a projetar antigas estruturas sociais em um novo contexto político. Contudo, o novo contexto político era nada mais nada menos que a ordem legal requerida, institucionalmente, pelo Estado moderno. Portanto, por mais que o passado persistisse, ele não se manteria intacto, pois a sociedade colonial brasileira teria de converter-se, em vários níveis de sua organização, numa sociedade nacional. Além disso, tal processo era irreversível e, apesar do volume das mudanças iniciais interdependentes, que ele pressupunha, deveria desenrolar-se e completar-se no plano da duração secular e através da colaboração, da competição e do conflito de um grande número de gerações sucessivas.

O liberalismo não aparece no cenário histórico-social como conexão da preservação do passado. Ao contrário, ele constituía uma das forças que trabalhavam por seu sepultamento, já que a manutenção do *status quo ante* colidia com seu sistema de valores e com sua filosofia política. Onde o Estado nacional emergente se converte em fator da preservação da escravidão, do império da dominação senhorial e da transformação da Monarquia constitucional em cômoda transação das elites senhoriais, isso se dá acima, independentemente e contra as "ideias" e os "princípios" liberais. Estes aparecem e vingam, de fato, sob a outra face do Estado nacional emergente: nas esferas em que ele acarreta mudanças estruturais na organização ou na atuação da sociedade civil e nas quais implanta uma nova dimensão nas relações das elites com o poder, incentivando a formação de uma nova mentalidade no uso do poder ou, pelo menos, provocando novas disposições de sentir, pensar e agir politicamente. Ou seja, a face do Estado nacional emergente, a qual se vinculava, de modo profundo e dinâmico, com as inovações requeridas institucionalmente, a curto e a longo prazo, para que ele próprio fosse possível e para que viesse a contar com uma sociedade nacional que lhe servisse de *background* econômico, social e cultural.

Essa correlação entre o "velho" e o "novo" evidencia que o Estado preenchia funções sociais manifestas em dois níveis distintos. As elites dos estamentos senhoriais precisavam dele, quase na mesma proporção: 1) para manter as estruturas sociais que poderiam privilegiar seu prestígio social e, portanto, conduzi-las ao monopólio social do poder político; para expandir ou fomentar o aparecimento de condições econômicas, sociais e culturais que deveriam formar o substrato de uma sociedade nacional. O que tem tornado precária e difícil a distinção é que o primeiro aspecto, por ser chocante na emergência de uma nação do "novo mundo", é mais visível que o segundo. Mas este não só existiu. Foi ele que tornou possível o êxito da Independência e a continuidade do Império, pois era dele que partiam as forças mais ou menos profundas de inovação e de reconstrução.

Por causa da diferenciação estamental e de sua sobreposição a uma estratificação de castas, os efeitos da inovação e da reconstrução iriam se refletir, diretamente, apenas na organização dos estamentos intermediários e superiores. Entretanto, numa sociedade escravista e patrimonialista, só tais estamentos podiam colocar-se diante dos processos de mudança em termos de "querer coletivo" e de "destino histórico". Seus membros possuíam "honra", "riqueza" e "poder", bem como "igualdade" e "liberdade", condições para que pudessem inserir-se na bifurcação que então ocorreu na organização da economia e da sociedade. A estrutura do patrimonialismo permanecia a mesma, pois continuava a manter-se sobre a escravidão e a dominação tradicional. O aparecimento de um Estado nacional, a burocratização da dominação senhorial no nível político e a expansão econômica subsequente à Abertura dos Portos colocavam em novas bases, contudo, as funções econômicas e sociais dos estamentos intermediários e superiores. De um lado, o "senhor rural" deixava de ser um "agente econômico na Colônia" e passava a entender-se, pelo menos, como "agente econômico independente". Podia inserir-se pessoal ou institucionalmente no fluxo da comercialização das exportações e devia preparar-se para isso, garantindo através da ordem legal as condições jurídicas e políticas de que necessitasse para preencher seus papéis econômicos na plenitude possível. De outro, a extinção do estatuto colonial também se refletia no comércio de importação. Não só a Metrópole desaparecera e com ela o monopólio desse comércio; os seus representantes dentro do país

CAPÍTULO 2 - AS IMPLICAÇÕES SOCIOECONÔMICAS DA INDEPENDÊNCIA

tiveram de escolher entre "nacionalizar-se" ou "perder seus privilégios e partir". Como consequência natural da mudança das funções econômicas do "senhor rural", o comércio de importação aumentava de importância, o mesmo sucedendo com os agentes humanos que detivessem o seu controle interno. Se se acrescentar a esses dois pontos a necessidade de criar (ou, em alguns casos, de expandir) instituições extrapolíticas complementares ou suplementares do Estado (da rede dos serviços aos bancos), completamos o quadro sugerido. A tais instituições corresponde uma pressão intensa e contínua (em termos relativos) sobre as ocupações qualificadas e as profissões liberais, que não encontravam antes condições favoráveis para se diferenciarem e expandirem. No conjunto, pois, esse quadro assinala o que representou a mencionada bifurcação para o funcionamento do sistema econômico interno e para a diferenciação dos estamentos intermediários e superiores. Uma parte da sociedade global destaca-se, nitidamente, das estruturas tradicionais preexistentes e passa a funcionar, também nitidamente, como o seu "setor livre" e a única esfera na qual a "livre competição" podia alcançar alguma vigência. Assim, começa a formar-se, sob condições e influxos socioeconômicos adversos (por causa da persistência da escravidão e do patrimonialismo), uma área na qual o "sistema competitivo" pode coexistir e chocar-se com o "sistema estamental".

É essa área, ao mesmo tempo emaranhadamente ligada aos interesses senhoriais mas dinamicamente incompatível com seus modelos tradicionais ou políticos de dominação, que compeliu as elites no poder a superporem, à ordem tradicional vigente nos costumes e fortalecida pelos efeitos políticos conservadores da burocratização da dominação estamental, uma ordem contratual que se impunha pela nova posição do Brasil no sistema internacional do capitalismo comercial. Sem dúvida, esses desdobramentos também se ligavam aos interesses imediatos das elites no poder. Mas assumiam novos contornos, ligando-se, sobretudo, às conveniências ou às esperanças que as associavam, em função dos estamentos de que eram extraídas, à expansão interna do capitalismo

Por aí se vê que a ideologia liberal se impunha como um momento de vontade indecisa. Respondia a uma ruptura entre o passado e o presente, mas sem que pudesse apoiar-se no prevalecimento deste sobre aquele. A mesma coisa sucederia à utopia liberal. Ela não se realiza, historicamente, como uma escolha clara, inconfundível e definitiva das elites dos estamentos dominantes. Para que subsistissem como e enquanto tais, elas dependiam, em larga medida, da reprodução em tão larga escala do *status quo ante* que sua identificação com a utopia liberal só podia ter sentido a largo prazo e, ainda assim, como pura consequência da absorção do liberalismo como ideologia. Esta emergia como imperativo de certas condições econômicas do presente, que possuíam implicações jurídicas, políticas e sociais inarredáveis. Mas pressupunha uma consideração atenta do futuro, às vezes até do futuro remoto, pois somente nele (ou neles) aquelas condições lograriam configurar os destinos históricos previstos à luz da expansão interna do capitalismo. Por pouco que isso significasse no terreno prático, essa conexão forneceu a principal base psicossocial do "idealismo político" dos estratos que compunham a sociedade civil e das suas elites dirigentes. Pois, ao que parece, foi graças a ela que a situação nacional começou a configurar-se, mais ou menos confusamente, não só como superação da situação colonial, mas também como transplantação do "progresso" alcançado por nações mais avançadas, como a Inglaterra ou a França.

Tomando-se em conta o padrão assumido historicamente por essa conexão, a propensão à mudança e o "idealismo político" que ela traduzia nada tinham que ver com uma pretensa "imitação servil" ou algum suposto "irrealismo histórico". O presente e o futuro estão contidos, na mesma escala, nas opções históricas, conscientes ou não, que ficam por trás da absorção de um padrão de civilização. Embora a expansão interna do capitalismo não fosse uma escolha, no sentido literal, já que ela decorria de uma posição prévia do Brasil na economia internacional, ela trazia consigo um presente e, com ele, um futuro. Os círculos humanos que souberam atentar, nos limites dos seus interesses imediatos, para as inovações impostas pelo presente também se mostraram sensíveis às consequências que elas acarretavam, como "algo que poderá" ou "algo que deverá suceder". Dessa perspectiva, o quadro institucional e político no qual emerge a Monarquia constitucional e se desenvolve a democratização do poder no nível da sociedade civil (como condição e meio da burocratização da dominação estamental) não tinha nada de artificioso. Ele não fora construído em função do presente mas do futuro que aquele presente parecia exigir. Por essa razão, era nesses aspectos, negados pelo presente tanto como continuação do passado colonial, quanto como início de uma nova era, que os requisitos ideais e os contornos reais da almejada sociedade nacional surgiam com maior clareza e vitalidade. Portanto, na medida em que os membros dos estamentos intermediários e superiores se identificavam com a expansão interna do capitalismo, eles propendiam a defender "soluções políticas" que mantinham ou ampliavam a modernização do Estado e sua intervenção construtiva na criação do substrato econômico, social e cultural requerido por uma nação integrada e independente.

CAPÍTULO 2 - AS IMPLICAÇÕES SOCIOECONÔMICAS DA INDEPENDÊNCIA

Essa discussão dá fundamento a três conclusões de relativa importância analítica. Primeiro, as motivações ideológicas do liberalismo eram primariamente econômicas e apenas implicitamente políticas (apesar de sua influência histórica ter se desenrolado numa esfera puramente política). As motivações utópicas do liberalismo, ao inverso, eram diretamente políticas e só secundariamente econômicas (o que está de acordo com a imagem que se fez e ainda se faz da influência do liberalismo; mas o que estava em jogo não era a ideologia liberal, como se pensava e ainda se pensa, mas a utopia liberal). Segundo, tanto o "realismo conservador" quanto o "idealismo liberal" das elites senhoriais têm sido exagerados e, com frequência, de forma unilateral. No caso, "realismo" e "idealismo" são o verso e o reverso da mesma moeda. No contexto histórico, faziam parte de adaptações políticas que correspondiam, inextricavelmente, aos desígnios políticos daquelas elites, empenhadas em privilegiar seu prestígio social, bem como em alcançar e em manter, assim, o monopólio social do poder. Se o reverso "idealista" e "modernizador" não se fez sentir com maior ímpeto, tenacidade e universalidade, isso não se deve à sua ausência. Porém, à preponderância de condições sociais externas e subjetivas que o anularam, aqui e ali, ou o solaparam, ao longo do tempo. Terceiro, a parte mais positiva e politicamente importante da contribuição daquelas elites à visão da integração da sociedade nacional, como processo e como realidade, aparece na polarização utópica do liberalismo e, portanto, no "idealismo político" a que ele se associou naquele cenário histórico. Ela não procede dos elementos tipicamente conservadores, inerentes à dominação senhorial, seja no nível do poder patrimonial, seja no nível do poder burocrático e político. Por isso mesmo, trata-se antes de uma contribuição virtual e historicamente frustrada que de algo tangível e concretizado socialmente. Ainda assim, ela deixou alguns frutos, como a imagem puramente ideal do Brasil como nação realizada (e, portanto, "soberana e integrada") e a tendência dúplice a tolerar-se o presente possível, sonhando-se indefinidamente (e por vezes lutando-se) pelo "futuro melhor".[6]

---

[6] Essa tendência tem sido vista, interpretativamente, como uma evidência da conciliação ou da alternação entre "conservantismo" e "reformismo" na evolução da sociedade brasileira. Todavia, a análise acima demonstra que ela não passa, de fato, de uma incapacidade flagrante das elites no poder de realizarem, historicamente, as utopias de que são socialmente portadoras.

Não é fácil resumir aqui o segundo aspecto do elemento puramente revolucionário, inerente à Independência.[7] Tem-se dado pouca atenção àquilo que os sociólogos poderiam designar como requisitos estruturais e funcionais da ordem nacional, constituída através da Independência e da implantação da Monarquia constitucional. Além disso, alguns desses requisitos, mesmo os essenciais para o desenvolvimento equilibrado daquela ordem nacional, desde o início tiveram existência mais ou menos precária e meramente potencial. Muitos deles só adquiriram consistência estrutural e vitalidade funcional bem mais tarde, depois da consolidação do Estado nacional independente e da formação do substrato material ou moral que se requeria. A presente discussão deve limitar-se, pois, há questões já esclarecidas pelas investigações históricas ou que podem ser consideradas, por uma razão ou por outra, sociologicamente axiomáticas. Doutro lado, ela deverá pôr ênfase nos aspectos da situação histórica que vinculavam o presente ao futuro, voltados para a frente e para o desenvolvimento ulterior da sociedade brasileira.

A natureza do enfoque, neste assunto, apresenta evidente importância analítica. O país possuía, graças ao desenvolvimento socioeconômico no período colonial e ao legado português,[8] alguma unidade interna e fortes tendências para preservá-la. Entre os fatores dessas tendências, contavam fundamentalmente as orientações adaptativas dos estamentos senhoriais às condições de mudança e a atuação política de suas elites diante dos problemas colocados pela reintegração dos padrões de organização da economia, da sociedade e da cultura. Sem dúvida, eram elites relativamente à altura de suas responsabilidades históricas e em condições de enfrentar aqueles problemas dentro dos limites das transformações em processo. Pelo menos duas gerações dessas elites possuíam vários componentes extremamente ativos na esfera política e que contavam: 1) com cultivo intelectual segundo padrões europeus (no mínimo, conforme os modelos imperantes na Corte portuguesa; mas, às vezes, superior a estes); 2) experiência política, administrativa ou político-administrativa e, portanto, discernimento suficiente para

---

[7] Conforme acima, pp. 51-52.

[8] O legado português já é bastante conhecido graças à contribuição de autores como Oliveira Lima, Gilberto Freyre, Caio Prado Júnior, Sérgio Buarque de Holanda etc. Sobre o que ele representou, sociologicamente, para a formação do "Brasil moderno" e a continuidade da civilização ocidental em nosso país, segundo as opiniões do autor, cf. *Mudanças sociais no Brasil*, pp. 165-171; e a primeira parte do primeiro capítulo do presente volume.

CAPÍTULO 2 - AS IMPLICAÇÕES SOCIOECONÔMICAS DA INDEPENDÊNCIA

se conduzirem por si próprias nos embates com o terrível desafio de alicerçar uma sociedade nacional sobre estruturas herdadas do mundo colonial; 3) um inconformismo irredutível, no que dissesse respeito à Independência e à construção de um Estado monárquico aberto à burocratização do poder estamental (sentido dentro do qual se manifestavam os anseios de democratização do poder), e um realismo insofreável, nascido da prática da dominação patrimonialista nas estruturas coloniais e da consciência do que representava a persistência daquelas estruturas, em particular do seu principal componente: a escravidão – como barreira à organização de um Estado moderno e, principalmente, à própria integração da sociedade nacional; 4) habilidade para o exercício da liderança e um mínimo de altruísmo no desempenho de suas responsabilidades políticas, o que foi fundamental para ajustamentos tipicamente ambivalentes, com um olho posto no presente (pelo qual se dava a composição com o passado) e outro colocado no futuro (pelo qual se justificavam as inovações mais ou menos arrojadas); 5) um mínimo de diferenciação interna, a qual permitiu que tais ajustamentos, medularmente dúplices por causa da ambivalência apontada, pudessem absorver alternativas ou opções históricas material, política ou moralmente imperativas às diferentes facções dos estamentos senhoriais (o que deu continuidade e funções construtivas às fricções ou às alternações entre "espírito conservador" e "espírito liberal"; e impediu, com intensidade crescente, que a dominação patrimonialista fosse regulada, no plano estamental e político, pelos valores estreitos que imperavam no âmbito do domínio). É provável que a transferência prévia da Corte tenha contribuído também para quebrar o acentuado provincianismo colonial e para alargar o horizonte cultural dos setores mais ativos e esclarecidos das elites dos estamentos senhoriais. De qualquer modo, sabe-se que, pelo menos no Rio de Janeiro e em algumas outras cidades, existiam padrões de convivência e formas de comunicação relativamente refinados ou eficazes. Se se acrescentar a esse quadro as massas insatisfeitas, desocupadas ou semi-ocupadas, que se concentravam em tais cidades, e a ressonância que elas podiam dar a atitudes ou comportamentos inconformistas daquelas elites, compreende-se que o setor mais experiente dos estamentos senhoriais tinha diante de si um palco promissor para sua atuação política criadora. Desde que não se pusessem em questão "os interesses sagrados da nação", abertamente confundidos e identificados pelos estamentos senhoriais com os interesses da lavoura e mola mestra do seu radicalismo político, havia uma vasta área para a assimilação de novas adaptações econômicas, políticas e sociais. E foi, de fato, palmilhada nas direções possíveis pelas elites que ocuparam o cenário histórico, antes ou depois da consolidação do Estado nacional independente.

O que há de sociologicamente relevante, nessas adaptações, não é só a existência de combinações "postiças" ou "anacrônicas" ou o caráter aberto das inconsistências culturais que elas pressupunham. A vitalidade, a tenacidade e a plasticidade com que certas aspirações e valores novos se impuseram, de forma quase coletiva, às elites dos estamentos senhoriais, também constituem algo crucial. Graças a dinamismos psicossociais, que lançam suas raízes em tais aspirações e valores, a percepção, a explicação e a aceitação da realidade, como processo social, sofreram alterações mais ou menos profundas, as quais exprimiam, em muitos pontos, uma ruptura irreversível com o passado colonial e com a tradição cultural imperante. Por meio de alterações dessa natureza, homens que se viam forçados a preservar a estrutura de velhas instituições procuravam suscitar novas vinculações entre elas e a sociedade, ao mesmo tempo que se propunham criar para esta uma ordem global que não existia antes. Assim, ligava-se o potencialmente possível ao aparentemente ideal, abrindo-se brechas na tradição patrimonialista de converter o passado em modelo do presente, configurando-se o futuro como medida de valor dos processos históricos e definindo-se a capacidade de arrostar as exigências do presente como a única válida garantia do "futuro da nação". Esse aspecto dos dinamismos psicossociais subjacentes à socialização das elites senhoriais é de extrema significação analítica, porque indica com clareza que a polarização nacional da dominação estamental rompeu, no plano político, os bloqueios que continuaram a prevalecer, indefinida e profundamente, no nível doméstico, da unidade de produção e do mandonismo local. Atendo-nos ao que nos interessa de momento, parece fora de dúvida que essa diferenciação da esfera da percepção, da explicação e da aceitação da realidade surgia como uma sorte de fatalidade histórica. Como já mencionamos, não seria possível extinguir-se o estatuto colonial sem construir-se uma ordem social nacional. Doutro lado, não seria possível erigir-se uma sociedade nacional, mesmo nos limites em que isso era necessário à montagem da dominação estamental, sem se agregarem dimensões novas à ordem social herdada da sociedade colonial. A composição ou o amálgama com o passado possuía, portanto, cissuras e "avanços para a frente" que não podem ser ignorados e que precisam, ao contrário, de uma compreensão que ponha em relevo os papéis construtivos logrados pelo "presente", pelo "futuro" e pelo "progresso" nos processos

CAPÍTULO 2 - AS IMPLICAÇÕES SOCIOECONÔMICAS DA INDEPENDÊNCIA

perceptivos, cognitivos e pragmáticos[9] dos agentes humanos socialmente atuantes. Se não se fizer isso, jamais se entenderá como e por que os mesmos círculos sociais responsáveis pela preservação de estruturas coloniais são, em escala análoga, igualmente responsáveis pela formação e pela consolidação de nova ordem social, que serviu de base à emergência e ao desenvolvimento de uma sociedade politicamente independente e nacionalmente integrada.

Ao combinar na mesma composição ou no mesmo amálgama forças que defendiam a perpetuação do passado no presente e forças que defendiam alguma espécie de ruptura com o passado (inclusive forjando-se um presente que o negasse e idealizando-se um futuro exclusivamente vinculado às determinações históricas de semelhante presente), as elites dos estamentos senhoriais colocavam-se a serviço da inovação cultural e se comprometiam, axiologicamente, com os processos histórico-sociais que transcendiam às situações e aos papéis sociais que elas viviam. Nesse sentido, as adaptações econômicas, sociais e políticas – através das quais a burocratização da dominação patrimonialista foi divorciada de seus modelos tradicionais e projetada quer aos interesses e às formas de solidariedade coletivos dos estamentos dominantes, quer aos requisitos materiais, jurídicos e políticos da existência positiva de uma nação, quer à implantação de um determinado tipo de Estado nacional independente constituíram o fulcro da formação e do desenvolvimento da ordem social nacional no Brasil. Não é difícil inferir-se por que os ajustamentos históricos assumiram essa direção. Graças e através da Independência, nação e Estado nacional independente passaram a ser "meios" para a burocratização da dominação patrimonialista e, o que é mais importante, para a sua transformação concomitante em dominação estamental típica. Por conseguinte, eles também eram "condições" e "meios": 1) para resguardar as estruturas coloniais em que se fundavam, econômica, social e moralmente, as formas tradicionais de dominação patrimonialista; 2) para privilegiar, politicamente, o prestígio social dos estamentos

---

[9] Na presente discussão, por falta de conceito melhor, usamos o termo pragmatismo (e outros, dele derivados) para designar o comportamento social inteligente, espontâneo ou organizado, que se volta para a transformação da realidade (cf. Karl Mannheim, *Libertad y planificación social*, parte IV, esp. pp. 209 ss.). Nesse sentido, quando nos referimos a "processos pragmáticos", temos em vista tanto o que vários sociólogos modernos chamam de "atividade social inconformista" quanto o que Marx designava como "atividade revolucionária" e "*práxis subversiva*".

senhoriais, fator essencial da burocratização da dominação patrimonialista e de sua transformação em dominação estamental propriamente dita. Portanto, sob esse aspecto, a preservação de velhas estruturas e o privilegiamento dos estamentos senhoriais possuíam, na sociedade brasileira da época, um sentido revolucionário. Eram condições para o rompimento com o estatuto colonial e, ao mesmo tempo, para erigir-se a construção da ordem social nacional a partir da herança colonial (ou seja, de uma "revolução dentro da ordem").

À luz desta interpretação, a dominação patrimonialista vinculava, no nível da sociedade global, os interesses e as formas de solidariedade dos estamentos senhoriais à constituição de um Estado nacional independente e à ordenação jurídico-política da nação. O desenvolvimento prévio da sociedade, sob o regime colonial, não criara, por si mesmo, uma nação. Mas dera origem a estamentos em condições econômicas, sociais e políticas de identificar o seu destino histórico com esse processo. Desse modo, a constituição de um Estado nacional independente representava o primeiro passo para concretizar semelhante destino. Por meio dele, os interesses comuns daqueles estamentos podiam converter-se em interesses gerais e logravam condições políticas para se imporem como tais. Ao se concretizarem politicamente, porém, os referidos interesses tinham de se polarizar em torno da entidade histórica emergente, a nação. Somente ela poderia dar suporte material, social e moral à existência e à continuidade de um Estado independente. Assim, ao enlaçar-se à fundação de um Estado independente e à constituição de uma sociedade nacional, a dominação patrimonialista passou a preencher funções que colidiam com as estruturas sociais herdadas da Colônia, com base nas quais ela própria se organizava e se legitimava socialmente e as quais ela deveria resguardar e fortalecer. Sua duração, em condições de equilíbrio relativo e de indiscutível eficácia (pelo menos dentro dos limites dos desígnios políticos dos estamentos senhoriais), sugere que ao longo da evolução do Império ela não chegou a ser posta em causa realmente e que não surgiram forças sociais novas, empenhadas em rearticular, politicamente, transformação da ordem social global e integração nacional.

Dois momentos interdependentes, embora contraditórios (e em muitos aspectos sob tensão insolúvel), marcam pois a situação social de existência dos homens que "fizeram história", na transição da época colonial para a fase imperial da época nacional. Um deles objetivava as estruturas coloniais, convertendo o presente em espelho do passado. Outro fazia do presente uma realidade ambígua e fluida, mas inspiradora e determinante, que objetivava o que o Brasil passaria e deveria

CAPÍTULO 2 - AS IMPLICAÇÕES SOCIOECONÔMICAS DA INDEPENDÊNCIA

ser graças à Independência, à fundação de um Estado nacional e à aquisição dos "foros de civilização" de uma nação. Esse momento possuía um alto poder fermentativo e explosivo, pois contradizia o passado e tendia, inevitavelmente, a superá-lo. As tensões e as fricções não se manifestaram de imediato, já que os agentes socialmente ativos fundiam ambos os momentos em sua visão do mundo, em sua consciência histórica e em sua atuação social construtiva. Todavia o segundo momento preencheu, desde logo, funções inovadoras – seja recalibrando a articulação das forças ou estruturas sociais persistentes à sociedade global em reconstrução, seja forjando as novas forças ou estruturas sociais, que imprimiam fins históricos a essa reconstrução, ao orientá-la no sentido da integração nacional. A essas funções prendem-se, de maneira específica: a transformação do horizonte cultural das camadas dirigentes; a reorganização do fluxo da renda e do sistema econômico; o aparecimento e a intensificação de mecanismos permanentes de absorção cultural; e a emergência da política econômica como dimensão técnica da burocratização da dominação estamental.

Vários aspectos da transformação do horizonte cultural das camadas dirigentes já foram discutidos acima, através da análise das polarizações e das funções do liberalismo. Agora cumpre-nos focalizar outros aspectos, que se relacionam com os processos perceptivos, cognitivos e pragmáticos que orientaram, presumivelmente, as atitudes e os comportamentos sociais dos agentes nas fases em que ocorrem a emergência e a consolidação de um Estado nacional independente. Na verdade, o *status quo ante* não seria alterado se os estamentos senhoriais mantivessem totalmente intactas suas concepções sobre a organização da sociedade e suas técnicas de poder. O que havia de essencial, como consequência limitadora do estatuto colonial, é que eles não podiam realizar, politicamente, sua condição econômica e social de estamentos dominantes. O estatuto colonial suprimia essa possibilidade, que era partilhada, indireta e precariamente, através da Coroa, de seus representantes legais e da condição de vassalo nobre (portanto, leal à Coroa e com requisitos para se converter em seu representante legal).[10] A implantação de um Estado nacional independente constituía a única via pela qual se poderia romper o bloqueio à autonomia e à plena autorrealização dos estamentos senhoriais; e fornecia-lhes, ao mesmo tempo, o caminho mais fácil e rápido para a extensão do patrimonialismo do nível doméstico, da unidade de produção e

---

[10] Nessas condições, muitos naturais da Colônia conseguiram projetar-se no Reino e ter acesso a carreiras notáveis na Corte, no Brasil ou no resto do Ultramar.

da localidade para o da "comunidade estamental" da sociedade global e do comportamento político. Assim, o patrimonialismo se converteria em dominação estamental propriamente dita e ofereceria aos estamentos senhoriais a oportunidade histórica para o privilegiamento político do prestígio social exclusivo que eles desfrutavam, material e moralmente, na estratificação da sociedade.

O domínio senhorial, porém, não continha elementos para dar fundamento e viabilidade culturais a semelhante transformação. Organizado sob o signo e as limitações do estatuto colonial, ele podia conferir independência econômica, poder de mando quase ilimitado e prestígio social exclusivo na escala do próprio domínio. Como seria de supor, a autonomia que ele gerava era, por si mesma, uma fonte de limitação e de sujeição, pois, como parte da ordem social colonial, ele não podia produzir senão o fortalecimento e a continuidade dessa mesma ordem social. A razão disso é bem conhecida. Tratava-se de uma autonomia e de um poder de mando que dividia e separava os iguais, tornando-os indiferentes ou beligerantes entre si. Cabia à Coroa realizar a união, o que está em favor do poder real e dos seus próprios desígnios, ou seja, a perpetuação do *status quo* e das vantagens que o estatuto colonial lhe conferia. Por isso, para que o prestígio social dos estamentos senhoriais pudesse ser privilegiado politicamente, era necessário que surgisse um fator de solidariedade que repousasse na comunidade de interesses dos senhores, mas transcendesse à organização interna do domínio. Esse fator vem a ser a criação de um Estado nacional independente. Os estamentos senhoriais ganhavam uma causa, a Independência e, principalmente, a transformação do Brasil em nação; e adquiriam meios para dar validade e eficácia à comunidade de interesses econômicos, sociais e políticos, isto é, para estender sua dominação do plano do domínio para o plano da coletividade (o que se operou gradualmente, mediante a absorção dos papéis administrativos, jurídicos e políticos configurados em torno da ordem legal emergente, ou seja, pela burocratização da dominação estamental).

O que importa considerar, nesse complexo processo histórico-social, são as implicações socioculturais da polarização assumida historicamente pelo elemento político. Este tinha, como base, o prestígio social dos agentes, o qual se assentava no domínio senhorial e nas técnicas de dominação patrimonialista. O que deu origem e fundamento ao seu privilegiamento foi, no entanto, a necessidade de criar um Estado nacional independente, e, em seguida, de consolidar e de manter a ordem social nacional, que ele pressupunha estrutural e dinamicamente. Graças a essa polarização, o mesmo agente humano era chamado a realizar suas pro-

CAPÍTULO 2 - AS IMPLICAÇÕES SOCIOECONÔMICAS DA INDEPENDÊNCIA

babilidades de poder no nível do domínio e no nível da nação. Embora no segundo nível ele só transcendesse e negasse o primeiro em nome da comunidade de interesses e das formas de solidariedade correspondentes, é óbvio que, nessa alteração, para efeitos políticos o domínio deixava de ser visto em si mesmo e passava a ser considerado à luz de suas conexões com as referidas comunidades de interesses e formas de solidariedade dos estamentos senhoriais. Houve, portanto, alargamento das esferas psicossociais de percepção da realidade, de representação ou de explicação do mundo e de atuação prática. O que chamamos de domínio (a plantação encarada através de sua vinculação com as técnicas tradicionais de organização e de dominação patrimonialistas), daí por diante é inseparável da ideia e da existência objetiva da nação. Não importa como esta se definia, etnocentricamente, no horizonte cultural das camadas senhoriais. Importa que "domínio" e "nação" tenderiam a mesclar-se, estruturalmente, em todas as matérias que dissessem respeito à normalidade da ordem social constituída.

Dessa perspectiva, a criação de um Estado nacional independente não significou apenas o advento de uma ordem legal que permitia adotar uma rede de instituições mais "moderna" e "eficaz". Ela também representou a conquista de uma escala mínima de regularidade, de segurança e de autonomia na maneira de pensar o presente ou o futuro em termos coletivos. Com ela, impunha-se uma nova orientação do querer coletivo. Toda e qualquer ação, de maior ou menor importância para a coletividade, voltava-se de um modo ou de outro para dentro do país e afetava ou o seu presente, ou o seu futuro, ou ambos. Portanto, com a Independência e a implantação de um Estado nacional, configura-se uma situação nacional que contrasta, psicossocial e culturalmente, com a situação colonial anterior. Os estamentos senhoriais não só tiveram de realizar uma rotação copernicana em sua concepção do mundo e do poder, para se adaptarem a essa alteração. Eles tiveram de avançar, lenta e penosamente, em alguns casos, ou rápida e satisfatoriamente, em outros, para ajustamentos psicossociais culturalmente inovadores, que se tornavam mais ou menos inevitáveis a partir do instante em que o domínio deixava de ser uma espécie de mundo social em si e para si, autossuficiente mas incapaz de beneficiar-se de sua autossuficiência. Em correspondência a essa alteração, o típico "senhor rural" deixa de ser, em graus naturalmente muito variáveis, um agente divorciado dos processos histórico-sociais do ambiente. Na medida em que progride a burocratização da dominação patrimonialista e em que se consolida o Estado nacional emergente, domínio e nação tenderão a harmonizar-se como polos diferenciados, distantes mas interdependentes. O seu destino ganha, assim, duas facetas, e lhe será cada vez mais difícil e arriscado voltar as costas para o cenário mais amplo, no qual sua autonomia se metamorfoseava em liberdade e sua autoridade se transfigurava em poder político.

Malgrado a persistência e a vitalidade do privatismo, esse fato possui uma significação econômica, social e política que nunca será demais ressaltar. Os únicos segmentos de expressão histórica dentro do país mobilizam-se com o fito consciente e expresso de "organizar a sociedade nacional" e o fazem de maneira a identificar seus interesses econômicos, sociais e políticos com a "riqueza", a "independência" e a "prosperidade" da nação. Embora daí resultasse que burocratização do poder estamental e integração nacional fossem fenômenos equivalentes, o que acarretava a elevação do privatismo em princípio de ordenação societária, nem todos os efeitos dessa vinculação seriam "particularistas". Ao contrário, essa conexão é que conferiu aos senhores rurais condições para converterem a satisfação de seus objetivos privados comuns em fator político de interesse geral. Assim, a situação nacional adquiria um significado político que transcendia ao privatismo e que emanava, diretamente, da entidade sociocultural nova da qual ela fluía. Isso se fazia sentir tanto na mudança do destino social interno dos estamentos senhoriais, que passavam de vítimas privilegiadas do esbulho colonial a "donos do poder", quanto na mudança de sua posição nas relações com o exterior, nas quais o controle do aparelho estatal redundava em novos mecanismos reativos de autodefesa. Semelhantes possibilidades suscitavam um estado de espírito algo diverso do que prevalecera antes da derrocada do mundo colonial, pois ao mesmo tempo que aumentavam o poder e a escala de previsão com referência ao futuro, também aumentavam a segurança e o otimismo diante dos assuntos práticos. Em consequência, o horizonte cultural desses círculos sociais sofreu profundas alterações, em seus conteúdos e em sua organização.[11] Dois fatos concomitantes contribuíram para estender a amplitude e para intensificar a aceleração desse processo psicossocial. A hegemonia política das camadas estamentais lhes assegurou relativa segurança, na fase de burocratização de seu poder político. De outro lado, muitos problemas colocados por essa burocratização

---

[11] Outros aspectos do fenômeno já foram considerados acima (na discussão sobre as polarizações do liberalismo no contexto histórico social) ou serão ventilados adiante (em conexão com outros efeitos da mudança sociocultural).

CAPÍTULO 2 - AS IMPLICAÇÕES SOCIOECONÔMICAS DA INDEPENDÊNCIA

foram enfrentados como problemas técnicos, pois diziam respeito aos requisitos jurídico-políticos da ordem legal. Se existissem ou surgissem forças sociais capazes de pôr em xeque o privilegiamento político das camadas senhoriais, é provável que o processo assumisse curso diferente. Nas condições transcorridas historicamente, porém, a mencionada coincidência concorreu, de maneira evidente e indiscutível, para aumentar a maleabilidade, a eficácia e a racionalidade das adaptações políticas, desenvolvidas pelas elites senhoriais através da burocratização da dominação patrimonialista. Muitos "senhores rurais" continuaram apegados às técnicas tradicionais e ao antigo isolamento. Não obstante, em todas as regiões do país, uma porção considerável respondeu conscienciosamente às obrigações dos cidadãos ativos, oferecendo uma base adequada à seleção dos cidadãos prestantes e, entre estes, ao peneiramento intensivo de elites políticas altamente qualificadas. Em outras palavras, os estamentos senhoriais reagiram produtivamente à situação nova, assumindo com notável rapidez os novos papéis políticos, ou jurídicos, ou administrativos, em todas as esferas da organização do poder (central, provincial e municipal). Tudo isso quer dizer que participavam, ativa e construtivamente, da emergência da nação como realidade política. Podiam fazê-lo, porque seu horizonte cultural se alterara, em seus conteúdos e em sua organização, no decurso do processo; e, ao fazê-lo, adaptavam o seu horizonte cultural, cada vez de modo mais extenso e profundo, às exigências de uma nação "independente" e "moderna".

A reorganização do fluxo interno da renda e do sistema econômico seguiu um caminho paralelo à transformação do horizonte cultural das camadas senhoriais. Entretanto, ao que parece, as coisas seguiram mais depressa na esfera econômica, malgrado a persistência e os influxos negativos das estruturas coloniais no setor agrícola. Na verdade, a implantação de um Estado nacional independente não nasceu de nem correspondeu a mudanças reais na organização das relações de produção. Doutro lado, as forças sociais que controlaram os processos políticos teriam congelado qualquer alteração desse tipo, se o congelamento fosse historicamente viável. O único fato positivo, de teor dinâmico novo, relaciona-se com as potencialidades econômicas da grande lavoura. No passado colonial recente, elas eram tolhidas, solapadas ou neutralizadas através de mecanismos dirigidos pela Metrópole; a emergência da ordem social nacional representou não só a abolição desses mecanismos, como o aparecimento de novas condições, naturais e artificiais, de incentivo e de proteção aos "interesses da lavoura". Por conseguinte, a relação da lavoura com o contexto econômico sofreu alterações relevantes e suas potencialidades econômicas foram rapidamente absorvidas pelo meio socioeconômico. Apenas a persistência de velhas estruturas (e aí cumpre ressaltar o efeito relativamente amortecedor da mudança econômica, que provinha da preservação do trabalho escravo) impediu que tais potencialidades repercutissem com maior intensidade na dinamização da vida econômica e do crescimento dos outros setores. Mas esses aspectos foram amplamente corrigidos ou compensados por outros efeitos. Há a considerar, aí, dois tipos de consequências: 1) as reações em cadeia à supressão do estatuto colonial e da ordem social correspondente; 2) as pressões diretas e indiretas que as novas estruturas políticas exerciam sobre a diferenciação e a expansão do sistema econômico. Essas pressões não podem ser subestimadas, pois, no caso, a construção de um Estado nacional independente teve de ser acompanhada da criação e da diversificação de vasta rede de serviços (o que contribuiu para acelerar o desenvolvimento urbano) e significou o controle do poder pelas elites senhoriais (o que acarretou um novo tipo de adaptação da economia do país às condições heteronômicas impostas pelo mercado externo).

No plano por assim dizer mecânico e imediato, colocam-se várias alterações substanciais. É preciso não perder de vista que, apesar da persistência de estruturas econômicas coloniais e da continuidade da posição heteronômica em relação ao exterior, os mecanismos centrais da vida econômica passaram a gravitar em torno de interesses individuais ou coletivos internos e a se organizarem a partir deles. A persistência de estruturas econômicas coloniais foi limitativa, sem dúvida, já que impediu qualquer mudança na concentração social da renda e qualquer correção de suas distorções. Contudo, ela não podia interferir em outros efeitos, em particular naqueles efeitos que se associavam à diferenciação do sistema econômico, nas condições vigentes de interdependência entre grande lavoura e trabalho escravo. Tampouco ela poderia impedir os desenvolvimentos econômicos impostos pela criação de um substrato material para o funcionamento do Estado e pelas primeiras manifestações da emergência de uma economia integrada nacionalmente. Como os processos econômicos mais significativos para o crescimento ulterior se desenrolavam como consequência das transformações no modo de ordenar, dirigir e explorar os fatores econômicos (efeitos econômicos de um processo político: a grande lavoura libera-se dos entraves resultantes do estatuto colonial e organiza-se como força econômica), as alterações estruturais e dinâmicas mais relevantes ocorrem no nível da reorganização do fluxo da renda e do seu impacto sobre a economia interna. Antes, o fluxo da renda era canalizado de dentro para fora. Graças à

CAPÍTULO 2 - AS IMPLICAÇÕES SOCIOECONÔMICAS DA INDEPENDÊNCIA

extinção do estatuto colonial e à Independência, ele passa a orientar-se para dentro. Parece fora de dúvida que, tanto no plano interno quanto no plano da vinculação com o mercado externo, as vantagens diretas e imediatas foram, como salientam os estudiosos, pouco profundas. O país livrou-se da condição legal de Colônia, mas continuou sujeito a uma situação de extrema e irredutível heteronomia econômica. Não obstante, como as elites senhoriais absorveram o controle da economia, do Estado e da vida social, elas não só colocaram um paradeiro ao "esbulho colonial", transferindo para si próprias parcelas da "apropriação colonial" que ficavam em mãos da Metrópole ou de seus agentes econômicos. Elas adquiriram uma posição mais vantajosa seja para participar de forma compensadora na renda gerada pela exportação, seja para gerir livremente as aplicações reprodutivas (ou sibaríticas) do excedente econômico. Sob esses aspectos, a constituição de um Estado nacional independente punha termo à forma de expropriação colonial, que submetia o agente econômico interno a uma inevitável e irredutível espoliação típica. Além disso, deixava-o livre para explorar, nos limites de suas possibilidades, os modelos de ação econômica absorvidos dos centros hegemônicos externos. A grande lavoura, centralizando-se no trabalho escravo e na dominação patrimonialista, solapou de várias maneiras o desenvolvimento histórico-social desse processo. Mas ela não interferiu negativamente (entenda-se: em escala nacional), nem sobre as consequências especificamente sociais da reorganização do fluxo da renda (as quais intensificaram a concentração social interna da renda, ao aumentar a participação do agente econômico privilegiado sem redistribuir os benefícios; mas, com isso, também aumentou sua capacidade econômica de fazer face a novos papéis econômicos, sociais e políticos), nem sobre os rumos tomados pela interdependência crescente entre diferenciação do sistema econômico e desenvolvimento urbano.

Assim, ao mesmo tempo em que desapareciam os focos de heteronomia econômica, social e política, regulados pela vigência do estatuto colonial, surgiam novos padrões de organização interna do fluxo da renda. Esta deixou de ser canalizada normalmente para fora; e ganhou um suporte social interno, os agentes econômicos que controlavam a grande lavoura e, em seguida, também os que controlavam o "grande comércio" (ou seja, a exportação e a importação). Limitando-nos ao essencial: 1) a internalização do fluxo da renda forçou, de modo direto, a diferenciação dos papéis econômicos; 2) ela também contribuiu para modificar a composição do sistema econômico. As consequências do primeiro tipo prendem-se às condições institucionais do intercâmbio econômico. No período colonial, as fases de comercialização do produto, independentemente de sua natureza ou complexidade, tendiam a ser absorvidas de fora (pela Coroa, seus agentes econômicos ou prepostos e pelas companhias comerciais que controlavam o mercado dos produtos tropicais). A tendência foi para a rápida internalização dessas fases, com maior transferência do capital estrangeiro para dentro do país, mas com a absorção correspondente das instituições econômicas e da tecnologia que elas exigiam. Isso não só deu origem a uma rápida evolução do comércio voltado para a exportação e do sistema de crédito; fez com que a participação do país nos negócios de exportação se estendesse, de modo parcial ou completo, à renda gerada por essas fases. Ao referido fator devem-se acrescentar certos efeitos dinâmicos da constituição de um Estado nacional independente. Este impôs às camadas estamentais novos tipos de contato e de comunicação, novos padrões de mobilidade horizontal e, mesmo, algumas transformações em seu estilo de vida. Pelo menos os cidadãos ativos que foram engolfados nas elites políticas e se converteram em cidadãos prestantes se viram forçados a desempenhar novos papéis sociais e políticos, com frequência em cenários distantes (nas capitais das Províncias ou na Corte imperial), o que redundava em novos dispêndios no financiamento do *status* senhorial e facilitava o acesso a papéis econômicos em expansão nos núcleos urbanos. As consequências do segundo tipo prendem-se aos efeitos do crescimento tumultuoso da circulação, que atingiu maiores proporções nos centros urbanos e uma intensidade relativamente dramática na Corte.

Essas transformações repercutiram, estrutural e dinamicamente, em três níveis distintos da vida econômica. De um lado, contribuíram para a liberação e a dinamização de móveis puramente capitalistas do comportamento econômico, que antes eram sufocados pelo impacto do estatuto colonial ou em virtude do isolamento e do crescimento horizontal (quando ocorria algum crescimento) da grande lavoura. De outro, colocaram em novas bases a organização interna de uma economia de mercado, pelo aparecimento e aumento contínuo de grupos de consumidores com vários padrões de exigências e pela intensificação da especialização econômica (a primeira tendência foi fundamental para a expansão do comércio, com incremento concomitante das importações e da produção artesanal ou manufatureira interna; e a segunda teve grande importância para a inclusão paulatina da economia de subsistência no mercado interno e para formas incipientes de integração econômica regional). Por fim, suscitaram a recalibração econômica do comércio, que se transfigura à medida que se diferencia

CAPÍTULO 2 - AS IMPLICAÇÕES SOCIOECONÔMICAS DA INDEPENDÊNCIA

quantitativa e qualitativamente, passando a contar, de modo crescente, como segundo polo dinâmico das atividades econômicas.[12]

O aparecimento e a intensificação de mecanismos permanentes de absorção cultural já foram mencionados por várias vezes, na discussão do liberalismo e das implicações culturais da implantação de um Estado nacional independente. No contexto histórico considerado, tanto as tendências de desenvolvimento político e econômico quanto as tendências de crescimento urbano imprimiam à modernização um caráter desordenado mas difuso e intenso. As principais pressões modernizadoras provinham da formação e da consolidação de uma ordem social nacional. Criar um Estado nacional ou forjar uma nação significa organizar o espaço econômico, social e político de uma forma peculiar. Não só se torna necessário imprimir regularidade e eficácia a certos serviços, certos tipos de comunicação ou de contato e a certas instituições integrativas de âmbito nacional; é preciso assimilar a tecnologia que torna possível semelhante organização do espaço econômico, social e político, na qual se fundam o conhecimento, a capacidade de previsão e o controle dos homens sobre os processos econômicos, sociais e políticos que operam dentro desse espaço, preservando ou alterando seu padrão de equilíbrio segundo objetivos ou direções determinados pelo querer coletivo. Na época da transplantação da Corte, uma parte das elites senhoriais, pelo menos, já adquirira certa experiência em relação às principais fases ou produtos desse processo. As condições histórico-sociais imperantes favoreceram, singularmente, o rápido envolvimento dos demais segmentos das elites senhoriais e, o que é mais importante, imprimiram à modernização amplitude, proporções e intensidade consideráveis para uma sociedade literalmente submersa no tradicionalismo. O setor que eventualmente poderia resistir às mudanças encontrava nelas um meio para conquistar autonomia real e para assumir o controle político da nação emergente. Doutro lado, como ele próprio regulava e conduzia, através de suas elites, as diferentes fases do processo, nada

---

[12] Na caracterização típico-ideal dos fenômenos econômicos considerados foi tomada, como fonte de referência histórica, a cidade do Rio de Janeiro, dos fins do século XVIII aos meados do século XIX. Em outras cidades (e também nas regiões correspondentes), operando-se dentro da mesma unidade de tempo, os traços típico-ideais ressaltados podem não aparecer (caso da cidade de São Paulo, por exemplo); ou podem, então, aparecer com menor intensidade (caso da cidade de Recife, por exemplo). Tais flutuações notórias explicam-se pelo grau de vitalidade alcançado, na época, pela grande lavoura e por suas repercussões no crescimento econômico. O processo descrito, porém, logo se tornaria universal na sociedade brasileira.

tinha a temer das inovações socioculturais e tudo tinha a ganhar do que elas representassem para a "organização nacional".

Por isso, as pressões da reorganização do fluxo da renda e do sistema econômico, da constituição de um Estado nacional e do crescimento urbano sobre a absorção de tecnologia, de instituições e de valores sociais puderam ser enfrentadas sem tensões graves e sob aceleração crescente. Em algumas áreas, os modelos assimilados se beneficiavam da acumulação prévia de experiência (tome-se, por exemplo, a diferenciação e a expansão do comércio sob a influência inglesa); em outras, os modelos importados ficaram sujeitos a redefinições e a adaptações mais ou menos precárias e deformadoras (foi o que aconteceu, por exemplo, com as instituições jurídicas e políticas, que deveriam moldar uma ordem legal democrática, mas se converteram, basicamente, em instrumentos da burocratização da dominação patrimonialista no nível estamental). O que importa ressaltar, porém, não são esses aspectos, mais ou menos contingentes, dadas a precariedade do ponto de partida (uma situação colonial) e a vulnerabilidade do querer coletivo em causa (as disposições de elites senhoriais de um país em que imperava o tradicionalismo e que dependia da produção escravista para o autocrescimento); são as duas funções que a absorção cultural preencheu desde o início. Primeiro, a função por assim dizer universal: a esse processo prende-se, de fato, a lenta construção do arcabouço material e moral de uma nação. Sob esse aspecto, cabia-lhe dotar a sociedade brasileira de capacidade para reproduzir, autonomamente, os atributos culturais de uma sociedade nacional. Enquanto fora Colônia, essa perspectiva ficara totalmente vedada. O Brasil passava a participar diretamente, então, através de suas possibilidades virtuais ou reais, do estoque de técnicas, de instituições e de valores sociais da civilização ocidental contemporânea. Desse ângulo, a pressão interna não caminhava somente na direção de um certo grau de modernização (ou de "progresso", como se dizia). Mas de um estilo definido de modernização, o que envolvia a absorção concomitante do padrão de civilização que o tornava possível. Assim, a assimilação de novos modelos de organização das casas comerciais, das manufaturas, dos bancos, dos serviços públicos etc., pressupunha tanto certo "progresso institucional", quanto a objetivação de condições culturais internas de integração de uma "sociedade nacional", de uma "economia de mercado" etc. Nessa área, a tradição cultural tinha de ser inevitavelmente sacrificada ou posta de lado, onde e quando a superação de velhos hábitos e de técnicas sociais arcaicas o permitissem. Segundo, uma função que se poderia chamar de interferente: data daí a propensão das elites dominantes a interpretar todo processo de

CAPÍTULO 2 - AS IMPLICAÇÕES SOCIOECONÔMICAS DA INDEPENDÊNCIA

mudança social como "assunto privado". É certo que nunca mais se repetiram as condições estimulantes desse momento histórico. Nunca mais as "elites no poder" iriam se revelar tão abertas diante da aventura da inovação cultural e tão seguras ou confiantes em face dos seus resultados reconhecíveis antecipadamente. Contudo, algo aconteceu, nesse período, que elevou uma reação tipicamente estamental a necessidades prementes de mudança sociocultural à categoria de norma ideal do comportamento social inteligente. O fato é que o êxito alcançado e o modo de alcançá-lo acabaram se impondo como padrão normal da reação societária a qualquer tipo de mudança. A tutela estamental acabou sendo socialmente definida como uma sorte de equivalente histórico do "despotismo esclarecido" e a única via pela qual a sociedade brasileira poderia compartilhar com segurança os avanços do "progresso". Na época, semelhante racionalização não foi nem improdutiva nem perigosa, pois os estamentos senhoriais estavam engolfados num processo revolucionário. Com o tempo, porém, a dominação estamental perdeu suas funções construtivas para a integração nacional ou se viu historicamente abolida e condenada. A racionalização, não obstante, persistiu e fortaleceu-se, como se somente os grupos privilegiados econômica, social e politicamente tivessem suficiente discernimento e patriotismo para fazer opções diante de mudanças socioculturais de significação histórica. Independentemente de tais reflexões, que se tornam atuais e pungentes em nossos dias, é óbvio que a função interferente foi culturalmente produtiva nas fases de transição do mundo colonial para a sociedade nacional ou de consolidação desta última. Nesse contexto histórico, ela suscitou disposições de mudança cultural que dinamizaram o teor construtivo da dominação estamental e que impeliram o Império a forjar a herança cultural que iria condicionar o desenvolvimento ulterior do "Brasil moderno".

A emergência de uma política econômica em concomitância com a implantação de um Estado nacional independente é assunto muito controvertido entre os nossos estudiosos. Para muitos ela seria uma conquista recente. Não nos colocamos entre os que pensam desse modo. Uma "política econômica" não é matéria de *ultima ratio*; para que ela exista, nem sequer é necessário o aparecimento de controles políticos ativos sobre processos econômicos ou seus efeitos indesejáveis. Basta que certas técnicas de dominação sejam aplicadas, por estamentos, classes sociais ou em nome da coletividade, na defesa de situações de interesses ou da própria posição de dominação a partir da ordem legalmente estabelecida. Nesse sentido, ela abre vários graus de combinação de fatores racionais e irracionais na condução das questões econômicas de importância fundamental para os estamentos, as classes sociais ou a coletividade. Sob outros aspectos, esta pode ou não ser levada em conta; e, quando isso sucede, ela poderá ser levada em conta de maneira real ou de forma meramente suposta e fictícia. O que ocorreu com o Estado nacional independente é que ele era liberal somente em seus fundamentos formais. Na prática, ele era instrumento da dominação patrimonialista no nível político. Por essa razão, esdrúxula para os que não raciocinam sociologicamente, ele combinou de maneira relativamente heterogênea e ambivalente as funções da Monarquia centralizada com as da Monarquia representativa. Enquanto veículo para a burocratização da dominação patrimonialista e para a realização concomitante da dominação estamental no plano político, tratava-se de um Estado nacional organizado para servir aos propósitos econômicos, aos interesses sociais e aos desígnios políticos dos estamentos senhoriais. Enquanto fonte de garantias dos direitos fundamentais do "cidadão", agência formal da organização política da sociedade e quadro legal de integração ou funcionamento da ordem social, tratava-se de um Estado nacional liberal e, nesse sentido, "democrático" e "moderno". As conclusões da discussão sobre as polarizações e as funções sociais do liberalismo indicam o que pensamos desse pretenso dilema. Ele não possui razão de ser. Os dois aspectos se somam, como parte dos dois momentos[13] a que nos referimos acima. Se as camadas senhoriais não se apoiassem em ajustamentos políticos altamente egoísticos e autoritários, correriam o risco de uma regressão econômica, da perda do controle do poder e da inviabilidade do Estado nacional. Se elas não aceitassem certas condições ideais do modelo absorvido de organização do Estado nacional, este não abriria perspectivas à formação e ao fortalecimento progressivos do substrato material e moral de uma sociedade nacional, ou seja, estaria condenado como realidade histórica. No mínimo, o país se fragmentaria em várias unidades políticas hostis, pois a hipótese alternativa seria a feudalização da dominação patrimonialista. Assim, a impossibilidade de romper frontalmente com o passado e de optar claramente por um certo futuro é que impôs o Estado-amálgama. Por ser um amálgama ele preencheu as funções mutuamente exclusivas e inconsistentes a que devia fazer face, estendendo a organização política e a ordem legal através e além do vazio histórico deixado pela economia colonial, pelo mandonismo e pela anomia social. À medida que se realizou, nessa direção, foi criando condições políticas ou culturais para a depuração paulatina dos ingredientes inconsistentes e conflitantes entre si.

---

[13] Cf. acima, p. 78.

CAPÍTULO 2 - AS IMPLICAÇÕES SOCIOECONÔMICAS DA INDEPENDÊNCIA

Se se toma semelhante orientação interpretativa – que pressupõe, liminarmente, que não há nada de mais no fato de um Povo ter sido Colônia e que uma nação não nasce pronta e acabada – parece evidente que a primeira consequência verdadeiramente política da burocratização da dominação patrimonialista e da criação de um Estado nacional independente foi a emergência gradual de uma nova dimensão nas relações econômicas. Estas passaram a refletir as posições a partir das quais os estamentos senhoriais iriam adaptar-se às transformações da ordem interna e das estruturas de poder externas. Revelam, em outras palavras, a emergência gradual da política econômica como realidade histórica.

A sua manifestação mais tosca, imediata e elementar aparece em conexão com o privilegiamento do prestígio social dos estamentos senhoriais. Ao garantir monopólio do poder político aos estamentos senhoriais, o privilegiamento constitui um mecanismo político de preservação e fortalecimento das estruturas socioeconômicas em que assentavam seu prestígio social exclusivo. Todavia, uma manifestação mais complexa exterioriza-se através da secularização de atitudes e dos padrões de comportamento econômico. A reorganização interna do fluxo da renda introduziu o elemento competitivo nas relações econômicas dos "senhores rurais", entre si ou com outros agentes econômicos. A partir do momento em que eles podiam inserir-se e participar diretamente das diferentes fases internalizáveis da comercialização dos produtos exportados, eles se liberavam da expropriação colonial, mas convertiam-se, automaticamente, em puros agentes de transações comerciais. É curioso que os "senhores rurais" não repeliram os benefícios econômicos desse processo, os quais procuravam, ao contrário, incrementar. Contudo, reagiram a ele de forma caracteristicamente estamental, tanto na esfera dos costumes (escamoteando o caráter comercial de suas atividades econômicas) quanto na esfera do poder político organizado (através de medidas administrativas e políticas que privilegiavam, de maneira crônica, os "interesses da lavoura" e a "segurança do produtor agrícola"). De outro lado, embora muitos deles se envolvessem precocemente em negócios valorizados economicamente pela expansão das cidades, timbravam em ver na agricultura a "verdadeira fonte de riqueza" e o único ramo econômico "capaz de acautelar o futuro da nação". Ao seu comportamento político era inerente, portanto, o privilegiamento em escala nacional de seus interesses econômicos comuns. Uma terceira manifestação, ainda mais sutil, evidencia-se no nível das relações com o mercado externo. Na verdade, a Independência e a criação de um Estado nacional melhoraram a posição do "senhor rural" como agente econômico em face desse mercado. Mas não o livraram de dependências que provinham da situação completamente heteronômica da economia brasileira. Para resguardar-se dos efeitos nocivos ou desvantajosos dessa situação, sempre que a adversidade o exigisse com alguma latitude e segundo certos mínimos de modo permanente, os "senhores rurais" aprenderam bem depressa a manipular estrategicamente, em seu favor, os fatores de defesa interna que pudessem ser mobilizados com relativa eficácia. Por essa razão, a extrema concentração da renda ocultava uma política tipicamente estamental de proteção dos interesses econômicos senhoriais, contra qualquer outro tipo de interesse, de indivíduos, de outros grupos ou da coletividade. Daí provinha um envolvimento explícito do Estado numa teia de obrigações que deveriam recair sobre a iniciativa privada, mas que esta reclamava como um direito (da criação de capital social, que beneficiasse unilateralmente os interesses privados ou coletivos dos "lavradores", à intervenção direta ou indireta na gestação de mecanismos adicionais de transferência da renda para a "lavoura"). Nesse nível, é claro que o Estado nacional absorvia funções político-econômicas típicas de nações dependentes. Mas, ao fazê-lo, convertia-se em instrumento da dominação estamental no plano econômico. Como tais funções não visavam, estrategicamente, a extinção ou a atenuação dos focos de heteronomia da economia nacional, procurando apenas combater seus efeitos conjunturais negativos sobre o nível de renda dos "senhores rurais", elas revelam dentro de que limites o funcionamento normal do Estado garantia, pura e simplesmente, verdadeiros privilégios econômicos.

Ao lado dessas manifestações, em que o Estado emergia na vida econômica como condição para a eficácia ou a regularidade da dominação política dos estamentos senhoriais, duas dimensões da política econômica revelam o aspecto novo das conexões funcionais do Estado nacional com a organização da economia. Primeiro, fiel aos princípios do liberalismo econômico, o Estado orientou-se, decididamente, no sentido de proteger e de fortalecer a iniciativa privada. Malgrado certas incompreensões da lavoura e certas interferências dos importadores, essa filosofia teve alguma importância prática, principalmente para a organização do mercado de gêneros de subsistência (onde também se faziam sentir as pressões dos "senhores rurais", interessados em preços baixos) e para a expansão de manufaturas. Segundo, o Estado assumiu vários encargos importantes, que visavam garantir continuidade de mão de obra escrava, estabelecimento de meios de comunicação e de transporte, criação de serviços públicos, fixação de colônias etc., que visavam diretamente a gestação das estruturas econômicas requeridas por uma sociedade nacional. Muitas vezes, tais encargos encontravam apoio

CAPÍTULO 2 - AS IMPLICAÇÕES SOCIOECONÔMICAS DA INDEPENDÊNCIA

e incentivo em pressões de tipo estamental. Com frequência, porém, eles nasciam de desígnios independentes, voltados para a necessidade de organizar e expandir a economia de mercado, de aumentar ou de diferenciar a produção, de corrigir a dependência econômica em relação ao exterior etc. Nessa esfera, configurou-se relativamente depressa a tendência a identificar a política econômica com a busca e a conquista da "verdadeira autonomia da nação". Ela não redundou numa rápida e considerável ampliação dos limites de atuação prática do Estado, em consequência da crônica escassez de recursos, das limitações e inconsistências do poder público, das interferências internas ou externas etc. Ainda assim, a ela se prendem as primeiras tentativas deliberadas de usar meios políticos para acelerar, diferenciar ou orientar o crescimento econômico e para dotar a sociedade nacional de um substrato econômico suficientemente integrado para garantir sua unidade ou independência políticas.

Ao terminar esta digressão sobre as implicações econômicas da Independência e da implantação de um Estado nacional no Brasil, conviria resumir as principais conclusões de ordem geral, que encontram fundamento sociológico nas análises desenvolvidas. Essas conclusões giram em torno de cinco problemas fundamentais e serão expostas tendo-se em vista que a autonomização política constitui um complexo processo histórico-social, no qual lançam suas raízes todos os desenvolvimentos decisivos ulteriores da sociedade brasileira. Essa afirmação, em nosso entender, é particularmente válida para a formação do chamado "Brasil moderno", floração cultural da silenciosa revolução socioeconômica em que aquela revolução política iria desdobrar-se, lentamente, ao longo do tempo.

Primeiro, a autonomização do país inicia-se como um fenômeno medularmente político. Não houve transformação prévia, concomitante ou subsequente da organização das relações de produção. Ao contrário, pelo menos no que respeita à grande lavoura, setor básico da economia colonial, a autonomização política processou-se em condições que pressupunham a preservação e o fortalecimento dos padrões coloniais de organização das relações de produção. No entanto, cumpre ressaltar que a autonomização política, ao eliminar os entraves decorrentes do estatuto colonial e ao internalizar os controles da vida econômica, vinculou esses padrões de organização das relações de produção, estrutural e dinamicamente, às tendências de integração, diferenciação e crescimento da economia interna. Em consequência, as potencialidades puramente econômicas das estruturas econômicas coloniais iriam robustecer-se e externar-se de modo completo na época da sociedade nacional. Embora isso seja, aparentemente, um paradoxo, é compreensível que as coisas se passassem assim. Suprimida a forma de apropriação colonial associada ao estatuto jurídico-político de Colônia, tais estruturas passavam a dar maior rendimento e a dinamizar suas potencialidades econômicas limites como partes de um sistema econômico em processo de integração nacional. Até que ponto essa observação é verdadeira, atesta-o o ciclo econômico que se desenrolou nas condições histórico-sociais e políticas novas, o do café. O paradoxo está no fato de que a "revolução nacional" não resultou de uma "revolução econômica" nem concorreu para forjar ideais de autonomia econômica que implicassem ruptura imediata, irreversível e total com o passado recente. Antes, consolidou e revitalizou as funções da grande lavoura, como polo dinâmico da economia interna, servindo de base à referida expansão limite das estruturas econômicas coloniais.

Segundo, não são as alterações do mercado externo e do sistema internacional de poder que explicam, sociologicamente, essa evolução histórica. As alterações do mercado externo e do sistema internacional de poder explicam duas coisas: a) a existência de pressões externas favoráveis à extinção do estatuto colonial, as quais constituíam requisitos estruturais e dinâmicos da depuração das relações econômicas no nível da economia mundial (eliminação das alíquotas que cabiam à Metrópole, a seus prepostos e agentes econômicos na mercantilização dos produtos tropicais brasileiros, as quais os oneravam desnecessariamente, em particular nos termos do comércio dos novos centros hegemônicos); b) o interesse desses centros por processos de autonomização política que pudessem conduzir à extinção do estatuto colonial, sem provocar a derrocada das demais condições (é preciso não esquecer que tais condições eram basicamente econômicas e constituíam a garantia de manutenção de certos fatores, como níveis de oferta ou de preços dos produtos tropicais no mercado internacional, controle de sua mercantilização a partir de fora, restabelecimento dos nexos coloniais por mecanismos econômicos indiretos, suplementados por procedimentos diplomáticos e políticos etc. Isso configura o tipo de neocolonialismo que presidiria e orientaria, daí por diante, a incorporação e a subordinação das economias periféricas das "nações emergentes" às economias centrais das "nações dominantes"). A evolução histórica em questão explica-se por processos histórico-sociais internos, apenas condicionados e estimulados favoravelmente pelas alterações do mercado externo e do sistema internacional de poder. Parece fora de dúvida que as elites que dirigiam os ajustamentos políticos das camadas senhoriais defrontaram-se com uma dura alternativa na esfera econômica. A economia do

CAPÍTULO 2 - AS IMPLICAÇÕES SOCIOECONÔMICAS DA INDEPENDÊNCIA

país não oferecia nenhuma perspectiva de alteração estrutural súbita; de outro lado, se voltassem as costas às tendências assumidas pelas pressões externas, a regressão econômica seria fatal. Como se converteram na "categoria social revolucionária" e lograram o monopólio do poder, procuraram enfrentar aquela alternativa da maneira viável que lhes era mais compensadora: recorrendo ao privilegiamento econômico de suas atividades práticas. Tratava-se de uma estamental típica, que determinou o que iria prevalecer na definição social e na reintegração societária do status dos "senhores rurais". Na verdade, esse *status* abrangia duas dimensões socioeconômicas distintas. Uma relacionava-se com a estrutura do domínio e com a posição decorrente do senhor nas relações de dominação patrimonialista (de cunho e âmbito tradicional); a outra relacionava-se com a polarização pessoal e social do senhor no processo de produção da renda, montado sobre o domínio colonial: a renda não provinha de tributos, mas da mercantilização de bens produzidos pelo trabalho escravo. Se prevalecesse a primeira dimensão, os "senhores rurais" se converteriam em uma aristocracia agrária; se prevalecesse a segunda, eles se converteriam numa burguesia agrária. A burocratização da dominação patrimonialista, nascida ela própria do privilegiamento político do prestígio social exclusivo das camadas senhoriais, tanto abriu caminho à dominação estamental propriamente dita, quanto suscitou a necessidade ele se desenvolverem suportes econômicos dimensionados à sua existência e perpetuação. O privilegiamento econômico das atividades práticas das camadas senhoriais assumiu, assim, o caráter ele um "imperativo histórico". Ele acarretava a continuidade pura e simples dos padrões coloniais da "grande lavoura", com todo o séquito de condições que a tornavam tão imprópria à integração nacional a escravidão, o latifúndio, a monocultura extensiva, a especialização na produção e exportação de certos "produtos tropicais", a extrema concentração social da renda, a exiguidade e a descontinuidade do mercado interno, a dependência das importações, o crescimento econômico descontínuo e horizontal, etc. Todavia, nas condições histórico-sociais e econômicas imperantes, ele se apresentava como o recurso acessível mais eficaz para proteger os níveis de produção e de exportação alcançados pela economia colonial (portanto, também representava o recurso mais eficiente para combater e conjurar os riscos de uma regressão econômica estrutural).

Terceiro, essa conclusão obriga-nos a considerar como operavam, nas circunstâncias em que se processou o privilegiamento econômico das atividades práticas das camadas senhoriais, os móveis econômicos capitalistas, que se inseriam no comportamento dos "senhores rurais".

As transformações apontadas não afetavam nem a organização da produção nem o "espírito" ou a "mentalidade" dos agentes econômicos privilegiados. A importância dos fenômenos ocorridos, para o desenvolvimento do capitalismo no Brasil, é antes indireta e catalisadora que propriamente determinante. A opção pelo *status* senhorial indica: l) que as pressões externas não eram bastante fortes para estimular o desenvolvimento do capitalismo no seio da "grande lavoura" (as evidências demonstram que, ao contrário, elas podiam ser perfeitamente atendidas através de processos de autonomização política que não se refletissem na estrutura das relações de produção); 2) que os "senhores rurais" não podiam despojar-se da condição estamental como e enquanto agentes econômicos, presumivelmente porque, de outra forma, deixariam de contar com os mecanismos que os privilegiavam economicamente, através da concentração social da renda (aliás, era na concentração social da renda que repousavam a viabilidade e a prosperidade econômicas da "grande lavoura", como conexão econômica do setor colonial da economia mundial isso tanto sob o "estatuto colonial" propriamente dito quanto sob as modalidades de neocolonialismo que se iriam suceder posteriormente, inspiradas no liberalismo econômico e balanceadas pelo capitalismo industrial). Dada essa conjuntura, por paradoxal que seja, os "senhores rurais" tinham de empenhar-se, como e enquanto agentes econômicos, antes na preservação e na depuração das antigas estruturas econômicas coloniais que em sua transformação ou eliminação. Por isso, os fatores dinâmicos de sua situação econômica levaram-nos a se concentrar na defesa dos meios de manutenção e crescimento da economia escravista e a um repúdio mais ou menos generalizado e sistemático ao elemento burguês dos seus papéis econômicos. É provável que, se as circunstâncias fossem diferentes e outra a conjuntura, o quadro histórico também fosse diverso. Sob a hipótese de que se instaurasse, rapidamente, um ciclo econômico novo e de grande vitalidade, sob oferta constante e crescente de mão de obra livre, pode-se conjeturar que as coisas poderiam passar-se de outro modo. Como tal alternativa não se consumou, o que nos resta é reconhecer, objetivamente, que os "senhores rurais" mantiveram a mentalidade econômica construída sob a economia colonial e que foi graças a ela que lograram relativo êxito no ajustamento de suas atividades práticas e na adaptação do Estado nacional independente à situação econômica com que se defrontaram.

Isso posto, cumpre conduzir a análise para outros aspectos de sua atuação social. Se a mudança foi neutra no nível das relações

CAPÍTULO 2 - AS IMPLICAÇÕES SOCIOECONÔMICAS DA INDEPENDÊNCIA

econômicas que afetaram o domínio (ou a estrutura e o funcionamento da plantação), o mesmo não sucedeu em outros níveis. A autonomização política e a burocratização da dominação patrimonialista imprimiriam à produção e à exportação as funções de processos sociais de acumulação estamental de capital. Como essa alteração coincide com o aparecimento e a diferenciação de novos papéis políticos, econômicos e sociais das camadas senhoriais e com a emergência, em seu seio, de um novo estilo de vida que intensificava o dispêndio com o *status*, a responsabilidade social e a mobilidade horizontal, ela acabou se convertendo em condição estrutural de desenvolvimento interno do capitalismo. De um lado, o elemento competitivo assumiu maior importância dinâmica na esfera em que o "senhor rural" se inseria, diretamente, nos mecanismos de mercado como agente econômico. Embora essa influência fosse neutralizada ou mitigada de várias maneiras (pelo controle exterior desses mecanismos; pelo retraimento predominante de considerável parcela de produtores, que prefeririam delegar a condução das transações a prepostos ou aos próprios agentes dos interesses externos; pela debilidade das agências que absorviam, internamente, as funções de institucionalizar as fases internalizáveis de comercialização dos "produtos coloniais" etc.), ela concorreu perceptivelmente para mudar a mentalidade econômica pelo menos dos "senhores" mais ativos e arrojados. De outro lado, as mesmas conexões estão na raiz de vários ajustamentos econômicos das elites senhoriais, que seriam inconcebíveis no passado recente ou à luz das implicações morais da dominação tradicionalista, imperante nas relações patrimonialistas estruturadas em torno do domínio. Assim, a acumulação estamental de capital passou a produzir novos dividendos sociais, na medida em que os referidos "senhores" se engolfavam na vida urbana e nas oportunidades que ela acarretava, especialmente aos que se dispunham a aceitar os papéis de "capitalista" e de "proprietário", vinculados a aplicações ou especulações com o capital, condenadas pelo antigo código ético senhorial. O que importa assinalar, em termos da análise sociológica, é o que representam essas funções histórico-sociais da acumulação estamental do capital para o desenvolvimento interno do capitalismo. Como ocorreu em outras sociedades estamentais e, em particular, na história da aristocracia agrária europeia esse tipo de acumulação de capital condiciona as fases incipientes de formação do capitalismo. Contudo, ao contrário do que sucedeu na evolução da aristocracia agrária em regiões da Europa que aparentam certas semelhanças com o Brasil, aqui não se chegou a contar com fatores econômicos, sociais e políticos[14] que pudessem reduzir a duração, no fluxo histórico, das funções socioeconômicas da acumulação estamental de capital, convertendo-a em processo de duração histórica limitada (ou seja, em uma fase do desenvolvimento econômico). Em consequência, o referido processo se cristalizou, adquirindo caráter social recorrente e o significado de um estado econômico permanente, persistindo mesmo à desagregação da ordem social patrimonialista e à universalização do regime de trabalho livre. Dessa maneira, embora o setor colonial da economia brasileira sofresse várias alterações sucessivas, para adaptar-se às condições internas de uma economia nacional, à expansão da economia urbana, ou pura e simplesmente às transformações do neocolonialismo no mundo moderno, ele se manteve suficientemente integrado para eternizar um processo pré-capitalista de acumulação de capital.

Quarto, ao que parece, o primeiro grande salto que se deu na evolução do capitalismo no Brasil é antes de natureza sociocultural que econômica. A autonomização política pressupunha alterações concomitantes na organização da personalidade, da cultura e da sociedade, que envolviam um novo tipo de internalização e de vigência histórica da civilização ocidental moderna no Brasil. Surgia, em suma, um novo estilo de vida; e este requeria, por sua vez, que a sociedade brasileira se adaptasse, internamente, à existência e à expansão de uma economia de mercado. A economia construída no período colonial e preservada em suas estruturas ou funções básicas fornecia, em si mesma, um incentivo muito limitado a semelhante transformação. Ao contrário do que sucedera nos países da Europa, nos quais a produção rural, controlada pela aristocracia agrária, se destinava ao consumo interno, o Brasil exportava a sua produção rural. Por conseguinte, a internalização das atividades econômicas nem sempre acarretou autonomização econômica e, de maneira geral, o país não contava com uma ordem econômica integrada a partir da utilização independente de seus próprios recursos e de suas forças econômicas. A primeira tentativa para adaptar o país a uma ordem

---

[14] Seria inútil enumerar e discutir tais fatores. Eles são muito variados e bem conhecidos, indo da capacidade econômica criadora das elites senhoriais às potencialidades de crescimento econômico autossustentado, incluindo elementos contingentes ou variáveis, como os conflitos sociais no campo e na cidade, a ascensão de uma burguesia de origens nobres, plebeias ou mistas, o grau de aceleração com que se formam e integram estruturas econômicas nacionais etc.

CAPÍTULO 2 - AS IMPLICAÇÕES SOCIOECONÔMICAS DA INDEPENDÊNCIA

econômica dessa natureza vincula-se à implantação de um Estado nacional. Como assinalamos, este requeria certos suportes econômicos tanto para dar consistência à dominação patrimonialista no nível político, quanto para forjar as bases psicossociais ou socioculturais que deveriam ligá-lo ao destino da nação. No entanto, a absorção dessa ordem econômica foi relativamente difícil e demorada. De um lado, porque o único avanço real na esfera da autonomização econômica se manifestara na esfera da produção rural, controlada pela aristocracia agrária. Essa autonomização teve, pois, uma importância estreita para a diferenciação e a integração da economia nacional. Ela apenas redundou no fortalecimento da capacidade adaptativa do "senhor rural" a situações, fases ou consequências da transação dos "produtos tropicais" que podiam ser manipuladas, de uma forma ou de outra, através de fatores internos. As outras influências, relacionadas com a autonomização econômica relativa do setor colonial — especialmente as que se vinculam com a diferenciação dos papéis econômicos dos "senhores rurais" e com os efeitos integrativos da especialização econômica —,[15] se fizeram sentir *ab initio*, todavia numa escala que só foi relevante para o crescimento urbano do Rio de Janeiro e, em proporções bem menores, do Recife e São Salvador. De outro lado, a persistência das estruturas de produção colonial polarizava os dinamismos econômicos nas relações da produção interna com o mercado externo e mantinha um padrão de heteronomia econômica quase sufocante. Boa parte do crescimento econômico e de seus reflexos sobre o desenvolvimento urbano teve origem, nesse período, nas alterações que a autonomização política introduziu nas relações de dependência econômica, resultantes desse padrão de heteronomia. Caíam nessa categoria: as atividades de crédito, financiamento ou de comércio, que foram internalizadas em consequência da extinção do estatuto colonial (e que eram controladas de fora, através dos agentes ou prepostos que os importadores dos "produtos tropicais" instalavam no país);

---

[15] A secularização das relações econômicas no nível do mercado internacional conduziram, internamente, à eliminação de fatores que encareciam a produção agrícola. O domínio evolui, por isso, no sentido de reduzir sua autossuficiência econômica e tende a comprar no mercado interno os gêneros que deixava de produzir. Outros fatores, que não podem ser examinados aqui, concorriam conjuntamente para essa transformação, de enorme importância para a expansão do mercado interno e que levava os "senhores rurais" a tomar posição política diante dos problemas relacionados com a economia de subsistência e o custo dos gêneros.

a expansão do comércio, especialmente do dito "alto comércio", em larga parte nas mãos de firmas estrangeiras ou de seus prepostos nacionais e portugueses; os serviços públicos, que se organizavam em função do interesse ou da participação dos capitais e das técnicas estrangeiras. Além disso, havia uma "influência invisível", que procedia das estruturas econômicas dominantes: os agentes empenhados nessas áreas novas movimentavam-se, no plano econômico, sob incentivos que reproduziam, de forma disfarçada, a propensão de ganho inerente à acumulação estamental. Nesse sentido, tendiam a privilegiar economicamente seus interesses, convertendo-se, literalmente, em puros agentes especulativos (em termos relativos de uma economia colonial controlada por uma aristocracia agrária; e não nos de uma economia impulsionada por processos de autonomização política e de integração nacional). Não obstante, dada a continuidade da concentração demográfica, da mobilidade horizontal das elites senhoriais (provocada por motivos primordialmente políticos e só derivadamente econômicos, mas suscetível de engolfá-las na diferenciação dos papéis econômicos), do afluxo de capitais, de técnicas e de unidades empresariais estrangeiras, da divisão do trabalho e da diferenciação social, duas tendências econômicas lograram condições para se perpetuarem e para atuarem como fatores dinâmicos de consolidação de uma ordem econômica vinculada à utilização independente dos recursos internos e das forças econômicas do meio social ambiente.

Uma delas relacionava-se com a expansão ele uma economia de mercado diferenciada, nuclearmente ligada ao desenvolvimento urbano, mas tangencialmente articulada a diversas manifestações regionais concomitantes de integração da economia de subsistência ao comércio interno. Outra, associada à predominância da mentalidade competitiva nas relações econômicas que se desenrolavam sob o signo dessa economia de mercado diferenciada, polarizada em torno da concentração demográfica, da divisão social do trabalho, do desenvolvimento urbano e da especialização econômica. As duas tendências foram continuamente fortalecidas por outros mecanismos, que introduziam os efeitos econômicos indiretos da autonomização política na esfera do desenvolvimento econômico. Ao quebrar-se o isolamento da "grande lavoura", esta passou a interagir com a economia interna em vários níveis, que afetavam desde os custos de sua produção (por causa da aquisição de gêneros e outros bens no mercado interno) até as aplicações dos capitais excedentes. Igualmente importante parece ser o fato de que a continuidade do desenvolvimento urbano (e do crescimento econômico que ele engendrava) contribuía para dar um destino construtivo à propensão

CAPÍTULO 2 - AS IMPLICAÇÕES SOCIOECONÔMICAS DA INDEPENDÊNCIA

de privilegiar estamentalmente as atividades econômicas novas. Além de estimular a circulação monetária, isso incrementava o que se chamou, na época, de "febre de iniciativas". Por fim, as atividades voltadas para a criação do substrato econômico requerido por uma sociedade nacional concorriam tanto para estimular a diferenciação do sistema econômico (nos planos setorial e regional), quanto para acelerar o próprio crescimento econômico (também nesses dois planos). O intercruzamento entre a expansão da economia urbana e a expansão da produção rural destinada ao consumo interno imprimia a esse processo de diferenciação estrutural um sentido histórico novo, pois a vitalidade de crescimento econômico local ou regional assumiu, em tal contexto, as funções de aumentar o grau de autonomia econômica relativa do país.

Nessa conjuntura, o tipo de ordem econômica associado ao padrão de civilização do mundo ocidental moderno, absorvido com os ideais de Independência e de organização de um Estado nacional, encontrava condições materiais e morais para desenvolver-se internamente. Onde semelhante conjuntura conseguiu concretizar-se historicamente, acomodando-se às estruturas econômicas preexistentes ou impondo-se a elas e assimilando-as,[16] o capitalismo emergia segundo os requisitos estruturais e dinâmicos daquele padrão de civilização. Assim, a implantação do capitalismo em novas bases econômicas e psicossociais constitui um episódio de transplantação cultural. Ele não "nasceu" nem "cresceu" a partir da diferenciação interna da ordem econômica preexistente (o sistema econômico colonial). Mas vincula-se a um desenvolvimento concomitante de tendências de absorção cultural, de organização política e de crescimento econômico, que tinha seus suportes materiais ou políticos na economia colonial, sem lançar nela as suas raízes. Em consequência, o salto ocorrido na esfera econômica não corresponde, geneticamente, a um processo de diferenciação (contínua ou súbita) das mesmas estruturas econômicas. Representa um processo novo, que extrai parte de sua substância das estruturas preexistentes, mas que se organiza, desde o início, como uma estrutura divergente, nascida da conjugação histórica de novas possibilidades de ação econômica e de novos padrões de organização do comportamento econômico.

Sob esse aspecto, semelhante estrutura econômica divergente poderia ser designada como um "setor novo" da economia brasileira. A ordem

---

[16] As alternativas apontadas prendem-se às diferentes situações-limite, ocorridas em função da predominância das estruturas preexistentes ou das estruturas emergentes no desenvolvimento econômico, em escala regional ou nacional.

econômica que nele imperava era tida, por causa das conexões ideológicas e utópicas do liberalismo com a ordem legal vigente, como ideal (porque satisfazia melhor as exigências do padrão de civilização transplantado) e como normal (porque continha, de fato, certos requisitos econômicos mínimos de um Estado nacional independente). Não obstante, ela era apenas a ordem econômica que se implantara no "setor novo", e demoraria muito tempo para que se difundisse e se impusesse como a ordem econômica dominante.[17] Portanto, estamos diante de uma evolução histórica em que o "setor velho" da economia não se transformou nem se destruiu para gerar o "setor novo". Daí se originou um paralelismo econômico estrutural, tão orgânico e profundo quão persistente. Mesmo quando o elemento senhorial se envolvia no "setor novo", ele não o fazia em nome de sua qualidade de empresário rural (destino histórico que foi repelido), mas em sua condição estamental (como senhor agrário), a única que se poderia projetar livremente na estrutura social das cidades e encontrar dentro dela, através de posições como as de "morador", "proprietário" ou "capitalista", as bases sóciodinâmicas para a preservação do prestígio social e a reelaboração societária da dominação patrimonialista. Doutro lado, o "setor novo" deveria ligar o seu destino às cidades e às funções sociais construtivas que os ideais políticos de integração nacional conferiam à modernização econômica e, por meio desta, ao desenvolvimento do capitalismo nos moldes europeus. Por isso, para afirmar-se e expandir-se, teria de negar e de superar, a longo prazo, as estruturas econômicas, sociais e políticas a que se acomodara inicialmente.

Essa maneira de ver as coisas sugere que existem duas linhas de desenvolvimento do capitalismo no Brasil. Uma, que se origina com a própria colonização e se prende aos desígnios econômicos do capitalismo comercial. Ela primeiro projetou o "senhor agrário" numa posição marginal e mais tarde o converteu em sujeito de transações econômicas, cujos 'agentes verdadeiros ficavam no exterior. Como a vinculação com o "espírito capitalista" se dava no nível da comercialização dos produtos, em ambas as fases esse elemento foi neutro em relação à organização dos fatores da produção agrária. A autonomização política, porém, acarretou uma relativa autonomização econômica das camadas senhoriais. Contudo, estas não se aproveitaram do processo em um plano puramente econômico, conduzindo os efeitos dessa relativa autonomização econômica para dentro da própria economia agrária; mas

---

[17] Isso só ocorreria com a desagregação da ordem patrimonialista e a consequente implantação do regime republicano.

CAPÍTULO 2 - AS IMPLICAÇÕES SOCIOECONÔMICAS DA INDEPENDÊNCIA

fizeram-no em um plano puramente estamental, consagrando-se como agentes econômicos privilegiados (isso tanto no que se refere à perpetuação de privilégios econômicos anteriores, quanto no aproveitamento das oportunidades econômicas novas, surgidas com a reorganização econômica de uma nação emergente). A outra linha originou-se da autonomização política e das tendências históricas que ela engendrou, de criação de uma economia, de um Estado e de uma sociedade nacionais, sob modelos institucionais tomados da civilização ocidental moderna. Aí, os alvos que se definiam socialmente eram bastante complexos. Os ideais absorvidos gravitavam em torno da reprodução interna da ordem econômica das "nações avançadas", que exerciam hegemonia econômica, cultural, política e diplomática sobre o país. Todavia, as possibilidades concretas chocavam-se com esses ideais, porque o principal polo da vida econômica voltava-se para fora e a acumulação estamental de capital neutralizava ou reduzia as potencialidades de crescimento econômico autossustentado. Essa contradição se fez sentir com dramática nitidez nas fases incipientes da autonomização política, deixando patente que o "espírito burguês" empolgaria a direção do "setor novo" e se transformaria no fermento econômico que iria congestionar a ordem social patrimonialista. No contexto em que a autonomização política se desencadeia como processo sociocultural, no entanto, o próprio "espírito burguês" estava preso às malhas do capitalismo comercial. Ou de modo indireto, através de várias formas de dependência, em que os agentes econômicos do "setor novo" apareciam subjugados à tutela das camadas senhoriais. Ou de maneira direta, nas situações em que tais agentes nada mais eram senão representantes declarados ou disfarçados dos centros econômicos externos, que controlavam de fora a graduação do desenvolvimento dos dois setores da economia brasileira. Assim, a diferença com respeito ao "senhor rural" é apenas de grau e se torna dinamicamente relevante, do ponto de vista psicológico ou sociológico, porque os agentes econômicos em questão aceitavam abertamente sua identificação material e moral com a "condição burguesa" de seu *status* socioeconômico, procurando nos critérios estamentais de socialização tão somente a de certas desvantagens sociais, políticas e econômicas. Por essa razão, realizavam o "espírito burguês" com certa desenvoltura, mas nem por isso com inteira plenitude, pois se viam tolhidos por nexos de dependência econômicos, morais ou políticos que punham por terra qualquer iniciativa de maior alcance (ainda aqui, Mauá ilustra, de maneira típica, os diversos aspectos da situação humana em que se achavam os referidos agentes econômicos). Só com o tempo, graças à expansão do mercado interno e ao aparecimento de condições favoráveis ao surgimento de tendências de crescimento econômico autossustentado, o "espírito burguês" se libertaria dessas malhas negativas, compostas pelas várias ramificações internas do capitalismo comercial, e fomentaria processos de autonomização econômica autêntica. Ainda assim, sem romper com todos os liames ou entraves que nasciam de um entrosamento congenialmente heteronômico ao mercado externo de capitais e ao sistema internacional de poder.

Quinto, a última conclusão aconselha que se considere a natureza dos fatores tópicos que determinaram a emergência e a irradiação do liberalismo econômico no cenário histórico. Parece evidente que as camadas senhoriais não conseguiram equiparar autonomização econômica e autonomização política. Por paradoxal que isso seja, a autonomização política, vista no nível da economia mundial e das estruturas internacionais de poder da época, constituía um simples meio para manter o equilíbrio de uma economia colonial, sob condições de transferência dos controles jurídico-políticos da vida econômica interna de fora para dentro. Nesse amplo contexto, a autonomização política firmava a independência econômica dos estamentos senhoriais sobre a heteronomia econômica da nação, no presente e no futuro. Por conseguinte, fazia com que o "senhor agrário" só fosse economicamente autônomo em um sentido unilateral e propriamente interno, já que a situação heteronômica irredutível da economia da nação também o tornava economicamente dependente. Desse ângulo, a autonomização política só conferiu autonomia econômica real aos estamentos senhoriais em um ponto: onde e na medida em que as posições de poder político, que conquistaram, representassem uma *conditio sine qua non* para a preservação do equilíbrio do sistema econômico existente e, portanto, para a continuidade do suprimento do mercado externo. Daí resultou uma debilidade inelutável, que se refletiu de modo imediato na situação econômica dos estamentos senhoriais em suas relações com o exterior. As alíquotas que, na antiga forma de apropriação colonial, cabiam à Coroa e a seus agentes ou prepostos foram parcialmente reabsorvidas pelo capital estrangeiro, que passou a operar de dentro do país, acompanhando a internalização das fases de comercialização dos "produtos tropicais", então incorporadas aos sistemas de exportação. É nessa debilidade que se encontra, segundo presumimos, a razão da indiferença dos estamentos senhoriais diante dos papéis econômicos que poderiam desempenhar, após a extinção do estatuto colonial. Se assumissem tais papéis econômicos, seriam levados a desempenhar, na qualidade econômica de comerciantes e exportadores, a dimensão tipicamente burguesa do *status* do "senhor agrário". Todavia, na situação

CAPÍTULO 2 - AS IMPLICAÇÕES SOCIOECONÔMICAS DA INDEPENDÊNCIA

de heteronomia econômica apontada, não tinham condições para integrar, social e politicamente, um *status* econômico que pudesse organizar os referidos papéis. O mesmo não lhes sucedia no outro plano, nas relações com os demais segmentos da sociedade nacional, no qual podiam explorar o controle do domínio como fonte de independência econômica e do monopólio do poder político. Por isso, sua ligação com o liberalismo só foi determinante e relativamente profunda no nível em que ele servia para legitimar a burocratização da dominação patrimonialista e, em consequência, o tipo de democratização do poder político que ela envolvia. Apenas secundariamente o liberalismo econômico adquiriu alguma importância dinâmica, seja como recurso de uma ideologia que precisava justificar o estado crônico de heteronomia econômica do país e os privilégios econômicos dos estamentos senhoriais, seja como fundamento de uma política econômica estamental no seio de uma economia periférica e dependente. Ora, isso não ocorria com os papéis econômicos que emergiam e se desenvolviam em conexão com a expansão gradual do "setor novo" da economia.[18] Aí, os papéis econômicos emergentes não se aglutinavam em função do *status* senhorial, embora assimilassem, em grau variável, símbolos e valores sociais mantidos, difundidos e impostos pela tradição cultural patrimonialista (com base nos quais: 1) se separavam as categorias de homens que podiam ser considerados, socialmente, "livres", "escravos" e "libertos"; 2) os "homens livres" podiam distinguir-se como "gente de prol" e "ralé". Os mencionados papéis aglutinavam-se em torno de elementos puramente econômicos, objetivando-se, estrutural e dinamicamente, através de ações e de relações que nasciam de uma economia de mercado, eram governadas pelo "cálculo econômico" e tendiam a integrar-se em termos competitivos. Todos esses elementos configuravam o "espírito burguês" nascente, antípoda da mentalidade aristocrático-senhorial e de sua incapacidade de vitalizar socialmente os papéis econômicos essenciais à própria autonomia econômica da aristocracia agrária. Até o "senhor rural", ao projetar-se na vida econômica das cidades, viu-se engolfado e seduzido por esse "espírito burguês". Para realizar-se economicamente, através das oportunidades econômicas oferecidas pelo "setor novo", teve de desvincular-se variavelmente do *status* senhorial e, com frequência, de aceitar ou pôr em prática procedimentos que contrariavam a "ética estamental". O liberalismo não escapava, em tal

---

[18] Embora esse setor produzisse, na esfera política e administrativa, papéis sociais de natureza estamental, integrados ao sistema social vigente de castas e estamentos.

setor, de deformações inevitáveis – algumas decorrentes da inserção da burguesia emergente em uma sociedade de castas e estamentos; outras nascidas da estrutura colonial da economia. Mas deitava raízes no fulcro das atividades econômicas e dos papéis que as coordenavam socialmente, afirmando-se aberta, direta e autenticamente como liberalismo econômico. Era nesse sentido que se constituía em força econômica e operava como tal, dinamizando o tênue segmento competitivo de uma economia urbana *in status nascendi*, montada sobre o topo de um sistema econômico agrário, escravista e dependente.

CAPÍTULO 3

O DESENCADEAMENTO HISTÓRICO DA REVOLUÇÃO BURGUESA

A longa digressão anterior era necessária, pois nos mostra como as alterações políticas condicionaram a reorganização da sociedade e da economia, inserindo as estruturas econômicas coloniais dentro de uma nova ordem legal, estimulando a organização e o crescimento de um mercado interno e configurando uma situação de mercado que se tornaria, bem depressa e segundo um ritmo de aceleração crescente, o principal polarizador do desenvolvimento econômico nacional. A economia brasileira ganhara, em poucas palavras, certos substratos materiais ou morais e os dinamismos econômicos básicos para assimilar os modelos de organização econômica predominantes nas economias centrais. No entanto, dada a sua própria condição de economia periférica e dependente, não iria assimilar tais modelos reproduzindo, pura e simplesmente, o desenvolvimento prévio daquelas economias. Ao contrário, os referidos modelos tenderiam a ser saturados, historicamente, de acordo com as possibilidades socioeconômicas e culturais de expansão do mercado interno. Isso com que a assimilação inicial desses modelos fosse mais intensa nos centros urbanos que coordenavam as relações de exportação e de importação, os quais absorviam, assim, as vantagens econômicas decorrentes da diferenciação ou do aumento da produção rural, da transformação dos padrões de consumo e de comércio, e da dinamização da vida econômica. Apesar disso, mesmo nesses centros a assimilação dos ditos modelos de organização econômica estava sujeita às peculiaridades estruturais e funcionais da situação de mercado existente.

O mesmo fator que determinou a perpetuação indefinida das estruturas econômicas coloniais, que condicionou a transformação dos antigos "senhores rurais" numa aristocracia agrária e que tolheu os efeitos econômicos da autonomização política iria, nessa fase, modelar a situação de mercado em um sentido típico. O núcleo de real vitalidade econômica produzia para exportação, não para o consumo interno. Em consequência, configurou-se, estrutural e funcionalmente, uma situação de mercado em que preponderavam as conexões econômicas com o exterior e em que as conexões econômicas com a vida econômica interna possuíam escassa importância estrutural e dinâmica. Para descrever essa situação de mercado típica, vários autores têm apelado para as noções de "mercado externo", "mercado interno" e "crescimento econômico dependente". Em si mesmas, tais noções são corretas. Todavia, o seu emprego analítico isolado leva a negligenciar o fato de que elas não se referem a realidades distintas, pois dizem respeito aos diversos aspectos de uma mesma situação de mercado. Um país cuja economia se especializa na produção agrícola e obtém os excedentes de que precisa por meio da exportação depende do mercado externo e possui um mercado interno forçosamente débil. O que importa, na análise sociológica, é conseguir uma descrição integrativa e totalizadora. Ora, isso não é difícil, desde que se compreenda que a situação de mercado se configura a partir de vários elementos socioeconômicos. No caso brasileiro, os elementos cruciais, no período considerado, podem ser reduzidos a três: 1) preponderância da exportação; 2) importação como mecanismo corretivo da especialização na produção agrícola; 3) dependência em face do exterior para formar e aplicar o excedente econômico.[1] A situação de mercado, que se configurava economicamente a partir desses elementos, dinamizava a vida econômica em um sentido que prescindia de um forte impulso inicial no desenvolvimento interno do capitalismo. Embora organizada através de uma ordem legal e política controlada de dentro e para dentro, a economia brasileira produzia para fora e consumia de fora. Essas circunstâncias restringiram consideravelmente a amplitude e a intensidade do campo dentro do qual se processou, inicialmente, a absorção dos modelos de organização da vida econômica que podiam ser transplantados.

De um lado, como as condições da produção rural destinada à exportação se mantiveram relativamente constantes, a esfera na qual as alterações se aceleraram abrangia os dois aspectos da situação de mercado que foram afetados diretamente pelas consequências econômicas da autonomização política. Esses dois aspectos são: 1) a internalização de fases da comercialização do produto que antes se desenrolavam fora do país ou eram controladas pela administração colonial; 2) as aplicações livres do excedente econômico em bens de consumo que envolviam um novo estilo de es-

---

[1] A contrapartida sociocultural desses três elementos foi omitida, para não estender desnecessariamente a explanação.

tipêndio do *status* senhorial ou em fins economicamente reprodutivos. Ambos os fatores exerciam influências coincidentes, pois engendravam um mercado interno nuclearmente heteronômico e voltado para fora. Graças à primeira conexão, o núcleo mais ativo da situação de mercado se constituía em ligação e em subordinação aos interesses dos importadores dos "produtos tropicais"; graças à segunda conexão, o segundo elemento ativo da situação de mercado (por sua ordem de importância econômica) se constituía em ligação preponderante com os interesses dos exportadores estrangeiros de bens acabados, que se converteram nos maiores beneficiários das pressões do comércio interno. De qualquer modo, ambas as tendências tiveram o mesmo efeito: confinaram a assimilação de padrões econômicos novos à esfera das atividades comerciais (de exportação e de importação), nas quais desabrocharia o primeiro florescimento do capitalismo em um sentido verdadeiramente moderno e extracolonial. De outro lado, a extensão dos modelos transplantados a outros planos da vida econômica e sua progressiva universalização como fatores de integração da ordem econômica passaram a depender da estrutura da situação de mercado. Qualquer mudança na direção de aumentar as proporções, a intensidade e a eficácia da assimilação dos modelos econômicos fornecidos pelas economias centrais teria de subordinar-se, naturalmente, ao aparecimento e ao fortalecimento de tendências de produção e de consumo suscetíveis de alimentar formas relativamente autônomas de crescimento econômico. Essas tendências apareceram contemporaneamente às fases de instauração da autonomia política. Mas só se consolidaram posteriormente. Suas influências mais precoces se manifestaram em conjunção com as pressões do desenvolvimento urbano sobre a elevação ou a diferenciação do consumo e o estímulo que isso representou tanto para a expansão da lavoura de subsistência ou a criação de gado e a comercialização interna dos mantimentos ou do charque, quanto para a expansão da produção artesanal e manufatureira. Esse processo econômico adicionou mais dois elementos básicos à situação de mercado: 1) a produção agrícola, artesanal ou manufatureira destinada ao consumo interno; 2) a utilização do excedente econômico como fator de dinamização, de diferenciação ou de autonomização da vida econômica.[2]

---

[2] As alternativas implícitas respondem às diversas situações que se poderiam considerar, em termos setoriais, as quais tornam relevantes as diferenças entre dinamização, diferenciação e autonomização da vida econômica. Também aqui foi omitida a explicitação dos fatores socioculturais que explicariam a relação estrutural e funcional dos dois elementos apontados com a situação de mercado existente.

Até o presente, os dois elementos apontados jamais chegaram a eliminar os outros três; nem mesmo conseguiram contrabalançar os efeitos estruturais e dinâmicos que eles exercem, como fatores de heteronomia econômica. A razão disso está no fato, mais ou menos patente, de que não surgiu uma situação de mercado nova, independente dos nexos coloniais ou imperialistas, inerentes ao esquema exportação-importação controlado de fora. De um modo ou de outro, tais nexos interferiram e por vezes regularam o aparecimento ou a importância relativa dos dois elementos diretamente vinculados aos dinamismos internos da economia brasileira. A esta parte da exposição, o que interessa é que a estrutura da situação de mercado apontada engendrou processos econômicos que se refletiram, seja quantitativamente, seja qualitativamente, na absorção dos modelos econômicos transplantados e, portanto, no grau e na forma de vigência do capitalismo na sociedade brasileira.

Esse pano de fundo sugere quão emaranhado e desnorteante foi o desencadeamento da "Revolução Burguesa" numa economia colonial, periférica ou dependente. Não existiam as condições e os processos econômicos que davam lastro ao funcionamento dos modelos econômicos transplantados nas economias centrais. Só podiam ser postos em prática, com eficiência e senso de "previsão econômica", nas ações e relações econômicas nas quais a situação de mercado aqui imperante já reproduzia determinados requisitos institucionais das economias centrais. Isso se deu, de começo, apenas no mais elevado nível da comercialização: nas transações econômicas controladas de fora (nos "negócios" de exportação e de importação); e nas transações econômicas associadas ao desenvolvimento interno do "alto comércio".

Além disso, como a situação de mercado existente combinava, articuladamente, elementos heteronômicos com elementos autonômicos, boa parte dos modelos econômicos transplantados não tinha por meta criar processos econômicos de desenvolvimento interno análogos aos que eram produzidos pela integração das economias centrais. Ao contrário, suas funções latentes ou manifestas consistiam em manter e em intensificar a incorporação dependente da economia brasileira àquelas economias. Desse prisma, os processos econômicos que podiam ser desencadeados, orientados e organizados através dos modelos econômicos transplantados visavam a acelerar o desenvolvimento econômico interno segundo objetivos que o articulavam, heteronomicamente, aos dinamismos das economias centrais. Daí podia resultar um desenvolvimento paralelo do capitalismo no Brasil. Esse capitalismo não continha, porém, as mesmas características estruturais e funcionais do capitalismo vigente nas nações dominantes. Era um capitalismo de tipo especial,

CAPÍTULO 3 - O DESENCADEAMENTO HISTÓRICO DA REVOLUÇÃO...

montado sobre uma estrutura de mercado que possuía duas dimensões uma estruturalmente heteronômica; outra com tendências dinâmicas autonômicas ainda em via de integração estrutural. Por causa dessa dupla polarização, a esse capitalismo se poderia aplicar a noção de "capitalismo dependente".

A correção dos efeitos dos elementos básicos da situação de mercado, que produziam um estado de heteronomia econômica inexorável, não se faria, é claro, a partir de influências controladas, de modo direto ou indireto, a partir das economias centrais. Ela teria de decorrer da atividade dos outros dois elementos da situação de mercado, entrosados à diferenciação, ao desenvolvimento e à autonomização da vida econômica interna. A eficácia e a racionalidade desses elementos não são comparáveis às dos outros três, que se incorporavam a mecanismos mais ou menos integrados das economias centrais. Ainda assim, devido aos interesses puramente egoísticos a que se vinculavam no nível do comportamento individual dos agentes econômicos e em virtude da crescente importância do nacionalismo como fator de política econômica, eles lograram várias funções latentes e algumas funções manifestas que alargaram o âmbito e intensificaram o curso de desenvolvimento do capitalismo. Embora este nunca chegasse a assimilar o padrão vigente nas economias centrais, em vários pontos (sob efeitos incontroláveis do "desenvolvimento induzido de fora"; e sob efeitos imprevistos ou desejados do "desenvolvimento provocado de dentro"), a evolução econômica interna ultrapassou os limites da situação de mercado engendrada pelo neocolonialismo econômico.

É dentro desse amplo mas contraditório contexto histórico que se devem compreender e interpretar, sociologicamente, o aparecimento e a atuação dos vários fatores que desencadearam a "Revolução Burguesa",[3] sobre os fracos alicerces lançados pela autonomização política do país. Dentro desse quadro, um fator diz respeito ao comportamento das economias centrais. Ele não é fácil de localizar. Sob alguns aspectos, é anterior à transferência da Corte portuguesa e à Abertura dos Portos. Sob outros aspectos, ele mudou de caráter, ao longo do tempo, adaptando-se de maneira plástica às transformações estruturais do desenvolvimento econômico interno.[4] Sempre concorreu, no entanto, para manter e fortalecer a posição heteronômica do Brasil em face das

---

[3] Conforme pp. 45-46.

[4] Após alguma indecisão, pensamos ser melhor não discutir aqui senão os aspectos das relações com os capitais e as influências externas que caem no âmbito do período considerado.

economias centrais, mesmo depois que as técnicas neocoloniais foram substituídas pelos procedimentos mais sutis do moderno imperialismo econômico. Os outros dois fatores se referem aos agentes humanos que "viveram o drama" e podem ser vistos como principais atores e fautores do desencadeamento da "Revolução Burguesa". Movidos inicialmente por interesses egoísticos e economicamente mais ou menos toscos, logo evoluíram para formas de consciência social de seus dilemas econômicos que tiveram importância crucial na elaboração de sucessivas políticas econômicas, no Império e na República. Tais agentes humanos são o "fazendeiro de café" e o imigrante" e serão considerados nesta exposição tão somente nos limites em que suas atividades econômicas tiveram a significação de uma ruptura com o passado da era colonial.[5]

Quanto ao primeiro fator, é óbvio que a extinção do estatuto colonial e a constituição de um Estado nacional independente, controlá-lo pela aristocracia agrária, mudaram o caráter da relação da economia brasileira com o sistema econômico externo. Os agentes ou as agências econômicos estrangeiros, interessados em operar na esfera da comercialização dos "produtos tropicais" ou em tirar proveito das aplicações do excedente econômico que aquela produzia, viram-se em condições de assumir o controle econômico da antiga Colônia, sem riscos imprevisíveis, de natureza política, e sem os vários tipos de ônus econômicos resultantes do sistema colonial. Na verdade, o essencial consistia na reelaboração econômica da apropriação colonial. As alíquotas de que participavam a Coroa, seus prepostos e as companhias comerciais poderiam ser extintas ou redistribuídas. Na primeira alternativa, a própria apropriação colonial seria condenada; na segunda, ela seria redefinida e reimposta por meios estritamente econômicos. O problema que se colocava, para o produtor brasileiro e para o importador estrangeiro, estava em decidir como se processariam as coisas e quem ficaria com a parcela

---

[5] Essa maneira de focalizar o assunto leva-nos a omitir as funções históricas do "alto comércio" no desenvolvimento interno da "burguesia" e do "espírito burguês". No entanto, como não nos interessamos em discutir a formação da burguesia nacional, mas como se deu a revolução burguesa, esse lapso inevitável não tem grande importância. O leitor poderá encontrar, em outras obras, os dados omitidos. A presente discussão não omite, porém, o que seria essencial: como esse alto comércio, através das agências ou da tecnologia e dos capitais das economias centrais, exerceu influência direta na expansão do capitalismo no Brasil. Apenas lamentamos que o caráter deste ensaio não nos permita apontar as resistências que ele levantaria tenazmente, mais tarde, tanto às modalidades de substituição de importações que afetavam sua situação de interesses ou suas técnicas de organização econômica quanto às manifestações mais radicais do nacionalismo econômico.

CAPÍTULO 3 - O DESENCADEAMENTO HISTÓRICO DA REVOLUÇÃO...

maior das vantagens decorrentes. Apesar da presença da Inglaterra e do apoio preferencial com que contavam os importadores ingleses, para eles o problema não tinha uma feição política, mas econômica. Somente por vias econômicas novas eles poderiam obter resultados análogos aos fornecidos, anteriormente, pelos controles políticos superados. As elites da aristocracia agrária não eram alheias aos diferentes aspectos ou consequências desse problema. Tampouco estavam desinteressadas das vantagens econômicas, que poderiam ganhar ou perder. De fato, desde que se consumou a transferência da Corte e se operou a abertura do comércio com o exterior, lutaram com tenacidade para internalizar, tão rapidamente quanto fosse possível, as fases de comercialização dos produtos que fossem assimiláveis pela economia brasileira. Aparentemente, tais manifestações de "nacionalismo econômico" voltavam-se contra alegados "interesses portugueses". De fato, porém, o que pretendiam era livrarem-se de sua posição marginal nas relações econômicas com o mercado externo.

Não obstante, a situação de mercado imperante tolheu seus anseios mais profundos, deixando-lhes, realmente, apenas a perspectiva de acomodação à substituição dos tipos de controle. Tiveram, pois, de se contentar com as vantagens econômicas inerentes à autonomização política do país, deixando aos importadores europeus uma ampla margem de dominação econômica, que só seria eliminada se se extirpasse a grande lavoura exportadora. Os importadores estrangeiros aproveitaram-se, por sua vez, da estrutura da situação de mercado interna e das disposições econômicas da aristocracia agrária. Como só eles dispunham de recursos financeiros, técnicos, humanos e institucionais para pôr em marcha os desígnios nacionais acalentados pela autonomização política, coube-lhes dirigir, na realidade, a reintegração da economia brasileira ao sistema econômico internacional. Aceitando a internalização dos processos de exportação e de importação e deslocando a marginalidade econômica do exportador brasileiro do nexo político para o nexo econômico, ao mesmo tempo em que se acomodavam às transformações e às vantagens econômicas que elas conferiam à aristocracia agrária emergente, os agentes econômicos externos criavam bases bastante frutíferas para uma composição vantajosa. Em pouco tempo, conseguiram lograr tamanho êxito nessas operações, que converteram a aristocracia agrária em uma espécie de "sócio menor", malgrado as tendências e as consequências políticas internas da burocratização da dominação patrimonialista.

Portanto, as relações econômicas com o exterior não se alteraram, apenas, dentro de um contexto histórico que preservava certas

103

dependências nucleares. Elas se deram de modo a modificar a qualidade dessas dependências. Por isso, o sistema de ajustamentos econômicos teria de ser alterado nesse nível, para que a "economia nacional" em emergência pudesse articular-se, normalmente, às funções que lhe cabiam no cenário econômico mundial. Sob esse prisma, o neocolonialismo erigiu-se em fator de modernização econômica real, engendrando várias transformações simultâneas da ordem econômica interna e de suas articulações aos centros econômicos hegemônicos do exterior. O principal aspecto da modernização econômica prendia-se, naturalmente, ao aparelhamento do país para montar e expandir uma economia capitalista dependente, sob os quadros de um Estado nacional controlado, administrativa e politicamente, por "elites nativas". O referido aparelhamento não poderia ser feito de um momento para outro; ele se iniciou como processo econômico e sociocultural de longa duração e abrangia todos os elementos que compõem uma economia capitalista integrada embora dependente. De início, deu-se mais importância à transferência de firmas ou de filiais de firmas em pequena escala, o que fez com que o processo se realizasse em torno da transplantação de unidades econômicas completas, que se especializavam em transações comerciais (de exportação e de importação) e em operações bancárias. Com elas, processava-se a transferência de tecnologia, de capitais e de agentes econômicos, com as instituições sociais que podiam organizar suas atividades ou funções no "setor novo" da economia brasileira. Com base nesse aparelhamento, delineavam-se dois desenvolvimentos concomitantes: 1) a emergência de um novo padrão de crescimento econômico interno; 2) a organização dos nexos de dependência econômica em relação ao exterior através de elementos nucleares desse novo padrão de crescimento econômico, ou seja, em função das estruturas e dos dinamismos internos da economia brasileira. Dessa forma os controles econômicos externos instalavam-se onde eles deviam operar – no cerne da vida econômica interna, preparando-se para se diferenciarem, se intensificarem e crescerem com ela. Em consequência, tal aparelhamento eliminava a posição marginal que o Brasil ocupara em face do capitalismo comercial, enquanto perdurou o sistema colonial. Com ele, a economia do país passava a ter um *status* próprio na organização da economia mundial, gerada pelo capitalismo comercial. Graças a esse *status* é que podia absorver novos padrões de comportamento e de organização econômicos, tecnologia moderna, instituições econômicas, capital e agentes humanos economicamente especializados etc., dando um verdadeiro salto súbito na participação dos modelos capitalistas de organização da personalidade, da economia e da sociedade. O processo

CAPÍTULO 3 - O DESENCADEAMENTO HISTÓRICO DA REVOLUÇÃO...

concentrou-se, naturalmente, na esfera das atividades e operações mercantis, compreendidas nos "negócios de exportação e de importação" e nos mecanismos monetários, de crédito ou bancários correspondentes. A razão disso é evidente. Foi nessa área que se desenrolou a internalização de atividades e operações econômicas que, antes, eram realizadas ou controladas inteiramente de fora. Impunha-se introduzir nela os tipos de institucionalização dos processos econômicos que eram requeridos pela situação nova, que racionalizava e secularizava os nexos de dependência diante do exterior.

Por aí se vê que a modernização econômica associada à extinção do estatuto colonial e à implantação de um Estado nacional independente não tinha por fim adaptar o meio econômico brasileiro a todos os requisitos estruturais e funcionais de uma economia capitalista integrada, como as que existiam na Europa. Os seus estímulos inovadores eram consideráveis, mas unilaterais. Dirigiam-se no sentido de estabelecer uma coordenação relativamente eficiente entre o funcionamento e o crescimento da economia brasileira e os tipos de interesses econômicos que prevaleciam nas relações das economias centrais com o Brasil. Por isso, tais estímulos conduziram a uma rápida transformação da mentalidade e das formas de organização econômica imperantes no nível do comércio (em particular, do comércio de exportação e do comércio de importação, com seus desdobramentos sobre o chamado "alto comércio" interno). E não envolviam, em nenhuma de suas fases ou momentos centrais, o impulso de dirigir a mudança econômica no sentido de provocar ou de acelerar uma nova espécie de desenvolvimento econômico (que permitisse aumentar a autonomia econômica, através da expansão da produção agrícola, artesanal ou manufatureira que pudesse ser consumida internamente). Desse ângulo, a modernização econômica induzida de fora constituía um processo socioeconômico espontâneo, que tinha por função organizar e expandir os negócios de exportação e de importação de maneira a incorporar a economia brasileira ao sistema econômico colonial moderno. Não obstante, ela produziu dois efeitos socioeconômicos construtivos (com vistas ao desenvolvimento econômico do país). Primeiro, na medida em que não surgiram alternativas para outros tipos de evolução econômica, social e política, ela possui o mesmo significado que se pode atribuir ao comportamento político da aristocracia agrária. Fez parte dos mecanismos econômicos adaptativos pelos quais os níveis de produção e de exportação, alcançados anteriormente pela grande lavoura, foram mantidos e melhorados. Segundo, a esse processo, apesar de todas as suas limitações e de suas funestas consequências econômicas, prende-se, a longo prazo, o primeiro surto de renovação econômica interna propriamente dita. Os padrões capitalistas se introduziram, através dela, de forma compacta e autêntica, na esfera das transações comerciais; converteram-se em dimensão real e efetiva do comportamento dos agentes econômicos, afetando tanto os conteúdos quanto a organização de suas personalidades. O "elemento burguês" do setor novo da economia brasileira nasce diretamente de sua influência profunda, que implantou todo um complexo cultural fundamental da civilização capitalista no seio da sociedade brasileira. Isso deixa claro que a substituição dos nexos de dependência vinculava-se a mecanismos reais de mudança econômica (embora tais mecanismos fossem, ao mesmo tempo, os meios pelos quais se concretizariam, historicamente, os novos laços de dependência). Todavia, para o desenvolvimento econômico ulterior, o segundo efeito construtivo acabou tendo maiores consequências estruturais e dinâmicas. É bem sabido o que representa, para um povo recém-egresso do sistema colonial, a presença física permanente e atuante de agentes econômicos, técnicas e capitais operando no nível dos interesses econômicos, mas retraindo-se ou acomodando-se no nível dos interesses políticos. Se isso dá maior consistência ou eficácia aos laços de dependência puramente econômica, também simplifica e favorece a absorção de técnicas, capitais e formas sociais de ações ou de relações econômicas. No caso brasileiro, o eixo econômico em torno do qual gravitavam os interesses externos não eram de monta a criar a necessidade de pressões políticas externas tumultuosas e dramáticas. Ao contrário, ele facilitou a tendência à secularização das relações econômicas com o exterior, já apontada. Deixar o controle administrativo e político nas mãos da aristocracia agrária, com completa segurança quanto à estabilidade do *status quo ante*, do ponto de vista econômico equivalia a transferir custos do importador para o produtor dos "produtos tropicais". Tais circunstâncias, ao concretizar-se a dependência puramente econômica, também se concretizava, simultaneamente, a primeira etapa histórica do processo sociocultural por meio da qual ela seria superada e convertida no seu contrário. Chega-se, assim, a uma conclusão aparentemente contraditória. A autonomização política não resultou e nem conduziu a nenhuma transformação econômica de natureza revolucionária. No entanto, onde ela se vinculou a transformações econômicas relativamente significativas e profundas, e se manifestavam mais fortemente os novos laços de dependência do país em relação ao exterior, ela iria ser a fonte de toda uma série de mudanças econômicas e, nesse sentido, o verdadeiro ponto de partida de maior liberdade e de maior independência na esfera econômica. A questão, aí, não é tanto do salto que

CAPÍTULO 3 - O DESENCADEAMENTO HISTÓRICO DA REVOLUÇÃO...

se deu com a absorção sociocultural e econômica de novas técnicas, capitais e modelos de ação econômica. Está, antes, na mudança sofrida, internamente, pelo padrão de civilização vigente. Este passou a organizar a vida econômica em novas bases, pelo menos nas áreas afetadas pelas atividades mercantis assinaladas, e sofreu uma diferenciação que permitia reduzir a distância histórico-cultural que existia entre o fluxo daquele padrão de civilização nas economias centrais e o seu fluxo em nossa economia. Pela primeira vez, emergia na cena histórica brasileira o verdadeiro palco do "burguês": uma situação de mercado que exigia, econômica, social e politicamente, o "espírito burguês" e a "concepção burguesa do mundo". E era por aí que o processo de modernização econômica, desencadeado pela substituição dos nexos de dependência, tenderia a negar-se e a superar-se. Com o correr do tempo, o "espírito burguês" e a "concepção burguesa do mundo" teriam de desprender-se de suas matrizes históricas, voltando-se para as potencialidades econômicas inerentes aos fatores internos da situação de mercado. Então, mesmo sob a influência persistente de tais nexos, eles estimulariam os agentes econômicos a valorizar formas de crescimento econômico análogas às que presidiram ao desenvolvimento do capitalismo na Europa e nos Estados Unidos.

Os diferentes aspectos, fases e consequências desse processo de modernização econômica, que atingiria o seu apogeu com o ciclo do café, infelizmente não podem ser debatidos aqui. Cumpriria pôr em evidência, porém, algumas de suas implicações econômicas, de relativa importância para a análise sociológica dos rumos assumidos pela evolução do capitalismo no Brasil. A esse respeito, merece especial destaque o padrão predominante de transferência cultural das unidades econômicas importadas. Excetuando-se algumas áreas do comércio a varejo e da produção artesanal, o motor do processo de modernização econômica não repousava na presença física de grandes números de agentes econômicos. Ao contrário do que sucedera com o tacanho comércio colonial, todo ele baseado em controles pessoais e diretos, as atividades econômicas decorrentes dos "negócios de exportação" e do "alto comércio" importador podiam ser controladas a distância, através de mecanismos impessoais ou indiretos e com a colaboração de reduzido número de "agentes de confiança" (ou qualificados). O que importava era menos a presença física de muitos agentes econômicos capazes de desenvolver e de manter controles pessoais e diretos sobre a situação econômica que a criação de mecanismos de controle suscetíveis de medida em termos pura ou predominantemente econômicos. Por isso, nas esferas em que a comercialização possuía maior importância integrativa e dinâmica para a ordem do sistema econômico global, a transplantação de unidades econômicas completas visava antes à formação de condições para a manifestação eficiente daqueles mecanismos de controle que à transferência de numerosos agentes econômicos estrangeiros.

Esse fato contém enorme significação analítica. A ele se prende a tendência de associação de brasileiros às firmas estrangeiras e, em particular, a extrema amalgamação de interesses "estrangeiros" e nacionais" nesse setor. O estudo de algumas figuras importantes da vida comercial e bancária do país, durante a primeira metade do século XIX, mostra que a esse caráter do processo de modernização econômica estão ligados três efeitos fundamentais distintos. Primeiro, a aceitação dos controles estrangeiros da vida econômica interna processava-se sob forte identidade de interesses e, sob laços profundos de lealdade e de simpatia. Tudo se passava como se o "perigo" procedesse dos controles pessoais e diretos, que os comerciantes portugueses traziam à tona de modo tão desastrado e "antinacional". Segundo, a socialização para os papéis econômicos emergentes ou para agir segundo modelos econômicos novos tendia a processar-se sob condições de maximização de sua eficácia relativa (pois ela se apoiava em suportes materiais ou morais incorporados às unidades econômicas transplantadas), mas de maneira a não tolher certa liberdade de iniciativa, na tomada de decisões imprevistas ou fundamentais. Isso explica por que pequenas firmas, que operavam com vultosos negócios de exportação, atingiam o rendimento apresentado e, especialmente, o intenso crescimento das firmas que se dedicavam ao "alto comércio" importador, bem como a facilidade com que algumas delas se nacionalizavam. Muitas vezes, o interesse econômico real não estava nem na propriedade nem na gestão de "filiais", mas nas vantagens auferidas através da exportação em si e por si mesma. As organizações estrangeiras podiam, assim, usar procedimentos econômicos aparentemente liberais, equitativos e neutros. Terceiro, essas duas conexões ataram o "homem de negócios" urbano às malhas dos controles econômicos externos. A clientela que consumia os artigos importados (ou que dependia dos "negócios de exportação") pertencia aos estamentos senhoriais. Ela podia fazer, e de fato fazia, enorme pressão no sentido de manter a sua imagem da normalidade econômica, de acordo com a qual a exportação de produtos agrícolas e a importação de bens acabados constituiriam ajustamentos econômicos altamente vantajosos para o Brasil. No entanto, os homens envolvidos nas diversas esferas dos negócios de exportação e de importação possuíam ligações bem mais profundas com os "interesses externos", prescindindo desse tipo de coerção como e enquanto agentes econômicos. De um lado,

CAPÍTULO 3 - O DESENCADEAMENTO HISTÓRICO DA REVOLUÇÃO...

compartilhavam, com as elites da aristocracia agrária, a ideia segundo a qual a melhor política econômica era a fornecida pelo liberalismo econômico. De outro, porém, a parte mais extensa e, por isso, mais fermentativa do setor comercial formada pelo comércio atacadista intermediário, pelo comércio a varejo e pela produção artesanal via-se comprimida pelo circuito econômico extremamente fechado de uma economia na qual apenas a aristocracia agrária possuía autêntico poder aquisitivo. O liberalismo perdia, aqui, a conotação de uma ideologia de racionalização da dependência econômica e equacionava-se, literalmente, como uma concepção radical do mundo. O curioso é que as situações de interesses vinculadas a essa divergência engendravam reações inconformistas que se dirigiam, em escala social, especificamente contra a ordem econômica interna (a escravidão e o patrimonialismo vistos como fatores de estrangulamento da economia). Os negócios de exportação e de importação não eram percebidos, em si mesmos, como fatores de dependência econômica, nem eram execrados como tal. A única conexão psicossocial do liberalismo, que se manifestava regularmente no comportamento econômico, punha ênfase no elemento competitivo e na importância do comércio como fonte de riqueza, do conforto ou da segurança e como fator de civilização. Essa polarização do liberalismo econômico iria alterar-se depois do terceiro quartel do século XIX. Não obstante, esse quadro demonstra quão extensa, forte e profunda vinha a ser a submissão dos segmentos comerciais aos controles econômicos externos. Esses segmentos praticamente estimulavam uma espécie reserva de mercado à produção externa. Por conseguinte, suas pressões sobre os padrões e os níveis do consumo incitavam um inconformismo puramente social (voltado contra o escravismo e suas supostas consequências econômicas) e diluíam-se, através de razões ultra-egoísticas e irracionais (pois pretendia-se intensificar a circulação e aumentar a margem de lucro sem alterar-se a estrutura da situação de mercado), na esfera propriamente econômica.

Essa análise sugere o quanto o setor novo era afetado, em termos estruturais e dinâmicos, pelo estado heteronômico da economia brasileira. Sob certos aspectos, os agentes econômicos, que operavam nesse setor, se encontravam em situação análoga à da aristocracia agrária, sem contar com as vantagens econômicas que aquela auferia, graças ao monopólio do poder político. Apesar disso, os agentes econômicos desse setor iriam tirar proveito estratégico de sua inclusão no desenvolvimento econômico urbano, transformando sua situação de interesses em fonte de negação e de superação dos nexos de dependência decorrentes do neocolonialismo. Para se entender como isso ocorreu, seria preciso correlacionar certos efeitos econômicos da economia agrária patrimonial, da burocratização da dominação patrimonialista e da expansão interna do capitalismo mercantil. Por sua estrutura, aquela economia não possuía condições para absorver e dinamizar o excedente econômico que produzisse. A burocratização da dominação patrimonialista, por sua vez, estimulou alterações concomitantes da mobilidade social das elites senhoriais e de sua responsabilidade política, as quais redundaram em severa elevação do estipêndio econômico do *status* senhorial. Em poucas palavras, a economia agrária patrimonial constituía uma agência ímpar de captação de excedente econômico. Parte substancial deste, que não se destinava à preservação do quadro produtivo escravista ou ao entesouramento, era consumida, depositada a juros ou aplicada reprodutivamente na cidade. Graças a essa conexão, a produção agrícola exportadora erigiu-se em condição do crescimento econômico interno. A divisão de trabalho social e a estrutura capitalista da situação de mercado funcionavam, em última instância, como fatores socioeconômicos da redistribuição da renda. Em consequência, o setor novo da economia absorvia parcelas crescentes do excedente econômico e convertia-se no fulcro de um novo padrão de desenvolvimento econômico. Está claro que os efeitos desse processo foram acanhados, pelo menos enquanto ele não encontrou apoio no aumento e na diferenciação de produção agrícola, artesanal e manufatureira voltada para o consumo interno. Ao que parece, contudo, ele antecedeu, condicionou e orientou as transformações que se iriam manifestar tanto na esfera da produção quanto na do consumo.

O significado de tal processo para a presente análise é óbvio. Dele provém o chamado dinamismo do setor novo e, o que importa mais, a diferenciação das situações de interesse dos agentes econômicos, ligados às atividades comerciais (especialmente ao "alto comércio"; mas, numa escala menor e universal, a todos que se beneficiavam da pressão das atividades comerciais sobre a redistribuição da renda). Tais agentes econômicos estavam engolfados na economia urbana. Ocupavam posições e desempenhavam papéis econômicos que se originavam de sua organização. Conheciam, pois, suas probabilidades de expansão a curto e a longo prazo. Essas circunstâncias fizeram que eles desfrutassem uma localização estratégica ultrafavorável ao aproveitamento das oportunidades econômicas fomentadas pelo desenvolvimento das cidades. Desse modo, as parcelas do excedente econômico absorvidas através das atividades mercantis serviam para dinamizar o crescimento da economia urbana. Ao mesmo tempo, os agentes econômicos empenhados nessas atividades convertiam-se nos principais agentes humanos

CAPÍTULO 3 - O DESENCADEAMENTO HISTÓRICO DA REVOLUÇÃO...

do desenvolvimento econômico interno. Algumas vezes, ampliando as suas empresas comerciais; outras, com maior frequência, participando ativamente das aplicações capitalistas em que se fundavam o aparecimento ou a expansão dos serviços públicos ou os negócios de maiores proporções. Formou-se, dessa maneira, uma trama de ações e de relações econômicas, que vinculavam os agentes econômicos do setor mercantil, de modo variável, a várias iniciativas econômicas novas. Muitos deles faziam parte da aristocracia agrária ou eram "testas de ferro" de certos figurões. Mas a grande maioria não possuía outra vinculação econômica senão com a própria economia urbana. Assim, malgrado sua dependência em relação ao exterior, o setor novo podia negar-se e superar-se independentemente dos fatores heteronômicos da estrutura da situação de mercado. Mantendo-se estáveis certas tendências estruturais de circulação e de redistribuição da renda, podiam aumentar a diversidade e o ritmo de suas atividades econômicas, elevando suas probabilidades de acumulação de capital acima dos limites de participação da renda da aristocracia agrária. Como o setor novo se constituía, também, como setor estruturalmente capitalista (sob o signo do capitalismo mercantil), seus agentes econômicos não sofriam os bloqueios que pesavam sobre a acumulação estamental de capital (os quais induziam os senhores rurais mais ativos a deslocarem suas atividades práticas para o âmbito da economia urbana). Podiam dinamizar seus comportamentos econômicos, portanto, em direções puramente capitalistas.

Explica-se, assim, como uma condição nuclearmente heteronômica pudesse gerar a sua própria negação e a sua superação. O setor novo possuía um circuito capitalista suficientemente diferenciado e complexo para ordenar-se e crescer em função das condições materiais e morais do ambiente. Sem dúvida, esse circuito não apresentava requisitos estruturais e dinâmicos análogos aos que se formariam, na mesma época, numa economia capitalista central. Isso significa que ele jamais conseguiria eliminar, por si mesmo, o estado heteronômico do sistema econômico global. No entanto, por ser o setor integrado em bases propriamente capitalistas, não só podia absorver os dinamismos capitalistas do sistema econômico global. Também podia realizá-los segundo tendências próprias, libertando-se da estagnação estrutural do setor agrário e imprimindo ao sistema econômico global as características dinâmicas do capitalismo mercantil.

Esta discussão da modernização econômica seria incompleta se não atentássemos para um último aspecto: as suas implicações seculares. Na verdade, ela pressupunha absorção de capitais, de técnicas, de instituições e de agentes econômicos procedentes do exterior. No plano imediato, ela se traduzia num salto econômico, como salientamos, pelo avanço do setor novo sobre a organização e as potencialidades dinâmicas do resto da economia brasileira. Visto prospectivamente, esse salto representava a conquista de um novo patamar para o desenvolvimento ulterior do mercado e do sistema econômico global. Correlacionando-se esse patamar com a intensificação do capital social, provocada pela autonomização política (criação do substrato econômico de uma economia nacional, especialmente no nível dos meios de transporte ou de comunicações e de outros serviços públicos), e com a assimilação de novos padrões de crescimento econômico, desencadeada pela substituição dos nexos de dependência econômica (expansão do capitalismo mercantil sob pressão do neocolonialismo), não será difícil constatar que a referida modernização serviu de base a profundas transformações socioeconômicas subsequentes. Ela não só gerou certas condições recorrentes e universais de organização das atividades econômicas numa economia monetária e de mercado. Ela provocou a emergência de um novo horizonte cultural no meio dos "homens de negócios", inseridos nas atividades práticas do "mundo mercantil". Esse horizonte cultural era novo, como já sugerimos, tanto em seus conteúdos quanto em sua organização. Ele contrastava com o horizonte cultural predominante nos estamentos senhoriais e, mesmo, nas elites econômicas da aristocracia agrária; e se conformava aos requisitos do capitalismo mercantil numa situação de mercado que combinava, nuclearmente, fatores heteronômicos e autonômicos de integração e de diferenciação do sistema econômico global. Por isso, a partir dele é que se iriam irradiar a difusão e a consolidação do capitalismo. De acordo com essa interpretação, não foi nem a produção agrícola exportadora, nem a produção manufatureira ou industrial que galvanizou, historicamente, o primeiro surto integrado do capitalismo no Brasil. Essa função foi preenchida pelo complexo comercial, constituído sob as pressões econômicas concomitantes do neocolonialismo, da emancipação política e do desenvolvimento urbano. Esse fato teria certa importância para as feições adquiridas pelo capitalismo no meio brasileiro, pois sublinha o signo sob o qual ele colocaria a mentalidade burguesa. A dimensão especulativa, de per si tão agravada e distorcida, em virtude da ordenação estamental da sociedade, ganharia a dignidade de pedra de toque das atividades econômicas. O "negociante" transfigura-se no protótipo do *homo oeconomicus*, como se o "homem de negócios" (e não o "empresário", que exista dentro dele) fosse o demiurgo da criação ou da multiplicação das riquezas.

CAPÍTULO 3 - O DESENCADEAMENTO HISTÓRICO DA REVOLUÇÃO...

Em toda parte em que transcorreu, a "Revolução Burguesa" sempre foi movida por protagonistas históricos que viveram papéis estratégicos para a formação e o desenvolvimento do capitalismo moderno. Em regra, tais personagens pertencem a certas categorias sociais simétricas e tendem a preencher funções homólogas na ruptura com o passado e na criação das novas estruturas econômicas. No caso brasileiro, se omitirmos as referidas categorias sociais e formos diretamente aos agentes humanos que as ocupavam, impregnando-as com os interesses, as aspirações e os valores sociais que davam sentido ou conteúdo históricos às suas ações e relações econômicas, depararemos, fatalmente, com o "fazendeiro de café" e com o "imigrante". É certo que nem biológica, nem psicológica, nem etnologicamente se poderia falar deles como tipos humanos, presumindo-se caracteres físicos, mentais ou culturais homogêneos e inconfundíveis. Não obstante, o fazendeiro de café, que surgiu e se afirmou, historicamente, como uma variante típica do antigo senhor rural, acabou preenchendo o destino de dissociar a fazenda e a riqueza que ela produzia do *status* senhorial. Doutro lado, o imigrante nunca se propôs como destino a conquista do *status* senhorial.[6] O que ele procurava, de modo direto, imediato e sistemático, era a riqueza em si e por si mesma. Só tardiamente e por derivação ele iria interessar-se pelas consequências da riqueza como fonte, símbolo e meio de poder. Por isso, ambos possuem algo em comum: identificam a ruptura com a ordem senhorial como um momento de vontade social, que exprimia novas polarizações históricas do querer coletivo. O fazendeiro de café terminou representando, na cena histórica brasileira, o senhor rural que se viu compelido a aceitar e a identificar-se com a dimensão burguesa de sua situação de interesses e do seu *status* social. O imigrante, por sua vez, sempre foi tangido pela *auri sacra fames* fora do contexto do tradicionalismo, e se levou em conta a acumulação estamental de capital, não o fez para praticá-la de maneira conspícua, mas pura e simplesmente para legitimar, socialmente, ações econômicas de extremo teor espoliativo, extorsivo ou especulativo. Assim, os dois polos opostos da sociedade se tocavam e se fundiam nos planos mais profundos de transformação da ordem econômica, social e política. Sem o saber (e

---

[6] Se isso ocorresse de forma universal e sistemática, as migrações conteriam, *ah initio*, o propósito de fixação permanente no Brasil. Como se sabe, onde e quando isso se deu, a fixação quase sempre representou uma frustração do anseio de retorno à comunidade nacional de origem e se impôs como a alternativa indesejável mas inevitável da situação de imigrante.

também sem o desejar de forma consciente), o fazendeiro acabou compartilhando o destino burguês que acalentava os modestos ou ambiciosos sonhos do imigrante. Iria caber-lhe, mais que a este, a ingrata tarefa de inspirar a política que deixou o espírito revolucionário "escapar pela primeira fenda dos seus alicerces", consumando a derrocada da dinastia reinante e da própria aristocracia agrária. Foi ele, em suma, que teve de optar com realismo, através dessa política, entre o presente e o passado, opondo a grande propriedade a um regime social que, se fosse mantido depois de extinta a escravidão, poria em risco a viabilidade econômica da grande lavoura. Portanto, independentemente de aspirar ou não àquele destino, o fazendeiro teve de precipitar-se pelos caminhos que eram trilhados pelo imigrante, coincidência responsável pelo fato de ambos aparecerem como os construtores pioneiros do Brasil moderno.

O fazendeiro de café, de início, quase não se afasta do protótipo do senhor rural, para o qual ele tendia, como participante da aristocracia agrária. No entanto, aos poucos ele é apanhado na rede das pressões que o mercado externo exerce sobre os custos sociais da grande lavoura escravista e passa por duas transformações sucessivas, como e enquanto agente econômico. Primeiro, ele é crescentemente incentivado a operar com a riqueza fora do contexto econômico da grande lavoura. Depois, ele é forçado a renunciar ao *status* senhorial e a adaptar-se às funções de grande proprietário segundo determinações puramente econômicas. Essas determinações puderam ser neutralizadas ou negligenciadas enquanto a forma estamental de acumulação de capital possuía uma base material (o trabalho escravo) e um suporte social (a dominação patrimonialista no nível do domínio e da sociedade global). Todavia, à medida que a ordem social competitiva se fortalece internamente e que a grande lavoura cai de modo implacável sob os mecanismos econômicos do mercado (em suas conexões com a economia mundial), a ordem social estamental perde sua eficácia como meio de defesa e fonte de segurança. Então, da perplexidade, do pânico e da ruína, o fazendeiro evolui, rapidamente, para adaptações econômicas novas, que redundam no abandono da forma estamental de acumulação de capital e na adoção de uma fórmula alternativa, que consistia em despojar a grande propriedade dos atributos histórico-sociais do domínio. Desse modo, ela se converteu, com relativa rapidez, numa variante típica da plantação tropical moderna, associada à acumulação comercial ou financeira de capital. O que importa, na presente discussão, é que o senhor agrário brasileiro acabou sendo vítima da situação heteronômica da economia que ele geria e explorava, perdendo qualquer possibilidade de preservar o *status* senhorial, a dominação patrimonialista e as funções políticas

CAPÍTULO 3 - O DESENCADEAMENTO HISTÓRICO DA REVOLUÇÃO...

da aristocracia agrária. Assim, ao longo de três quartos de século, sua posição em face dos elementos estruturais de sua situação de interesses inverteu-se completamente. No começo do processo, ele renegava o "elemento burguês" do seu *status* para afirmar-se como aristocracia agrária, monopolizar o poder e organizar um Estado nacional independente. No fim do mesmo processo (ou seja, no último quartel do século XIX, em particular na década de 80), ele se viu compelido a repudiar o próprio *status* senhorial, para salvar-se, através do "elemento burguês" de sua situação. Projetado em um novo contexto histórico-social, esse elemento condicionaria a ruptura da sociedade civil com a ordem senhorial e a plena metamorfose do senhor agrário em cidadão da República. De acordo com a conhecida lógica de que "é melhor que se vão os anéis mas fiquem os dedos", tais adaptações tinham em mira manter, sob as condições inevitáveis de desagregação final da ordem escravocrata e senhorial, o monopólio do poder, o controle do governo e a liderança da vida econômica nas mãos dos grandes proprietários.

Não é fácil apontar, resumidamente, as principais facetas desse longo e complexo processo histórico-social. Além disso, em seu desdobramento no espaço e no tempo, ele nos apresenta o fazendeiro de café preso a vários destinos – da variante típica do senhor agrário tradicional às versões humanas que o absentismo assumiria em conexão com a grande lavoura nesse nível socioeconômico (primeiro, no engolfamento do senhor agrário, como tal, nas atividades políticas e econômicas das médias e grandes cidades; em seguida, na sua inexorável transformação em "coronel" e "homem de negócios"). Embora neste ensaio apenas nos preocupemos com questões de caráter essencial e geral, de significação sociológica verdadeiramente explicativa, encontramo-nos na contingência de retomar certos temas já discutidos, para insistir sobre algumas de suas implicações que não poderiam ser esclarecidas senão acompanhando-se as flutuações da situação humana do fazendeiro de café.

Como já assinalamos, com o café a grande lavoura atinge o clímax de suas potencialidades econômicas. É também sob o ciclo do café que ela entra em crise, não apenas de conjuntura, mas estrutural. Por isso, a grande lavoura do café possui significação ímpar tanto para lançar luz sobre a interpretação sociológica do passado remoto, quanto para ajudar a compreender sociologicamente o passado recente da sociedade brasileira. As fazendas de café tomam certo peso econômico em condições que poderiam ter favorecido outro desenvolvimento econômico do setor agrícola. O fato de os fazendeiros perpetuarem a tradição senhorial indica apenas uma coisa: a propensão deles de se identificarem com um *status* e de defendê-lo por todos os meios possíveis era, no início do segundo quartel do século XIX, tão ou mais importante que a obtenção de riqueza. Esta contava como algo essencial, porém não em si e por si mesma; mas, porque ela constituía a base de uma economia senhorial escravista e do poder da aristocracia agrária. O senhor rural não tomava consciência nem acolhia as considerações e as pressões puramente econômicas, decorrentes da dimensão burguesa de sua situação de interesses e dos mecanismos econômicos do mercado mundial. Ao que parece, a influência dos padrões coloniais, herdados dos portugueses, e o afã de nobilitação induziram os fazendeiros de café a adotarem adaptações econômicas selecionadas previamente pela aristocracia agrária. As discrepâncias que se podem notar entre o antigo engenho e as primeiras fazendas não resultaram propriamente dos atributos da planta nem do seu pretenso "caráter democrático". Elas emanavam, preponderantemente, de fatores econômicos, sociais e culturais, que modificaram as funções ecológicas e o significado geográfico daquelas adaptações, firmemente preservadas e defendidas. A emancipação política, o impacto econômico resultante da internalização do capitalismo comercial e a dinamização da grande lavoura como polo vital da economia interna criaram condições que explicam como e por que o ciclo do café assumiu uma feição própria. Certas peculiaridades da plantação, do seu cultivo, da colheita, dos transportes e estocagem etc., concorrem para imprimir maior elasticidade aos fatores de natureza social, econômica e cultural. Contudo, em si e por si elas não conduziriam a nada se o meio social e econômico não fosse capaz de atendê-las adequadamente. Essa interpretação é tão verdadeira que os plantadores, ultrapassadas as fases pioneiras, tendiam a revigorar o padrão tradicional do domínio (justificando-se econômica, social e moralmente através dos imperativos do trabalho escravo), convertendo a grande propriedade numa unidade de produção, de vida social e de poder tão independente e autossuficiente quanto possível e irremediavelmente isolada. Os custos que essa organização social e econômica da produção acarretava eram negligenciados, pois não eram contabilizados como realidade econômica mas como exigência fatal de um *status* (ou seja, de um estilo de vida, de uma concepção do mundo e de um sistema de poder). Todas as percepções, representações ou ilusões dos estamentos senhoriais, inseridos nesse processo, terminavam da mesma maneira. Na ideia de que o trabalho escravo continuaria a dar fundamento e viabilidade à ordem senhorial e numa espécie de contraideologia, segundo a qual soluções alternativas, que envolvessem outras formas de relação de produção, não se aplicavam à situação brasileira.

CAPÍTULO 3 - O DESENCADEAMENTO HISTÓRICO DA REVOLUÇÃO...

Vendo as coisas de uma perspectiva *ex post facto*, não resta dúvida de que havia uma irremediável cegueira na "visão econômica" dos primeiros fazendeiros-barões. Ao exagerar a única fonte de autonomia que estava ao seu alcance, e que era o poder político organizado socialmente, eles esqueceram que não poderiam deter nem modificar as pressões econômicas oriundas do mercado mundial. Apegaram-se, pois, a uma orientação que seria funesta para a expansão econômica do setor agrícola e que seria ainda mais funesta para a integração da economia nacional. Todavia, o horizonte cultural do senhor agrário estava tão dominado pelo afã do *status* senhorial que até mais tarde, quando a crise se abatera sobre as fazendas de café do Vale do Paraíba e a derrocada já parecia iminente, ele ainda negligenciava o ponto nevrálgico e se furtava a atacar a organização vigente das relações de produção. Em vez disso, numa defesa irracional do *status* senhorial, tentou intensificar, de várias formas, a capitalização no nível técnico, agravando os custos sem elevar proporcionalmente a produtividade do trabalho escravo. Fechou-se o círculo em que se prendera o terrível destino da aristocracia agrária no Brasil. O senhor de escravo, por sua vontade e por suas mãos, escravizava-se ao escravo e à ordem social que se fundara na escravidão, condenando-se a desaparecer quando esta fosse extinta.

Não obstante, como o senhor agrário não possuía real autonomia econômica, mal conseguia manter e preservar as estruturas econômicas coloniais, de que procediam a sua riqueza e o fundamento ou legitimidade do poder da aristocracia agrária. O setor comercial e financeiro, nascido da internalização dos nexos de dependência neocoloniais, não cresceu sob a influência, o controle e a imagem dessa aristocracia. Ao contrário, ele organizou-se a partir de influências, de controles e à imagem dos centros hegemônicos externos. Isso pressupunha duas consequências distintas. De um lado, que a heteronomia do senhor agrário, como e enquanto agente econômico, iria polarizar-se crescentemente, em torno de mecanismos econômicos internos, embora controlados de fora em algumas de suas fases e efeitos. De outro lado, que ao se engolfar nesse setor, sem impor-lhe uma estrutura compatível com a situação de interesses e os valores da aristocracia agrária, o senhor rural concorria, de moto próprio, para aumentar e agravar sua condição heteronômica. A questão não estava tanto em que ele dissociasse a riqueza da aristocracia agrária do crescimento da grande lavoura exportadora. Mas, em que contribuía, direta e inevitavelmente, para elevar a concentração interna do capital comercial e financeiro, ao qual estava subjugado de diversas maneiras. Assim, a transformação que se operou, tão rica de consequências para o desenvolvimento ulterior da economia urbana e do capitalismo comercial e financeiro no Brasil, foi fatal para a aristocracia agrária. Os seus agentes, que se inseriam nesse setor, mesmo que se convertessem em "homens de negócios" com títulos de nobreza (como sucedera com os "barões" do Vale do Paraíba no Rio de Janeiro), cumpriam o destino de dinamizar o excedente econômico da grande lavoura através de papéis econômicos que escapavam ao controle daquela aristocracia. O sistema estamental de concentração da renda sofria uma distorção, pois deslocava o excedente econômico, que não podia ser aplicado na grande lavoura, na expansão de um setor que colidia com os interesses, as concepções do mundo e as formas de dominação inerentes à ordem escravocrata e senhorial vigente. Sem dúvida, a grande lavoura preenchia as funções de polo dinâmico de crescimento econômico. Fazia-o, porém, à custa do agravamento de sua heteronomia econômica e de sua ruína futura, contaminando as probabilidades de poder que o senhor agrário desfrutava como e enquanto agente econômico.

Essa dissociação, contudo, não atingia a própria substância da grande lavoura exportadora. Graças principalmente às facilidades proporcionadas pelo monopólio do poder e pelo controle do aparato estatal, a aristocracia agrária podia diluir socialmente os custos negativos da produção escrava sob o regime senhorial. Lograva preservar, desse modo, as tendências de concentração estamental da renda em um ponto de equilíbrio dinâmico que assegurava continuidade àquela produção e ao próprio regime. Por conseguinte, enquanto essa acomodação pôde perdurar, tornava-se fácil manter as aparências e resguardar o destino da aristocracia agrária dos efeitos perturbadores e desagregadores da concentração do capital comercial e financeiro. No último quartel do século XIX, porém, manifestou-se um processo que iria estabelecer uma dissociação mais profunda, afetando o núcleo das relações de produção (primeiro, no nível da continuidade e da produtividade do trabalho escravo; mais tarde, no plano da administração e da gestão). As pressões do mercado mundial sobre os custos sociais da produção agrária atingiram, então, o arcabouço da economia escravista. Essas pressões, vistas superficialmente, punham em causa o custo e a produtividade do trabalho escravo. Pelo menos foi assim que os fazendeiros de café, na ânsia de preservar o *status* senhorial, tentaram interpretar e explicar o que sucedia. As adaptações econômicas desenvolvidas tendiam a aumentar a capitalização da grande lavoura exportadora, mas em condições que se mostraram ineficientes ou gravosas, pois não iam ao fulcro do problema. Passados certos limites, os efeitos desastrosos, a curto prazo, dessas

CAPÍTULO 3 - O DESENCADEAMENTO HISTÓRICO DA REVOLUÇÃO...

adaptações revelaram-se dramaticamente, intensificando de maneira uniforme a margem de heteronomia do senhor agrário e transformando-o em mero joguete nas mãos de agentes internos ou externos do capital comercial e financeiro. Foi nessa situação que alguns fazendeiros do Oeste paulista, mais envolvidos nas atividades e funções do capital comercial e financeiro, compreenderam o que estava em jogo (embora também nessa região a maioria preferisse resguardar o *status* senhorial). Esses fazendeiros eram, impropriamente falando, absentistas[7] e logravam maior penetração na realidade econômica em virtude da participação de papéis especificamente capitalistas no setor urbano-comercial e financeiro. Tiveram a coragem de romper com o bloqueio estamental tanto no nível do seu comportamento econômico como e enquanto agentes da produção agrária, quanto em relação ao estilo de engolfamento nas oportunidades econômicas criadas pelo desenvolvimento urbano. Procuraram intensificar o trabalho escravo ou combiná-lo ao trabalho livre, tentando promover a substituição paulatina daquele; concomitantemente, eliminaram todos os custos diretos ou indiretos, visíveis ou invisíveis com que a ordem senhorial onerava a produção agrícola; substituíram ou aperfeiçoaram as técnicas agrícolas; ao mesmo tempo, modernizaram os transportes; e separaram o lar senhorial da unidade de produção, removendo os fatores de redução da produtividade que provinham das técnicas de organização e dominação patrimonialistas da produção. As consequências dessas transformações na elevação da produção agrária foram indistintamente imputadas à "terra roxa" (mesmo por observadores argutos e por historiadores competentes). Todavia, nesse processo havia surgido outro tipo de fazenda. Esta deixara de ser domínio e passara a organizar-se, econômica e socialmente, como unidade especializada de produção agrária. Introduzia-se, no cenário brasileiro, a plantação comercial típica, associada ao regime de trabalho livre e voltada para a produção dos "produtos tropicais" consumidos no exterior. Essa transformação teve outras consequências. A mais importante, do ponto de vista econômico, diz respeito ao estipêndio do *status* senhorial. Ele deixou de ser retirado, exclusivamente,

---

[7] Tendo-se em vista a organização emergente das fazendas, que se convertiam em plantações tropicais em regime de trabalho livre, a localização do fazendeiro na cidade e seu engolfamento crescente em atividades econômicas diferenciadas, seria de fato impróprio falar de absentismo rural. Trata-se, antes, de nova modalidade de organização da produção rural, que excluía a presença permanente e a gestão direta do proprietário.

do excedente produzido pela grande lavoura. Outras fontes de renda, vinculadas ao setor urbano, passaram a contribuir para o financiamento dos diversos desdobramentos econômicos, sociais e principalmente políticos dos papéis ou obrigações que sobrecarregavam o fazendeiro.

Essa rápida digressão evidencia como se processou, em nosso entender, a evolução da fazenda de café no contexto da sociedade global. O que cumpre ressaltar, nesse bosquejo, vem a ser: 1) a natureza da dissociação que se estabeleceu, de modo inflexível, entre o destino da aristocracia agrária e o crescimento econômico da grande lavoura exportadora; 2) os diferentes tipos de "fazendeiros de café" que poderiam ser historicamente vinculados às várias fases percorridas por essa dissociação. Quanto mais próximos estivermos do início do século, maior será a influência da herança tradicional na modelação do horizonte cultural do fazendeiro, que procurará reproduzir o modelo de personalidade-ideal do antigo "senhor de engenho". Nesse caso, a fazenda de café ideal é aquela que reproduz em sua estrutura social a autossuficiência econômica dos antigos engenhos. O fazendeiro neutraliza-se (pelo menos depois que se consolida como tal) para qualquer atividade econômica que ultrapassasse as fronteiras da supervisão administrativa e a associação com intermediários conspícuos. O excedente econômico destinava-se ao crescimento horizontal da grande lavoura exportadora, às obrigações contraídas através da solidariedade patrimonial e estamental, ao estipêndio do *status* senhorial ou dos papéis sociais deles decorrentes e ao entesouramento. No outro extremo, deparamos com o fazendeiro que pretendia encarnar a personalidade-ideal do moderno "homem negócios" do meio urbano. A fazenda, para ele, não é fonte de *status*, mas de riqueza. Devia "dar lucro", acima de tudo. Nesse caso, ele não se sujeitava ao estilo de vida isolado e circunscrito do antigo "barão do café" que morava na sede da fazenda. Também não se submetia totalmente ao seu código ético, que excluía outras atividades econômicas especulativas ou lucrativas do rol das coisas decorosas ou respeitáveis. A fazenda ideal, já sob o trabalho escravo mas principalmente depois da instauração do trabalho livre, seria aquela que absorvesse a menor soma possível de custos improdutivos e contornáveis. Ela devia organizar-se para preencher sua função econômica especializada, consistente em produzir café, na maior quantidade possível, pelo mais baixo preço, oferecendo ao proprietário condições vantajosas ou seguras de barganha. Entre esses dois polos estão os casos intermediários, de significação episódica (por exemplo, o fazendeiro da fase pioneira, de instalação da fazenda, que participava ativamente do trabalho coletivo e simplificava a estrutura típica da fazenda-domínio ou da fazenda-plantação comercial durante o transcurso daquela fase) ou que representam fenômenos de transição (por exemplo, o "fazendeiro-barão" que tentava "modernizar" ou "racionalizar" a produção escrava; ou que absorvia papéis econômicos permanentes na expansão do capitalismo comercial e financeiro nas zonas urbanas).

Na etapa inicial, o senhor agrário voltava as costas à dimensão burguesa de sua situação de interesses e a fazenda exprimia fielmente essa disposição. Ela era a base material do domínio e o círculo nuclear de condensação do poder patrimonialista. Nas fases intermediárias, o senhor agrário projetou-se em cenários sucessivamente mais amplos. Embora em pequenos números, ele realizava na cidade um destino que contradizia a fonte de sua riqueza e poder. Não obstante, ainda aqui ele não se definia, socialmente, através das categorias do capital comercial ou financeiro e do mundo urbano. Identificava-se moralmente com o domínio e concebia-se como parte de uma aristocracia agrária invulnerável, estável e monolítica. No período final, ele percebeu a natureza dos seus interesses e de seus papéis econômicos reais, articulando-se sem restrições ao crescimento do "mundo dos negócios", armado pelo mesmo tipo de capital que ele obtinha através da grande lavoura exportadora – o capital comercial. A princípio, pensava que isso não afetaria a integridade e o poder da aristocracia agrária. Depois, descobriu que esta era avassalada e destruída pela metamorfose do senhor agrário em "homem de negócios", mas sabia que a única escolha possível, entre a estagnação ou a ruína, e o êxito, impunha-se nessa direção. Não vacilou, quando estava ao seu alcance, ao fazer a escolha... No conjunto, esse longo e tortuoso processo poderia ter sido evitado se a herança econômica colonial contivesse elementos que permitissem encetar, no começo do século, as adaptações econômicas que se tornaram possíveis no seu término. Isso quer dizer, em outras palavras, que o Brasil pagou quase um século ao atraso econômico, social e cultural em que emergiu da era colonial. A dinâmica e a evolução da vida econômica, nesse ínterim, não foram determinadas e reguladas pela transformação das estruturas sociais e econômicas das relações de produção, imperantes na grande lavoura exportadora. Mas, pelo modo através do qual o principal agente econômico conseguia integrar, expandir e diferenciar seus papéis econômicos nucleares, com referência ao mercado externo e ao mercado interno. Por isso, quando o burguês emerge do senhor agrário, o fazendeiro de café já deixara de ser, parcial ou preponderantemente, "homem da lavoura" ou produtor rural, e se convertera em puro agente, mais ou menos privilegiado, do capitalismo comercial e financeiro. Para concluir esta digressão, precisaríamos focalizar duas questões de relativa importância para a compreensão da situação global. Primeiro, a metamorfose final, apontada acima, não abrange diretamente senão um número reduzido de fazendeiros (embora por repercussão e por associação atingisse a maioria das "fortunas sólidas", lastreadas na grande lavoura exportadora).[8] Todavia esse pequeno número deu colorido e intensidade aos homens que construíram os alicerces da economia moderna no Brasil. Segundo, há uma "lógica interna" na evolução descrita, a qual não tem sido posta em relevo por causa da teimosia em se assimilar o desenvolvimento do capitalismo no Brasil aos padrões europeus. Desde os primórdios da colonização, o lado especificamente capitalista do senhor rural sempre apareceu no nível da comercialização dos produtos (e por isso mesmo foi neutralizado ou deformado). Graças à consolidação da situação de mercado, sob a influência de fatores externos e internos (nos casos, preponderaram os primeiros), os componentes de um arcabouço social que sufocavam ou restringiam os móveis propriamente capitalistas do comportamento econômico foram selecionados negativamente e eliminados. Em consequência, o agente econômico foi sendo progressivamente ajustado à categoria econômica a que deveria pertencer, em virtude do tipo de capital com que operava. Nesse sentido, filiar o fazendeiro de café ao capitalismo comercial e financeiro seria uma explicação do tipo "ovo de Colombo", se o começo e o fim do processo não se contrapusessem, como uma economia colonial pré-capitalista se opõe a uma economia nacional em integração capitalista e se o aburguesamento final do senhor agrário não envolvesse a própria desagregação da ordem escravocrata e senhorial. Mesmo no nível de explicação considerado, o Brasil só conseguiu condições para realizar essa transformação, como uma evolução estrutural do meio social interno (para usar conceitos de Durkheim), a partir do momento em que a estrutura da situação de mercado passou a exigir que o senhor agrário (ou o fazendeiro de café) agisse livremente como agente econômico capitalista. Desse momento em diante, o seu destino econômico, social e político deixou de ser uma função da grande lavoura exportadora, projetando-se em torno dos vários interesses gerados pela concentração do capital comercial e financeiro.

Nesse processo, pelo qual o fazendeiro de café experimenta transformações de personalidade, de mentalidade e de comportamento prático tão radicais, interessam particularmente à nossa exposição as duas

---

[8] Essa afirmação é particularmente válida com relação a São Paulo e à expansão do Oeste paulista. O Rio de Janeiro preencheu o papel de palco menor (embora nem por isso secundário) com referência ao processo assinalado.

últimas fases, em que ele se converte em "coronel" e em "homem de negócios".⁹ Como e enquanto "coronel", ele já era o antípoda do senhor agrário. Afirmava-se, como através do poder político gerado por sua situação econômica. No entanto, despojado do domínio, tivesse ou não escravos ele se via privado das compensações, da segurança e da autoridade do *status* senhorial; além disso, com o solapamento, a desagregação ou o desaparecimento da ordem senhorial, deixava de corresponder a uma necessidade social e política, perdendo suas antigas funções socioculturais e econômicas construtivas (o que o tornava, dentro do contexto rural, uma verdadeira regressão ao período colonial; e, no contexto urbano, uma anomalia anacrônica). Na medida em que a fazenda se transformava segundo os padrões econômicos fornecidos pela variante subcapitalista da plantação tropical, ele deixava de possuir controle pessoal, direto e permanente sobre o seu funcionamento e tendia, inevitavelmente, a ocupar-se, de modo predominante ou exclusivo, com as questões comerciais e financeiras que suscitava. Nessa situação histórico-social, em vez de liberalizar a sua concepção do mundo e de democratizar o seu comportamento político, enveredava na direção inversa, pois tinha de procurar em controles impessoais e indiretos, impostos pela ordem legal, de eficácia desconhecida ou incerta, os fatores de estabilidade econômica e da continuidade do seu poder de mando. Doutro lado, esse tipo de fazenda, dissociado das funções senhoriais, não conferia *status*. Ela o projetava na ordem social competitiva, na qual o seu valor social e por conseguinte sua influência política seriam graduados pela extensão de sua riqueza. A última e única possibilidade de privilegiamento social do prestígio e da autoridade que ainda lhe restava era de natureza política. Descobriu, sob um misto pânico e de fúria, que sua posição relativa no seio da emergente ordem social competitiva era vulnerável e flutuante, sofrendo um desgaste econômico permanente e colocando-o diante da dura alternativa do desnivelamento social progressivo, mesmo mantendo estáveis suas fontes de renda. Apelou e apegou-se ao poder político para enfrentar e conjurar esse risco, ao mesmo tempo que passaria a cultivar crescentemente formas compensatórias de preservação de *status* (o que o levaria a participar de e a incentivar modelos provincianos de mundanismo e de cosmopolitismo) e buscaria novos canais de mobilidade social, econômica

---

⁹ O Rio de Janeiro poderia ser tomado como foco de referência dessa caracterização. No entanto, ela se baseia nas transformações ocorridas em São Paulo entre a última década do século XIX e a revolução de 1930.

ou profissional para os filhos, parentes ou dependentes (o que o conduziria à exploração sistemática do nepotismo, não mais como requisito normal da burocratização da dominação patrimonialista, mas como mecanismo de luta pela sobrevivência nos estratos sociais dominantes). Em menos de meio século, nem mesmo o controle exacerbadamente autoritário do poder político e as formas mais drásticas de mandonismo podiam fornecer-lhe recursos para remar contra a corrente. Aceitou o desnivelamento social, com suas implicações econômicas e políticas, redefinindo-se, então, como membro "apagado" ou "proeminente" da classe alta.

Como e enquanto "homem de negócios", porém, o fazendeiro de café percorreu outra trajetória. Em regra, ocupava-se muito pouco com os problemas comerciais e financeiros da fazenda, delegando tais papéis a subalternos e contentando-se em concentrar sua atenção e energias em tais problemas (ou em outras questões, relacionadas com o rendimento e a expansão das lavouras) apenas em momentos críticos. Portanto, ele encaixava a fazenda na conexão econômica a que ela devia pertencer, depois que evoluíra para o modelo de plantação comercial típica em regime de trabalho livre. Adotava diante dela o mesmo comportamento econômico que as antigas companhias comerciais, só que, em vez de operar através de agentes econômicos independentes (os senhores agrários), que corriam riscos próprios, mas tinham também uma esfera de autonomia material, moral e política, preferiu delegar funções a diferentes categorias de assalariados. Por vezes nem mesmo o capital comercial ou financeiro que manipulava era propriamente "seu", pois se associava a redes relativamente complexas de manipuladores nacionais e estrangeiros de capital fazendo parte de grupos econômicos centralmente interessados na função da grande lavoura exportadora na captação de excedentes econômicos. Nesse sentido, a sua vinculação com esse setor era meramente estratégica, pois seu motivo propriamente racional dirigia-se noutra direção: a aplicação desses excedentes, na lavoura ou fora dela. Realizou, assim, a potenciação-limite das probabilidades de dinamização das funções econômicas da grande lavoura numa sociedade nacional, situando-as no contexto das múltiplas oportunidades (e, logo, de "escolha racional") oferecidas pela ordem social competitiva. Por isso mesmo, à proporção que esta crescia e se diferenciava, a sua posição econômica e social também crescia e se diferenciava com ela, o que, em outras palavras, significava aumento e desdobramento do seu poder real. Além disso, como lograva projetar a condição de fazendeiro na conexão típica que ela devia possuir na ordem social competitiva, conseguia extrair dela os dividendos sociais e políticos que

CAPÍTULO 3 - O DESENCADEAMENTO HISTÓRICO DA REVOLUÇÃO...

ainda podia render. Ela infundia certa dignidade e grandeza às suas funções de "homem de negócios", pois, sendo também fazendeiro, ele não era um "homem de negócios" qualquer: tinha atrás de si a auréola, real ou imaginária, da "tradição de família". O seu conservantismo político não nasceria do temor da perda de controle sobre a propriedade e a fazenda, nem do pânico diante do desnivelamento social. Estaria, antes, relacionado com o fortalecimento dos fatores de estabilidade que podiam garantir continuidade ou intensidade à concentração de capital comercial e financeiro "dentro da ordem". Por conseguinte, da representação política pessoal evoluiu, rapidamente, para a delegação de papéis políticos a agentes de confiança, cedendo o centro do palco em troca do controle efetivo das verdadeiras malhas do poder.

Embora o "coronel" atraísse mais a atenção, foi o segundo tipo de fazendeiro – que era a negação mesma do senhor agrário e o seu travesti especificamente burguês que teve influência marcante no curso dos acontecimentos históricos e que comandou a vida política ou a política econômica do país na fase de desagregação da ordem senhorial e de implantação do regime republicano. Ele foi, sob vários aspectos, o principal agente humano "nativo" da revolução burguesa. Ele lhe conferiu o parco e fluido sentido político que esta teve, ao optar pela República e pela liberal-democracia. Também lhe coube liderar as forças econômicas internas, na reintegração que o capitalismo comercial e financeiro iria sofrer, a partir do último quartel do século XIX.

Nesse processo, a sua atuação apresenta dois momentos culminantes. O primeiro manifesta-se no período em que a desagregação da ordem senhorial ameaçava converter a extinção da escravidão numa convulsão social incontrolável e revolucionária. Esse desenlace foi impedido, no plano político, graças à orientação prática assumida na conjuntura pelos fazendeiros "homens de negócios". Opondo-se à miopia dos donos de escravos que se identificavam, material e moralmente, com o *status* senhorial, procuraram solapar as bases do movimento abolicionista e extrair dele o seu sentido revolucionário. Em menos de três anos, absorveram a liderança política das medidas que concretizariam os ideais humanitários desse movimento, neutralizando-o social e politicamente, e tiraram do que poderia ter sido uma "catástrofe para os fazendeiros" todas as vantagens econômicas possíveis. Com isso, esvaziaram a revolução abolicionista de significado político e de grandeza humana. O escravo sofreria uma última e final espoliação, sendo posto à margem sem nenhuma consideração pelo seu estado ou por seu destino ulterior. Em compensação, garantiam-se à grande lavoura condições favoráveis para a substituição do trabalho escravo e para salvar, na ordem social competitiva, suas posições dominantes nas estruturas do poder econômico e político. O segundo momento relaciona-se com a política econômica montada para enfrentar os riscos da superprodução. As várias crises que se abateram sobre a lavoura do café, do último quinquênio do século XIX em diante, não foram enfrentadas através de mecanismos indiretos de manipulação do poder, que caracterizaram a política econômica senhorial. Elas foram propostas em termos puramente econômicos, através de medidas racionais, que visavam instituir a "defesa permanente do café". Semelhante política jamais poderia ser imaginada e posta em prática pelo senhor agrário tradicional e pelo fazendeiro que se representasse como simples "produtor rural". Ela só poderia ser concebida e concretizada sob a condição de que o fazendeiro se empenhasse em resguardar e fortalecer os aspectos comerciais e financeiros da exportação do café, o que exigia que ele participasse ativa e profundamente dessas fases dos "negócios do café". Sem dúvida, para ter êxito, tal política deveria contar com o apoio de toda a categoria econômica e, por isso, beneficiá-la de um modo ou de outro. Por fás ou por nefas, chegou-se, assim, a montar mecanismos econômicos que protegiam o produtor e o exportador, que operavam na economia interna, contra efeitos da superprodução que sempre foram manipulados especulativamente no mercado mundial, com graves prejuízos para as "economias coloniais". Dado o nível de integração atingido pelo capitalismo comercial e financeiro nessa época, dentro da economia brasileira, parece certo que as coisas se passaram com relativa facilidade porque os interesses dos importadores estavam extensamente emaranhados com os interesses dos exportadores. Não surgiram, pois, os conflitos e as manipulações usualmente explorados no mercado mundial para esmagar as pretensões dos "produtores coloniais". Todavia, o importante é que semelhante política de "defesa permanente do café" se estabeleceu e que ela, além de proteger os interesses dos "homens de negócios" ligados simultaneamente à lavoura e ao capitalismo comercial ou financeiro, resguardou o nível de ocupação dos fatores da economia interna e o ritmo de crescimento do seu setor agrário. Desse ângulo, o fazendeiro "homem de negócios" não só serve de índice de um novo tipo de integração do capitalismo comercial e financeiro no desenvolvimento da economia nacional. Ele próprio se afirma, no plano econômico e na esfera política, como o principal agente dessa integração. Encarna, pois, uma mentalidade econômica tipicamente racional com relação a fins, que modifica a qualidade da dependência ou da condição heteronômica, já que a barganha econômica foi estendida a efeitos da comercialização dos produtos no mercado mundial. Ligando-se esses dois

CAPÍTULO 3 - O DESENCADEAMENTO HISTÓRICO DA REVOLUÇÃO...

momentos, percebe-se o quanto o fazendeiro "homem de negócios" imprimiu à revolução burguesa a marca de seus interesses econômicos ou sociais e dos seus desígnios políticos mais complexos e profundos. Como o desenvolvimento econômico posterior lança suas raízes no excedente econômico captado pela grande lavoura exportadora, pode-se afirmar que a revolução burguesa abortaria ou tomaria outros rumos se esse agente histórico tivesse cedido a impulsos humanitários ou fosse incapaz de corresponder, decididamente, ao grau de racionalidade exigido do seu comportamento econômico.

Essas razões indicam que existem gradações marcantes nas influências que os fazendeiros exerceram no desencadeamento e na intensificação da revolução burguesa. Enquanto se localizou nas cidades, fazendo nelas o seu *habitat* e participando do seu estilo de vida, o fazendeiro concorreu ativamente para a formação e a expansão da economia urbana. Nesse contexto, porém, não era um fator humano específico da revolução burguesa. Fazia parte de um conjunto de elementos que forçavam a diferenciação da economia brasileira e intensificavam as tendências de concentração do capital comercial ou financeiro. Sua influência era relevante, por ser um agente em condições de assumir e de dinamizar papéis econômicos que requeriam certa disponibilidade de capital. Nem por isso ela se tornava determinante, de uma forma tópica, pois ele não engendrava nada de novo. Entrava na torrente histórica e aumentava o seu volume ou intensidade. Contudo, o mesmo não sucede no outro nível. Ao absorver papéis especificamente capitalistas na liderança da vida econômica, o fazendeiro concorria, consciente e ordenadamente, para modificar a relação dos fatores que configuravam a estrutura da situação de mercado. Dentro de um contexto de heteronomia residual em face do exterior, inevitável numa economia agrária exportadora, intentava definir seus interesses econômicos não em termos de composições passivas com os manipuladores do mercado externo, mas através das implicações internas da concentração comercial e financeira do capital, gerado pelos "negócios do café". Essa rotação de posições e de perspectivas econômicas forneceu o primeiro alicerce estrutural que deu bases firmes à revolução burguesa no Brasil.[10] Foi graças a ela que o desenvolvimento prévio e ulterior do capitalismo comercial e financeiro, condicionado pelo crescimento constante do mercado interno e da economia urbana, adquiriu maior densidade e

---

[10] O segundo apareceria em conexão com a concentração industrial do capital e teve como seu principal herói o "imigrante".

aceleração, podendo preencher as funções econômicas construtivas que desempenhou, como fator de elevação e de diferenciação da produção destinada ao consumo interno. Delineou-se uma posição econômica de interesse nacional e os "homens de negócios", procedentes da ou vinculados à grande lavoura exportadora, assumiram o controle de sua dinamização econômica e de sua ativação política. Passou-se, assim, da confluência não-articulada de interesses interdependentes para uma fusão dos mesmos interesses, graças à qual as duas tendências de formação e de acumulação de capital (ligadas à grande lavoura exportadora e à expansão do setor comercial-financeiro) se fundiram e provocaram a integração do capitalismo comercial e financeiro como fenômeno nacional. O ápice desse processo foi atingido pela fundação de novos bancos (de cunho privado ou oficial), mas ele se desenrolara, de forma latente, desde o fim do século XIX, e tomara alento com as primeiras medidas de "defesa permanente do café". Quando esta se concluíra como política econômica (de uma categoria social e do governo), o processo estava consumado, alterando definitivamente a estrutura da situação de mercado, pois a partir daí o capital comercial e financeiro também podia ser livremente manipulado a partir de dentro, através de posições, interesses e decisões dos agentes econômicos internos. Em seguida, o "homem de negócios", que esteve à testa dessa transformação estrutural, iria transferir-se para outros ramos da produção agrária e da criação ou se distanciar e se divorciar do setor agrário. Então já cumprira seus papéis de agente histórico da revolução burguesa e erigia em rotina o que antes fora um momento crucial de opção.

No estudo sociológico dessa figura, constata-se que o êxito moderno de São Paulo tem muito que ver com sua posição marginal no seio da economia colonial. Em virtude dessa posição, São Paulo não chegou a participar completamente dos benefícios e das vantagens do estilo senhorial de vida. Mas, por essa mesma razão, também não foi tão firmemente bloqueado por suas deformações e limitações. Um passado de sonhos de grandeza, mas apenas farto de privações, sofrimentos e humilhações, projetava a riqueza fora e acima do decoro que imperava, em tais assuntos, na tradição genuinamente senhorial. Por isso, quando se deu a retração dos trabalhos nas minas e o refluxo de senhores com escravaria, principalmente no Oeste paulista, as oscilantes tentativas de readaptação às lides agrícolas ou comerciais possuíam o mesmo sentido econômico das atividades práticas de populações desenraizadas e migrantes. Sob o império indiscutido e invisível da tradição patrimonialista, florescia o mais ardente empenho de acumular riqueza e de convertê-la em poder. Por isso, quando

CAPÍTULO 3 - O DESENCADEAMENTO HISTÓRICO DA REVOLUÇÃO...

o café se impõe sobre plantações alternativas (superando mesmo a cana), e engendra um ciclo agrícola de longa duração e de vitalidade econômica crescente, ele se projeta num contexto anímico e de ação econômica em que a *auri sacra fames* prevalecia sobre todos os demais motivos. Sob esse aspecto, não existem diferenças substanciais entre as "elites nativas" e os "imigrantes". As poucas gradações relevantes prendem-se ao ponto de partida e ao modo de buscar a riqueza. A motivação básica, porém, era a mesma e conduzia à predominância do *homo oeconomicus* sobre as demais estruturas da personalidade e da vida em sociedade. Em consequência, as funções econômicas do regime patrimonialista e da escravidão sofreriam uma deflexão típica em São Paulo. Malgrado a integridade emocional ou moral com que se submetiam e se identificavam com os valores da ordem escravocrata e senhorial, universal na sociedade brasileira da época, os membros ativos das "elites nativas" tendiam, aqui, a pôr em segundo plano as exigências do *status* senhorial. Evoluíram, intencionalmente, para ajustamentos práticos que convertiam as técnicas econômicas sociais e políticas do mundo senhorial em meios para atingir fins predominantes ou puramente econômicos. Isso não representava, em si mesmo, um progresso na direção de aumentar sua racionalidade como agentes econômicos. Mas produzia sensíveis alterações em suas possibilidades de aceitar a simplificação da estrutura tradicional das fazendas, bem como de explorar com maior margem de eficácia as técnicas econômicas, sociais ou políticas que continuassem a ser utilizadas (como sucedeu, por exemplo, com o trabalho escravo). As mesmas disposições e o estado de espírito correspondente também explicam por que alguns desses fazendeiros preocupavam-se com a modernização e a racionalização da produção agrária, segundo um estilo bem diferente do que prevaleceu no Vale do Paraíba, empenhando-se desde os meados do século XIX em sucessivas experiências com a introdução e a utilização do trabalho livre ou com os custos marginais da produtividade das técnicas agrícolas.

É dentro desse contexto histórico geral que se deve considerar o aparecimento dos fazendeiros de café dotados de nova mentalidade econômica. Dentro desse contexto, a quebra de continuidade com a tradição senhorial, apesar da persistência da escravidão e dos valores fundamentais da dominação patrimonialista, atinge os diferentes níveis de organização da personalidade, da economia e da sociedade. Em primeiro lugar, a própria tradição senhorial deixara de ter vigência indiscriminada e imperativa. Estabeleceu-se uma ruptura entre as "normas ideais" e o "comportamento prático" em matérias essenciais para o código senhorial. Isso não se evidenciava apenas em questões relacionadas com as aplicações do excedente econômico em fins que convertiam o senhor agrário em "capitalista" (emprego do dinheiro a juros e participação regular de atividades especulativas no setor comercial); transparecia de forma notória no repúdio ao padrão senhorial de vida, no abandono progressivo e dentro em breve sistemático da residência nas sedes das fazendas, no modo de explorar o trabalho escravo e na propensão a aceitar ou a estimular mudanças de significado econômico (como as que ocorreram com os transportes, as vias de comunicação e o trabalho livre, todas mais ou menos repugnantes ao senhor agrário tradicional, empenhado em resguardar o isolamento e o trabalho escravo como bases materiais da dominação patrimonialista).

Em segundo lugar, a personalidade-ideal do senhor rural mudara de configuração. Com exceção de alguns fazendeiros que procediam das zonas do Vale do Paraíba (em decadência) ou de Minas e do Nordeste, o grosso dos fazendeiros apresentava curiosas histórias de vida. Havia os que regressavam da modesta lavoura de subsistência, que se expandira em São Paulo com o surto da mineração; antigos tropeiros e negociantes de gêneros nas minas; alguns ex-mineradores. Em regra, a maioria desses homens compartilhava os valores e as instituições sociais vinculados à dominação tradicional de cunho patrimonialista. Mas tinha limitada e superficial experiência do estilo senhorial de vida. Na prática, portanto, afora as relações pessoais entre pai e filhos, marido e mulher, senhor e escravos e senhores entre si, tais homens concediam-se extrema liberdade para agir independentemente do código ético senhorial tanto nas fases iniciais de apropriação de terras ou de construção e de consolidação das fazendas (o que seria comum ou frequente), quanto no aproveitamento sistemático das oportunidades existentes para intensificar a acumulação de capital ou para aplicá-lo reprodutivamente. Em termos de personalidade, eram duros aventureiros, que repetiam em moldes renovados os episódios da era da conquista. Invadiam terras, subjugavam ou destruíam pessoas, esmagavam obstáculos e colhiam avidamente os frutos dessa manifestação de pioneirismo, que combinava audácia, aventura e espírito empreendedor com os móveis do capitalismo comercial, presentes no processo através das relações com as companhias que operavam com a venda de terras, com o financiamento da produção do café etc. Embora fossem homens de origem rural e que almejavam o destino de "potentados" da aristocracia agrária, tinham um passado recente de comerciantes, de negociantes, de agenciadores e de trabalhadores por conta própria. Por conseguinte, os freios da tradição senhorial não pesavam nem sobre suas vontades, nem

CAPÍTULO 3 - O DESENCADEAMENTO HISTÓRICO DA REVOLUÇÃO...

sobre suas consciências, nem sobre suas ações. Ao inverso, a liberdade, a autoridade e o poder quase ilimitado de decisão ou de punição, que aquela conferia, eram usados com extremo rigor. Desse modo, o que não sucedera no século XVI nem posteriormente, ocorreria principalmente a partir do segundo quartel do século XIX. Da casca do senhor rural de uma economia colonial brota um *homo oeconomicus* tosco, mas que se notabilizava por uma ambição sem freios, por uma tenacidade que ignorava barreiras e por uma chocante falta de piedade para consigo e para com os outros. Os poucos representantes autênticos da mentalidade senhorial, que conviveram com esses "fazendeiros paulistas" e escreveram sobre seus costumes, fazem-no com desgosto e irritação. Eles não compreendiam o seu afã de riqueza, que gerava crueldades raras ou ignoradas no torvo mundo escravista da casa-grande tradicional, e que erguia uma muralha intransponível entre o anseio de ser "potentado" e a concepção senhorial do mundo.

Em terceiro lugar, ao longo do seu destino, pelo menos até a crise de 1929, esse tipo de homem seria continuamente "bafejado pela sorte". Os papéis econômicos emergentes, nascidos do desenvolvimento urbano ou da expansão interna do capitalismo comercial e financeiro, que estava por trás dele, só poderiam ser aproveitados pelas "famílias tradicionais" de recursos e pelos "imigrantes prósperos". Dessas duas categorias sociais seriam recrutados os "homens de negócios" da época. Ora, em São Paulo aquelas famílias timbravam por ramificar seus interesses econômicos em várias direções concomitantes. Por isso, os principais cabeças de parentelas combinavam vários tipos de negócios, nos quais preponderavam os interesses agrícolas e outras aplicações altamente especulativas de capitais. A explicação sociológica desse fato é simples. Além de certas organizações estrangeiras, conhecidas ou não como tais, apenas o "fazendeiro de posses" dispunha de capital para se defrontar com um surto econômico repentino e estonteante. Sob esse aspecto, coube-lhe absorver certos papéis econômicos que, no contexto da Corte, permaneceriam tradicionalmente nas mãos do capital externo ou de seus agentes brasileiros. As oportunidades econômicas mais compensadoras congregavam-se, por apinhamento, em torno de sua posição social. Só lentamente essa associação se desfaz, à medida que representantes de outras categorias econômicas (comerciantes, industriais, banqueiros etc.) logram impor-se graças à expansão das cidades e da ordem social competitiva, concorrendo com o setor agrário na capitalização dos proventos econômicos do "progresso". Nessa situação, o ingênuo ideal de converter-se em "potentado" cede lugar, rapidamente, a ambições mais realistas e complexas. A ruptura com o mundo senhorial se avoluma e se aprofunda, pois o homem que não soubera optar pelo *status* senhorial contra a riqueza, que lhe servia meramente de substrato, iria fazer desta o objetivo central de sua atividade prática.

Em quarto lugar, essa situação faria com que o fazendeiro que se transformava em "homem de negócios" tivesse de afirmar-se, econômica, social e politicamente, como tal. Ele seria senhor - pois o era, no âmbito da fazenda, da família e aos olhos da sociedade. Mas apenas na superfície. No fundo, ele era, pura e simplesmente, *homo oeconomicus*. O seu poder não viria do *status* senhorial; procederia de sua situação econômica: do capital que dispusesse para expandir horizontalmente a produção agrária, aumentando o número de suas fazendas, e para absorver socialmente as oportunidades econômicas emergentes. Portanto, nesse novo contexto socioeconômico, suas funções econômicas contrastavam com as funções típicas do senhor agrário tradicional. A pressão envolvente da transformação silenciosa do meio social separava-o, irremediavelmente, das condições que tornaram a aristocracia agrária uma necessidade política e um expediente econômico. Ela levava-o a polarizar-se em torno do capital comercial e financeiro, a lançar-se na torrente estuante do crescimento econômico, a preferir os papéis econômicos que negavam sua veleidade de afirmar-se como "senhor". Ou se associava às companhias e organizações de capitais estrangeiros, nacionais ou mistos, que controlavam a economia brasileira; ou evoluía com outros agentes econômicos em situações análogas, para a fundação de companhias e organizações desse tipo; ou se destinava a viver numa espécie de limbo econômico, condenando-se a estagnar numa posição de prosperidade econômica, que seria neutralizada com o tempo, e a converter-se em "coronel" — o verdadeiro representante típico do que seria o sonhado "potentado", que a economia agrária poderia gerar no novo contexto histórico-social. Nesse sentido, a ruptura com o passado constituía uma contingência irreversível e a preservação de símbolos estamentais apenas concorria para tornar opções inevitáveis menos dolorosas e dramáticas.[11]

---

[11] A esse respeito, Antônio Prado constitui o representante característico do "homem de negócios", focalizado de forma típico-ideal. Seus papéis econômicos e políticos, sob a Monarquia e sob a República, traduzem fielmente as diversas conotações desse destino social e econômico, inclusive nas preferências frustradas pela continuidade da ordem senhorial. Doutro lado, para o período anterior, personalidades como Antônio da Silva Prado podem ser tomadas como típicas; e personalidades como Nicolau Pereira de Campos Vergueiro como atípicas quanto à carreira, mas típicas quanto ao emprego e administração da fortuna. Sob vários aspectos, a importância de Vergueiro, como "homem de negócios", faz contraponto com a do conselheiro Antônio Prado. Entre

CAPÍTULO 3 - O DESENCADEAMENTO HISTÓRICO DA REVOLUÇÃO...

Em quinto lugar, esse tipo de fazendeiro, que se envolveu até as raízes do seu ser social na economia urbana (e, por conseguinte, nos processos de concentração do capital comercial e financeiro que nela ocorriam), também será *homo oeconomicus* na esfera do pensamento. Aos olhos dos nossos dias é provável que sua imagem do "mundo dos negócios" pareça extravagante não só por seu completo egoísmo social, como por seu oportunismo sistemático (ambos se evidenciam, por exemplo, através dos arranjos feitos para explorar o escravo até o último instante pelos célebres contratos de libertação com cláusula de prestação de serviços; ou do envolvimento do Estado na política de imigração e de defesa do café). Contudo, essa imagem precisa ser vista à luz do nosso passado e daquele presente — não em função dos nossos dias e do futuro. Pela primeira vez, na história econômica do Brasil, uma categoria social integrou coerentemente sua percepção, sua explicação e sua atuação sobre o processo econômico: 1) compreendendo-o como uma totalidade histórica; 2) ligando-o a probabilidades de ação política concretas e controláveis a partir da própria situação de existência dos agentes econômicos. Desse prisma, ao negar e superar o senhor agrário, o fazendeiro "homem de negócios" realizou o sonho, que aquele acalentou em vão, de fundar sua independência econômica em sua liberdade política. Conseguiu-o, entretanto, não através desta em si mesma, mas do poder de previsão e de ação que alcançou, ao completar sua própria integração aos papéis econômicos que devia desempenhar num regime de capitalismo comercial e financeiro. Por essa razão, é à luz do desenvolvimento deste no Brasil que devemos avaliar as suas técnicas e valores sociais. A estrutura da situação de mercado não eliminara a condição heteronômica residual da economia exportadora, mas modificara sua capacidade de autodefesa e, principalmente, criara meios estratégicos que permitiam explorar economicamente a própria dependência. O fazendeiro "homem de negócios" apreendeu a complexa realidade desse fato e tirou dele todo o proveito econômico possível, tanto nas relações com o mercado externo, quanto (e principalmente) no aproveitamento marginal dos fatores favoráveis aos seus desígnios na economia nacional. O que importa, no caso, é a natureza das categorias de pensamento e de ação que orientaram ou regularam os seus comportamentos práticos. Ao contrário do senhor rural do início do século XIX, ele não tomará consciência da

---

um e outro, pode-se compreender como evoluiu essa figura e por que ela contrasta, como negação e superação em sentido capitalista, com o fazendeiro que se acomodou ao destino social, econômico e político do "coronel".

situação e não agirá praticamente para resguardar e integrar o *status* senhorial, em escala estamental e nacional. Ele será movido por motivos puramente econômicos. Tentará tomar consciência e dominar fatores ou efeitos que intervinham na trama e na evolução do "mundo de negócios" — com o fito intencional de submetê-los ao controle possível a partir da organização econômica e de poder ao seu alcance. Para isso, importa técnicos e especialistas (como já fizera antes, para conhecer as consequências e a duração da escravidão); e (o que não fizera antes, pelo menos em escala coletiva) usa os seus conhecimentos e previsões, ao mesmo tempo que empolga o governo para dispor de mecanismos que permitissem pôr em prática a política delineada para fortalecer, a curto e a longo prazo, os interesses econômicos e o poder político de uma classe social.

É relativamente mais difícil tratar do "imigrante". Se existiam vários tipos de senhores rurais e de fazendeiros, a diversificação predominante nas correntes migratórias e na sua incorporação às economias internas é ainda maior. Todavia, esses aspectos são secundários na presente exposição. À nossa análise importam, sobretudo, certos elementos mais ou menos comuns na situação dos imigrantes, na realização de suas carreiras ou nas influências construtivas que exerceram, seja para eliminar e aperfeiçoar, seja para substituir certos padrões obsoletos de vida econômica.

A presença do estranho constituía uma constante da economia de exportação. Essa presença converteu-se numa complexa necessidade, entretanto, depois que a economia de exportação passou a participar diretamente dos mecanismos econômicos do mercado mundial. Daí em diante, a vigência do padrão de civilização das metrópoles econômicas, em bases mais amplas e sólidas, iria implantar uma ordem econômica cuja integração, funcionamento e evolução impunham a formação e a organização de um fluxo migratório permanente daquelas metrópoles (e de suas economias periféricas) para o Brasil. A inclusão do país no mercado mundial pressupunha que se adaptassem a nossa economia, as nossas instituições econômicas e as nossas relações econômicas aos padrões vigentes no mercado mundial. O que essa inclusão poderia significar, de fato, dependeria das condições que favorecessem a constituição e o desenvolvimento de uma economia de mercado integrada nacionalmente. De imediato, ela representou um avanço súbito da esfera do capitalismo comercial e financeiro, que extraía suas forças da economia exportadora e dos seus efeitos dinâmicos sobre o crescimento econômico interno. A alocação de firmas subsidiárias, de agências ou de escritórios nos pontos estratégicos para o controle da economia

CAPÍTULO 3 - O DESENCADEAMENTO HISTÓRICO DA REVOLUÇÃO...

exportadora e dos seus reflexos sobre a economia importadora interna acarretou transplantação de agentes econômicos especializados e de pessoal suplementar. Esse processo, por sua própria natureza, tinha escasso significado demográfico, embora possuísse enorme importância econômica, cultural e política. As unidades abrangidas, da ordem da centena ou do milhar de migrantes, facilitavam um duplo mecanismo: a) de concentração dos estrangeiros nos pontos economicamente estratégicos (na Corte e nas cidades com relativa vitalidade econômica); b) de diluição desses agentes, predominantemente econômicos, em grandes massas (relativas) de populações urbanas ou rurais.

A longo prazo, contudo, a inclusão no mercado mundial acabou ultrapassando as fronteiras da economia exportadora e dos seus reflexos na importação, com os movimentos correspondentes de capitais, instituições econômicas e pessoas. Semelhante desenvolvimento correlacionou-se à reelaboração e à expansão do capitalismo comercial e financeiro, através de vários processos concomitantes, apontados acima (consolidação e crescimento das firmas, agências e escritórios que representavam internamente os capitais internacionais; efeitos do desenvolvimento urbano e da produção para consumo interno sobre a concentração comercial e financeira do capital; crescente participação de elementos da economia exportadora no "alto mundo dos negócios" etc.). O que importa, aqui, é que a reelaboração e a expansão do capitalismo comercial e financeiro faziam pressão estrutural e funcional no sentido de ajustar a vida econômica interna aos padrões de uma economia capitalista. Em outras palavras, estimulavam a organização de uma economia de mercado integrada nacionalmente. Por isso, os dois polos concomitantes, em que aquela pressão estrutural e funcional se manifestava, diziam respeito: 1) à expansão do trabalho livre, em volume e em diferenciação, 2) à expansão da produção destinada ao consumo interno, também em volume e em diferenciação. A referida evolução contrairia outra forma se a aristocracia agrária não assumisse o controle interno da vida econômica, social e política da nação emergente. Se uma alternativa desse tipo se tivesse concretizado, a economia exportadora de plantação deixaria de vincular-se a estruturas tradicionais de poder e poderia adaptar-se mais depressa às formas que apresentaria com a extinção da escravidão e a implantação do trabalho livre. Como tal alternativa não se consumou, historicamente, as duas consequências assinaladas tornaram-se inevitáveis, e tanto um polo quanto outro (embora sofrendo as distorções estruturais e dinâmicas oriundas da presença do trabalho escravo e da predominância exclusiva da monocultura exportadora) teriam de avolumar-se e de diferenciar-se, de modo gradual e continuamente. Seria impraticável alimentar um setor capitalista integrado, da natureza e das proporções daquele que foi transferido para o Brasil, dadas as demais condições (emancipação política nacional, extensão territorial e composição ou tamanho da população), sem que ele adquirisse, naturalmente, certo grau de dinamismo. Malgrado os bloqueios diretos ou indiretos da ordem social tradicional (resultantes do monopólio do poder, da concentração social da renda e do predomínio quase completo do trabalho escravo), o capitalismo comercial e financeiro realizou aqui as mesmas funções que preencheu em toda parte, forçando a expansão e a intensificação de formas capitalistas de concentração do capital comercial e financeiro. No bojo desse processo, a inclusão da economia brasileira ao mercado mundial conduziu a um novo tipo de transplantação de imigrantes. Nessa fase, a questão não era mais de pequenos números. Impunha-se saturar espaços vazios, suprir pessoal diversificado para alimentar o crescimento qualitativo e quantitativo do setor comercial e financeiro, transferir excessos de reservas de trabalho para garantir aumento constante e diferenciação contínua da produção destinada ao consumo interno, enfim, era preciso muita gente, com novos padrões e estilos de vida, para consolidar internamente a economia de mercado em expansão. Por essas razões, a imigração atinge, paulatinamente, a casa dos grandes números e mantém-se nesse nível enquanto as referidas funções econômicas são preenchidas pelo imigrante.

Em virtude dessas conexões econômicas, as correntes imigratórias prendem-se a fatores que projetavam o imigrante nos setores monetários da economia. Quaisquer que fossem os azares ou os infortúnios dos indivíduos, nas comunidades de origem, duas constantes atravessam e marcam, profundamente, as suas motivações psicossociais. Primeiro, a transferência para a América constituía, em si mesma, uma transação econômica, na qual os agentes empenhavam a sua vida, os seus parcos haveres e as suas energias ou capacidade de trabalho. O alvo predominante comum consistia, neste plano, em "fazer a América" — isto é, formar uma espécie de espólio, que constituiria a "fortuna" ou a "riqueza" que deveria premiar e compensar a audácia, a persistência e o talento do agente. Segundo, o retorno para a comunidade nacional de origem, naturalmente em outra situação econômica e com probabilidades de ascensão social, era entendido como o ponto culminante e indiscutível do "êxito" alcançado. Mesmo os países que ofereciam melhores perspectivas imediatas ou remotas que o Brasil raramente foram definidos pelos imigrantes como "pátria de adoção" definitiva. A alteração e a reversão dessas expectativas se deram como um processo

CAPÍTULO 3 - O DESENCADEAMENTO HISTÓRICO DA REVOLUÇÃO...

lento e inexorável, às vezes depois de reiteradas experiências, frequentemente amargas e infrutíferas, de readaptação às comunidades de origem. A "pátria de adoção" impôs-se como uma sorte de fatalidade, não por escolha voluntária das primeiras gerações. O importante, para a nossa análise, está no fato de que a combinação das duas expectativas reforçava o poder condicionante causal e motivacional dos fatores econômicos, sociais e culturais que impeliam os imigrantes para os setores monetários da economia. Sob esse aspecto, o imigrante poderia ser comparado ao judeu das descrições e interpretações de Sombart. Ele não só entrava no circuito econômico, quaisquer que fossem os papéis e posições que lograsse desempenhar, por motivos psicossociais de natureza econômica. Fazia parte da sua perspectiva e do seu cálculo econômicos acumular riqueza em forma monetária. Considerações de status possuíam para ele escassa significação. Qualquer que fosse a fonte da riqueza, esta precisava materializar-se (ou ser materializável) monetariamente — ou seja: ser contabilizada e multiplicada como dinheiro.

Essa conexão psicossocial, cuja análise sociológica ultrapassaria os limites deste ensaio, projetava o imigrante num contexto econômico e social que colidia, substancialmente, com a ordem social escravocrata e senhorial. A questão não está tanto no fato de que o imigrante procedesse de economias capitalistas mais avançadas, nas quais o trabalho livre, o contrato, a livre competição etc. imperavam e organizavam as relações econômicas. Nem no fato correlato de que a ordem social escravocrata e senhorial degradava o trabalho humano e restringia ou eliminava as oportunidades econômicas frequentes numa economia de mercado capitalista. Ao que nos parece, ela reside no fato, bem mais simples, de que a acumulação estamental de capital, inerente àquela ordem social, constituía um processo econômico relativamente rígido e muito fechado. Nas condições imperantes no regime senhorial brasileiro, as oportunidades econômicas só eram abertas em duas direções: aos que dispunham de *status* senhorial na estrutura estamental da sociedade ou lograssem condições para atingi-lo (processo este que dependia das probabilidades de poder que aquele conferia e, portanto, que assentava a abertura relativa da sociedade estamental nos interesses especificamente senhoriais); aos que dispunham de bastante capital comercial ou financeiro para se inserirem, diretamente (como "negociantes" ou "capitalistas"), nos processos de comercialização inerentes às economias exportadora e importadora. Ora, embora a imigração seletiva, vinculada a esses processos, nunca chegasse a ser interrompida (ao contrário, ela continua até hoje), o imigrante das grandes levas anônimas não podia satisfazer normalmente nenhum dos dois requisitos. Para ele, o *status* senhorial erguia-se como uma barreira intransponível (ou de transposição muito difícil e demorada) ao único tipo de acumulação de capital consagrado e que permitiria alcançar os seus alvos econômicos de maneira completa. Só tardiamente (e em função do êxito, que não excluía a necessidade complementar de ostentação de formas compensatórias de *status*) é que iria reconciliar-se com os símbolos da ordem senhorial e adotá-los na medida do possível. No mais, para explorar as possibilidades abertas pelo segundo requisito, tinha de dispor-se a infringir as formas senhoriais de acumulação de capital. Tornar-se, aberta e reconhecidamente, uma personalidade divergente, que convertia a riqueza em um fim e transformava a si próprio e aos outros em meios para atingi-lo.[12]

Os caminhos de acumulação de capital acessíveis ao imigrante comum eram, naturalmente, os mais duros e penosos. De início, eles não só eram relegados pelos membros das elites senhoriais; convertiam em renegados os que os palmilhassem. Em consequência, o isolamento cultural operava como um fator de autoproteção, apesar das várias formas de acomodação que envolviam contatos sociais e trocas culturais. Graças a esse isolamento, o imigrante podia fechar-se em si mesmo e em pequenos grupos (com frequência, a família pequena ou a parentela; em menor escala, o grupo de companheiros, formado por conterrâneos da mesma comunidade local do país de origem). Abstinha-se, assim, de interagir moralmente com os costumes e os valores da sociedade adotiva, no caso, os costumes e os valores dos estamentos senhoriais. Desse modo, possuía liberdade para atingir seus fins, rompendo com o código ético a que teria de responder em sua sociedade nacional e não respondendo ao código ético das camadas senhoriais da sociedade brasileira. As técnicas sociais de acumulação de capital, que podiam ser efetivamente mobilizadas e exploradas, raramente tinham algo que ver com o padrão de uma economia capitalista avançada. O imigrante transplantava e se beneficiava pelo menos de alguns complexos da tecnologia econômica do país de origem. Somente com tempo, porém, surgiriam condições favoráveis à utilização de técnicas mais ou menos complexas de acumulação de capital. Poucos traziam pecúlio suficiente para inserir-se diretamente no ápice do sistema ou em posições intermediárias. O pecúlio,

---

[12] Está claro que essa caracterização foi calcada na reação societária típica à atividade econômica do imigrante. Essa reação possuía natureza ideológica e, por isso mesmo, ignorava a relação existente entre o status senhorial e a riqueza, que lhe servia de fundamento (mas não era vista como objetivo da dominação senhorial).

CAPÍTULO 3 - O DESENCADEAMENTO HISTÓRICO DA REVOLUÇÃO...

em regra, nem dava para financiar a instalação na comunidade local para que se dirigisse. O imigrante rompia, portanto, com a tradição senhorial em todas as fases de sua carreira. Num sentido literal, o trabalho próprio — e não o trabalho alheio, sob a forma de apropriação do trabalho escravo — seria a fonte de sua subsistência e de sua eventual riqueza ou prosperidade.[13]

Em consequência, as formas de acumulação de capital, adotadas predominantemente pelos imigrantes pioneiros, giravam em torno da metamorfose do trabalho em dinheiro. Isso não quer dizer que se tratasse sempre do trabalho pessoal ou de uma forma constante de trabalho. Surgiram vários "modelos" de exploração do trabalho e da mobilidade ocupacional, intencionalmente voltados para a acumulação de capital. A mais simples e conhecida diz respeito à cooperação doméstica. O imigrante aproveitava a solidariedade doméstica e formas tradicionais de dominação (com frequência variantes da dominação patriarcal) para estender ou aumentar a produtividade do trabalho e para intensificar a apropriação individualista do excedente econômico, produzido pela família (e, em casos mais raros, pela parentela). Em si mesma, porém, essa modalidade de acumulação de capital dificilmente poderia levá-lo tão longe quanto queria ir e de modo tão rápido quanto desejava. Os que se colocaram na lavoura tiveram êxito, ao explorá-la, porque combinaram essa técnica a outro expediente. A estreiteza da faixa monetária obrigava os fazendeiros a arranjos que redundavam, através da parceria, em suplementação *in natura* dos pagamentos monetários. Dada a sua orientação econômica, o imigrante conseguia, por meio da produção de suas hortas: 1) reduzir sua área como agente de consumo, preservando seus padrões alimentares em níveis de segurança e de conforto (com frequência, conforme às determinações mínimas da própria tradição cultural); 2) desenvolver uma esfera independente de comercialização constante de bens de consumo (com frequência, tão ou mais compensadora que o trabalho do grupo, em famílias numerosas). A essas duas técnicas sociais, cuja natureza conjuntural e adaptativa é evidente (o que explica por que perderam sua eficácia e desapareceram com o tempo), agregavam algo que se poderia chamar de utilização econômica marginal da mobilidade social horizontal e

---

[13] Ainda aqui a caracterização foi calcada em reações societárias típicas, no caso dos próprios imigrantes. Essas reações também tinham caráter ideológico e ignoravam as formas de apropriação de trabalho alheio, desenvolvidas através da cooperação doméstica e das relações de companheirismo, para não falar de outras implicações, que surgiam da adoção de menores ou do próprio trabalho livre a pagamento.

vertical. Como o fito das adaptações econômicas indicadas, fornecidas pelo trabalho vendido e pelo sobretrabalho poupado, consistia em acumular riqueza em forma monetária, atingido certo patamar de êxito o imigrante se via impulsionado a recomeçar o processo em níveis mais complexos (sob condições de contrato mais vantajosas, abandonando a condição de trabalhador, tentando modalidades acessíveis de mascateação ou de pequeno comércio e de produção artesanal, comercial etc.). Apesar de todas as lendas que circulam a respeito, a maioria dos imigrantes não alcançava o referido patamar, vendo-se condenada, contra a vontade, ao colonato permanente ou à proletarização como destino social. Os que o alcançavam, a partir dele modelavam o seu futuro de acordo com as mencionadas lendas. Deslocavam-se de uma fazenda para outra ou da fazenda para a cidade (muitos, para uma pequena cidade; vários, diretamente para uma cidade grande ou para a capital: tudo dependia do gênero de atividade escolhida como patamar econômico subsequente). Se a aventura esboçada desse certo, da mascateação e do pequeno comércio o imigrante poderia passar para formas mais complexas de comercialização ou, mesmo, para a produção de bens de consumo; da mesma maneira, da produção artesanal comercial poderia evoluir para o comércio a varejo ou atacadista e para a produção industrial. O ponto crítico da carreira era atingido quando lograsse posições econômicas que enfeixavam em suas mãos maiores possibilidades de acumulação que as requeridas pelo gênero de negócios explorado. Então, tinha de tomar decisões a respeito de como orientar-se economicamente, girando num torvelinho que o levava a mudar de cidade, a ampliar suas firmas, a trocar de ramo de atividade e a combinar negócios interdependentes. Somente ao situar-se naquelas posições (portanto, depois de períodos mais ou menos longos de adaptações à sociedade brasileira), o imigrante via-se com meios e condições para pôr em prática as técnicas capitalistas que porventura conhecesse e transplantasse consigo do país de origem.

Nessas posições econômicas, o imigrante, qualquer que fosse o seu destino social posterior, ainda estava longe do tope. Mas já se convertia em agente econômico da concentração de capital comercial e passava a absorver (e por vezes a monopolizar) os papéis econômicos emergentes de uma economia de mercado em consolidação e em expansão. Tais papéis foram sistematicamente menosprezados pelas elites senhoriais. No entanto, o desenvolvimento econômico subsequente mostraria que eles eram estratégicos, seja para a aceleração do enriquecimento dos agentes (a curto prazo), seja para a sua mobilidade ocupacional ou empresarial e para a sua ascensão social (a largo prazo). Acresce que, ao explorar as oportunidades econômicas abertas pela mobilidade horizontal e vertical, com tamanha versatilidade ocupacional ou econômica, o imigrante alargou o seu horizonte econômico. Em particular, conhecia por via prática: as dimensões potenciais do mercado interno; suas perspectivas a curto prazo; as áreas de consumo que podiam ser atacadas segundo um novo estilo econômico; os capitais disponíveis que se mantinham bloqueados mas que podiam ser mobilizados, com certas garantias e a largo prazo; arranjos comerciais que permitiram introduzir, na comercialização de produtos agropecuários destinados ao consumo ou à produção industrial, técnicas empregadas na Europa, onde o capital comercial procedeu à concentração da produção artesanal, etc. Com base em tais conhecimentos e aproveitando astuciosamente o crédito ou a confiança obtidos, o imigrante podia dar os saltos mais altos e, por fim, aventurar-se no terreno mais difícil da produção industrial. De início, as barreiras bloqueavam o seu caminho em várias direções. Ainda aí, porém, poderia passar de um pequeno empreendimento para outro maior, associar firmas de produção de bens de consumo com firmas comerciais até chegar, progressivamente, aos ditos "impérios industriais". Nesse processo, teve de vencer a resistência inicial dos importadores, as deficiências do comércio interno, as dificuldades de captação de capital. Mas também aí logrou êxito, favorecido pelo impulso dinâmico indireto de uma economia de mercado em consolidação e expansão. Tornou-se, assim, simultaneamente, o principal agente econômico da primeira tendência definida e consistente de substituição de importações, um agente econômico privilegiado nas fases iniciais de concentração do capital industrial e o herói da industrialização, a segunda transformação estrutural que tornou a revolução burguesa uma realidade histórica no Brasil.[14]

---

[14] Esse esboço típico-ideal, de per si já simplificado até onde seria possível a uma exposição inteligível dos processos considerados, é deliberadamente sumário. O esquema apresentado foi escolhido tendo em vista introduzir o máximo de variáveis e de situações alternadas na carreira econômica do imigrante, que se localizasse em regiões como as da Província ou do Estado de São Paulo (que ofereciam, pelas oportunidades econômicas emergentes, possibilidades-limite ao aproveitamento da mobilidade horizontal e vertical). Mesmo nessas regiões o esquema poderia variar em função do ponto de partida e do ponto de chegada do imigrante (se ele ia para a agricultura, se ficava na cidade; se se tornava colono, artesão ou comerciante; se viesse a ser comerciante, industrial, fazendeiro ou mesmo banqueiro). Além disso, nas colônias do Sul, onde os modelos de organização comunitária correspondiam melhor às exigências da cultura transplantada, a influência de padrões europeus sobre o desenvolvimento econômico foi maior (como, por exemplo, se poderia ilustrar com Blumenau). Tais alternativas, porém, se apresentam dentro das mesmas tendências nucleares básicas, as quais ligam o imigrante à consolidação e à expansão da economia monetária e de mercado, convertendo-o em agente da concentração do capital comercial, industrial e financeiro e fazendo dele um dos grandes protagonistas históricos da revolução burguesa. Por isso julgamos dispensável introduzir os elementos concernentes a tais variações da situação humana do imigrante na exposição acima.

Os resultados dessa caracterização sumária sugerem algumas conclusões fundamentais. O imigrante não transplantou apenas, como se pensa vulgarmente, uma mentalidade capitalista para o Brasil. Isso não seria, em si mesmo, muito relevante, pois nas regiões do país onde essa mentalidade não encontrou situação propícia para medrar ocorreu regressão econômica, social e cultural (fenômeno conhecido como caboclização, que chegou a ocorrer mesmo nas proximidades de cidades como São Paulo). O importante é que a mentalidade capitalista se impôs e cresceu internamente, através de atividades econômicas sucessivas, desempenhadas pelo imigrante no meio social ambiente; se se introduzir alguma relativização em tal afirmação, poder-se-á dizer que essa mentalidade surgiu e se difundiu, aqui, como um processo histórico-social e econômico da sociedade brasileira, condicionado por instituições, valores e padrões econômicos absorvidos das metrópoles hegemônicas. Graças às situações econômicas que teve de viver, o imigrante projetou a mentalidade econômica, assim constituída, num setor que alcançara certa diferenciação e alguma vitalidade, embora fosse bloqueado pela rigidez inerente à acumulação estamental de capital e à circulação da renda numa sociedade senhorial. Esse setor, organizado em função do capital comercial e financeiro, era dinamizado e se expandia através de variados, intensos e contínuos estímulos externos e internos, mas ficaria comprimido enquanto não se criassem conexões mais sólidas entre a produção para o consumo interno, a diversificação do comércio interno e o fluxo de capitais nessas duas direções. Favorecido pelo crescimento relativo crescente da oferta de capitais, provocado principalmente pela proliferação de agências financeiras ou bancárias estrangeiras e pelas atividades econômicas do fazendeiro "homem de negócios", e pelo grau de racionalidade adaptativa de sua mentalidade econômica (e não pelo teor ideal de racionalidade econômica, como se tem afirmado, pois este exigiria as condições normais um regime capitalista integrado), o imigrante concentrou sua ação econômica em áreas que eram vitais para o aparecimento ou o fortalecimento das referidas conexões. Quanto ao comércio, não só contribuindo para expandir e diferenciar a rede de estabelecimentos, o que em si mesmo seria economicamente importante, mas, o que era verdadeiramente essencial, estabelecendo ramificações de superfície e em profundidade entre a comercialização e a produção internas. Daí resultou uma vasta e rápida concentração de capital comercial que se refletiu, especialmente, sobre a lavoura de subsistência, a criação de gado vacum e porcino e, durante curto período, a produção artesanal, inseridas de modo regular (na maioria dos casos pela primeira vez, em termos de mecanismos monetários) no mercado interno.

CAPÍTULO 3 - O DESENCADEAMENTO HISTÓRICO DA REVOLUÇÃO...

Quanto à produção, seja contribuindo para expandir a pequena empresa agrícola e a produção agropecuária industrial comercializada, seja imprimindo à produção manufatureira maior diferenciação e magnitude de escala. Daí também resultou uma rápida e vasta concentração de capital comercial e de capital industrial, de consequências estruturais para o aumento, a diferenciação e a organização do consumo, para a expansão e a integração do mercado interno, e para a redução e a modificação da pauta das importações. O lado positivo dessas realizações desencadeou avaliações societárias justamente encomiásticas, que conferem ao imigrante a auréola de pioneiro do capitalismo industrial e subestimam a participação que o "homem de negócios" brasileiro teve na criação do mundo econômico do *Brasil moderno*.

No entanto, há algo mais importante em jogo. Se aprofundarmos a análise, descobriremos que a mentalidade econômica do imigrante foi vítima de sua racionalidade adaptativa (o que equivale a dizer: das condições imperantes no meio brasileiro, que não teve elementos para aproximar essa racionalidade dos requisitos ideais do "espírito capitalista" típico). De fato, o que explica o êxito do imigrante, senão a sua versatilidade em aproveitar as condições do ambiente, favoráveis aos seus desígnios econômicos? Ora, essa versatilidade estendia a racionalidade adaptativa também aos papéis criadores ou construtivos do agente econômico. Tudo se passava como se uma lógica implacável animasse o comportamento econômico, estimulando o sujeito a não considerar "inteligentes" ações ou aspirações que transcendessem a seus fins racionais. Semelhante lógica não eliminava o teor construtivo e inovador do comportamento econômico do imigrante. Embora o meio não funcionasse como um fator multiplicativo, o próprio contexto dentro do qual o comportamento se desenrolava imprimia-lhe esse caráter. Percebe-se isso facilmente quando se atenta para as formas e as funções da acumulação de capital postas em prática pelo imigrante. Elas envolviam um conflito latente com a ordem econômica tradicional e pressupunham, inevitavelmente, a sua negação e superação. Nas fases iniciais do processo de acumulação de capital, o conflito latente resultava do próprio destino humano do imigrante, o qual o impelia, independentemente de peculiaridades pessoais, a acumular dinheiro. Nessas fases, o conflito não continha potencialidades construtivas nem se dinamizava como processo social. Em seguida, porém, os mesmos motivos que o conduziam a acumular dinheiro impulsionavam-no a transformar o dinheiro acumulado em fonte de mais dinheiro. Aí o conflito latente com a ordem senhorial erigia-se em processo social, adquirindo sentido e funções sociais construtivas. Nessas fases, a acumulação de capital entrava em sua conexão capitalista típica e impelia o imigrante, através das ações econômicas que empreendia (nos dois setores mencionados no parágrafo anterior), a funcionar como um agente de desagregação da ordem social senhorial e de consolidação e expansão da ordem social competitiva. Para localizar e entender as limitações da racionalidade adaptativa e as implicações negativas da lógica econômica que a alimentava, é preciso reter a mentalidade e o comportamento econômicos do imigrante através das ações que se desenrolavam no nível da referida conexão.

O circuito da ação econômica do imigrante (visto em termos da conexão de sentido capitalista, que se estabelecia socialmente) envolvia, estrutural e funcionalmente, três elementos básicos. A consecução de fins racionais imediatos, nas formas que parecessem mais compensadoras e nas condições mais facilmente realizáveis. Portanto, a estruturação e a dinamização do "processo econômico" — nas condições materiais e morais, espontâneas ou institucionalizadas, em que se desenrolava o referido circuito raramente coincidiam, mesmo de forma irregular e parcial, com os padrões de "cálculo econômico racional" e de "comportamento econômico racional", inerentes a uma economia capitalista integrada. É preciso imaginar a situação histórico-social considerada em termos da fluidez, da indeterminação e da confusão que emanavam da coexistência, dentro de um mesmo espaço sociocultural, da ordem senhorial, em fase de declínio e de desagregação, e ela ordem competitiva, em fase de consolidação e de início da expansão autossustentada. A conexão de sentido capitalista não se vinculava a nenhum padrão de equilíbrio de um sistema econômico constituído nem à eficácia de mecanismos econômicos plenamente coordenados institucionalmente. Ela provinha de fatores instáveis e variáveis, embora compartilhados pelos agentes econômicos que se encontrassem em situações análogas, os quais neutralizavam ou deformavam os chamados "mecanismos de mercado" e conferiam ao ator extrema liberdade e versatilidade na consecução de seus fins racionais. Por conseguinte, as escolhas que ele fazia e que apresentavam caráter racional possuíam esse caráter não por causa dos interesses econômicos de um grupo, de uma classe social ou da sociedade nacional. Elas adquiriam tal caráter em função dos fins e dos meios do agente econômico considerado individualmente, e em condições que privavam tanto a ordem senhorial quanto a ordem competitiva de intervirem regularmente, de maneiras positivas ou negativas (ou seja, estimulantes ou restritivas), na graduação societária de seus meios e fins econômicos. Em outras palavras, os efeitos antieconômicos ou antissociais de semelhante tipo de racionalidade escapavam ao controle

CAPÍTULO 3 - O DESENCADEAMENTO HISTÓRICO DA REVOLUÇÃO...

societário eficiente e normal sempre que se produzissem como parte de processos puramente econômicos (isto é, não interferissem nos aspectos legais da ordem existente). Aliás, mesmo que o contrário pudesse suceder, seria duvidoso que o agente econômico aceitasse controles societários que interferissem no grau de liberdade e de autodeterminação de que necessitasse para realizar, economicamente, sua condição humana. O mais provável, se isso acontecesse, seria o abandono puro e simples da cena histórico... Indo ao que importa, a questão não está na existência e na predominância de fins e meios imediatistas, oportunistas e ultraegoísticos. Mas, no que advinha daí. Primeiro, o agente econômico não estabelecia o nível ideal historicamente possível, das adaptações econômicas segundo critérios que levassem em conta os requisitos estruturais e dinâmicos da acumulação capitalista. Em consequência, a evolução gradual do capitalismo comercial se fazia desencontradamente, sob os efeitos espontâneos das adaptações econômicas realizadas, e com um aproveitamento normal mínimo de técnicas econômicas, sociais e políticas absorvidas das economias capitalistas hegemônicas. Segundo, a interferência de interesses comuns de grupos, estamentos ou classes, e da própria comunidade nacional (um elemento condicionante e regulativo fundamental do "processo econômico" na economia de mercado de uma sociedade competitiva), operava ao sabor do acaso ou nem sequer chegava a concretizar-se como realidade histórica. Em consequência, as formas e as condições através das quais os fins imediatos eram atingidos e manipulados não sofriam controle externo regular, constante e intenso, como se fosse socialmente irrelevante estabelecer-se um mínimo de equilíbrio entre aqueles fins e a integração ou o desenvolvimento da economia de mercado.

Essas reflexões não contêm nenhuma intenção crítica ou moralista. O imigrante simplesmente repetia, a seu modo e segundo um estilo próprio, a epopeia de conquista. Chegara a vez de a sociedade nacional conquistar novas "fronteiras econômicas", e o "cálculo racional" do agente econômico, embora tivesse uma conexão capitalista específica e característica, só podia corresponder à racionalidade adaptativa das fases de instauração e universalização de um novo regime econômico. Tal cálculo respondia à lógica da aventura, da cupidez e da audácia. Ele nos interessa de perto porque aí parece estar o calcanhar-de-aquiles do desenvolvimento ulterior do capitalismo no Brasil. O principal agente econômico da formação e da expansão do novo regime econômico não tinha razões emocionais, materiais e morais que o impelissem ou o obrigassem a projetar seus interesses econômicos em processos econômicos de longa duração, que o incentivassem a imaginar-se, a pensar-se e a agir como o construtor de um novo mundo econômico. Os fins imediatistas também deviam ser alcançados através de formas e de condições de ação econômica imediatistas. Com isso não pretendemos insinuar que o imigrante se desinteressasse pelo futuro. Ele se interessava. Mas sonhava com ele fora e além do contexto histórico-social que servia de palco à sua atuação econômica. Dadas as resistências e as dificuldades econômicas apontadas, é quase certo que ele não lograria êxito ou desistiria de seus intentos se fosse forçado, contra a vontade ou à revelia da lógica da racionalidade adaptativa, a orientar as escolhas através de combinações menos imediatistas e egoísticas, mas também menos compensadoras, entre meios e fins econômicos. Todavia, independentemente de qualquer juízo ou raciocínio judicativo, essa situação humana do agente econômico explica como e por que ele se tornou vulnerável ao clima material e moral da economia escravista e senhorial.

No fundo, o imigrante não só repetiu, sob novo estilo, o passado do senhor agrário colonial. Ele transferiu critérios estamentais de concentração social da renda para processos puramente econômicos de acumulação e de reprodução do capital. As condições de composição e de funcionamento do mercado interno favoreceram e, até certo ponto, eternizaram esse processo. O volume e a intensidade da circulação eram demasiado pequenos para os dinamismos de uma economia de mercado de bases estritamente monetárias e capitalistas. O agente econômico tinha de "estender a margem de lucro", para extrair de um reduzido número de operações resultados realmente compensadores e estimulantes. Nesse sentido, tanto a revolução comercial atingia o seu ápice, quanto a revolução industrial se iniciava em um contexto econômico caracteristicamente "colonial" (entendendo-se por essa palavra certa estrutura do sistema econômico global). Por isso, o agente econômico divorciava-se dos elementos reguladores da ética capitalista (e dos mecanismos de motivação e de controle indiretos da livre competição) em todas as fases da ação ou relação econômicas que ultrapassassem ou saíssem do ciclo imediato da apropriação. Num primeiro passo, ele procedia a um relativo esvaziamento econômico da acumulação capitalista, convertida parcialmente em simples privilégio social. Assim, a reinversão não seria determinada, nem quantitativa nem qualitativamente, apenas por determinações orgânicas e dinâmicas do próprio processo de acumulação capital. Em um segundo passo, ele separava a acumulação capitalista do querer coletivo da própria categoria socioeconômica a que ele pertencia, eliminando da ação ou da relação econômicas capitalistas, que praticasse, conteúdos de consciência histórica ou de vontade social que poderiam transformá-lo, concomitantemente, em agente histórico premeditado da criação de uma ordem econômica capitalista. Assim, como sucedera antes, com o senhor agrário da época colonial e da primeira fase da época nacional, esse novo agente econômico passaria a mover-se, de forma diligente, pertinaz e construtiva, tão somente no âmbito mais acanhado de sua situação social de interesses. Não iria projetar tais interesses em planos mais amplos nem tentaria explorar outros tipos possíveis de racionalidade econômica, que poderiam associar as atividades econômicas (e mesmo o crescimento econômico) a ideais coletivos de autossuficiência econômica ou de independência nacional.

Não obstante, o imigrante seria o nosso tipo humano que encarnaria de modo mais completo a concretização interna da mentalidade capitalista e iria desempenhar os principais papéis econômicos que estruturaram e dinamizaram a evolução do capitalismo no Brasil. Pondo-se de lado o que o estrangeiro representou para a montagem inicial de uma economia capitalista dependente, ele preencheu, graças aos referidos papéis econômicos, três funções sociais construtivas na organização de nossa economia monetária e de mercado. Primeiro, coube-lhe uma função primordial para a constituição de uma economia capitalista: a de constituir o agente original do trabalho livre. Como escreve Weber, em conhecida formulação: "cálculo exato — a base de todo o resto — só é possível sobre a base do trabalho livre".[15]

Sob esse aspecto, parece fora de dúvida que a inclusão do Brasil no mercado mundial, sob um regime econômico senhorial e escravista, forçou a diferenciação que converteu a reserva de trabalho das sociedades capitalistas avançadas em fonte do trabalho livre de uma economia neocolonial. Semelhante função, em si e por si mesma, confere ao imigrante a grandeza de fator de precipitação e de condensação das transformações que serviram de base ao aparecimento de uma economia monetária e de mercado puramente capitalista.[16] Segundo, malgrado sua condição inicial de equivalente humano do escravo, o imigrante logo se erigiu no único elemento (excluídos os estamentos dominantes e intermediários da ordem senhorial) que possuía expressão monetária e poder aquisitivo real. Nessa esfera, preencheu a função de transferir para as diferentes camadas da plebe rural ou urbana expectativas e padrões de consumo típicos de uma "sociedade moderna" e "democrática". Essa função tem

---

[15] *The protestant ethic and the spirit of capitalism*, p, 22.

[16] Ou, como diria Weber, de uma economia monetária e de mercado de caráter *ocidental e moderno*.

sido negligenciada. Entretanto, antes que os meios de comunicação em massa difundissem os chamados "efeitos de demonstração", o imigrante despertara nas massas humanas desfavorecidas imagens bem nítidas dos níveis de vida que são "mínimos" e "vitais" na civilização moderna. No plano econômico, essas imagens concorreram para ampliar e diferenciar tendências de consumo que os imigrantes introduziram e que, anteriormente, pareciam prerrogativas ou privilégios das camadas senhoriais. Terceiro, o imigrante tanto concorreu para intensificar o desenvolvimento interno do capitalismo comercial e financeiro, quanto ocupou uma posição central na canalização socialmente construtiva de suas influências dinâmicas, que faziam pressão sobre a diferenciação e a intensificação da produção destinada ao consumo interno. Essa função, demasiado sabida, imprimiu à sua atividade prática consequências econômicas profundamente autonomizadoras. Ao organizar ou expandir tipos de produção que se originavam e consumiam através do mercado interno, ajudou a transplantar para o Brasil, predominantemente de forma socialmente inconsciente, modelos de desenvolvimento autossustentado, característicos das economias capitalistas integradas. Nesse sentido, sua importância para a expansão do capitalismo transcendeu às diferenças raciais, étnicas ou nacionais e foi balizada por dinamismos internos da economia brasileira.

É dentro desse contexto geral que se deve apreciar, sociologicamente, a transplantação, a assimilação e a ascensão social do imigrante. Em termos psicossociais e culturais, ele representa mais que uma ruptura com a tradição senhorial e com a dominação patrimonialista, apesar das acomodações que o levaram a compartilhar, de modos mais ou menos profundos, conforme as variações da situação de contato, interesses, valores e ideologias das elites nativas no poder. O imigrante introduziu no Brasil maneiras de ser, de pensar e de agir em que o "cálculo econômico" e a "mentalidade racional com relação a fins" acabaram alcançando, pela primeira vez em nosso país, a consistência estrutural e funcional requerida pelo padrão capitalista de organização da personalidade, da economia e da sociedade. Isso é evidente em todas as comunidades que receberam colonização prolongada e intensa. Tais comunidades sofreram, quantitativa e qualitativamente, durante períodos mais ou menos longos, o que se poderia chamar de europeização do seu estilo de vida. Em consequência, o imigrante se converteu no centro de irradiação e de difusão de novas atitudes, de novos comportamentos e de novas aspirações sociais, alguns transplantados com sua herança sociocultural, outros forjados aqui, graças às adaptações econômicas indicadas ou a efeitos integrativos da aculturação. À presente discussão interessam os

CAPÍTULO 3 - O DESENCADEAMENTO HISTÓRICO DA REVOLUÇÃO...

aspectos desse complexo painel que parecem ter alguma relação com o impacto da imigração sobre a expansão interna do capitalismo.

Em primeiro lugar, a tradição cultural que poderia constituir um bloqueio à ação econômica racional do imigrante fazia parte de sua própria herança social. O imigrante procedia dos centros econômicos metropolitanos e hegemônicos. Nem sempre, porém, provinha de áreas nas quais o capitalismo agrário, o comercial e o industrial estavam intensamente desenvolvidos. A decisão de imigrar quase sempre respondia a insatisfações ou a frustrações econômicas e sociais. Contudo, se o imigrante procurasse reproduzir, fielmente, as situações de existência social para as quais fora socializado, seria difícil que lograsse êxito como agente de poupança e de acumulação monetária. Portanto, ele foi impelido a praticar escolhas racionais na seleção de elementos da herança sociocultural transplantada e da herança sociocultural que lhe foi oferecida. Ao que parece, o fulcro desse mecanismo repousa em dois pontos: a) a neutralização dos elementos da herança sociocultural transplantada que pressupunham atitudes, comportamentos e aspirações sociais desvantajosos para a intensificação da poupança e da acumulação monetária; b) a exploração de elementos puramente tradicionais da herança sociocultural transplantada segundo motivos racionais com relação a fins o que permitia converter a família, a solidariedade entre parentes, a cooperação doméstica ou entre conterrâneos etc. em meios para atingir fins. No conjunto, pois, o imigrante realizava, na esfera econômica da cultura, a passagem da "ordem tradicional" para a "ordem capitalista", repetindo em condições diversas o mesmo processo que se passara, estava ocorrendo ou iria transcorrer nas comunidades de origem e que a urbanização desencadeara e tendia a acelerar nas cidades brasileiras.

Em segundo lugar, as vantagens do imigrante nas adaptações decorrentes da desagregação da ordem escravocrata e senhorial, bem como da formação concomitante de uma economia capitalista diferenciada, não provinham de fatores psicológicos, mas de fatores psicossociais. Se se levarem em conta apenas os primeiros fatores, o fazendeiro (principalmente o fazendeiro do Oeste paulista) nada ficava a dever, aparentemente, ao imigrante. As vantagens adaptativas deste procediam, ao que parece, da maneira pela qual aceitava e se propunha a mudança. De um lado, com frequência provinha de comunidades em fases de mudança, nas quais os efeitos indesejáveis da desorganização (da personalidade, da cultura e da sociedade) se mostravam de modo forte e dramático. Por isso, no torvelinho da vida social brasileira, sabiam pela experiência anterior o que podiam esperar de certas alterações *in flux* e como enfrentá-las em termos da própria situação de interesses. De outro lado, a orientação aplicada ao uso de elementos tradicionais da herança sociocultural transplantada foi aplicada, pelos mesmos motivos básicos, às condições de mudança desordenada do meio social brasileiro. Onde e como lhe foi possível, o imigrante explorou a mudança de maneira racional com relação a seus fins econômicos. Não só soube projetar-se no contexto da mudança (aproveitando as oportunidades econômicas emergentes, relacionadas com a alteração dos padrões de consumo, com a diferenciação do comércio e com o crescimento da produção destinada ao mercado interno); também soube capitalizar a mudança economicamente, propondo-se ou impondo-se como o próprio agente desses processos econômicos (como se verifica através da história de vida dos grandes comerciantes, grandes industriais ou grandes banqueiros, que tiveram pontos de partida modestos e chegaram às mais altas posições, porque souberam destacar-se como inovadores, no plano da economia, nos momentos oportunos). Acresce que, como ele dependia da mobilidade horizontal e vertical para intensificar a poupança e a acumulação monetária, a inovação para ele adquiriu o caráter de "meio de vida" e de "fator de êxito", na competição ocupacional ou econômica. Isso explica, em conjunto, como lhe foi mais fácil seja superar as limitações de uma condição rural de origem, seja tirar proveito vantajoso de uma condição urbana de origem. Quaisquer que fossem suas reações emocionais e morais aos fatores ou efeitos das mudanças *in flux*, o seu comportamento prático orientava-se por avaliações e objetivos egoístas e desenraizados, de teor ultra racional. Essa propensão só se diluía e dissipava quando o imigrante descobria que a volta ao país de origem constituía uma quimera e que seus próprios interesses econômicos obrigavam-no a preservar a ordem social existente no meio brasileiro da devastação da mudança cultural desenfreada. Então, já atravessara o período mais duro de aquisição e de consolidação da sua fortuna, e precisava engajar-se em novas orientações de comportamento, que adaptariam sua personalidade ao *status* social adquirido e à plena fruição das compensações materiais ou morais correspondentes.

Em terceiro lugar, estabeleceu-se uma correlação frequente entre emergência de papéis econômicos novos e certas tendências de ajustamento social do imigrante. Este não podia competir com o senhor agrário ou com o fazendeiro ("coronel" ou "homem de negócios"). Porém, quando a inclusão da economia brasileira no mercado mundial atingiu proporções que afetavam a estrutura da situação de mercado interna, ele foi colhido pelos diversos papéis e posições organizados em torno dessa situação. É importante que se reflita sobre as implicações dessa vinculação. A significação econômica das adaptações iniciais era

CAPÍTULO 3 - O DESENCADEAMENTO HISTÓRICO DA REVOLUÇÃO...

relativamente "medíocre". Tanto que elas compeliam o imigrante a formas de apropriação do trabalho muito duras e certamente desaprovadas em sua própria tradição cultural. No entanto, tais papéis e posições só podiam caber, exclusiva ou predominantemente, ao imigrante (como consequência da rigidez da ordem senhorial e do trabalho escravo). Ora, esses papéis e posições econômicas não gravitavam em torno da estratificação estamental da sociedade e da organização senhorial da economia. Eles procediam de exigências estruturais ou funcionais da inclusão do mercado interno à economia mundial. Por isso, na medida em que os dois processos interrelacionados se desenvolvem (em que a economia senhorial se desintegrou e em que a economia capitalista se expandiu), o imigrante se viu colocado em todos os papéis e em todas as posições que eram fundamentais na estrutura da situação de mercado e possuíam significação econômica ímpar para as suas transformações subsequentes. Sob esse aspecto, seria preciso distinguir a formação de uma "mentalidade econômica racional" e efeitos naturais mas imprevisíveis da evolução interna do capitalismo. Aquela mentalidade surgiu e se difundiu de maneira comparativamente mais homogênea e intensa entre os imigrantes. Mas, mesmo em casos-limite (como os de um Matarazzo ou de um Renner), ela só foi explorada em termos funcionais e conjunturais. Ou seja, ela transparece apenas em escolhas que punham ênfase na expansão setorial da economia e dentro de escalas de previsão de curto e médio prazos. O imigrante foi favorecido, assim, pelo curso do processo histórico-social independentemente das limitações iniciais de suas oportunidades econômicas e do nível dentro do qual definiu o seu horizonte de competição econômica. Ao cabo de meio século (se se tomam como ponto de referência os anos de 1880 e 1930), podia romper a crosta da acomodação passiva diante das elites das famílias tradicionais e tentar qualquer destino social como *homo oeconomicus*, pois via-se localizado, inesperadamente, nas melhores e nas mais altas posições da estrutura do sistema ocupacional e econômico da sociedade brasileira "moderna".

Em quarto lugar, cumpre dar alguma atenção adicional às funções econômicas do imigrante. Como ele foi importado como parte de um processo de organização e de expansão capitalista do mercado interno, essas funções situaram-se em dois extremos interdependentes. Cabia-lhe absorver, simultaneamente, as posições e os papéis econômicos emergentes em uma economia rural em transformação e em uma economia urbana em formação. Daí resultava uma espécie de especialização econômica invisível. O imigrante e o senhor agrário ou o fazendeiro nunca se chocariam, normalmente, a partir do mesmo *status* econômico. O conflito entre eles surgiria de polarizações econômicas divergentes — como sucedeu, por exemplo, nas situações em que os senhores rurais pretenderam tratar seus colonos como se fossem escravos. Doutro lado, daquela conexão histórico-social e econômica advinha uma consequência fundamental. Enquanto o fazendeiro só exercia funções relevantes para a expansão do capitalismo nas posições que estavam no ápice da estrutura econômica, o imigrante fazia o mesmo de todas as posições possíveis, de "assalariados" a "homens de negócios". Assim, as funções econômicas que lhe cabiam, no contexto histórico-social, diziam respeito ao fortalecimento crescente, à diferenciação contínua e à consolidação final da ordem social competitiva. O fazendeiro tinha um pé no presente, outro no passado. O imigrante, ao contrário, tinha um pé no presente, outro no futuro. Mesmo sem possuir uma consciência social dessa condição histórica e sem agir politicamente de acordo com suas inspirações, suas ações e relações econômicas requeriam a existência da ordem social competitiva e o seu aperfeiçoamento constante.

Em quinto lugar, apesar de todos esses aspectos positivos, a inteligência e a manipulação prática dos processos econômicos, por parte do imigrante, sofriam a interferência de elementos fortemente pré e anticapitalistas. A preocupação de poupança e a acumulação monetária de capital, sob o afã de "voltar à pátria", e a tendência de acomodação passiva diante dos interesses maiores dos círculos sociais dominantes converteram o "trabalho" ou o negócio numa especialidade circunscrita e fechada, que constituía a própria (e frequentemente a única) razão de ser do agente econômico. Por conseguinte, os processos econômicos configuravam-se, nas esferas de percepção, consciência e transformação da realidade pelo sujeito, como unidades puramente econômicas. As conexões intencionais assumiam, desse modo, caráter estritamente econômico e, se produziam ou levavam a outras consequências, eram previstas e operavam como fatores extraeconômicos de motivação e de organização do comportamento. A explicação sociológica desse fato parece simples. Privado de uma situação de poder que respondesse às suas responsabilidades econômicas, o imigrante confinou o elemento racional de seu horizonte cultural às condições e aos efeitos de suas ações e relações econômicas que ele podia coordenar, controlar e prever. Contudo, a essa inconsistência cultural do comportamento econômico prenderam-se formas de acomodação política (e mesmo de capitulação política) prejudiciais ao funcionamento e ao desenvolvimento da ordem social competitiva. Premido pelo desnível entre sua posição econômica, sua situação de interesses e suas probabilidades de poder, em vez de forçar uma reintegração do padrão de equilíbrio do poder político, o imigrante preferiu identificar-se com as ideologias das elites nativas no poder e procurou absorver, com relativa rapidez assim que se interessou pela participação nas estruturas de poder da sociedade brasileira, as técnicas sociais de dominação política empregadas por aquelas mesmas elites. Está claro que semelhante evolução também era economicamente "vantajosa" e "racional", em particular para aqueles que tinham construído "grandes empresas" ou "impérios econômicos" e careciam de meios políticos para se defenderem ou para se fortalecerem. Nessa transformação, todavia, acabou sendo neutralizado todo e qualquer tipo de radicalismo político porventura ligado às novas posições econômicas conquistadas pelo imigrante.[17] Os processos de democratização da renda, do prestígio social e do poder, básicos para os destinos da ordem social competitiva, deixariam de contar com agentes políticos conspícuos, denodados e diligentes. O que importa, para esta exposição, é que, num momento, o imigrante separa a economia e a política. Em outro, juntá-las, mas de maneira que contrasta com o significado e com as funções de suas atividades no plano econômico. Convertendo-se ao "liberalismo" das elites tradicionais, incorpora-se, de fato, aos círculos conservadores e passa a compartilhar formas de liderança e de dominação políticas variavelmente conflitantes ou inconsistentes com a consolidação da ordem social competitiva e com o que isso teria de representar no plano econômico (predomínio do capital industrial; reforma agrária; aceleração do desenvolvimento econômico e constituição de uma economia de mercado integrada em escala nacional; formação de um regime capitalista independente). Em suma, projetado fora dos contextos histórico-sociais das economias das metrópoles do mundo moderno, o imigrante perfilha uma filosofia política que não pressupõe o "capitalismo avançado" e que constitui, opostamente, um fator de resistência ou de solapamento às mudanças que possam conduzir ao capitalismo como estilo de vida.

---

[17] Na descrição, foi negligenciado o papel dos imigrantes que não entraram na espiral da ascensão social, falhando como agentes da acumulação de capital e da expansão das técnicas capitalistas "modernas". Como é bem conhecido, esses imigrantes concorreram fortemente para representar o anarquismo, o socialismo e o sindicalismo nas comunidades em que viviam. (Voltaremos ao assunto adiante.)

SEGUNDA PARTE

A FORMAÇÃO DA ORDEM SOCIAL COMPETITIVA

CAPÍTULO 4

ESBOÇO DE UM ESTUDO SOBRE A FORMAÇÃO E O DESENVOLVIMENTO DA ORDEM SOCIAL COMPETITIVA

Ao absorver o capitalismo como sistema de relações de produção e de troca, a sociedade desenvolve uma ordem social típica, que organiza institucionalmente o padrão de equilíbrio dinâmico, inerente à integração, funcionamento e diferenciação daquele sistema, e o adapta às potencialidades econômicas e socioculturais existentes. Essa ordem social tem sido designada, por historiadores, economistas, sociólogos, juristas e cientistas políticos, como ordem social competitiva. Aqui interessam apenas os aspectos de sua emergência e desenvolvimento que assinalam os marcos propriamente estruturais da revolução burguesa no Brasil.

Nas "sociedades nacionais" dependentes, de origem colonial, o capitalismo é introduzido antes da constituição da ordem social competitiva. Ele se defronta com estruturas econômicas, sociais e políticas elaboradas sob o regime colonial, apenas parcial e superficialmente ajustadas aos padrões capitalistas de vida econômica. Na fase de ruptura do regime colonial, tais estruturas alimentam e tornam possível a adaptação aos dinamismos econômicos do mercado mundial, que na realidade desencadeiam e condicionam a transição, e servem de base à gradual formação de uma economia nacional "independente". A intensidade e os efeitos estruturais ou dinâmicos dessa fase dependem, naturalmente, da herança econômica, cultural e política recebida da época colonial. Na América Latina, em regra, tal fase assumiu o padrão de uma evolução secular, nos países que lograram organizar e expandir, com maior rapidez, um mercado interno relativamente diferenciado e integrado, em bases capitalistas. Isso significa que, num período de tempo que varia de três quartos de século a um século ou mais, nesses países as estruturas econômicas, sociais e políticas, herdadas do mundo colonial, interferiram sobre os dinamismos do mercado mundial, tolhendo ou selecionando os seus efeitos positivos e restringindo o seu impacto construtivo sobre o crescimento econômico interno. A rigor, tais estruturas produziram um resultado útil apenas porque preencheram — onde tal coisa chegou a ocorrer numa escala eficaz — a função histórica de preservar o controle político de decisões econômicas vitais em mãos nacionais.

O Brasil corresponde normalmente a essa regra. Nele, as estruturas econômicas, sociais e políticas da sociedade colonial não só moldaram a sociedade nacional subsequente: determinaram, a curto e a largo prazos, as proporções e o alcance dos dinamismos econômicos absorvidos do mercado mundial. Elas se revelaram bastante plásticas em face do que se poderia chamar de reorganização do mercado colonial, adaptando-se rapidamente à dupla polarização dos negócios de exportação e de importação, contrariados economicamente por um centro hegemônico externo, mas dirigidos politicamente a partir de dentro. No entanto, as mesmas estruturas mostraram-se pouco elásticas e por vezes até rígidas na absorção dos dinamismos econômicos que eram centrais para a expansão interna do capitalismo. Nessa esfera, os condicionamentos externos dependiam, para ter êxito a curto e a longo prazos, da rapidez com que ruíssem as estruturas coloniais de vida econômica, social e política. O grau de resistência encontrada pode ser avaliado pela posição que a Inglaterra se viu forçada a tomar no combate à escravidão e ao tráfico, bem como pelos conflitos daí decorrentes. A seleção das influências dinâmicas do mercado mundial seguiu, portanto, uma linha relativamente rígida, em grande parte determinada pelos interesses econômicos da aristocracia agrária. Só numa escala menor e subordinada foram esses interesses compensados pelos interesses econômicos do setor especificamente comercial, ligado aos "negócios de importação". As consequências limitativas dessa situação, no que se refere à intensidade e ao desenvolvimento interno do capitalismo, podem ser apreciadas facilmente (mesmo sem recurso a comparações com a evolução econômica dos Estados Unidos). Contudo, também é evidente que se resguardaram, assim, principalmente no nível político[1], a integridade territorial do país e uma relativa autonomia do seu crescimento econômico interno.

---

[1] Terreno, aliás, em que a questão era colocada formalmente pela aristocracia agrária, em termos de "soberania nacional".

CAPÍTULO 4 - ESBOÇO DE UM ESTUDO SOBRE A FORMAÇÃO...

Essas considerações sugerem duas coisas. Primeiro, a ordem social escravocrata e senhorial não se abriu facilmente aos requisitos econômicos, sociais, culturais e jurídico-políticos do capitalismo. Mesmo quando eles se incorporavam aos fundamentos legais daquela ordem, estavam condenados à ineficácia ou a um atendimento parcial e flutuante, de acordo com as conveniências econômicas dos estamentos senhoriais (largamente condicionadas e calibradas pelas estruturas econômicas, sociais e políticas herdadas do mundo colonial). Segundo, a emergência e o desenvolvimento da ordem social competitiva ocorreram paulatinamente, à medida que a desintegração da ordem social escravocrata e senhorial forneceu pontos de partida realmente consistentes para a reorganização das relações de produção e de mercado em bases genuinamente capitalistas. Sob esse aspecto, nem sempre as dificuldades à expansão interna do capitalismo procederam da "resistência à mudança" por parte dos estamentos senhoriais. É a própria situação "periférica" e "marginal" das economias capitalistas dependentes origem colonial que explica tal fenômeno, com seus reflexos estruturais e dinâmicos sobre a ordem social competitiva correspondente.

Nos limites deste ensaio, ambos os aspectos nos interessam diretamente (é claro que em termos do aparecimento e da consolidação de um estilo competitivo de vida social; e não do desaparecimento puro e simples do estilo senhorial de vida social). Por isso serão focalizados, dentro da orientação interpretativa indicada, três temas fundamentais: a) condições, tensões ou inconsistências da ordem social escravocrata e senhorial que converteram a competição em fator dinâmico da vida social; b) natureza e efeitos dos processos econômicos e socioculturais que provocaram a emergência, a universalização e a consolidação da ordem social competitiva; c) caracteres estruturais e funcionais da ordem social competitiva sob o capitalismo dependente e sua significação para a eclosão de um estilo especial de Revolução Burguesa.

Quanto ao primeiro tema, é sabido que a ordem social inerente à sociedade escravocrata e senhorial era pouco propícia à elaboração da competição como um fator estrutural e dinâmico básico da vida social. Não que ela estivesse isenta de focos de tensão e de associação de natureza competitiva (nas relações de pessoas ou de grupos de pessoas). Todavia, a organização do poder, nos níveis da economia, da sociedade e da cultura, absorvia esses focos de tensão e de associação, de modo a reduzir a importância da competição nas formas tipicamente senhoriais de socialização, de interação humana e de controle social. A competição continha alguma significação estrutural e funcional apenas porque a dominação patrimonialista-tradicional expunha as parentelas, como grupos ou através de seus chefes, a uma constante emulação na luta pela preservação ou pelo aumento de riqueza, de prestígio social e de poder. Mas ela não se manifestava como um processo diferenciado e socialmente percebido ou valorizado como tal. Ao contrário, constituía um componente estrutural e dinâmico das obrigações sociais, que ligavam os homens entre si e ao senhor — em suas ações, em suas pessoas e em suas vidas — através das tradições, do dever de mando ou de obediência, e da solidariedade moral. Com a emancipação política, os fatores de semelhante emulação na luta por riqueza, prestígio social e poder não desapareceram. A integração da dominação patrimonialista no nível estamental impunha a passagem da autoridade para o poder especificamente político. Em consequência, as parentelas e as coligações de parentelas intensificaram as formas tradicionalmente reconhecidas de competição pessoal ou grupal. Como a ordem estabelecida não se alterou em seus fundamentos propriamente societários, as convenções, o código de honra tradicional e os mecanismos de dominação patrimonialista continuaram a diluir e a neutralizar os elementos competitivos, mantendo a ênfase na cooperação e nas formas autocráticas de solidariedade, como fatores de equilíbrio social.

Se a revolução política, desencadeada pela emancipação nacional, fosse também uma revolução econômica e social, as coisas teriam se passado de outro modo. Então, a ordem social competitiva teria nascido juntamente com o Estado nacional independente e com o surto de modernização, provocado pela incorporação direta da economia brasileira ao mercado mundial. No entanto, a integração da dominação patrimonialista no nível estamental representou, de fato, a conquista das condições materiais e morais cuja ausência impedia, no passado recente, a plena dinamização e expansão das potencialidades econômicas, sociais e políticas da ordem escravocrata e senhorial. Por paradoxal que pareça, a ordem social, construída e testada sob e ao longo do regime colonial, iria provar a sua eficácia e o que poderia render, historicamente, sob o regime de independência nacional.

Isso não impediu, porém, que ela sofresse no contexto histórico de uma sociedade nacional em formação e sob a pressão direta e crescente dos condicionamentos ou dos dinamismos da economia mundial, absorvidos institucionalmente pela economia interna — certos impactos desagregadores. No que se refere à significação sociológica da competição, os principais impactos diziam respeito a inconsistências estruturais-funcionais do sistema de *status* e de papéis sociais e à falta de elasticidade da própria ordem social escravocrata e senhorial.

CAPÍTULO 4 - ESBOÇO DE UM ESTUDO SOBRE A FORMAÇÃO...

Em uma sociedade organizada em castas e estamentos, que conseguia preservar ou fortalecer seu padrão de equilíbrio e de desenvolvimento, os focos de tensão social mais importantes para a continuidade da ordem estabelecida localizavam-se nas posições dos estratos sociais privilegiados e dominantes. Esses estratos dispunham de meios para fazer história e para alterar "o rumo normal das coisas". Essa regra se aplicava especialmente à aristocracia agrária e nos ajuda a compreender como foi esta que gerou, pelas tensões insolúveis da estrutura interna do "mundo dos privilegiados" e através do destino social do senhor — e não do escravo, do liberto ou do homem livre dependente —, os germes da desagregação e da destruição da ordem social escravocrata e senhorial. Pelo menos três espécies de tensões merecem ser discutidas na presente exposição. A que resultava da contradição existente entre os fundamentos materiais e a legitimação formal do *status* senhorial; a que nascia das incongruências entre "*status* atribuído" e "*status* real" nos estamentos intermediários; e a que provinha do conflito axiológico existente entre as normas ideais e as normas práticas que orientavam os papéis sociais, configurados em torno da posição do senhor. Enquanto a sociedade escravocrata e senhorial diluiu e neutralizou essas tensões, elas não afetaram o seu padrão de equilíbrio. Todavia, quando essa condição deixou de realizar-se, elas minaram aquela sociedade a partir de sua própria estrutura e de seus dinamismos internos. Desagregaram-na como se fosse uma construção artificial, precipitando a emergência, em seu seio, de formas sociais que negavam seus fundamentos reais ou ideais e que iriam destruí-la.

O primeiro tipo de tensão já foi analisado, em diferentes contextos, na discussão desenvolvida na parte anterior — da negação da condição burguesa, em favor do *status* senhorial (na época da emancipação nacional), à negação do *status* senhorial, em favor da condição burguesa (na época da desagregação final do escravismo e da sociedade imperial). As evidências discutidas não sugerem que fosse impossível conciliar o capitalismo com a existência de uma aristocracia agrária patrimonialista e autocrática. Apenas indicam que essa combinação não podia manter-se indefinidamente, em condições internas e externas que condenavam a sobrevivência da aristocracia agrária como tal. O que interessa, ao longo da evolução descrita, é a maneira pela qual se alteram a mentalidade e o comportamento do agente econômico mais privilegiado da economia escravista. Este não punha em jogo o privilegiamento econômico, social e político de sua posição na estrutura social; mas a organização escravista da sociedade, que lhe garantia a posição privilegiada (a qual pretendia modificar sem pôr em risco o próprio privilegiamento). No fundo, a moral da história seria que a ordem social, e não o seu principal elemento humano, estivesse errada. Por isso, no episódio final da mencionada evolução, os estamentos dominantes e suas elites preferiram a solução política que adaptava, através da República, a organização da sociedade à sua condição burguesa. Agiram de modo inverso, mas segundo o mesmo estilo e inspiração que orientaram, politicamente, os estamentos senhoriais e suas elites na época da emancipação nacional.

O que se sabe, a respeito das conexões histórico-sociais e políticas do comportamento econômico do senhor, demonstra que ele não assimilou de imediato ou rapidamente a "racionalidade criadora", imputada por alguns sociólogos ao espírito do capitalismo. As lições da experiência ensinaram-lhe duas coisas. Primeiro, que o suporte real de sua força não vinha do livre jogo dos processos econômicos no mercado, mas de sua posição-chave no controle da economia e da sociedade. Segundo, que todo o seu poder seria insuficiente para modificar os dinamismos, as flutuações e as pressões do mercado mundial, "duras realidades" que só podiam ser enfrentadas na rede dos seus efeitos internos. Definiu-se, assim, uma posição de luta que transcendia às estruturas sociais, econômicas e políticas da "sociedade nacional", e que devia, não obstante, ser travada e vencida por meio daquelas estruturas. Isso significa que o contexto econômico, forjado pela expansão interna do capitalismo, deslocou o eixo de gravitação da competição pessoal ou grupal por riqueza, prestígio social e poder. Os dinamismos econômicos, condicionados e regulados a partir do mercado mundial, atingiram o âmago da condição senhorial: e vão operar de dentro da situação de interesses, das probabilidades de poder e da visão do mundo do senhor. Este pode não se libertar totalmente da complicada teia de obrigações vinculadas à dominação patrimonialista e à família patriarcal, ou ao localismo e ao tradicionalismo. Todavia, aos poucos sobrepõe-se, como agente econômico, a esses condicionamentos e procura responder, diretamente, ao que determinava, de fora, o seu destino econômico e os fundamentos materiais de sua posição-chave na estrutura de poder da "sociedade nacional". As orientações de comportamento dos fazendeiros de café, no Vale do Paraíba e no Planalto Paulista, evidenciam de modos diversos e contrastantes essa rotação de polarizadores socioeconômicos. No primeiro caso, o senhor em luta com a adversidade, sem êxito possível; no segundo, o senhor envolvido numa espécie de revolução agrícola, que recapturava o que havia de essencial nas estruturas arcaicas da grande lavoura, mas projetava-se na direção de uma organização institucional despojada de qualquer carga inútil para os fins da produção, como que tentando impor uma forma de "racionalização econômica" para o trabalho escravo. Em ambos os casos é patente a posição de luta que dá sentido ao modo de o agente humano perceber, definir e projetar o uso social da competição. As forças que podem esmagá-lo não estão ao alcance de suas mãos; nada que se pudesse fazer internamente poderia modificar a natureza dessas forças ou o seu curso fatal. No entanto, as suas consequências, que eram, afinal de contas, o que afetava e atemorizava o senhor, podiam ser manipuladas a partir de dentro e através de meios que estavam ao seu alcance (graças à sua posição-chave na estrutura da "sociedade nacional" e ao poder que assim obtinha).

É óbvio que semelhante perspectiva social tinha de conduzir, forçosamente, a representações e a usos sociais deformados da competição. Na visão do mundo do senhor, o realismo econômico conduzia não a uma percepção secularizada e "racional" da competição, vista em termos do equilíbrio dinâmico do mercado, mas a uma compreensão cataclísmica das forças econômicas. Como a segurança pessoal do agente e o êxito do seu empreendimento se projetavam nessa compreensão, ela acabou engendrando uma forma típica de privatismo econômico. Trata-se da iniciativa privada "moderna" que podia florescer numa sociedade de castas e estamental: ela própria constituía uma objetivação cultural de critérios estamentais de organização do poder e de concepção do mundo. Para o agente econômico privilegiado de uma economia escravista, era natural privilegiar sua posição-chave e utilizá-la como uma armadura contra os riscos conjuráveis. Ao proceder dessa maneira, porém, incorporava a própria condição de agente econômico capitalista numa estrutura social extra e anticapitalista. Convertia a "livre iniciativa" e a "empresa privada" em privilégios estamentais, que deviam ser respeitados e protegidos fora e acima de qualquer racionalidade inerente aos processos econômicos propriamente ditos.

A competição emergia historicamente, portanto, com um aspecto dúplice. Um fator multiplicativo do poder de ação do agente econômico privilegiado; e, ao mesmo tempo, um fator destrutivo para o equilíbrio econômico global da sociedade. Esta teve de suportar todas as manipulações através das quais ela própria era usada para suster e fomentar o tipo descrito de "privatismo econômico". No fim, medidas cambiais ou alfandegárias e políticas de preços (com referência ao mercado interno, para garantir custos baixos para certas utilidades, e com relação ao mercado externo, para garantir na medida do possível certos níveis de lucro), ou políticas de empréstimos e de taxação do consumo, bem como outros expedientes, tudo desaguava no mesmo rio. A coletividade arcava com os riscos e suportava, por mecanismos diretos e indiretos, a posição privilegiada do agente econômico. Isso indica que a competição não se inseria nas vias socialmente construtivas que relacionaram, nas sociedades capitalistas avançadas, propriedade privada, livre iniciativa e redistribuição da renda e do poder. Ela foi rapidamente redefinida, tanto economicamente quanto social e politicamente, como um fator de distribuição estamental — e portanto fortemente desigual — da renda e do poder. Por essa razão, nos mecanismos apontados ela não engendra transferências estruturais de renda e de poder. A sua função latente não era essa. Ela se convertera no que deveria ser no contexto de uma economia colonial exportadora, de fundamento escravista, e numa economia capitalista dependente em formação: o meio pelo qual a sociedade protegia, através da posição do seu agente econômico privilegiado, a sua única fonte básica de produção e de incremento da riqueza.[2]

O segundo tipo de tensão, nascido das incongruências existentes entre "*status* atribuído" e "*status* real" nos estamentos intermediários, ainda não foi estudado com referência à sociedade imperial. E não é fácil, com os conhecimentos acessíveis, reduzir as suas várias facetas a um denominador comum (em particular, se se levarem em conta os grupos sociais ascendentes, como os dos importadores, dos comerciantes por atacado, dos intermediários nos negócios de importação e de exportação etc.). O elemento típico, como se sabe (tanto para os fins da análise sociológica quanto em termos do contexto histórico), era o membro de "famílias tradicionais" ou de "grandes famílias", que pertencia à sociedade civil, mas não possuía condição senhorial propriamente dita. Graças às suas ocupações, alianças e nível social, esse elemento se incluía e era incluído, pela tradição e por motivos especificamente "modernos", nos estamentos dominantes; chegava mesmo, por causa de dotes pessoais ou de necessidades criadas pela fusão do patrimonialismo com a burocracia, a fazer parte das elites econômicas, sociais e políticas desses estamentos (atuando, portanto, em nome de seus interesses e valores nas estruturas de poder). Fossem o que fossem, "liberais" ou "conservadores" (e mesmo "republicanos"), na vida prática deviam lealdade a tais interesses e valores e ao "código de honra" tradicionalista.

---

[2] É claro que o padrão descrito se aplicava à natureza e às funções da competição com referência a outros agentes econômicos (qualquer que fosse a base de suas operações mercantis: comercial ou manufatureira), pois todos se protegiam, de uma forma ou de outra, a partir de algum privilegiamento estamental. O que ocorria com o setor fundamental repetia-se nos demais.

CAPÍTULO 4 - ESBOÇO DE UM ESTUDO SOBRE A FORMAÇÃO...

Duas questões apresentam maior importância na presente análise. De um lado, as origens pelo menos dos círculos sociais convencionalmente mais respeitados e prestigiosos desses estamentos. Na transição do século XVIII para o século XIX, elas perdiam-se atrás da névoa tradicionalista, que igualava formalmente os vários grupos (ou troncos) das "grandes famílias tradicionais". Os membros do núcleo legal de uma família senhorial (do campo ou da cidade) praticamente possuíam o mesmo *status*, pelo menos para efeitos de autoavaliação e de convivência social (com os "iguais", com a plebe e com os escravos ou com os libertos). A integração estamental da dominação senhorial acarretou, porém, uma diferenciação, perceptível desde o começo, de *status* e papéis sociais. Por efeito do privilegiamento da posição senhorial, o poder político convergia para os que possuíam, de fato, autoridade suprema na estrutura da família patriarcal e da dominação patrimonialista. Essa diferenciação se intensificou e se normalizou, em seguida, como requisito estrutural e dinâmico da organização social e política da "sociedade nacional". Em consequência, entre os estamentos dominantes, incorporados à sociedade civil, apenas um possuía todo o poder e preenchia funções hegemônicas. Os demais, mesmo os que se protegiam por trás da névoa tradicionalista e das ficções de nobreza e de igualdade, eram sócios menores na distribuição do poder ou não tinham poder algum (como sucedia com os "homens livres" da plebe). Mas, de outro lado, as exigências econômicas e políticas "modernas", ligadas à expansão da economia de mercado e ao funcionamento do Estado independente, punham os estamentos intermediários, malgrado sua condição de sócios menores, no tope de várias ocupações (na política, no mundo dos negócios, na administração, nas profissões liberais, no jornalismo, no ensino, nas profissões militares etc.) e dentro do campo social de seleção das elites. Essa situação de mobilidade não só operava como uma fonte de compensação e de suplementação de prestígio; ela também associava, com base nos mecanismos tradicionalistas de lealdade estamental e de solidariedade familial-patriarcal, certos setores dos estamentos intermediários ao exercício do poder. Tais efeitos não introduziam igualdade entre os diversos níveis sociais e tampouco solapavam as bases da estratificação estamental (pois todo o processo de diferenciação e de reajustamento se produzia como necessidade mesma da preservação desse tipo de estratificação dentro de uma "ordem nacional"). Contudo, eles reforçavam a vitalidade das ficções sociais que mantinham velhas representações de *status* e papéis sociais da *gente de prol*, bem como davam novas dimensões ao funcionamento e às implicações políticas desses *status* e papéis. Em qualquer situação, mas em particular nas situações que envolviam convencionalmente o seu prestígio social, os componentes dos estamentos intermediários esperavam ser tratados e, ao mesmo tempo, poder agir socialmente como e enquanto membros dos estamentos dominantes (como se o peso específico da condição senhorial, dentro da estratificação estamental, não contasse para eles). Isso não alterava em nada a realidade histórica. Os que possuíam o poder emanado da condição senhorial aceitavam de boa fé essa igualdade fictícia, alimentada pela tradição e pela solidariedade patrimonialista, por laços de parentesco e de vassalagem, por um código de honra provinciano etc., e dele tiravam enorme proveito prático (pois os estamentos hegemônicos atrelavam a si, dessa maneira, os estamentos intermediários, que não tinham, por sua vez, nenhuma probabilidade de autonomização e de "rebelião dentro da ordem"). Por conseguinte, essa diferenciação, como seus desdobramentos de poder, em nada afetava o funcionamento normal do *status quo*. Ao contrário, fortalecia-o, mobilizando e lubrificando identidades de interesses e lealdades sociais que de outra forma não seriam tão úteis à consolidação da ordem existente. No mais, apenas o escravo e o liberto criavam verdadeiras fricções, que mortificavam as "pessoas de bons costumes" sem abalar, porém, os fundamentos materiais, jurídicos e políticos da "sociedade nacional". Ficava, de concreto, apenas um saldo de frustração relativa para os estamentos intermediários, empenhados numa luta surda para salvar, através de atitudes e de comportamentos compensatórios, um nível social perdido e as aparências de "igualdade pelo tope".[3]

Na situação material, emocional e moral apontada, os estamentos intermediários também foram impelidos, socialmente, a transcender os limites (e, por vezes, mesmo os padrões) das formas de competição pessoal ou grupal sancionadas pelas convenções e pelas orientações tradicionais da cultura. Só que, para eles, os riscos e as ameaças a serem enfrentados e superados localizavam-se dentro da própria sociedade em que viviam. Tais riscos e ameaças não se objetivavam nem nas pessoas

---

[3] Essa descrição, contida cm um nível muito sumário, sugere claramente que não se deve confundir esse tipo de estamento intermediário com o setor médio de uma sociedade de classes e, muito menos, com uma "classe média" ou uma "pequena-burguesia" em processo de formação. Na verdade, com as transformações posteriores da sociedade brasileira, extensa parte desses estamentos converteu-se, aos poucos, nas classes médias emergentes. Contudo, na situação considerada, eles aparecem antes como um desdobramento do passado (e não como uma "força do futuro") e pouco contribuíam, por si mesmos, para a evolução ulterior.

CAPÍTULO 4 - ESBOÇO DE UM ESTUDO SOBRE A FORMAÇÃO...

nem nas ações dos verdadeiros "donos do poder". Mas, nos movimentos sofridos pela ordem social, que afetavam a posição social relativa dos estamentos intermediários, submetendo-os a um desnivelamento social constante e ameaçador, que era visto, de maneira consciente, como um pesadelo histórico. O que entrava em jogo, de modo fatal e também cataclísmico, era a relação desses estamentos com os privilégios de uma ordem social de castas e estamentos, fundada sobre a escravidão e a dominação senhorial (muito mais complexa e eficiente após a Independência, por causa da combinação da dominação patrimonialista com a dominação burocrática). Preservar, no fluxo de acontecimentos tumultuosos e das grandes transformações históricas, a participação nos privilégios sociais, econômicos e políticos essenciais vinha a ser o grande alvo psicológico, social e político dos círculos mais ativos dos estamentos intermediários. Durante o primeiro quartel do século XIX, esse alvo nunca constituiu um verdadeiro problema. Todavia, depois da consolidação do regime, passou a crescer o abismo entre os estamentos que constituíam a sociedade civil. Com um agravante. O crescimento do setor econômico vinculado às cidades e as oportunidades abertas pela mobilidade das fronteiras econômicas, no mundo rural, levaram aos escalões superiores (e à honorificação e à nobilitação) pessoas de "extração social *inferior*", das quais nem sempre se poderia dizer que fossem "rebentos dos melhores troncos".[4] Nessas condições, o privilégio não aparecia apenas como um valor social. Contava como um barômetro, que descrevia as oscilações dos grupos humanos na rotação histórica. Os estamentos sociais intermediários concentravam-se na defesa obstinada dos privilégios, aos quais se sentiam com direito ou que não queriam perder.

Por isso, os membros desses estamentos viram-se, com frequência, compelidos a usar socialmente a competição segundo moldes que fugiam aos padrões convencionais. Podiam fazê-lo, pois eram protegidos por certas facilidades, que lhes eram conferidas por papéis que ocupavam na rede institucionalizada de poder (na política, na administração, no mundo dos negócios, das profissões liberais, de ensino ou militar, no jornalismo etc.). Graças a esses papéis, podiam adaptar vários aspectos da ordem legal aos interesses e às conveniências específicas de seu

---

[4] A honorificação, por vários meios, era um processo vulgar. A nobilitação era mais rara e difícil. Ambas podiam transcender o grau de riqueza e qualificavam os indivíduos em ascensão para compartilhar o estilo de vida e os privilégios senhoriais (no campo e na cidade).

estamento social. O processo assumiu, portanto, uma feição típica: sob vários subterfúgios, a modernização da legislação, da política e da administração preenchia, de fato, a função latente de compensar a perda relativa de prestígio social, através do desnivelamento dos privilégios econômicos, sociais e políticos. Daí surgiram inovações úteis e aparentemente "democráticas" (principalmente nas esferas em que esses estamentos transferiam para a coletividade os ônus do financiamento, que não podiam enfrentar, do seu próprio *status*, com medidas pertinentes à gratuidade do ensino e outras garantias sociais, às quais dificilmente a plebe teria acesso). Mas daí também resultou uma consequência paradoxal. Os defensores mais denodados da ordem de privilégios não eram, verdadeiramente, os "mais privilegiados". Porém, os seus associados menores, que cumpriam suas funções inovadoras e por vezes até revolucionárias resguardando obstinadamente o núcleo do *status quo*.

Essa elaboração estrutural e dinâmica da competição como força social é fundamental. Ela evidencia como a ordem social escravocrata e senhorial deformou esse processo, vinculando-o, definida e definitivamente, a um contexto ultraconservador e terrivelmente egoísta de absorção das inquietações sociais e das inovações institucionais inevitáveis. Dessa perspectiva, o privatismo dos estamentos intermediários fazia contraponto ao do estamento senhorial. Ele se objetivou socialmente como se os interesses particularistas dos grupos que podiam empolgar a "propriedade privada" e manejar a "livre iniciativa" constituíssem o verdadeiro altar da pátria. Tudo lhes seria "naturalmente" devido. Essa conexão psicocultural da competição só se converteu numa influência socialmente construtiva para a evolução da sociedade nacional no momento em que a decomposição da ordem senhorial atingiu o seu clímax. Então, as inconsistências entre o "*status* atribuído" e o "*status* real" dos estamentos intermediários serviram como um fluido que ampliou a fogueira, sem criá-la. Os ressentimentos e frustrações encontraram, por fim, uma válvula de escape, a qual alimentou uma pasmosa mudança de orientação de atitudes e comportamentos. No entanto, atravessando o ponto alto da crise e da euforia que os levou a apoiar, no último entreato, a queda da monarquia e a implantação da República, esses estratos sociais retornaram à rotina precedente: continuaram a apegar-se, agora como "classe média emergente", à modernização e à democratização como meros expedientes de privilegiamento de seus interesses e do seu destino social. De uma ponta a outra, jamais almejaram sequer a revolução dentro da ordem, o reino do tipo de equidade que é consagrado pela ordem social competitiva, porque sempre se mantiveram medularmente presos ao *antigo regime*, embora combatendo-o em sua ordenação e na sua superfície. Ficaram entregues a uma obscura missão histórica, de fiadores da perpetuação crônica do "poder conservador" e dos privilégios estamentais mais odiosos, que sobreviveram ao desaparecimento histórico tanto da sociedade colonial quanto da sociedade imperial.

O terceiro tipo de tensão, provocado pelo conflito axiológico existente entre as normas ideais e as normas práticas, que orientavam os papéis sociais configurados em torno da posição senhorial, tem merecido grande atenção, por parte dos estudiosos. De fato, toda sociedade que contraria frontalmente seu sistema axiológico está sujeita a esse tipo de conflito. As formas de socialização, as situações de interesses e os controles sociais indiretos conseguem neutralizar semelhante tipo de tensão (aumentando naturalmente a área do conformismo diante de tal debilidade), pelo menos enquanto a ordem social que a cria possui condições de autodefesa e de autopreservação. Isso não impede a constante erupção dos *dramas de consciência* nem certas modalidades de identificação divergente, pela qual a aceitação dos fundamentos da ordem estabelecida se combina à condenação de seus focos de inconsistência axiológica. Em regra, como apontou Pareto em uma análise reconhecidamente brilhante, os porta-vozes da identificação divergente saem das camadas dominantes e de suas elites. A sua crítica resulta da identificação tão forte, pura e exaltada com os *mores* e os valores ideais, omitidos ou traídos na prática cotidiana, que chega a alimentar formas especificamente revolucionárias de transformação da ordem. O modelo mais simples de uma oposição dessa natureza, que tem um cunho moral e por isso se justifica por si mesma, aparece nos casos de revolução pelos costumes. O seu modelo mais complexo liga-se ao modo de protesto utópico, que extrai da ordem existente a sua própria razão de ser. A revolução pelos costumes teve ampla importância no contexto histórico-social da emancipação nacional. Ela fez girar a história da sociedade nacional em várias direções, já que só sob a emancipação política a ordem social e econômica de castas e estamentos, herdada da Colônia, iria concretizar suas potencialidades de diferenciação e de desenvolvimento. Mas essa revolução terminou sobre seus próprios eixos, esgotando a "revolução dentro da ordem tradicional" dentro dos limites dos interesses senhoriais. É que não surgiram, na cena histórica, camadas ou grupos sociais empenhados em galvanizar a "revolução pelos costumes" em direções que implicassem a negação e a destruição da ordem escravocrata e senhorial pois os movimentos que ocorreram, nesse sentido, foram localizados, débeis e episódicos. Os componentes dos estamentos intermediários, que deveriam fornecer os quadros de liderança de tal insurreição, identificaram-se material e moralmente (e por consequência também politicamente) com a defesa militante do *status quo*. Malgrado as fortes pressões conformistas, entretanto, desencadeadas através dos padrões tradicionais e autocráticos de dominação senhorial, a ordem da sociedade de castas e estamentos era uma ordem escindida, aberta à manifestação e ao crescente fortalecimento da rebelião moral de fundo utópico. Observe-se, outrossim, que não fora a estrutura estamental e de castas da sociedade, o foco das divergências iria ser as inconsistências configuradas em torno do *status* de cidadão. Era nelas que se achava, na realidade, o maior obstáculo à formação de uma autêntica sociedade nacional (como formá-la, dada a existência não só de escravos e de libertos, mas também de "homens livres" sistematicamente banidos da ordem legal?). O predomínio dos interesses senhoriais e a hegemonia social da aristocracia agrária fizeram com que, não obstante, o fulcro revolucionário do dilema nacional brasileiro fosse obnubilado; impondo a persistência da escravidão "como uma necessidade geral", impunham ao mesmo tempo que se agitassem as questões de "renovação da ordem" a partir do *status quo* (e não do que deveria ser a sociedade civil de uma nação). Como consequência, a escravidão convertia-se no foco de convergência natural de qualquer manifestação aberta ou velada de protestos utópicos. Ela feria, ao mesmo tempo, os *mores* religiosos, os "foros de povo civilizado" e os requisitos ideais da ordem legal, além de sua supressão contar como o fundamento econômico perfeitamente visível da expansão ulterior do capitalismo. Portanto, é em torno dela que se organizam, espontaneamente, tanto a "defesa da ordem" (os que aceitavam e aprovavam a escravidão, negando o sistema axiológico vigente), quanto a "revolução dentro da ordem" (os que exigiam a extinção da escravidão, pensando que afirmavam o sistema axiológico sem advogar também a eliminação da supremacia dos "brancos" e a igualdade entre as "raças").

Aqui só nos interessam as implicações dessa divergência que se relacionavam com o uso social da competição por elementos dos estamentos senhoriais e intermediários. Pela própria natureza da divergência, ela tinha de aparecer, de modo precoce, nas palavras e na ação de figuras exemplares. Nesses termos, porém, ela nasce e morre como algo isolado e sem repercussão. Seria necessário que o equilíbrio da ordem social escravocrata e senhorial se rompesse em algum ponto fundamental, para que as discussões ganhassem o palco histórico como um movimento social. Quando isso aconteceu, os protagonistas das correntes sociais divergentes deveriam exprimir, pelo menos hipoteticamente, as formas mais radicais e avançadas do pensamento liberal. Seria de esperar que eles encarnassem, de algum modo, tendências mais refinadas e complexas de utilização do protesto utópico. Todavia isso não sucedeu: levado a suas últimas consequências pela desagregação do regime, o protesto utópico teve um alcance revolucionário inesperado, pois arrastou com a escravidão as bases estamentais de organização da economia, da sociedade e do poder. Tal desfecho consternou o próprio Nabuco, o maior paladino do pensamento liberal em toda a história brasileira. O que significava que não se pretendia ir tão longe e que o abolicionismo, como movimento social, foi transcendido pela história concreta. O protesto utópico, portanto, fez girar a roda da história, servindo de elo entre a liberação de mudanças sociais represadas e a transformação das estruturas de poder, sem que provocasse ou determinasse nem uma nem outra coisa. Ao contrário, os campeões do abolicionismo, com poucas exceções, renegaram o papel histórico que representaram e, principalmente, as consequências que se corporificaram através da "eclosão burguesa". Doutro lado, os abolicionistas que negavam, simultaneamente, a escravidão e a ordem senhorial — como se pode exemplificar com os republicanos paulistas se omitiram. Pois previam essa eclosão e aonde ela conduzia: a destruição de todo o arcabouço da sociedade imperial e a transição para uma nova ordem social.

Sem dúvida, é nas orientações de comportamento e nas avaliações ideais dos divergentes utópicos que se encontra a prática mais pura e criadora da competição na antiga ordem social escravocrata e senhorial. Ela girou em torno de motivos impessoais e, conscientemente, dentro de limites em que se procurava evitar, a todo transe, a irrupção da violência e do conflito (ambas poderiam levar "longe demais", criando situações incontroláveis e o aparecimento de massas contestadoras saídas do povo, ou "a guerra entre as raças"). Além disso, os alvos sociais visados tinham em vista aumentar a elasticidade da ordem social vigente, adaptando-a aos requisitos materiais e formais do capitalismo (o que era, quando menos, incongruente e anacrônico). Essas impulsões, contudo, foram insuficientes para conduzir a uma elaboração sociocultural mais completa e profunda seja da representação, seja da utilização da competição. Ao que parece, a razão disso provém de duas circunstâncias, alheias ao conteúdo da pregação abolicionista. Primeiro, a própria natureza da tensão utópica, que se encerra sobre si mesma, dentro de um circuito fechado, impondo-se a revolução "pelos costumes" e "dentro da ordem". Em consequência dessa razão, o abolicionismo era limitado, ideológica e politicamente, pelo convencionalismo imanente ao horizonte cultural médio dos próprios círculos senhoriais. A competição foi explorada com mestria e eficácia, mas sem abrir uma verdadeira alternativa à cooperação imposta pela solidariedade patrimonialista e à liberdade consentida, eixos da "ética senhorial". Não se pretendia saltar o fosso, que afinal surgiria e foi inteligentemente aproveitado por uma coligação espontânea de republicanos "realistas", círculos ultrarradicais dos estamentos intermediários e os mais atilados homens de negócios (ligados ao café e à economia urbano-comercial). Segundo, o espírito de elite pairava sobre o abolicionismo. Os que aceitam um mandato, que não é expressamente delegado, por mais puros que se revelem no seu desempenho, pertencem certamente ao nível social dos que oprimem e dos que mandam. Por mais genuínas que sejam suas inspirações utópicas, elas jamais transcendem totalmente à condição humana do agente. Isso se evidenciou claramente. Ultrapassada a fase de agitação febril, foram poucos — dos quais Antônio Bento é o melhor símbolo — que continuaram a ranger os dentes, combatendo a última espoliação praticada contra o escravo, através da Abolição, e irmanando-se com o negro ou com o mulato como seres humanos. Ficou patente que, para a maioria, o abolicionismo começava e terminava com a problemática histórica do branco rico e poderoso. Este precisava destruir a escravidão para acabar com os entraves da ordem escravocrata e senhorial à expansão interna do capitalismo (ou seja, para garantirem-se novas condições de desenvolvimento econômico, social e político).

Essa conexão revolucionária permite ir ao fundo do problema. Em uma sociedade estruturada estamentalmente, não só o poder de competir é regulado pelas diferenças de níveis sociais. Ele não pode ser aplicado nem livremente nem irrestritamente, mesmo nas relações entre iguais", sem pôr em risco as bases do equilíbrio social e a continuidade da ordem social. Essas ponderações esclarecem certas propensões, tão arraigadas entre as elites da sociedade imperial, que pretendiam manter as relações competitivas dentro da fórmula do *gentlemen agreement*. Já que elas pareciam um fermento explosivo, tentavam localizá-las e discipliná-las socialmente, para impedir que as formas de controle senhorial perdessem a sua eficácia. Resguardava-se a sociedade do corrosivo "espírito burguês", fortalecendo-se os laços que prendiam os homens aos seus níveis sociais, aos correspondentes códigos de honra e ao mito de que o Brasil é ingovernável sem a versão autocrático-paternalista do *despotismo esclarecido*. A relação senhor-escravo e a dominação senhorial minaram, pois, as próprias bases psicológicas da vida moral e política, tornando muito difícil e muito precária a individualização social da pessoa ou a transformação do "indivíduo", da "vontade individual" e da "liberdade pessoal" em fundamentos psico e sociodinâmicos da vida em sociedade. Seria preciso lembrar que no cosmos senhorial só pode existir um tipo de individualismo, que nasce da exacerbação da vontade do senhor e se impõe de cima para baixo? Esse cosmos não só era hermético ao tipo oposto de individualismo, que requer o intercâmbio tanto de "vontades iguais" quanto de "vontades desiguais": dentro dele, este individualismo se confundia com a exaltação da anarquia e com o descalabro da "vida civilizada".

A discussão desenvolvida permite concluir que as inconsistências estruturais-funcionais do sistema de *status* e papéis sociais dos estamentos dominantes expunham a ordem escravocrata senhorial a diferentes tensões, as quais forneceram o ponto de apoio para a absorção da competição segundo moldes que contrariavam a tradição cultural. Poder-se-ia dizer que aquela ordem social possuía certas fendas ou brechas, pelas quais o espírito burguês se insinuou e, com o tempo, acabou minando as bases de equilíbrio da sociedade.[5] Todavia, a ordem social escravocrata e senhorial suportou longamente o impacto de tensões geradas pelas referidas inconsistências, o que equivale a dizer que conseguiu resguardar-se, por muito tempo, da desintegração que teria de provir quer da diferenciação dos elementos capitalistas, que dela faziam parte, quer da irradiação do mercado capitalista, a partir das cidades, e da expansão interna do capitalismo. A perda de resistência acompanha os abalos sofridos pela escravidão (com as medidas referentes à cessação do tráfico e, posteriormente, com as leis emancipacionistas). No entanto, a competição fora absorvida, emergindo como processo social em várias situações que se configuravam como nucleares para o desenvolvimento de um estilo "moderno" de vida social urbana. Ao crescer, ela iria não só operar como uma força social incompatível com o equilíbrio e a perpetuação da ordem escravocrata e senhorial. Ela iria também revelar-se como uma influência sociodinâmica incontrolável, que solapava os critérios estamentais de atribuição de *status* e papéis sociais, de solidariedade econômica ou política etc., acelerando o ritmo da desagregação dos estamentos dominantes. Sob esse aspecto, a desagregação e a destruição do regime senhorial brasileiro explicam-se, em parte, como uma espécie de explosão das tensões que se acumularam graças à estrutura estamental e de castas da sociedade — e principalmente no seu tope, nos estamentos senhoriais e intermediários. Portanto, ao contrário do que se pensa, não foi apenas a crise do trabalho servil que arruinou o

---

[5] Essa análise dá inteiro fundamento às amargas reflexões de Nabuco sobre as causas profundas da desagregação da sociedade imperial, já mencionadas no capítulo anterior (cf. Joaquim Nabuco, *Minha formação*, pp. 178-179).

equilíbrio do mundo senhorial. Este estava minado por dentro e a crise do trabalho servil, vista desse ângulo, constituía o "elemento inexorável" que impedia qualquer solução das tensões mais profundas por meio de uma "revolução dentro da ordem" (ou seja, que permitisse atender e superar aquelas tensões preservando a ordem senhorial).

Doutro lado, as mesmas conclusões sugerem que, ao longo do processo histórico-social descrito, a competição foi assimilada (ainda que segmentária e parcialmente) pela própria ordem escravocrata e senhorial, na qual se tornou uma influência secundária mas ativa. Ela ficou associada, em suas origens mais remotas, aos interesses, valores sociais e estilo de vida dos estamentos privilegiados e dominantes. Em termos dos requisitos ideais da integração e funcionamento do que seria mais tarde a ordem social competitiva, esse desenvolvimento pode ser considerado, sociologicamente, como propiciador de uma deformação. Operando como um fator de retenção ou de revitalização de privilégios estamentais, a competição se vinculou (genética, estrutural e funcionalmente) a processos que inibiram e perturbaram o desenvolvimento do regime de classes ou mantiveram indefinidamente padrões de comportamento e de relação social variavelmente pré e anticapitalistas. Trata-se de uma situação ambígua, pois aqui estamos diante do avesso da medalha: incorporada a contextos histórico-sociais ou socioculturais mais ou menos arcaicos, os dinamismos sociais engendrados pela competição concorrem para manter ou preservar "o passado no presente", fortalecendo elementos arcaicos em vez de destruí-los. Essa conexão, não obstante ter sido mal estudada, é deveras importante. A ela se prende, aparentemente, a baixa vitalidade do regime de classes para pressionar o desenvolvimento econômico capitalista. O horizonte cultural orienta o comportamento econômico capitalista mais para a realização do privilégio (ao velho estilo) que para a conquista de um poder econômico, social e político autônomo, o que explica a identificação com o capitalismo dependente e a persistência de complexos econômicos semicoloniais (na verdade, ou pré-capitalistas ou subcapitalistas). Aqui, cumpre ressaltar, em especial, a estreita vinculação que se estabeleceu, geneticamente, entre interesses e valores sociais substancialmente conservadores (ou, em outras terminologias: particularistas e elitistas) e a constituição da ordem social competitiva. Por suas raízes históricas, econômicas e políticas, ela prendeu o presente ao passado como se fosse uma cadeia de ferro. Se a competição concorreu, em um momento histórico, para acelerar a decadência e o colapso da sociedade de castas e estamentos, em outro momento ela irá acorrentar a expansão do capitalismo a um privatismo tosco, rigidamente particularista e fundamentalmente autocrático, como se o "burguês

CAPÍTULO 4 - ESBOÇO DE UM ESTUDO SOBRE A FORMAÇÃO...

moderno" renascesse das cinzas do "senhor antigo". Em outras palavras, ela engendra uma ordem social em que, além da desigualdade das classes, conta poderosamente o privilegiamento dos privilegiados na universalização da competição como relação e processo sociais. Em consequência, a ordem social competitiva resultante é pouco agressiva na quebra das barreiras à expansão do regime de classes e muito moderada na irradiação e imposição dos novos padrões de relações de classe, como se temesse a "racionalidade burguesa" e devesse acolher para sempre os critérios anticompetitivos do velho mundo senhorial.

O outro impacto desagregador sofrido pela ordem escravocrata e senhorial — e de importância específica para a elaboração da competição como fator sociocultural — diz respeito à falta de elasticidade daquela ordem social diante das estruturas e dinamismos econômicos que nasciam e se expandiam através da reorganização e desenvolvimento da economia urbana. O que chamamos de "setor novo" da economia possuía, no contexto da emancipação política e da formação da sociedade nacional, dois aspectos dinâmicos opostos. De um lado, ele aparecia como uma resultante natural do aumento da população e de certas tendências de concentração urbana, pelo menos na capital do país e em algumas grandes cidades da época. De outro, pela forma com que se manifestou e pelas funções que preencheu na reintegração da economia brasileira na economia mundial, ele representava um bastião interno dos dinamismos econômicos controlados pelos centros hegemônicos da economia mundial. Sob esse aspecto, ele se constituía como uma espécie de mercado satélite, organizado como uma economia de consumo especializada, no sentido de captar a parte do excedente econômico que pudesse ser absorvida pelos mencionados centros hegemônicos da economia mundial da exportação de bens acabados; e do controle direto ou indireto do comércio interno. A ordem social escravocrata e senhorial poderia adaptar-se ao primeiro desenvolvimento, especialmente se se mantivesse o antigo padrão de relativa autonomia da grande produção agrícola e, ainda, se o crescimento demográfico das cidades não chegasse a afetar as bases da dominação tradicional-patrimonial e burocrática dos estamentos dominantes. Como as transformações nessa esfera se deram com lentidão, existiam fundamentos econômicos, sociais e políticos favoráveis à absorção do "novo setor econômico" pela ordem social escravocrata e senhorial. Todavia, em virtude da natureza dos interesses econômicos externos e da intensidade com que eles tomaram conta de posições-chave do mercado interno, graças à reorganização institucional de todo o comércio de exportação e de importação, o que surge na cidade é um mercado capitalista de estilo moderno (embora adaptado às condições do país e às funções de satelitização que desempenhar). A ordem social escravocrata e senhorial não tinha como absorvê-lo. Ela é que seria, aos poucos, aglutinada por Primeiro, nas transações nas quais o excedente econômico da produção agrária era, de fato, canalizado para o comércio e para o mundo de negócios urbanos. Em seguida, pela crescente especialização das grandes unidades senhoriais na produção agropastoril, que leva o senhor a comprar mantimentos e outras utilidades no mercado interno. Por fim, algumas delas passam a produzir, modo parcial — sendo que em algumas áreas e em certos setores o fariam de maneira total para esse mercado. O circuito dessa absorção fecha-se com a progressiva mercantilização do trabalho, que ainda sob o regime servil atingiria a estrutura e o equilíbrio daquelas unidades de produção. Esse processo estava na "lógica da situação"; pois, no final das contas, o sistema econômico mais complexo e avançado era o que nascera nas cidades, independentemente de qualquer diferenciação estrutural e funcional que pudesse ocorrer (mas só chegou a ocorrer no Oeste paulista e como fenômeno de transição!) no sistema escravocrata e senhorial de produção, e ele tinha de prevalecer sobre o outro (solapando as bases de sua autonomia e preponderância).

Em consequência, apesar da hegemonia social e política dos interesses senhoriais, ou de sua significação básica para o próprio crescimento da economia urbana, a ordem social escravocrata e senhorial revelou-se incapaz de absorver e de regular, estrutural e dinamicamente, os processos econômicos que ela desencadeava (ou admitia, através de uma política de atração dos agentes econômicos "fortes" e "especializados" do exterior). O "novo setor econômico" expandiu-se de forma relativamente caótica e indisciplinada, já que apenas algumas de suas fases e efeitos podiam ser, efetivamente, controlados a partir de dentro e segundo critérios ou interesses estabelecidos pela ordem social existente. Essa situação criava uma aparência de vigorosa "liberdade econômica" e de ebulição da iniciativa", na esfera dos negócios. Atrás do biombo, porém, o que havia era uma liberdade não regulada, típica da eclosão do mercado capitalista em economias coloniais em transformação. A sociedade não possuía os meios para conter e ordenar o livre jogo das forças econômicas atuantes: teria de forjá-los aos poucos, com frequência fora e acima dos limites materiais, morais e políticos da ordem social então vigente nesse contexto, contudo, foi ainda essa ordem que impediu a pulverização da economia e o restabelecimento de um estado colonial pleno. Logo se evidenciou que a existência de uma aristocracia agrária, politicamente armada com o controle do poder social e político — isto é, com o poder da sociedade e do Estado

—, constituía um fator de limitação considerável à ebulição dos interesses econômicos externos, em particular nos desdobramentos que eles pretendiam assumir no setor urbano. Iniciativas essenciais para a organização de uma economia de mercado capitalista, que pareciam e eram "imperiosas", esbarravam com a resistência sistemática ou "reacionária" (aberta ou dissimulada) dos estamentos dominantes, que assim tentavam tornar algum controle sobre a ampla modernização dos meios de troca, de comunicação e de transportes. Equacionou-se, portanto, por trás das relações econômicas, uma situação de conflito político potencial. Os que defendiam a modernização institucional intensiva e rápida da economia fechavam os olhos ou aceitavam tacitamente os riscos de maior controle externo da economia interna, a partir de fora ou de dentro. Os que combatiam, obstinadamente, qualquer modernização, defendiam o *status quo* nos limites do privilegiamento exclusivo dos interesses senhoriais. Entre os dois extremos, prevaleceu uma acomodação intermediária (naturalmente engendrada pela posição "conservadora" dos interesses senhoriais), que defendia uma espécie de posição de barganha consciente e deliberada, centrada sobre dois fins convergentes: 1º) conter a heteronomização (ou subordinação à dominação externa visível) em níveis predominantemente econômicos e técnicos; 2º) impedir que a organização e o crescimento do mercado interno, como um mercado capitalista em sentido moderno, neutralizassem as vantagens econômicas decorrentes da implantação de um Estado nacional, convertendo-se em um sucedâneo disfarçado do odiado "pacto colonial".

Preservadas as estruturas de poder existentes, as forças de acomodação prevaleceram em toda a linha, inibindo ou frustrando as tentativas de adaptação do mercado interno aos requisitos e aos interesses puros e simples da economia mundial, que ameaçavam (ou pareciam ameaçar) a "independência nacional". A pressão externa teve de procurar meios próprios de atuação. Como seus principais alvos não estavam no grau de fluidez dos mecanismos do mercado interno, mas no tipo de controle que se pretendia exercer sobre eles (a partir de fora ou de dentro: a alocação dos controles não importava muito para firmas que dominavam as duas extremidades da "posição econômica"), ela se concentrou no elemento que condicionava, materialmente, o equilíbrio e a continuidade da ordem senhorial: a escravidão e a renovação do trabalho escravo. Eliminando-se a fonte de abastecimento de escravos, sufocava--se, na realidade, a ordem escravocrata e senhorial a médio prazo, em troca de conflitos que nunca evidenciariam, de imediato, o que estava em jogo, seja econômica, seja politicamente. Sentindo-se ameaçados em seu *status* (pois os senhores não eram cegos às consequências dessa sutil operação), os estamentos dominantes exigiram de suas elites uma orientação política firme, que convertesse o "setor agrário" em um verdadeiro bastião do regime. Os problemas centrais da organização e do crescimento do mercado interno em bases puramente capitalistas não foram, portanto, descurados por incapacidade ou negligência (como supõem os que interpretam "o malogro de Mauá" — ou do espírito que ele encarnava — em termos demasiado estreitos e imediatistas). Tais problemas esbarravam numa reação que era insensível, embora relutante, e que os ministérios ("conservadores" ou "liberais") tinham de levar em conta para "manter a paz civil" (o próprio poder moderador da Coroa não fazia outra coisa senão cuidar, acima dos partidos, para que os limites estáticos da ordem não fossem seriamente ameaçados). De acordo com esta interpretação, a insensibilidade e a relutância não eram ditadas apenas por motivos "tradicionalistas" (como querem alguns) ou "nacionalistas" (como pretendem outros). Elas se vinculavam a uma defesa sistemática, larga e profundamente consciente, de estruturas econômicas e de poder, que as camadas senhoriais e suas elites consideravam sob sérios riscos — não pelo mercado mundial, em si mesmo, mas por causa do aparecimento de um mercado interno complexamente entrosado ao mercado mundial e amplamente determinado por forças que, com o tempo, não seriam mais controláveis pelas irradiações econômicas do poder da "aristocracia agrária". Nesse sentido, a falta de elasticidade da ordem escravocrata e senhorial diante da eclosão do capitalismo, como uma realidade econômica interna, ocultava e exprimia, acima de tudo, uma específica reação de autodefesa. Aquele mercado podia crescer e tornar-se, por sua vez, a fonte de classificação econômica e social dos vários estratos em presença, destruindo, por sua existência, as funções classificadoras da ordem escravocrata e senhorial, engendrando, material e dinamicamente, um "regime de classes". Isso acabou acontecendo. Não por omissão dos estamentos senhoriais e de suas elites, mas porque estes não podiam estancar a história: optando pela emancipação política, escolheram o capitalismo como alternativa ao "infame pacto colonial" e tinham de conformar-se com o destino (e os sobressaltos) que ele lhes reservava.

Vendo-se a totalidade da situação dessa perspectiva, verifica-se que os estamentos senhoriais procuraram estabelecer um certo consenso quanto à modernização institucional da economia e aos ritmos da expansão interna de um mercado capitalista, na razão direta de seus interesses econômicos (que estavam longe de ser homogêneos) e na razão inversa dos riscos potenciais previsíveis, de natureza extra econômica, ou seja, social e política (os quais alcançavam apreciável homogeneidade). No fundo, estavam em jogo, concomitantemente: 1) uma persistente e profunda defesa da ordem social escravocrata e senhorial, que condicionava a continuidade e a eficácia das formas socioeconômicas elaboradas durante a Colônia; 2) uma repulsa irredutível às funções do mercado capitalista, como meio de valorização e de classificação sociais de setores humanos mantidos, até então, à "margem da sociedade e da história". O êxito econômico dos estamentos senhoriais constituía uma função de estruturas sociais e políticas. Só passava pelo mercado o que ia para o mercado mundial e o "fôlego vivo", agente do trabalho escravo; no demais, a estrutura da sociedade nada tinha a ver com as funções do mercado, que não operava como uma agência de classificação social. A absorção de um tipo de mercado que iria preencher tais funções parecia fadada a destruir a "paz social", acarretando, com a mercantilização do trabalho, outros critérios de classificação (ou desclassificação) na vida social; e tornando bem mais complexas e incertas, com o tempo, as garantias extraeconômicas do "êxito econômico". Um mercado capitalista cria estruturas econômicas às quais ninguém escapa e uma sociedade que deverá responder aos mesmos fundamentos econômicos, das relações de produção às relações de poder. Portanto, na raiz da falta de elasticidade da ordem social escravocrata e senhorial aos requisitos e às condições de um mercado capitalista encontrava-se uma impossibilidade real de absorver as formas materiais, morais e políticas das relações humanas sob uma economia capitalista. A competição, como processo estrutural e dinamicamente determinado pelas relações de pessoas e grupos sociais no mercado, era incompatível com os fundamentos patrimonialistas da vida social e com os critérios estamentais de classificação (ou desclassificação) social. Por isso, os estamentos senhoriais e suas elites mostravam-se atentos à modernização institucional da economia no nível em que as estruturas econômicas da ordem social existente estavam, a um tempo, adaptadas ao capitalismo e não eram afetadas por ele (ou seja, o nível em que o senhor desempenhava papéis econômicos capitalistas e o processo econômico interno era determinado pela organização do mercado mundial). Nos demais níveis, iria prevalecer a face negativa e resistente, de reação seletiva e de "filtragem desconfiada" da modernização institucional da economia interna. Em consequência, os ritmos e a pureza da expansão interna do mercado capitalista seguem, a princípio (até o último quartel do século XIX), ritmos e oscilações que acompanham a desagregação da própria ordem social escravocrata e senhorial. Eles também refletem como a nova ordem social competitiva se originava, passo a passo, nesse difícil parto de um "estilo burguês de vida". O elemento capitalista (ou o que havia de especificamente capitalista) na ordem anterior não facilitou deveras a transição; ao contrário, operou como um obstáculo que atuava, tanto econômica quanto social e politicamente, como uma pura "reação de cima para baixo".[6]

Formou-se, assim, uma tensão que afetava o padrão de integração e de equilíbrio da "sociedade nacional". A ordem social constituída não podia adaptar-se, sem se decompor, destruindo-se, às formas econômicas emergentes, nascidas da incorporação direta ao mercado mundial e da absorção de instituições econômicas, que iriam regular a organização, o funcionamento e o crescimento dos mercado interno segundo padrões e princípios universais especificamente capitalistas. No início, a tensão podia ser facilmente diluída e neutralizada, apesar das pressões externas para agravá-la e conduzi-la à eclosão. Uma economia de estrutura colonial é pouco sensível a tais pressões, se estiver amparada sobre um sistema social estável e em formas autocráticas de organização do poder político (naturalmente, "centralizadas para dentro"). Em tais condições, é quase impossível fomentar, por semelhantes meios, uma crise suficientemente profunda para abalar os fundamentos sociais e políticos da ordem estabelecida. No entanto, a aparente segurança, resultante da estabilidade social e do uso rígido do poder, concorre para provocar o que as pressões externas, por si sós, não conseguem: uma espécie de cegueira crônica e obstinada, graças à qual é o timoneiro que acaba levando o barco na direção do abismo. No caso brasileiro, essa regra mostra-se em ação de maneira exemplar. Mesmo preservando-se intocáveis a escravidão e a dominação senhorial, abriam-se vários caminhos que permitiriam adaptar o regime social existente tanto à integração ao mercado mundial quanto à expansão interna do "setor novo" especificamente capitalista e predominantemente urbano-comercial. Esse seria, aliás, o caminho lógico para preparar-se o país para a transição das formas

---

[6] A evolução divergente, que se registra em São Paulo, não infirma essa descrição. Os fazendeiros do Oeste paulista, os homens de negócios e os políticos paulistas de origem rural não avançaram sem vacilações e resistências na direção da racionalização da produção escrava e na questão da Abolição. Foi só quando já não havia o que defender que deram os passos finais, mostrando que neles preponderava a condição burguesa sobre o elemento senhorial. Ainda assim, como mostramos acima, tudo isso só foi possível porque eles não chegaram a se identificar tão profundamente com o estilo e os padrões senhoriais de existência, iniciando, desde os primórdios de seu aparecimento na cena histórica, a verdadeira transição de um regime a outro.

CAPÍTULO 4 - ESBOÇO DE UM ESTUDO SOBRE A FORMAÇÃO...

econômicas coloniais para formas econômicas capitalistas. Contudo, os estamentos senhoriais e suas elites ficaram cegos a esse caminho, fascinados pela aparente segurança da ordem escravocrata e senhorial e pelo poder autocrático que ela lhes conferia; assim se explica, sociologicamente, a drástica redução deliberada do âmbito da ação política desses estamentos e de suas elites, que praticamente bloquearam, por causa de suas ambições, estilo de vida e uma ideologia crescentemente inadequada, sua capacidade de decisão e de condução da história. Na verdade, não foram poucos os componentes dos estamentos dominantes (ou presos a por interesses econômicos e lealdade política) que perceberam o sentido real da situação, em todas as correntes do pensamento político. Raramente, porém, mesmo em se tratando de figuras de proa nos partidos e na cena política, suas ideias ou convicções passavam pelo crivo seletivo da "opinião pública", compactamente determinada pelo consenso ultraconservador dos estamentos dominantes (senhoriais ou não). Isso apenas sucedia em matérias de interesse comum (para esses círculos), mais ou menos pacíficas; e com referência a problemas que impunham, materialmente, um mínimo ele inovações deliberadas, além do mais suscetíveis de controle direto ou indireto eficiente (deixando de ser, portanto, uma fonte de ameaças visível ao equilíbrio da ordem escravocrata e senhorial).

Esse mecanismo global revelou-se útil e eficaz em termos imediatistas e a médio prazo, assegurando aos estamentos dominantes notório êxito político (graças ao qual mantiveram o máximo possível da própria ordem colonial, através da perpetuação da escravidão e da dominação senhorial; e lograram preservar, com a "ordem interna", a unidade do país, tanto territorial quanto econômica e socialmente). Em termos mais amplos e a largo prazo, porém, o mesmo mecanismo mostrou-se nocivo, pois tomou os estamentos senhoriais e suas elites impotentes para enfrentar e vencer a tormenta, quando ela irrompeu através de pressões internas. Primeiro, a ausência de um esforço, consciente e inteligente, de coordenação e de orientação das forças e das formas econômicas emergentes, deixou a ordem escravocrata e senhorial incapacitada para lutar por sua sobrevivência a largo prazo. Ela não se adaptara, estrutural e dinamicamente, ao controle da nova ordem econômica em formação e expansão no setor urbano, nem segundo seus próprios interesses de fomento do desenvolvimento interno do capitalismo, nem segundo os requisitos econômicos, sociais e políticos de um mercado interno integrado em bases especificamente capitalistas.[7] Quando as forças dessa nova ordem econômica emergiam, o processo de sua eclosão e crescimento tomou uma forma espontânea e desordenada, e elas próprias passaram a ser extremamente letais quer para a perpetuação da escravidão, quer para a continuidade da dominação senhorial: elas minavam e destruíam a "velha ordem social", que não tentou entendê--las, absorvê-las e controlá-las, enquanto seria possível uma composição entre passado e futuro. Segundo, a ausência de um esforço, consciente e inteligente, de coordenação e de orientação das forças e formas econômicas emergentes impediu que o longo período de sobrevivência da ordem escravocrata e senhorial operasse, construtivamente, como um meio de preparação da "economia nacional" para as exigências do futuro, que impunham a plena mercantilização de todos os níveis e fases do sistema econômico "nacional". Ela engendrou uma espécie de diferenciação adaptativa do comportamento econômico, que permitia ao agente econômico privilegiado da ordem escravocrata e senhorial monopolizar as vantagens simultâneas decorrentes seja da preservação de estruturas econômicas extracapitalistas da produção escravista, seja da eclosão inicial do "setor econômico novo". Essa bifurcação não poderia manter-se indefinidamente, sem adaptações estruturais e dinâmicas mais profundas. Ela estimulou um "paralelismo do crescimento econômico", em que tudo correu bem para os estamentos dominantes enquanto os fundamentos escravistas e senhoriais da ordem existente puderam garantir a referida posição monopolizadora. É claro que, desde que essa condição fosse rompida, nada poderia resguardar a ordem escravocrata e senhorial; e os estamentos sociais dominantes se veriam condenados a terminar com as próprias mãos a destruição daquela ordem, para salvarem o privilegiamento de sua situação econômica por "outros meios" (naturalmente sociais e políticos). Foi o que ocorreu quando a "crise do trabalho servil" atingiu a fase aguda, levando consigo a ordem escravocrata e senhorial (mas não o seu substrato social e político; a base oligárquica do poder autocrático dos "ricos" e "privilegiados").

Até onde se pode avançar, numa interpretação sociológica segura, é legítimo concluir-se que a falta de elasticidade da ordem social

---

[7] Na primeira alternativa, prevaleceria o intuito de aproveitar as oportunidades de uma "economia colonial" (como continuava a ser largamente a economia brasileira) na dinamização acelerada mas dirigida do crescimento econômico interno. Na segunda, teria de imperar (como sucedeu nos Estados Unidos na época da Independência) a ambição de conjugar autonomização política com crescimento capitalista independente.

escravocrata e senhorial, diante da emergência e da expansão do capitalismo como uma realidade histórica interna, gerou uma acomodação temporária de formas econômicas opostas e exclusivas. Dessa acomodação resultou uma economia "nacional" híbrida, que promovia a coexistência e a interinfluência de formas econômicas variavelmente "arcaicas" e "modernas", graças à qual o sistema econômico adaptou-se às estruturas e às funções de uma economia capitalista diferenciada, mas periférica e dependente (pois só o capitalismo dependente permite e requer tal combinação do "moderno" com o "arcaico", uma descolonização mínima, com uma modernização máxima). Sob esse aspecto, a mencionada acomodação tanto pode ser encarada como "historicamente necessária" quanto como "economicamente útil". Ela estendeu os limites da duração de um sistema pré-capitalista de produção, que excluía parcial ou totalmente a produção agropecuária e extrativa da mercantilização do trabalho, em pleno processo de eclosão e de expansão acelerada de um mercado capitalista interno (e, portanto, de um mercado capitalista de trabalho). Ao mesmo tempo, forneceu ao setor urbano-comercial condições para expandir-se e diferenciar-se, de modo lento mas constante, embora retirando-lhe o impulso de crescimento que poderia nascer da rápida mercantilização das relações de produção no campo e da universalização das relações de mercado em escala nacional. Por fim, organizou um fluxo permanente de renda que favoreceu o incremento e a dinamização do uso do excedente econômico nas duas direções concomitantemente, entrelaçando, por um elo estrutural e dinâmico, a coexistência do "ultramoderno" com o "ultra arcaico". Esses três desenvolvimentos são fundamentais para o aparecimento do Brasil moderno, qualquer que seja a perspectiva da qual cada um deles, de per si, e todos eles, em conjunto, possam ser avaliados sociologicamente. Não obstante, a referida acomodação não provocou — nem poderia provocar — uma conciliação entre as estruturas econômicas preexistentes, fundadas no trabalho escravo, no trabalho semilivre e na dominação patrimonialista, e as estruturas econômicas emergentes, fundadas no trabalho livre e em formas especificamente capitalistas de produção e de troca. No contexto histórico global, por conseguinte, elas preenchiam funções sociais distintas e em conflito potencial. As primeiras concorriam para manter a continuidade da ordem social escravocrata e senhorial e para reduzir os ritmos da descolonização, criando as condições estruturais e dinâmicas que impediam a evolução do sistema econômico em pleno sentido capitalista. As segundas tendiam para a aglutinação e eliminação das formas econômicas "arcaicas" e a consolidação do trabalho livre, em vários níveis da vida social, o que as convertia, a um tempo, em elemento de dissolução da ordem social escravocrata e senhorial e de unificação progressiva do sistema econômico em bases capitalistas.

Em resumo, ao provocar a eclosão de um mercado propriamente capitalista, embora com formas e funções limitadas, a mudança de relação com o mercado mundial forçou a ordem social escravocrata e senhorial a alimentar um tipo de crescimento econômico que transcendia e negava as estruturas econômicas preexistentes. Não obstante, o crescimento econômico desencadeado a partir de tal mudança teve de desenrolar-se, a curto e a médio prazos, dentro dos quadros sociais daquela ordem. Aqui não sucedeu algo parecido com o que ocorreu nos Estados Unidos. O país como um todo estava submetido à mesma ordem social escravocrata e senhorial: as variações e flutuações procediam da maior ou menor intensidade com que o grau de desenvolvimento local ou regional permitia a atualização econômica, social e política dessa ordem (por exemplo, São Paulo constituía uma típica área de "subdesenvolvimento", em comparação com o Rio de Janeiro, Bahia ou Pernambuco). O setor econômico, emergente em certas cidades (das quais o protótipo seria o Rio de Janeiro), era "novo" pela natureza dos padrões institucionais e pela qualidade das tendências que regulavam a organização e o funcionamento do mercado, para o qual confluíam não só os negócios "internos" (locais e regionais), mas principalmente os negócios de exportação e de importação com grande parte de seus desdobramentos financeiros (crédito ao produtor, negociação de safras, especulação em torno dos produtos primários exportáveis e, aos poucos, das hipotecas sobre a propriedade territorial, e os vários negócios que alimentavam o comércio urbano ou o crescimento do complexo urbano-comercial). Contudo, é importante que se assinale uma coisa: a economia urbano-comercial praticamente nascia com esse setor novo, ou, em outras palavras, ela era, em crescimento, o setor novo. Há continuidades entre o desenvolvimento das cidades antes e depois da Independência, inclusive e principalmente no plano econômico. Mas o legado colonial não chegara a forjar senão as bases materiais de tal processo. A questão com o mercado colonial não é só de tamanho; ela é de estrutura e de funcionamento, mesmo quando se considerem as cidades que realmente floresceram sob a Colônia. Tratava-se de um mercado que fora organizado econômica, técnica e institucionalmente para impedir qualquer crescimento a partir de dentro ou de dentro para fora que não fosse compatível com as dimensões e o futuro de uma economia colonial. Sob esse aspecto, a política portuguesa só tentou renovar-se tardiamente e não com o fito de permitir maior elasticidade à economia colonial. As primeiras iniciativas na direção de uma modernização que não se submetia explicitamente a padrões especificamente coloniais de crescimento interno foram as que se relacionaram com a transferência da Corte e com a Abertura dos Portos. Tudo isso ajuda a compreender a estreiteza com que se viam a organização e os dinamismos do mercado interno (com exceções que apenas confirmam a regra), com o pouco interesse devotado ao seu polo urbano, seja às funções criadoras do comércio em uma economia capitalista em gestação. A "geração da Independência" (e as que a seguiram) propunha-se o progresso econômico em termos nitidamente senhoriais, fazendo prevalecer os "interesses da lavoura" e da exportação como "a fonte de riqueza do país".[8] Assim, o tipo de crescimento econômico, desencadeado pela eclosão do mercado capitalista como uma realidade interna, que iria sobrepujar e vencer o antigo mercado colonial, não era bafejado por interesses econômicos suficientemente fortes e poderosos para dar preeminência ao mercado interno na política econômica global. Os esforços de modernização mais avançados paravam nas fronteiras do sistema econômico conglomerado, de acomodação, que privilegiava a ordem social escravocrata e senhorial, reafirmando o primado das formas econômicas "arcaicas" na determinação do padrão de equilíbrio dinâmico de todo o sistema econômico. A ordem social escravocrata e senhorial falhava, pois, em várias direções essenciais: l) não adaptava as tendências incipientes de formação de uma economia de mercado capitalista aos requisitos da integração econômica nacional e da autonomização econômica do país através do capitalismo; 2) não adaptava as mesmas tendências no sentido de facilitar e acelerar a transição do antigo mercado, herdado da situação colonial, ao novo mercado de tipo capitalista moderno; 3) não fomentava (ao contrário, inibia ou neutralizava) as tendências à mercantilização universal do trabalho e à livre manifestação das relações de mercado propriamente capitalistas, congelando deliberadamente, em várias áreas, a desagregação do mercado colonial (o que se tornou, naturalmente, um foco de redução e de concentração da mudança econômica, social e política, predominantemente limitada ao comércio que mais interessasse aos "interesses da lavoura" e predominantemente localizada nas cidades de maior vigor econômico).

---

[8] Seria interessante retomar o paralelo com os Estados Unidos. Lá "a geração da Independência" preferiu lançar, com antecipação de vistas e enorme acuidade, as bases legais, políticas e econômicas do próprio desenvolvimento capitalista autossustentado e hegemônico.

Por aí se vê, claramente, que a falta de elasticidade da ordem social escravocrata e senhorial, por paradoxal que pareça, engolfou a geração da Independência (e as outras subsequentes) na construção das próprias bases do capitalismo dependente e do beco sem saída que ele representava para o Brasil. Não houve uma passagem do padrão colonial de crescimento econômico para o padrão de desenvolvimento capitalista. Mas uma rotação do crescimento colonial para o neocolonial e, em seguida (e isso com muita rapidez), para o padrão capitalista de crescimento econômico dependente e de subdesenvolvimento (processo similar ao que ocorrera na Europa com vários países, inclusive Espanha e Portugal, e que seria comum na América Latina). Parece que as coisas não poderiam transcorrer de outro modo na cena brasileira e que os ganhos acumulados com a transição do estado colonial para o capitalismo dependente tanto econômica, quanto social e politicamente, foram consideráveis. Entretanto, usar a história como expediente para explicar a limitação das ações humanas não é uma boa regra de método, pois são os homens que criam a história socialmente. O fato de não se querer um destino histórico, para se cair nele da pior forma possível, é algo em si mesmo deveras importante do ponto de vista interpretativo. Ele constitui um índice objetivo do tipo de querer e de vontade sociais que animou o homem como agente histórico, em suas decisões e omissões, positivas ou negativas para a sociedade nacional como um todo (para aquele momento e para a evolução ulterior do país). No caso, parece evidente que o mundo capitalista não era o universo histórico dos estamentos sociais dominantes e que suas elites, por isso mesmo, não enfrentaram o presente nem previram o futuro nessa direção, na escala do capitalismo como aspiração e estilo de vida. Estavam todos totalmente imersos numa laboriosa defesa da própria antítese do "espírito burguês" e da "racionalidade capitalista", empenhando-se na continuidade da escravidão e da dominação senhorial (e não em sua destruição e superação, tão rapidamente quanto fosse possível). As forças que iriam construir a economia capitalista e sua ordem social competitiva teriam de irromper, portanto, desse solo, mas por sua conta e contra a maré, de modo acanhado, destrutivo e desorientado, como se a verdadeira luta pela descolonização não começasse com o processo de emancipação política, mas quase um século depois.

O comércio e a organização do trabalho aparecem como os dois níveis da vida econômica nos quais é possível verificar e comprovar, empiricamente, essa afirmação. Por isso, seria conveniente concentrar a parte conclusiva da presente análise sobre esses dois aspectos, que são, além do mais, verdadeiramente estratégicos para pôr em evidência como a falta de elasticidade se relacionava negativamente com a competição como um fator dinâmico (na motivação das ações humanas e na calibração das relações sociais).

Na Corte e em algumas grandes cidades, a depuração econômica do comércio, em sentido capitalista, inicia-se antes da emancipação política, graças aos impactos da transferência do governo metropolitano sobre as dimensões e o funcionamento do mercado interno. No entanto, foram os dinamismos do mercado mundial (no nível das transações comerciais e financeiras, ligadas aos negócios de exportação e de importação) e a implantação de um Estado nacional (no nível da ordenação jurídica das atividades econômicas, dos controles coercitivos de natureza legal-policial e da manipulação político-governamental dos fatores do mercado) que elevaram essa depuração à categoria de uma condição de normalização das relações comerciais (monetarizadas ou estimadas monetariamente, nas operações de crédito). As práticas comerciais dominantes, não obstante, continuaram a ser reguladas por convenções de cunho tradicionalista, por orientações econômicas de origem colonial e típicas de uma concepção colonial do comércio e por convenções especificamente estamentais. Como consequência, o comércio possuía dois núcleos distintos, aos quais correspondiam duas lógicas econômicas. Nos níveis dos negócios de exportação e de importação ou do "alto comércio", vinculados aos padrões de consumo e ao estilo de vida dos estamentos dominantes, ao abastecimento das grandes fazendas e à venda por atacado, tendia a impor-se e a vigorar uma orientação capitalista típica (graças à qual a transação tinha, de fato, o caráter de negócio). Nos níveis do "comércio comum", da venda a varejo e do pequeno comércio artesanal aos fretes de serviços e à mascateação, tendia a preservar-se e a vigorar uma orientação quando menos extracapitalista (com gradações que permitem ver, no quadro geral, tanto o comércio espoliativo típico da acumulação original de capital quanto as transações comerciais propriamente ditas, na forma e no fundo, com o caráter de negócio em sentido capitalista restrito). Ainda assim, os "mecanismos de mercado" operavam na primeira esfera nos termos de um mercado que mantinha suas conexões coloniais e segundo a lógica do privilégio de uma economia senhorial e imperial, ou seja, aplicando largamente regras espoliativas, que convertiam os custos e as condições das operações em elemento de risco e em fator de lucro. Doutro lado, os "mecanismos de mercado" só possuíam vigência meramente tangencial na segunda esfera, na medida em que afetassem, de modo direto ou indireto, a posição da oferta ou as estimativas de cotação, arbitrárias ou "oficiais", das utilidades. Nada podia impedir o seu fluxo mais ou menos irregular e desordenado ou proscrever o seu teor variavelmente extorsivo (malgrado a "pressão política" do setor senhorial para "conter a carestia", os interesses dos estamentos dominantes mesclavam-se de várias maneiras com tais práticas comerciais e, com os contratos de trabalho, elas serão diretamente incorporadas por muitas fazendas nas áreas em expansão econômica).

Esses aspectos "materiais" configuram um mercado em transição, do mundo colonial para a época nacional. Há um considerável progresso a assinalar-se, em relação ao caos da Colônia e ao mercado gerado por monopólios, regalias, proibições ou simples contingências. A emancipação política liberou duas influências saneadoras e regulativas, que antes não tinham como e por que operar com eficácia. Primeiro, os controles sociais indiretos ou reativos dos estamentos dominantes, que deixaram de ser inibidos, neutralizados ou destruídos por regulamentos impostos pela Metrópole. Constituíram-se meios e canais internos de pressão sobre o "mercado", alguns institucionalizados, outros espontâneos e informais. Embora tais meios e canais não fossem (nem pudessem ser) plenamente eficazes, do ponto de vista econômico, eles exerceram enorme influência tanto na extinção paulatina dos resíduos quanto na generalização progressiva de certas condições mínimas para a normalização e o crescimento do mercado interno (no tocante aos preços, à qualidade dos produtos, à continuidade e à variedade do abastecimento etc.).[9] Segundo, graças à reorganização do fluxo interno da renda, o poder de compra dos estamentos dominantes passou a contar em sentido puramente econômico (por vezes, mesmo, segundo conexões capitalistas, como sucedia com referência ao mercado de gêneros e às pressões do setor agrícola sobre os preços dos mantimentos). Além disso, a quebra das barreiras coloniais deu grande impulso a uma espécie de "baixo comércio", que atingia principalmente a massa da população. Aos poucos, especialmente nas grandes cidades, a capacidade de consumo desse setor também iria contar em sentido puramente econômico. No conjunto, porém, a própria estrutura do sistema econômico e a organização da sociedade, fundadas no trabalho escravo, conspiravam contra a operação construtiva dessas forças. Tornava-se praticamente impossível universalizar e institucionalizar os mecanismos de mercado modernos em um mundo no qual prevaleciam, lado a lado, essa modalidade de trabalho e a mercantilização segmentária do trabalho livre. O

---

[9] Está claro que tais progressos tiveram seu *locus* na economia urbana e só lentamente iriam difundir-se, de modo irregular, para atingir as pequenas cidades e as povoações.

CAPÍTULO 4 - ESBOÇO DE UM ESTUDO SOBRE A FORMAÇÃO...

homem que não aprende a estimar o valor do seu trabalho através do mercado também não sabe medir suas necessidades através do mercado. Por conseguinte, a modernização institucional do comércio especialmente intensa no nível dos negócios de exportação e de importação ou no nível do "alto comércio" — e as tendências à depuração de práticas econômicas arcaicas caíam, de fato, num terrível vácuo histórico. O homem, a peça central do drama, não entrava por inteiro no mercado e recusava-se a abrir as comportas que o transformariam, com o tempo, no próprio cerne da vida econômica.

Nesse contexto, os ramos de atividades comerciais, que se inseriam no núcleo específica ou predominantemente capitalista do mercado interno, é que lhe imprimiam suas feições peculiares e uma forte (para não dizer insanável) deformação. Privilegiados tanto econômica e socialmente quanto politicamente, absorveram de modo insensível mas rápido os critérios estamentais da ordem social escravocrata e senhorial. Por isso, o austero homem de negócios, do nascente e próspero "alto comércio" urbano, impunha-se o mesmo código de honra, aspirava aos mesmos ideais e, se não igualava, suplantava o estilo de vida da aristocracia agrária (confundindo, na paisagem social em mudança, os dois mundos mentais, o da "Casa-Grande" e o do "Sobrado"). Seu objetivo supremo deslocava-se, aos poucos, para a conquista de um *status* senhorial (através da nobilitação ou de alguma espécie consagradora de titulação), que coroasse o "êxito econômico", sublimando-o e dignificando-o na escala de prestígio e de valores de uma sociedade de castas e estamental. Esse desfecho era quase inevitável, pois o condicionamento resultante da socialização econômica propriamente dita era marginal à ordem social escravocrata e senhorial, não possuindo bastante vitalidade e autonomia para sobrepor-se ao condicionamento mais geral e profundo, produzido pela comunidade de interesses, valores e estilo de vida dos estamentos dominantes. Os que eram mais visível e visceralmente burgueses não foram segregados em um estamento à parte; viram-se aceitos com reserva, de início, e abertamente, logo em seguida, no "alto mundo" em que se fundiram "nobreza" e "fortuna". Não havia como ser de outra maneira, já que a própria estrutura da ordem social existente fundia, numa mesma sociedade civil, todos os que pertenciam aos estamentos intermediários e altos, o que fazia com que a socialização pela comunidade de interesses e valores se propagasse do estamento senhorial, verdadeiramente hegemônico, aos demais, tornando-os solidários entre si e "dominantes".

Mas isso tinha pouca importância do ponto de vista prático principalmente enquanto durasse a onda de modernização imposta pela adaptação da economia do país à eclosão interna de um mercado capitalista. Em tal contexto, o comércio se definia como o setor dinâmico, que carregava consigo a constituição de uma infraestrutura de tipo "moderno". Até o fim do século, ele seria o setor verdadeiramente inovador e avançado da economia e o eixo por excelência de toda a nova montagem econômica. Dele safam as pressões, grande parte dos recursos e mesmo as iniciativas dos empreendimentos mais ou menos arrojados, tanto na esfera da modernização industrial quanto na esfera da criação de serviços ou de meios de comunicação e de transportes. Ainda assim, os efeitos limitativos apontados logo se fizeram sentir. De maneira geral, a socialização para uma comunidade estamental de interesses, de valores e de estilo de vida calibrava os dinamismos do setor comercial em termos das orientações de poder (seja do poder social e econômico, seja do poder orientado politicamente ou do poder especificamente político) da aristocracia agrária. Por cima e por baixo do pano, esta tinha os cordões da "direção geral do país" e sabia como estimular a identificação do setor comercial com a defesa da ordem existente, contendo ou atendendo as aspirações mais fortes e desfazendo qualquer risco de "revolução dentro da ordem" a partir desse setor mais dinâmico.

Esses aspectos do destino social de novos interesses econômicos, tão poderosos no seio da sociedade civil, são deveras importantes para a análise sociológica. Eles permitem observar melhor como e por que um processo econômico, desencadeado como uma torrente e impetuoso ao longo de toda a sua implantação, sofreu uma deflexão profunda e irreversível por causa das condições histórico-sociais em que transcorreu. Ele provocou um crescimento econômico de tipo novo e modernizador. Contudo, em si e por si mesmo, esse crescimento não possuía proporções e intensidade suficientes para destruir ou, pelo menos, transformar radicalmente a ordem social escravocrata e senhorial. Teve de adaptar-se, ao contrário, às suas estruturas e aos seus ritmos de funcionamento ou de crescimento, acabando literalmente moldado e desfibrado por ela. Como sucederia mais tarde com o setor industrial, o setor comercial deixou, por impotência socioeconômica, mas também por falta de ímpeto político próprio, que os "interesses gerais" (que eram os "interesses do país e da lavoura") anulassem os "interesses do comércio" ou os atrofiassem de modo sistemático.

Os principais efeitos da situação apontada aparecem em três níveis distintos. Primeiro, o elo decisivo na cadeia de modernização capitalista e o único verdadeiramente assimilado, de maneira parcial ou completa (dependendo dos aspectos que se considerem), aos requisitos e às funções de um mercado capitalista, apenas projetava os dinamismos do desenvolvimento urbano no próprio cerne da ordem existente (a sua estrutura estamental). Podia privilegiar-se, assim, em termos estamentais (portanto, fora e acima dos limites específicos dos processos econômicos). Mas comprometia e perdia, inevitavelmente, a capacidade de atuar livre e revolucionariamente, em termos de considerações puramente econômicas, deixando a economia urbano comercial sem porta-vozes habilitados para agir em nome da "rebelião dentro da ordem". Segundo, ao nivelar sua situação de interesses, suas orientações de valor, suas estruturas de poder pela posição final da aristocracia agrária, o setor mais dinâmico da economia se via compelido a fechar os olhos diante da relação dependente com o mercado externo e a ficar com os proventos que lhe cabia no rateio social da comercialização dessa relação. O pior é que, devido à sua posição estratégica no processo de modernização institucional e de crescimento interno do capitalismo, tal setor servia de elo às influências externas e aos nexos de dependência, sem nenhuma consciência crítica das consequências nefastas, a largo prazo, de arranjos que poderiam parecer "ótimos", de imediato ou a curto prazo. Aos poucos, "iniciativa privada" e associação dependente com firmas, interesses e capitais estrangeiros convertem-se numa só realidade, pela qual o mesmo setor orienta sua ação econômica e política, a curto e a largo prazo, pelas expectativas ou preferências expressas das "casas matrizes", submetendo-se, sem maiores resistências, à dominação externa indireta, porém claramente visível. Terceiro, ao estruturar-se como grupo econômico, o setor comercial apoiou-se, naturalmente, nas fontes estamentais de seu poder social e político e nas fontes externas de seu poder econômico. Essa mistura não prejudicou a vitalidade de crescimento do setor econômico novo, pelo menos nos períodos em que o condicionamento e os dinamismos externos constituíam um fator de modernização institucional e de diferenciação da economia interna. A partir do momento em que os impactos externos deixavam de ser estimulantes, e no qual o mercado interno passava a pressionar o trabalho escravo e a forma escravista da organização da produção, ela evidenciou todo o seu caráter artificial e nocivo. Do "alto comércio", organizado em torno dos negócios de exportação e de importação, é que partiam as modalidades mais eficientes e destrutivas de inibição ou de solapamento quer da descompressão do "pequeno comércio", que gravitava em torno do consumo das massas, quer da diferenciação da produção (especialmente nos ramos que pudessem reduzir ou ameaçar o rol de mercadorias importadas). Somente quando a desintegração da ordem social escravocrata e senhorial atingiu proporções inequívocas e incontornáveis é que semelhante orientação básica foi sendo atenuada e alterada, até que se atingiu um ponto de compatibilização entre os interesses do "alto comércio" e os rumos internos do desenvolvimento capitalista. Malgrado o papel que grandes comerciantes pioneiros tiveram nessa reviravolta, ela não se produziu como consequência de uma "conquista" de que se pudesse vangloriar o setor coletivamente. Essas figuras e as condições em que lograram êxito capitalista revelam, demonstrativamente, que o "salto" foi produto das rupturas audaciosas (e não, como se pretende sugerir, com frequência, de uma evolução gradual de todo o setor na direção de um racionalismo econômico radical e consequente).

Pelo que indicam as conexões expostas, a propalada interdependência entre os interesses da aristocracia agrária e os interesses da nascente "burguesia urbana" não constituía um subproduto do livre jogo dos processos econômicos. Existia reciprocidade de interesses econômicos, mas ela não era o fundamento material da comunidade política; este provinha de um forte condicionamento da ordem social escravocrata e senhorial, que produzia a identificação dos estratos sociais vinculados ao "alto comércio" com as estruturas de poder existentes. Portanto, não se configura historicamente, dessa perspectiva, a existência de uma "burguesia" plenamente integrada e consciente do seu destino histórico, que pudesse afirmar-se como portadora de uma consciência especificamente revolucionária. A realidade mostra-nos o inverso disso, pois no plano no qual a ação daqueles estratos sociais era profunda e incoercivelmente inovadora, eles pretendiam uma evolução com a aristocracia agrária e não contra ela (o que destituía o ímpeto decorrente da "revolução dentro da ordem" de qualquer eficácia política). As inovações introduzidas prendiam-se à adaptação da economia nacional às funções econômicas que podiam ser dinamizadas com base na organização e no crescimento do mercado interno. Como a incorporação da grande lavoura ao capitalismo não se dera no nível das relações de produção, mas no dos papéis econômicos que se objetivaram (ou poderiam se objetivar) nas relações de mercado, as elites senhoriais logo perceberam a congruência das referidas inovações com a situação de interesses da aristocracia agrária e passaram a apoiá-las. Doutro lado, na medida em que o comércio atuava como um "setor" ou "grupo" econômico, ele apenas exprimia os interesses do "alto comércio" (que detinha meios e poder para se organizar com vistas a fins econômicos e políticos). As esferas nas quais lavrava profundo descontentamento, que abrangiam os diversos ramos do "pequeno" e do "baixo" comércio, não possuíam condições para canalizar suas insatisfações econômicas ou políticas em escala coletiva e nacionalmente. Mas existia, de fato, um fermento explosivo, imanente à compressão do comércio que não lograva privilegiar-se em virtude da natureza dos negócios, do nível social da clientela ou da própria classificação social dos agentes econômicos. É que a descompressão desse "pequeno" e "baixo" comércio não se deu (nem poderia dar-se) graças à simples abertura do mercado interno, à extinção do estatuto colonial e à emancipação política. Havia outros fatores de compressão, vinculados ao trabalho escravo, à organização escravista da produção, à falta de diferenciação e de vitalidade do sistema econômico "nacional", ao fornecimento externo, à supremacia estamental do "grande negociante" e do "negociante atacadista", à debilidade e ao custo do crédito, à dependência da tolerância ou proteção das grandes figuras locais, à marginalidade relativa do "pequeno comerciante" etc. O comércio livre interferia, inevitavelmente, na relação escravo-senhor, tanto no campo quanto na cidade. Alguns bens ou parte da renda obtida pelo escravo, em serviços urbanos, acabavam no balcão de vendas ou de botequins (não no bolso do senhor); e os produtos da "troca" eram consumidos ali mesmo, ou desapareciam no circuito comercial sem deixar rasto. A repressão no campo era mais necessária (pois o roubo e a receptação apareciam) e lograva alguma eficácia, porque era mais fácil submeter o comerciante a algum tipo de fiscalização ou de intimidação. No meio urbano, a coisa era mais difícil, e na grande cidade, quase impossível. O fornecimento externo, por sua vez, era quase um mecanismo de estrangulamento do comércio: ele se organizava de tal modo que reduzia drasticamente a regularidade e a fluidez das atividades comerciais. O controle dessas atividades concentrava-se nas mãos de poucas firmas estrangeiras e dos seus representantes ou associados nacionais. Além disso, a parte mais compensadora e lucrativa das atividades comerciais relacionava-se com a clientela de maior renda e poder de compra, e não podia ser explorada facilmente por comerciantes de pequeno porte. No entanto, parece que era na marginalidade social do pequeno comerciante e, por vezes, também do que se poderia chamar de comerciante médio (dependendo dos ramos das atividades comerciais), que residia o principal motivo de frustração e de revolta. A degradação social não provinha do caráter da atividade econômica em si mesma (pois ela não afetava os elementos envolvidos com o "alto comércio" exportador e importador). Mas, da própria posição social marginal dos seus agentes, que não se classificavam (e enquanto não se classificavam) em alguns dos níveis sociais dos estamentos intermediários.

Esses fatores fomentavam, isoladamente e em conjunto, fortes tensões e frustrações sociais no meio considerado. Todavia, os agentes de tal comércio acomodavam-se à situação, preferindo intensificar os esforços pessoais no sentido de "varar as barreiras", procurando na mobilidade social e na dignificação estamental a solução dos seus problemas. Por isso, o grosso desses agentes econômicos constituía uma espécie de massa de manobra, tanto nas lutas dos partidos quanto nas matérias de interesse político do "alto comércio", e mesmo da aristocracia agrária, que exigissem suporte nas manifestações populares. Nem a propaganda republicana conseguiu galvanizar essa modalidade de ressentimento e de descontentamento. Foi a campanha abolicionista que os congregou em torno da negação da ordem, pela condenação do escravismo e da dominação senhorial. Em suma, o "protesto burguês", como uma afirmação econômica, social e política revolucionária, não se equacionou historicamente, a partir de manifestações coletivas de condenação da ordem social escravocrata e senhorial ou de exaltação de uma ordem social alternativa. Pela razão muito simples: o agente humano que melhor encarnava a condição burguesa não tramava contra aquela ordem social. Identificava-se com ela, material e politicamente, e só iria abandonar o barco quando ela se mostrasse irremediavelmente inviável — por causa das transformações profundas da sociedade e de sua economia, não em virtude das agitações de superfície, que, no caso, não guiavam a história, eram um epifenômeno daquelas transformações.

Não obstante, esse agente humano interessa seriamente à análise sociológica. É que ele está na raiz da formação do modelo brasileiro de "competição". Seria injusto subestimar o esforço criador — no sentido puramente econômico do agente humano envolvido no "alto comércio" de exportação e de importação. Mas também seria ingênuo tentar compreendê-lo como se ele estivesse à testa de processos econômicos de um desenvolvimento capitalista autossustentado, autossuficiente e hegemônico. Ele era um produto acabado da "pirataria" e do caráter extorsivo do comércio neocolonial, que a *indirect rule* inglesa espalhou pelo mundo. Havia um substrato econômico nos "termos do negócio". Todavia, o mais importante não estava aí. Isso aconteceria se os "termos de troca" constituíssem uma operação estritamente econômica nos moldes do mercado capitalista especificamente moderno. No comércio neocolonial contava, essencialmente, a capacidade de ditar ou de determinar as condições dos "termos de troca". Como o setor agrário, o "setor mercantil" iria definir a sua compreensão da "iniciativa privada" e da natureza da "competição" em termos estamentais: como um privilégio, ou seja, como a faculdade de influenciar ou de estabelecer as condições dentro das quais as relações e os processos econômicos deveriam ser adaptados à situação de interesses do agente econômico. Dessa perspectiva, este não realizava o seu destino econômico no e através do mercado, mas fora e acima dele, pela manipulação de estruturas de poder suscetíveis de regular, direta ou indiretamente, o fluxo dos custos, dos preços e dos lucros. Essa representação puramente instrumental da "iniciativa privada" e da "competição" deturpava a ação econômica, pois a privilegiava e a potencializava independentemente das "forças do mercado" (e, conforme as circunstâncias, até contra elas). Contudo, ela não só alimentou a integração política do setor, como perdurou ao longo da evolução posterior do mercado capitalista no Brasil.

Sob vários aspectos, esse foi o principal fruto que a ordem social escravocrata e senhorial legou à formação do "espírito burguês" na sociedade brasileira. A "iniciativa privada" e a "competição", entendidas corretamente dentro desse contexto histórico-social, podiam ser usadas para o "bem" e para o "mal" do desenvolvimento econômico. Em regra, elas foram e continuam a ser altamente nocivas, por exigirem e fortalecerem interferências sobre o "curso normal" dos processos econômicos e por criarem, assim, um clima especulativo incoercível nas relações mercantis. Vistas do ângulo do agente econômico, elas foram e continuam a ser úteis, pois garantem, normalmente, as condições especiais de compensação e de segurança das transações comerciais em economias dependentes. Enquanto a ordem social escravocrata e senhorial se manteve em equilíbrio dinâmico, garantindo sua própria estabilidade e continuidade, esse modelo rapinante de "iniciativa privada" e de "competição" exercia influências construtivas (inclusive como fator de mudanças institucionais e econômicas, que fortaleciam e diferenciavam aquela ordem social ou serviam de base a processos de "revolução dentro da ordem", requeridos pela emancipação política). Ele estava no fundo da filosofia econômica, social e política que harmonizou os interesses do setor agrário e do setor mercantil, através de um sistema econômico híbrido e de acomodação. Quando a mesma ordem social entrou em crise, evidenciando sua incapacidade de assegurar, por meio de suas estruturas de poder, o funcionamento normal e vantajoso daquele modelo, ele revelou, de chofre, suas potencialidades desintegrativas. Não atuou como um "fermento social", que requeresse longa maturação histórica, nem como um "elemento puramente revolucionário", que trouxesse consigo uma nova utopia. Mas, como um fator de pulverização da ordem social escravocrata e senhorial, que perdera, de modo automático, com o desaparecimento das suas fontes sociais e políticas de eficácia econômica, a "confiança burguesa" do setor mercantil.

É quanto ao trabalho que o sistema de produção colonial deixou as marcas mais profundas e duradouras. Na ordem social exclusiva e especificamente estamental, como ela se constituíra e se desenvolvera na Península Ibérica (a esse respeito, as diferenças entre Portugal e Espanha não são relevantes), o trabalho artesanal e o tipo de comércio a que ele se associava possuíam uma faixa própria de diferenciação e de crescimento societários. O "trabalho mecânico" envolvia uma "mácula" inevitável e estigmatizadora, quase tão degradante quanto a de sangue, ambas transferidas para os *mores* do mundo colonial. Todavia, isso não impedia que o "trabalho mecânico" funcionasse como um dos fundamentos materiais da lenta elaboração e da ulterior expansão da "economia do burgo". No mundo colonial, porém, a superposição da escravidão ao regime estamental acarretou uma degradação extrema do "trabalho mecânico" e impôs critérios inteiramente novos de suplementação do trabalho escravo por trabalho de "homens livres" ou "semilivres" (seja através do trabalho do liberto, do trabalho de homens livres dependentes, e, portanto, excluídos da ordem estamental; e de artesãos, "homens de confiança" ou parentes pobres, pertencentes à raça dominante e classificados na ordem estamental). Os números através dos quais tal situação se exprimia, criavam uma realidade inelutável: a noção de trabalho se aplicava às tarefas "mecânicas", ao labor a mando e para gáudio de outrem, e pressupunha, de uma forma ou de outra, a perda de dignidade social e de liberdade. Para escapar a essa "sina", os artesãos chegados da Europa procuravam abandonar o trabalho efetivo (o que era mais ou menos fácil, dada a abundância de terras e a precariedade dos controles coercitivos), ou, então, praticavam seus misteres como se fossem oficiais e mestres decorativos (deixando ao escravo todo encargo supostamente "mecânico", como o transporte de materiais e ferramentas; e a realização das tarefas mais simples). Além disso, eles recorriam a ritmos econômicos que sujeitavam a procura aos desígnios do oficial ou do mestre artesão (o que tornava a compra de um objeto a ser produzido uma relação social sobremodo problemática e tormentosa). No conjunto, e como consequência, a mercantilização do trabalho não era apenas bloqueada pela escravidão. Ela esbarrava nas limitações funcionais do mercado colonial (que não classificava pessoas e grupos sociais dentro de uma ordem estamental e de castas) e nas imposições dos costumes (que retirava do trabalho dos "homens bons" o caráter de mercadoria). Por isso, a mercantilização do trabalho não só era incipiente e segmentária, mas ainda ocasional ou marginal, resistindo a transformar-se, como tal, numa relação normal, impessoal e desejável. O que se definia automaticamente como mercadoria, através do mercado, era o escravo (e não o trabalho escravo); e a respeito do escravo não se punham as questões da compra ou venda do trabalho (pois

CAPÍTULO 4 - ESBOÇO DE UM ESTUDO SOBRE A FORMAÇÃO...

se comprava ou se alugava o escravo, de quem se dispunha *ad libitum*, inclusive de suas faculdades, habilidades e força de trabalho).

A persistência da escravidão, seja no meio rural, seja no meio urbano, fez com que todo esse complexo colonial do trabalho se perpetuasse em bloco, ao longo do século XIX, dificultando a formação, a diferenciação e a expansão de um autêntico mercado de trabalho (ao lado do mercado de escravos) e facilitando a ultra exploração do liberto e do "homem livre" ou "semilivre" que vivessem de sua força de trabalho. Isso concorreu para criar uma bifurcação na evolução econômica: o crescimento da economia urbano-comercial (na qual se dá primeiro a emergência e a expansão do "trabalho livre" como mercadoria) segue paralelo à exclusão do escravo, do qual procedia, em última análise, o excedente econômico que possibilitava e dinamizava aquele crescimento. Por isso, os progressos imediatos da modernização e do grau de descolonização imanente à emancipação nacional não liberam o escravo nem livram a economia do trabalho escravo. Ao contrário, a modernização de tipo neocolonial e a descolonização contida vão alimentar-se da perpetuação em bloco do sistema de produção colonial, e dele iria depender tudo o mais (a viabilidade da emancipação nacional, a continuidade e a expansão da ordem social escravocrata e senhorial depois da Independência, a eclosão do mercado capitalista no setor urbano-comercial etc.). Embora na escravidão repousassem tanto o desenvolvimento capitalista externo (dos países hegemônicos que detinham o controle do mercado tropical) quanto o incipiente desenvolvimento capitalista interno (no caso, nesse período de transição, de fim e de começo de século, limitado ao "setor novo" ou urbano-comercial da economia), as mudanças de relação entre escravidão e capitalismo não atingem o agente do trabalho escravo nem modificam as vinculações do trabalho escravo com o sistema de produção (pois ambos, o trabalho escravo e o sistema de produção, continuam especificamente coloniais). Por conseguinte, o trabalho escravo e suas determinações diretas ou indiretas mantêm-se como antes, estreitamente presos ao trabalho bruto e braçal, à rede de serviços intersticiais ou domésticos etc., onde a diferença entre economia rural e economia urbana era nula ou quase nula. As diversas tentativas de absorção do trabalho escravo em outras órbitas ou fronteiras econômicas principalmente pela diferenciação do sistema de produção e pela produção manufatureira nas quais o escravo poderia aparecer como equivalente do trabalhador livre e como agente da nova ordem econômica emergente, falharam reiterada e redondamente. Não só porque o escravo não tinha preparo para as novas tarefas, mas especialmente porque, mantido o padrão colonial de produção, não se podiam ampliar ou diferenciar seja a eficácia, seja a produtividade do trabalho escravo. O problema era, pois, organizatório, e as "vítimas do sistema de produção colonial" tinham de ser, forçosamente, o escravo e o liberto, ambos condenados de antemão a sofrer as consequências mais negativas e destrutivas da evolução concomitante ou articulada dos dois setores paralelos da economia (o antigo, ligado à produção colonial, que subsiste em bloco e cresce com a reorganização da exportação; e o novo, ligado à emergência e à expansão dos polos urbano-comerciais).

No entanto, superada a curta fase neocolonial e sob a plena crise que as imperativas medidas emancipacionistas acarretavam, os papéis econômicos centrais deslocaram-se do trabalho escravo para o trabalho livre. Apesar de sua debilidade, este já se configura, a partir dos meados do século XIX, como o fulcro de organização do sistema econômico em expansão na cidade e em propagação desta para o campo. A presença do trabalho escravo e sua importância histórica para a viabilidade simultânea da produção agrária e da ordem estamental, porém, condicionam e determinam evoluções inexoráveis. O trabalho livre não nasce, aqui, sob o signo de um mercado que divide e opõe, mas, ao mesmo tempo, valoriza e classifica. Surge como expressão das convenções e das regularidades imperantes na sufocante ordem social escravocrata e senhorial brasileira. Em vez de fomentar a competição e o conflito, ele nasce fadado a articular-se, estrutural e dinamicamente, ao clima do mandonismo, do paternalismo e do conformismo, imposto pela sociedade existente, como se o trabalho livre fosse um desdobramento e uma prolongação do trabalho escravo. A ruptura, que se iria dar no último quartel do século XIX, foi antes "mecânica" e "estática" que societária, histórica e política, como pura decorrência das incompatibilidades existentes entre trabalho escravo e trabalho livre, mercado colonial e mercado capitalista, produção colonial e produção capitalista. O liberto e o homem livre dependente não ofereciam, nas zonas em intenso e rápido crescimento econômico, alternativas para a reordenação do sistema de trabalho na economia urbano-comercial tanto quanto na economia rural. Como acontecera com o desenvolvimento capitalista do mercado interno, a expansão do trabalho livre se iniciará como um processo de incorporação ao mercado mundial, mediante a imigração estrangeira e a implantação de "núcleos de colonização". Assim se constitui a torrente que iria absorver gradualmente, ainda que de forma irregular e inconstante, os contingentes dos "homens livres" e "semilivres" da população interna (os libertos e ex-escravos lançam--se nessa torrente, mas em condições peculiares, que não podem ser mencionadas aqui).

O importante, nessa ruptura, não é o trabalho em si, mas o padrão demográfico de composição e equilíbrio da população. Esse padrão se altera rapidamente, nas zonas em crescimento econômico. Em menos de três quartos de século, a partir da extinção do tráfico (como se apreende da evolução da população de São Paulo),[10] emerge e se propaga o novo padrão demográfico, requerido por um sistema econômico fundado sobre o trabalho livre. É nesse processo que se encontra o substrato material da "revolução da ordem" e das "lutas abolicionistas" ou "republicanas" contra o antigo regime. Alterado o padrão demográfico de composição e de equilíbrio da população, alteram-se concomitantemente as disposições de identificação ou de conflito diante da ordem social escravocrata e senhorial. O que a irrupção do mercado capitalista do trabalho não criara, por si mesma, iria suprir com as polarizações socioeconômicas dos vários segmentos da população em conjunto. Pode-se dizer que a ordem social escravocrata e senhorial perde, quase ao mesmo tempo, e de maneira que só não é súbita por causa da lentidão com que se constitui o ponto crítico da fase de desenlace, as bases materiais de sua existência demográfica e econômica. A fome geral de braços na lavoura e nos centros urbanos das áreas em crescimento econômico facilita a transição, retira dela qualquer significado catastrófico e orienta a recomposição dos quadros demográficos e econômicos da sociedade burguesa. O liberto situou-se melhor que o ex-escravo nesse processo global. Porém, com o desaparecimento do escravo ele também perde em importância, como escolha alternativa. O ex-agente do trabalho escravo sofre o impacto destrutivo da transição, já que tinha de enfrentar a competição dos imigrantes e do trabalhador "nacional" livre ou semilivre, o tratamento discriminativo dos empregadores e as autoavaliações que o predispunham a resistir à mercantilização do trabalho (como se ela fosse um prolongamento da condição do escravo, como "mercantilização da pessoa" do trabalhador). Mas ele não estava sozinho nesses momentos críticos: vários setores da população interna não compreendiam bem a natureza do trabalho livre e da mercantilização do trabalho, como se fosse difícil ou impossível separar o trabalho, como mercadoria, da pessoa do trabalhador. Essa situação estrutural complicaria todo o processo histórico, tornando muito demorada a emergência de uma consciência operária e debilitando o uso legítimo da competição e do conflito em relações tipicamente contratuais (largamente representadas

---

[10] Ver Florestan Fernandes, "O negro em São Paulo" (in J. V. Freitas Marcondes e O. Pimentel, *São Paulo: espírito, povo, instituições*).

pelos brasileiros como se fossem relações tradicionais de lealdade ou como relações tipicamente patrimonialistas). Por sua vez, o senhor que se tornara patrão (e com frequência o típico patrão dos centros urbanos) reagia de modo simétrico ao escravo (o que, aliás, em vários casos, vinha de longe, pois tanto nas cidades quanto no campo não era incomum a exploração simultânea do trabalho escravo e do trabalho livre). Para eles, também, o trabalhador vendia de algum modo a sua pessoa com o trabalho, criando vinculações e obrigações que ultrapassavam as relações de mercado (perpetuando-se o tradicionalismo e o patrimonialismo através da secularização da cultura). Algum tempo e muitos conflitos reeducativos foram necessários para que o universo do contrato e do trabalho livre se impusesse com relativa lentidão e muita irregularidade nesse polo da "relação salarial".[11] O imigrante, aqui e ali, impunha-se com maior ímpeto, como o agente de trabalho favorecido pelo curso da história, contribuindo fortemente para difundir as novas categorias do comportamento operário. Contudo, antes de atingir-se o âmago da crise e o momento irreversível da transição, ele também era, como e enquanto trabalhador, destituído de poder social, econômico e político. Não tinha, como não tinha o trabalhador em geral, como imprimir ao processo demográfico e econômico descrito o peso de seus interesses ou seus valores e aspirações. O que quer dizer que não há concomitância entre a transformação do trabalho em mercadoria e a sua elaboração como fator social construtivo e relativamente autônomo. De fato, o "trabalho livre" aparece primeiro como mercadoria — como uma realidade do mercado capitalista e do emergente sistema de produção capitalista que se estende da cidade ao campo. É somente depois disso, consumada a crise final e o desaparecimento da ordem social escravocrata e senhorial, que o "trabalho livre" se configura como um fator social construtivo, adaptando-se às funções sociais e políticas que deveria ter na ordem social competitiva. É aí e então que completa, já sob a Primeira República, o circuito de sua transformação em pura mercadoria. Para que se atingisse esse desfecho era preciso que aquele que vende o trabalho contasse pelo menos com algumas condições econômicas, sociais e políticas, que lhe permitissem definir e impor o seu lado da barganha salarial e da relação patrão-operário ou trabalhador.

---

[11] Como exemplo típico, ver o testemunho de Davatz e, em particular, as interpretações de Sérgio Buarque de Holanda (Thomaz Davatz, *Memórias de um colono no Brasil*).

CAPÍTULO 4 - ESBOÇO DE UM ESTUDO SOBRE A FORMAÇÃO...

Tudo isso salienta algo muito conhecido. O salário não privilegia o agente do trabalho, mas o apropriador do trabalho e de seus produtos. A diferença entre a antiga ordem social escravocrata e senhorial e a moderna ordem social competitiva é que, naquela, a apropriação não se defrontava com reguladores externos de real eficácia, enquanto nesta o mercado, os níveis de vida e de salário, a competição e o conflito (de início polarizados apenas pelo movimento sindical), a consciência operária e a solidariedade de classes (que emergem gradualmente), a participação política reivindicativa e inconformista dos setores pobres e assalariados etc. aos poucos convertem a "integração nacional" em um processo democrático e revolucionário que pelo menos destrói barreiras sociais arcaicas e introduz "niveladores sociais de classe". Tal processo deita raízes na própria emancipação nacional e nas tendências correlatas de modernização controlada de fora, de desenvolvimento de um mercado capitalista interno e de crescimento urbano-comercial. Contudo, como a descolonização inicial foi mínima, graças à preservação da escravidão, da produção colonial e da ordem social escravocrata e senhorial, a dominação senhorial, primeiro, e sua transformação em dominação oligárquica, em seguida, bloquearam tanto econômica e socialmente quanto politicamente a formação das classes e dos mecanismos de solidariedade de classe, impondo o controle conservador e o poder autocrático das elites das classes dominantes como fio condutor da história. De novo, repete-se o circuito histórico da transição da sociedade colonial para sociedade imperial. Os que detinham a riqueza e o poder político puderam privilegiar seus interesses e posições de classe, acelerando essa formação societária no topo e impedindo, na medida do possível, sua consolidação na base da ordem social competitiva. Em consequência, puseram-se em condições de manter privilégios que não poderiam subsistir normalmente (isto é, se os setores pobres e assalariados contassem com oportunidades análogas de acelerar, por seu lado, o desenvolvimento e o fortalecimento do regime de classes) e, também, de converter vários requisitos da ordem social competitiva em privilégios fechados (a começar pelo monopólio da riqueza e do poder, que torna a dominação oligárquica sob a República uma "democracia entre iguais", ou seja, uma rígida ditadura de classe). Tendo em vista o que nos interessa aqui: as fontes de socialização negativa do trabalho — seja do trabalho escravo, seja do trabalho livre — só puderam ser combatidas tardiamente (já nos processos históricos de luta política específica, contra a dominação senhorial e, a seguir, contra o seu sucedâneo, a dominação oligárquica).

Na verdade, porém, a socialização negativa do trabalho escravo nunca chegou a ser coibida e a socialização negativa do trabalho livre só muito recentemente se converteu em problema social, sob a pressão do movimento sindical e do inconformismo político da classe operária. Isso quer dizer que o trabalho livre foi submetido, ao longo da formação e da expansão da ordem social competitiva, a um processo de corrupção secular, o qual começou por negar-lhe condições de solidariedade estamental (sob o antigo regime) e terminou, igualmente, por negar-lhe condições de solidariedade de classes (sob o regime de classes e a República), o que retirou, e ainda hoje retira, do trabalho livre as bases estruturais e dinâmicas de sua elaboração como fator social construtivo (capaz de alimentar e de dar sentido às transformações de baixo para cima da ordem social competitiva). No passado, ele só entrava no cálculo econômico dos estamentos dominantes em termos dos custos finais (da produção ou de serviços) e era concebido socialmente como um atributo que desqualificava o seu agente, como "interlocutor válido".[12] Esse universo, que se manteve largamente, malgrado os vários movimentos reivindicativos e revolucionários da população pobre e da classe operária, não podia dar eficácia econômica, social, legal e política, quer ao contrato, quer à livre competição, quer ao conflito regulado ou legítimo. Guardadas as proporções, o trabalho livre se configura (como ocorreu com o trabalho escravo), do modo mais cínico e brutal, como puro instrumento de espoliação econômica e de acumulação tão intensiva quanto possível de capital. O elemento ou a dimensão humana do trabalho bem como a "paz social" são figuras de retórica, de explícita mistificação burguesa, e quando precisam ir além disso, o mandonismo e o paternalismo tradicionalistas cedem seu lugar à repressão policial e à dissuasão político-militar.[13]

---

[12] Isso explica os salários ultra baixos que os fazendeiros de café pagavam aos imigrantes (ver Emília Viotti da Costa, *Da senzala à colônia*), e o tratamento do "protesto operário" como caso de polícia (ver Everardo Dias, *História das lutas sociais no Brasil*).

[13] As outras duas questões (cf. p. 191) não foram examinadas.

TERCEIRA PARTE

REVOLUÇÃO BURGUESA E CAPITALISMO DEPENDENTE

INTRODUÇÃO

Na descrição da emergência da revolução burguesa demos preferência à focalização de certos processos e de certos tipos humanos, que localizam historicamente o aparecimento do capitalismo como uma realidade interna. O que nos preocupou, na verdade, foi situar e determinar a passagem do entesouramento e da propensão a economizar pré-capitalistas para a acumulação capitalista propriamente dita (processo econômico que é, também, um processo psicossocial). Os tipos humanos escolhidos não são os únicos que permitem documentar (e, em certo sentido, interpretar descritivamente) essa passagem. Doutro lado, eles poderiam ser desdobrados, em função de uma multiplicidade de papéis econômicos específicos e das personalidades-*status* correspondentes, se a descrição exigisse maior aprofundamento analítico e interpretativo. Nesse caso, esses tipos humanos desapareceriam, tragados pelas categorias econômicas empresariais. No entanto, tais tipos humanos não só estavam na raiz mesma dos processos, que atraíram nossa atenção, como nada podemos entender dessa fase embrionária do capitalismo no Brasil se separarmos uns dos outros. É no seu enlace que se elevam ao primeiro plano tanto a "força selvagem" quanto a "debilidade crônica" da revolução burguesa sob o capitalismo dependente. Essas duas características não surgem tardiamente. Elas são primordiais e podem ser apanhadas antes de uma maior diferenciação do regime de produção capitalista e do regime de classes, quando proletariado e burguesia se defrontarão, como e enquanto forças antagônicas, no cenário histórico. A importância da análise está num fato simples: ela permite detectar um drama crônico, que não é da essência do capitalismo em geral, mas é típico do capitalismo dependente. As impossibilidades históricas formam uma cadeia, uma espécie de círculo vicioso, que tende a repetir-se em quadros estruturais subsequentes. Como não há ruptura definitiva com o passado, a cada passo este se reapresenta na cena histórica e cobra o seu preço, embora sejam muito variáveis os artifícios da "conciliação" (em regra, uma autêntica negação ou neutralização da "reforma").

Contudo, feita essa focalização, progredimos muito pouco. Ela esclarece, mas não explica. Para explicar é preciso levar a indagação um pouco mais longe, se possível até aos elementos mais profundos e menos visíveis da organização da economia, da sociedade e do Estado.

Somente assim a transformação capitalista que se tornou historicamente viável no Brasil pode aparecer como um todo e em toda a sua complexidade à investigação sociológica. Isso exige que se considere uma extensão de tempo maior e, em especial, que se tomem para observar as configurações "mais maduras" e "consolidadas" desse tipo de capitalismo. Sob essas condições já se podem questionar: 1) a natureza do capitalismo (e, portanto, da transformação capitalista) que nos coube, graças à "partilha do mundo"; 2) os marcos da evolução possível desse capitalismo e o que eles parecem reservar aos seus protagonistas principais, a burguesia e o proletariado.

CAPÍTULO 5

A CONCRETIZAÇÃO DA REVOLUÇÃO BURGUESA[1]

Na acepção em que tomamos o conceito, Revolução Burguesa denota um conjunto de transformações econômicas, tecnológicas, sociais, psicoculturais e políticas que só se realizam quando o desenvolvimento capitalista atinge o clímax de sua evolução industrial. Há, porém, um ponto de partida e um ponto de chegada, e é extremamente difícil localizar-se o momento em que essa revolução alcança um patamar histórico irreversível, de plena maturidade e, ao mesmo tempo, de consolidação do poder burguês e da dominação burguesa. A situação brasileira do fim do Império e do começo da República, por exemplo, contém somente os germes desse poder e dessa dominação. O que muitos autores chamam, com extrema impropriedade, de crise do poder oligárquico não é propriamente um "colapso", mas o início de uma transição que inaugurava, ainda sob a hegemonia da oligarquia, uma recomposição das estruturas do poder, pela qual se configurariam, historicamente, o poder burguês e a dominação burguesa. Essa recomposição marca o início da modernidade, no Brasil, e praticamente separa (com um quarto de século de atraso, quanto às datas de referência que os historiadores

---

[1] Escrito para servir, originalmente, de introdução à terceira parte do livro, este curto capítulo só focaliza, de uma perspectiva histórico-sociológica, os momentos de crise e de superação da crise do "poder burguês" e da "dominação burguesa" no Brasil, na transição do capitalismo competitivo para o capitalismo monopolista. A análise dos problemas concretos dessa transição é feita nos capítulos subsequentes. Publicação prévia: "Revolução Burguesa e capitalismo dependente", em *Debate & Crítica*, São Paulo, n 1, julho-dezembro de 1973, pp. 48-66.

gostam de empregar — a Abolição, a Proclamação da República e as inquietações da década de 1920) a "era senhorial" (ou o antigo regime) da "era burguesa" (ou a sociedade de classes).

Para o sociólogo, se se desconta o que ocorre no eixo Rio — São Paulo, o que caracteriza o desencadeamento dessa era é o seu tom cinzento e morno, o seu todo vacilante, a frouxidão com que o país se entrega, sem profundas transformações iniciais em extensão e em profundidade, ao império do poder e da dominação especificamente nascidos do dinheiro. Na verdade, várias burguesias (ou ilhas burguesas), que se formaram em torno da plantação e das cidades, mais se justapõem do que se fundem, e o comércio vem a ser o seu ponto de encontro e a área dentro da qual se definem seus interesses comuns. É dessa debilidade que iria nascer o poder da burguesia, porque ela impôs, desde o início, que fosse no terreno político que se estabelecesse o pacto tácito (por vezes formalizado e explícito) de dominação de classe. Ao contrário de outras burguesias, que forjaram instituições próprias de poder especificamente social e só usaram o Estado para arranjos mais complicados e específicos, a nossa burguesia converge para o Estado e faz sua unificação no plano político, antes de converter a dominação socioeconômica no que Weber entendia como "poder político indireto". As próprias "associações de classe", acima dos interesses imediatos das categorias econômicas envolvidas, visavam a exercer pressão e influência sobre o Estado e, de modo mais concreto, orientar e controlar a aplicação do poder político estatal, de acordo com seus fins particulares. Em consequência, a oligarquia não perdeu a base de poder que lograra antes, como e enquanto aristocracia agrária; e encontrou condições ideais para enfrentar a transição, modernizando-se, onde isso fosse inevitável, e irradiando-se pelo desdobramento das oportunidades novas, onde isso fosse possível.

O efeito mais direto dessa situação é que a burguesia mantém múltiplas polarizações com as estruturas econômicas, sociais e políticas do país. Ela não assume o papel de paladina da civilização ou de instrumento da modernidade, pelo menos de forma universal e como decorrência imperiosa de seus interesses de classe. Ela se compromete, por igual, com tudo que lhe fosse vantajoso: e para ela era vantajoso tirar proveito dos tempos desiguais e da heterogeneidade da sociedade brasileira, mobilizando as vantagens que decorriam tanto do "atraso" quanto do "adiantamento" das populações. Por isso, não era apenas a hegemonia oligárquica que diluía o impacto inovador da dominação burguesa. A própria burguesia como um todo (incluindo-se nela as oligarquias) se ajustara à situação segundo uma linha de múltiplos interesses e de

CAPÍTULO 5 - A CONCRETIZAÇÃO DA REVOLUÇÃO BURGUESA

adaptações ambíguas, preferindo a mudança gradual e a composição a uma modernização impetuosa, intransigente e avassaladora. No mais, ela florescia num meio em que a desagregação social caminhava espontaneamente, pois a Abolição e a universalização do trabalho livre levaram a descolonização ao âmago da economia e da sociedade. Sem qualquer intervenção sua, intolerante ou ardorosa, a modernização caminhava rapidamente, pelo menos nas zonas em expansão econômica e nas cidades mais importantes em crescimento tumultuoso; e sua ansiedade política ia mais na direção de amortecer a mudança social espontânea que no rumo oposto, de aprofundá-la e de estendê-la às zonas rurais e urbanas mais ou menos "retrógradas" e estáveis.

Além desse aspecto sociodinâmico, cumpre não esquecer que o grosso dessa burguesia vinha de e vivia em um estreito mundo provinciano, em sua essência rural qualquer que fosse sua localização e o tipo de atividade econômica —, e, quer vivesse na cidade ou no campo, sofrera larga socialização e forte atração pela oligarquia (como e enquanto tal, ou seja, antes de fundir-se e perder-se principalmente no setor comercial e financeiro da burguesia). Podia discordar da oligarquia ou mesmo opor-se a ela. Mas fazia-o dentro de um horizonte cultural que era essencialmente o mesmo, polarizado em torno de preocupações particularistas e de um entranhado conservantismo sociocultural e político. O conflito emergia, mas através de discórdias circunscritas, principalmente vinculadas a estreitos interesses materiais, ditados pela necessidade de expandir os negócios. Era um conflito que permitia fácil acomodação e que não podia, por si mesmo, modificar a história. Além disso, o mandonismo oligárquico reproduzia-se fora da oligarquia. O burguês que o repelia, por causa de interesses feridos, não deixava de pô-lo em prática em suas relações sociais, já que aquilo fazia parte de sua segunda natureza humana.

Não obstante, essa mesma burguesia — como sucedera com a aristocracia na época da Independência — foi condicionada pelos requisitos ideais e legais da ordem social competitiva. Ela se define, em face de seus papéis econômicos, sociais e políticos, como se fosse a equivalente de uma burguesia revolucionária, democrática e nacionalista. Propõe-se, mesmo, o grandioso modelo francês da revolução burguesa nacional e democrática. Essa simulação não podia ser desmascarada: a Primeira República preservou as condições que permitiam, sob o Império, a coexistência de "duas nações", a que se incorporava à ordem civil (a rala minoria, que realmente constituía uma "nação de mais iguais"), e a que estava dela excluída, de modo parcial ou total (a grande maioria, de quatro quintos ou mais, que constituía a "nação real"). As representações ideais da burguesia valiam para ela própria e definiam um modo de ser que se esgotava dentro de um circuito fechado. Mais que uma compensação e que uma consciência falsa, eram um adorno, um objeto de ostentação, um símbolo de modernidade e de civilização. Quando outros grupos se puseram em condições de cobrar essa identificação simbólica, ela se desvaneceu. A burguesia mostrou as verdadeiras entranhas, reagindo de maneira predominantemente reacionária e ultraconservadora, dentro da melhor tradição do mandonismo oligárquico (que nos sirva de exemplo o tratamento das greves operárias na década de 1910, em São Paulo, como puras "questões de polícia"; ou, quase meio século depois, a repressão às aspirações democráticas das massas).

Portanto, estamos diante de uma burguesia dotada de moderado espírito modernizador e que, além do mais, tendia a circunscrever a modernização ao âmbito empresarial e às condições imediatas da atividade econômica ou do crescimento econômico. Saía desses limites, mas como meio — não como um fim — para demonstrar sua civilidade. Nunca para empolgar os destinos da nação como um todo, para revolucioná-la de alto a baixo. A esse ponto morto, que se objetivava a partir de dentro, contrapunha-se outro ponto morto, que vinha de fora para dentro. A transição para o século XX e todo o processo de industrialização que se desenrola até a década de 1930 fazem parte da evolução interna do capitalismo competitivo. O eixo dessa evolução, como se sabe, estava no esquema de exportação e de importação, montado sob a égide da economia neocolonial. A influência modernizadora externa se ampliara e se aprofundara; mas ela morria dentro das fronteiras da difusão de valores, técnicas e instituições instrumentais para a criação de uma economia capitalista competitiva satélite. Ir além representaria um risco: o de acordar o homem nativo para sonhos de independência e de revolução nacional, que entrariam em conflito com a dominação externa. O impulso modernizador, que vinha de fora e era inegavelmente considerável, anulava-se, assim, antes de tornar-se um fermento verdadeiramente revolucionário, capaz de converter a modernização econômica na base de um salto histórico de maior vulto. A convergência de interesses burgueses internos e externos fazia da dominação burguesa uma fonte de estabilidade econômica e política, sendo esta vista como um componente essencial para o tipo de crescimento econômico, que ambos pretendiam, e para o estilo de vida política posto em prática pelas elites (e que servia de suporte ao padrão vigente de estabilidade econômica e política). Portanto, a dominação burguesa se associava a procedimentos autocráticos, herdados do passado ou improvisados no presente, e era quase neutra para a formação e a difusão de procedimentos democráticos alternativos, que deveriam ser instituídos (na verdade, eles tinham existência legal ou formal, mas eram socialmente inoperantes).

CAPÍTULO 5 - A CONCRETIZAÇÃO DA REVOLUÇÃO BURGUESA

Nessa situação, dois elementos precisam ser postos em especial relevo, por causa de sua importância para a interpretação sociológica da evolução da dominação burguesa. Um deles é o significado dessa dimensão autocrática da dominação burguesa. Entre as elites das classes dominantes havia um acordo tácito quanto à necessidade de manter e de reforçar o caráter autocrático da dominação burguesa, ainda que isso parecesse ferir a filosofia da livre empresa, as bases legais da ordem e os mecanismos do Estado representativo. Todavia, as concepções liberais e republicanas, apesar de suas inconsistências e debilidades, tomavam essa autocracia social e de fato um arranjo espúrio, já que ela entrava em contradição com os valores ideais e com os requisitos formais da ordem existente. As racionalizações atenuavam as implicações práticas da contradição (representada por alguns como "empecilho para o progresso" e entendida pela maioria como "um mal necessário"); mas não eliminavam nem a existência nem a germinação do conflito axiológico resultante. Como esse conflito fermentava no seio das classes dominantes, ele concorria poderosamente para minar a dominação burguesa e, principalmente, para impedir que ela se instaurasse como um todo monolítico e invulnerável. O outro elemento diz respeito ao progressivo aparecimento de uma efetiva "oposição dentro da ordem" e "a partir de cima". Sob o regime escravocrata e senhorial, a aristocracia podia conter (e mesmo impedir) esse tipo de oposição, fixando às divergências toleradas os limites de seus próprios interesses econômicos, sociais e políticos (convertidos automaticamente nos "interesses da ordem" ou "da nação como um todo"). A eclosão do regime de classes quebrou essa possibilidade, pulverizando os interesses das classes dominantes (não só entre categorias da grande burguesia, mas ainda convertendo os setores médios numa fonte de crescente pressão divergente). Ao mesmo tempo, ela ampliou o cenário dos conflitos potenciais, dando viabilidade à emergência de uma "oposição de baixo para cima", difícil de controlar e fácil de converter-se em "oposição contra a ordem". Ora, as elites brasileiras não estavam preparadas para as duas transformações concomitantes. Acomodaram-se de modo mais ou menos rápido à primeira diferenciação, que brotava no ápice da sociedade e podia ser tolerada como uma divergência *intra muros* e que, no fundo, nascia de uma pressão natural para ajustar a dominação burguesa a seus novos quadros reais. No entanto, viram os efeitos da segunda diferenciação como um desafio insuportável, como se ela contivesse uma demonstração de lesa-majestade: as reservas de opressão e de repressão de uma sociedade de classes em formação foram mobilizadas para solapá-la e para impedir que as massas populares conquistassem, de fato, um espaço político próprio, "dentro da ordem". Essa reação não foi imediata; ela teve larga duração, indo do mandonismo, do paternalismo e do ritualismo eleitoral à manipulação dos movimentos políticos populares, pelos demagogos conservadores ou oportunistas e pelo condicionamento estatal do sindicalismo.

Só em um sentido aparente essas transformações indicam uma "crise do poder oligárquico". Depois da Abolição, a oligarquia não dispunha de base material e política para manter o padrão de hegemonia elaborado no decorrer do Império. Para fortalecer-se, ela tinha de renovar-se, recompondo aquele padrão de dominação segundo as injunções da ordem social emergente e em expansão. Os conflitos que surgiram, a partir de certos setores radicais das "classes médias" (dos quais o tenentismo é uma forte expressão, embora a pressão civil — relacionada com o sufrágio, os procedimentos eleitorais e a renovação da política econômica — possuísse significado análogo), e a partir de setores insatisfeitos da grande burguesia (os industriais de São Paulo e do Rio são comumente lembrados, mas não se deveria esquecer a pressão que provinha das oligarquias "tradicionais" dos estados em relativa ou franca estagnação econômica), se acabaram com a monopolização do poder pela "velha" oligarquia, também deram a esta (e a seus novos rebentos) a oportunidade de que precisavam para a restauração de sua influência econômica, social e política. Essa "crise" — como um processo normal de diferenciação e de reintegração do poder — tomou os interesses especificamente oligárquicos menos visíveis e mais flexíveis, favorecendo um rápido deslocamento do poder decisivo da oligarquia "tradicional" para a "moderna" (algo que se iniciara no último quartel do século XIX, quando o envolvimento da aristocracia agrária pelo "mundo urbano dos negócios" se tornou mais intenso e apresentou seus principais frutos políticos).

No conjunto, é preciso dar maior relevo ao segundo elemento da evolução apontada. Porque é nele, nesse entrechoque de conflitos de interesses da mesma natureza ou convergentes e de sucessivas acomodações, que repousa o que se poderia chamar de consolidação conservadora da dominação burguesa no Brasil. Foi graças a ela que a oligarquia — como e enquanto oligarquia "tradicional" (ou agrária) e como oligarquia "moderna" (ou dos altos negócios, comerciais-financeiros mas também industriais) logrou a possibilidade de plasmar a mentalidade burguesa e, mais ainda, de determinar o próprio padrão de dominação burguesa. Cedendo terreno ao radicalismo dos setores intermediários e à insatisfação dos círculos industriais, ela praticamente ditou a solução dos conflitos a largo prazo, pois não só resguardou seus interesses materiais "tradicionais" ou "modernos", apesar de todas as mudanças, como transferiu

CAPÍTULO 5 - A CONCRETIZAÇÃO DA REVOLUÇÃO BURGUESA

para os demais parceiros o seu modo de ver e de praticar tanto as regras quanto o estilo do jogo. Depois de sua aparente destituição, pela revolução da Aliança Liberal, as duas oligarquias ressurgem vigorosamente sob o Estado Novo, o governo Dutra e, especialmente, a "revolução institucional" (sem que se ofuscassem nos entreatos). Parafraseando os mexicanos, poderíamos dizer que se constitui uma nova aristocracia e que foi a oligarquia ("antiga" ou "moderna") — e não as classes médias ou os industriais — que decidiu, na realidade, que deveria ser a dominação burguesa, senão idealmente, pelo menos na prática. Ela comboiou os demais setores das classes dominantes, selecionando a luta de classes e a repressão do proletariado como o eixo da revolução burguesa no Brasil.

Fora da Sociologia marxista prevalece o intento de explicar a revolução burguesa somente pelo passado (especialmente pela vitória sobre uma aristocracia decadente ou reacionária, variavelmente anticapitalista), ignorando-se ou esquecendo-se a outra face da moeda, com frequência mais decisiva: a imposição da dominação burguesa à classe operária. Ora, o que poderia significar essa "vitória" sobre forças em processo de extinção ou de incorporação ao próprio mundo burguês? Ao que parece, o importante e decisivo não está no passado, remoto ou recente, mas nas forças em confronto histórico, em luta pelo controle do Estado e do alcance da mudança social. Aqui não tínhamos uma burguesia distinta e em conflito de vida e morte com a aristocracia agrária. Doutro lado, o fundamento comercial do engenho, da fazenda ou da estância pré-capitalistas engolfou a aristocracia agrária no cerne mesmo da transformação capitalista, assim que o desenvolvimento do mercado e de novas relações de produção levaram a descolonização aos alicerces da economia e da sociedade. Foi graças a esse giro que velhas estruturas de poder se viram restauradas: o problema central tomou-se, desde logo, como preservar as condições extremamente favoráveis de acumulação originária, herdadas da Colônia e do período neocolonial, e como engendrar, ao lado delas, condições propriamente modernas de acumulação de capital (ligadas à expansão interna do capitalismo comercial e, em seguida, do capitalismo industrial). Aí se fundiram, como vimos anteriormente, o "velho" e o "novo", a antiga aristocracia comercial com seus desdobramentos no "mundo de negócios" e as elites dos imigrantes com seus descendentes, prevalecendo, no conjunto, a lógica da dominação burguesa dos grupos oligárquicos dominantes. Essa lógica se voltava para o presente e para o futuro, tanto na economia quanto na política. À oligarquia a preservação e a renovação das estruturas de poder, herdadas no passado, só interessavam como instrumento econômico e político: para garantir o desenvolvimento capitalista interno e sua própria hegemonia econômica, social e política. Por isso, ela se converteu no pião da transição para o "Brasil moderno". Só ela dispunha de poder em toda a extensão da sociedade brasileira: o desenvolvimento desigual não afetava o controle oligárquico do poder, apenas estimulava a sua universalização. Além disso, só ela podia oferecer aos novos comensais, vindos dos setores intermediários, dos grupos imigrantes ou de categorias econômicas, a maior segurança possível na passagem do mundo pré-capitalista para o mundo capitalista, prevenindo a "desordem da economia", a "dissolução da propriedade" ou o "desgoverno da sociedade". Também foi ela que definiu o *inimigo comum*: no passado, o escravo (e, em sentido mitigado, o liberto); no presente, o assalariado ou semiassalariado do campo e da cidade. Com essa definição, ela protegia tanto as fontes da acumulação pré-capitalista, que continuaram a dinamizar o persistente esquema neocolonial de exportação-importação, que deu lastro ao crescimento interno do capitalismo competitivo, quanto o modelo de acumulação propriamente capitalista, nascido com a mercantilização do trabalho e as relações de produção capitalista, que possibilitaram a revolução urbano-comercial e a transição concomitante para o industrialismo, ainda sob a égide do capitalismo competitivo. Essa lógica econômica requeria uma política que era o avesso do que se entendia, ideologicamente, como a nossa "Revolução Burguesa" nos círculos hegemônicos das classes dominantes; e que só foi exatamente percebida de início, em sua essência, significado e funções, pelos politizados operários vindos da Europa. Anarquistas, socialistas e (mais tarde) comunistas, eles não se iludiram quanto ao tipo de dominação burguesa com que se defrontavam. Pintaram-na como ela realmente era, elaborando uma verdadeira contraideologia (e não, apenas, recompondo ideologias revolucionárias, transplantadas prontas e acabadas de fora, como se interpreta correntemente entre os sociólogos).

Como salientamos, os fundamentos axiológicos legais e formais da ordem social competitiva eram extraídos de uma ordem capitalista idealizada (existente, na realidade, na França, na Inglaterra e nos Estados Unidos da época). Repetindo a aristocracia imperial, a burguesia republicana furta as roupagens do arsenal ideológico e utópico das nações hegemônicas e centrais. Contudo, é preciso que fique bem claro que não havia nenhum risco em abrir, na aparência, um espaço político demasiado amplo para as possibilidades de atuação histórica da burguesia nativa (ou de seus inimigos, presumíveis ou de fato). Tal espaço político nascia congelado e morto. Ele não podia ser saturado através de qualquer grupo que fizesse "oposição dentro da ordem", em nome dos

CAPÍTULO 5 - A CONCRETIZAÇÃO DA REVOLUÇÃO BURGUESA

interesses sagrados da burguesia; e tampouco poderia ser solicitado por grupos revolucionários (as rebeliões operárias, nas décadas de 1910 e 1920, foram silenciadas pelo poder de dissuasão da burguesia e pela repressão policial). Não obstante, o regime de classes também tem a sua lógica, à qual as burguesias não podem escapar. As diferenciações que mencionamos acima produziram protagonistas inesperados, e eles, de uma forma ou de outra, insinuaram-se por aquele espaço político, que deveria permanecer virtual e imobilizável. (Em certo sentido, tratava-se de um espaço político anômico; existia, porque as instituições o engendravam; mas não era utilizável, porque essas mesmas instituições não prescreviam o seu uso histórico nem o tornavam acessível aos que estivessem fora das posições de dominação econômica, social e política; e a estes não interessava lançar mão de tal reserva de poder, pois nenhuma razão econômica, social ou política aconselhava uma "revolução dentro da ordem", a partir de cima, de cunho autodefensivo.) Portanto, esse poder só poderia ser invocado, nas condições existentes, ou "a partir de cima e de dentro" (na forma de conflitos de facção, no seio das classes dominantes, considerando-se os setores intermediários como parte delas, o que de fato eram, em termos de relações de parentesco ou de lealdade e pelo consenso social), ou pela via da "oposição consentida" (que só poderia envolver conflitos ou dissensões controláveis "a partir de cima" e de interesse direto ou indireto para as "forças da ordem"). Essas duas linhas mesclavam-se, em várias direções, e tornavam, ao mesmo tempo, débeis e corruptas (ou corruptíveis) as forças de oposição democrática", que assim eclodiam dentro da ordem e sob seu controle. Isso não só explica a feição tomada pelas rebeliões militares, na década de 1920, pela revolução da Aliança Liberal ou pela Revolução Constitucionalista, em 1930 e 1932, e por outros movimentos posteriores. Também explica a exacerbada insegurança demonstrada pela burguesia diante dos movimentos demagógico-populistas ou da pressão sindical (todos mais ou menos "controlados a partir de cima"); e sua extrema intolerância diante de manifestações potencial ou efetivamente autônomas do movimento operário. Ao que parece, onde a dominação burguesa não se revela capaz de mobilizar e aplicar semelhante reserva de poder, ela corre o risco de ser facilmente deslocada por grupos que invadem o referido espaço político: não importa se em nome de uma "revolução dentro da ordem" ou da "simples consolidação do regime". Isso faz que a intolerância tenha raiz e sentido políticos; e que a democracia burguesa, nessa situação, seja de fato uma "democracia restrita", aberta e funcional só para os que têm acesso à dominação burguesa.

Essa caracterização exige que se aprofunde um pouco mais a discussão prévia de dois problemas básicos, que ficaram implícitos na exposição anterior. Primeiro, se a debilidade congênita de uma burguesia que se vê compelida, historicamente, a congelar a expansão da ordem social competitiva, reduzindo ao mínimo o seu próprio impulso para manobras e barganhas estratégicas (nas relações internas e externas, de acomodação ou de conflito), não seria um fator específico de sua própria orientação ultraconservadora e reacionária. Esse ponto tem sido reiteradamente levantado na análise de situações análogas. Em nosso entender, entretanto, ele não é de importância analítica fundamental. Os que pensam que uma burguesia "inviável" se torna, por isso mesmo, irracional e irresponsável cometem um sério erro de interpretação. As análises de Lênin, de uma situação comparável na Rússia (a revolução de 1905 e seus desdobramentos posteriores), sugerem que a "fraqueza" da burguesia precisa ser tomada como um dos elementos de um todo complexo e muito instável. Na verdade, não existe uma "burguesia débil": mas outras classes (ou setores de classe) que tornam (ou podem tornar) a dominação burguesa mais ou menos vulnerável. No caso brasileiro, as ameaças à hegemonia burguesa nunca chegaram a ser decisivas e sempre foram exageradas pelos grupos oligárquicos, como um expediente de manipulação conservadora do "radicalismo" ou do "nacionalismo" das classes médias e dos setores industrialistas. Doutro lado, como indicamos ainda há pouco, as tendências autocráticas e reacionárias da burguesia faziam parte de seu próprio estilo de atuação histórica. O modo pelo qual se constituiu a dominação burguesa e a parte que nela tomaram as concepções da "velha" e da "nova" oligarquia converteram a burguesia em uma força social naturalmente ultraconservadora e reacionária. Portanto, o argumento em questão põe-nos diante de um mero fator de reforço (como vários outros, inclusive a própria debilidade das classes médias e do proletariado). Segundo, se ao reduzir seu campo de atuação histórica e ao fechar o espaço político que se abria exatamente à mudança social construtiva, a burguesia não tornava a revolução burguesa numa revolução difícil e, quiçá, inviável. Este problema é realmente importante, tanto do ponto de vista teórico quanto em termos políticos (ou seja, da evolução da dominação burguesa e suas consequências para as relações políticas das diferentes classes sociais). Pois, na verdade, ele suscita um debate ao qual não podemos voltar as costas: o que deveria fazer, no plano histórico, uma burguesia cuja tarefa não era liderar a transformação capitalista nos países centrais e hegemônicos, mas tomá-la possível e durável em condições francamente adversas (se se considera que a dependência, a drenagem de riquezas

CAPÍTULO 5 - A CONCRETIZAÇÃO DA REVOLUÇÃO BURGUESA

para o exterior e o subdesenvolvimento devem ser tomados como tais)? Sempre se poderia dizer que o campo de escolhas poderia ser mais amplo; e que essa burguesia não escolheu um caminho diferente por estreiteza de visão econômica e política. Os exemplos dos Estados Unidos e do Japão poderiam, aparentemente, dar fundamento a tal raciocínio. Contudo, como conciliar a expansão interna do capitalismo competitivo com os marcos tão recentes do passado colonial e neocolonial, ainda vivos no processo de descolonização em curso ou, pior, nos processos ele acumulação capitalista recém-adotados na economia agrária?

Em uma linha objetiva de reflexão crítica, não há como fugir à constatação de que o capitalismo dependente é, por sua natureza e em geral, um capitalismo difícil, o qual deixa apenas poucas alternativas efetivas às burguesias que lhe servem, a um tempo, de parteiras e amas secas. Desse ângulo, a redução do campo de atuação histórica da burguesia exprime uma realidade específica, a partir da qual a dominação burguesa aparece como conexão histórica não da "revolução nacional e democrática", mas do capitalismo dependente e do tipo de transformação capitalista que ele supõe. Ao fechar o espaço político aberto à mudança social construtiva, a burguesia garante-se o único caminho que permite conciliar sua existência e florescimento com a continuidade e expansão do capitalismo dependente. Aqui não se trata de acalentar fatalismos *ex post facto*. Mas de buscar uma clara projeção interpretativa dos fatos. Há burguesias e burguesias. O preconceito está em pretender-se que uma mesma explicação vale para as diversas situações criadas pela "expansão do capitalismo no mundo moderno". Certas burguesias não podem ser instrumentais, ao mesmo tempo, para "a transformação capitalista" e a "revolução nacional e democrática". O que quer dizer que a revolução burguesa pode transcender à transformação capitalista ou circunscrever-se a ela, tudo dependendo das outras condições que cerquem a domesticação do capitalismo pelos homens. A comparação, no caso, não deve ser a que procura a diferença entre organismos "magros" e "gordos" da mesma espécie. Porém a que busca o elemento irredutível de evoluções que parecem diferentes apenas porque variáveis prescindíveis ou acidentais não são eliminadas. A dominação burguesa não nos parece tão chocante, sob o capitalismo dependente, só porque ela surge cruamente, sob o império exclusivo do desenvolvimento capitalista? Isso, segundo pensamos, repõe os fatos em seu lugar. Sob o capitalismo dependente a revolução burguesa é difícil — mas é igualmente necessária, para possibilitar o desenvolvimento capitalista e a consolidação da dominação burguesa. E é inteiramente ingênuo supor-se que ela seja inviável em si e por si mesma, sem que outras forças sociais destruam ou as bases de poder, que a tornam possível, ou as estruturas de poder, que dela resultam (e que adquirem crescente estabilidade com a consolidação da dominação burguesa).

O problema central da investigação histórico-sociológica da revolução burguesa no Brasil consiste na crise do poder burguês, que se localiza na era atual e emerge como consequência da transição do capitalismo competitivo para o capitalismo monopolista. Parecia (especialmente à burguesia e aos que aceitavam o paradigma de uma evolução gradual e linear) que essa transição (predominantemente representada como uma passagem irreversível do capitalismo comercial para o capitalismo industrial) iria desenrolar-se segundo um modelo que se supunha universal: as forças acumuladas sob o capitalismo competitivo seriam suficientes tanto para a autonomização do desenvolvimento capitalista interno, quanto para conferir à burguesia nacional (através de e com base no seu setor industrial) uma forte orientação democrática nacionalista. Essa ilusão não só fazia parte da ideologia burguesa, tal como ela se constituíra na junção da oligarquia com os novos rebentos das altas finanças, do alto comércio e da indústria. Ela era perfilhada pelo radicalismo pequeno-burguês, em suas várias ramificações (e, em certo sentido, o seu principal propagador); e impregnava, de várias maneiras, as concepções táticas das diversas correntes do pensamento propriamente revolucionário na esquerda (dos anarco-sindicalistas e socialistas aos comunistas).

Todavia, os dinamismos da economia capitalista mundial impuseram, de fora para dentro, o seu próprio tempo histórico, com seus momentos de verdade e de decisão. O que determinou a transição não foi a "vontade revolucionária" da burguesia brasileira nem os reflexos do desenvolvimento do mercado interno sobre uma possível revolução urbano-industrial dinamizável a partir de dentro. Mas o grau de avanço relativo e de potencialidades da economia capitalista no Brasil, que podia passar, de um momento para outro, por um amplo e profundo processo de absorção de práticas financeiras, de produção industrial e de consumo inerentes ao capitalismo monopolista. Esse grau de avanço relativo e de potencialidades abriu uma oportunidade decisiva, que a burguesia brasileira percebeu e aproveitou avidamente, edificando seus laços de associação com o imperialismo.

O quadro global é bem conhecido (pelo menos com referência aos aspectos gerais e de superfície). Uma nação que parecia preparar-se e encaminhar-se para a revolução burguesa em grande estilo — isto é, segundo o modelo francês de revolução nacional e democrática — atinge subitamente, pelo que se convencionou chamar de "revolução

CAPÍTULO 5 - A CONCRETIZAÇÃO DA REVOLUÇÃO BURGUESA

institucional" (um eufemismo típico da falsa consciência burguesa ultraconservadora), um novo patamar histórico. O capitalismo monopolista já estava incubado, é certo, e dispunha uma irradiação interna que vem dos fins do século XIX e dos começos do século XX. No entanto, a mudança no eixo de decisões foi recente e súbita, respondendo aos efeitos econômicos, socioculturais e políticos da mencionada transição. Pois, apesar da penetração das grandes corporações estrangeiras (especialmente intensa durante e após a década de 1950), o ideal de desenvolvimento capitalista e de industrialização, predominantemente nos círculos burgueses e pequeno-burgueses, era fornecido pelo citado modelo francês, que parecia extremamente apropriado às perspectivas do mercado interno e da produção industrial sob o "nosso" capitalismo competitivo.

Pelo que se sabe, esse ideal foi deslocado por uma transformação política, a que se vincula a própria crise do poder burguês. Depois da década de 1930, a burguesia viu-se sob tripla pressão, que tendia a crescer em volume e a eclipsar a dominação burguesa (pelo menos sob a forma compósita, que se estabelecera graças à Revolução de 1930 e ao Estado Novo). De um lado, uma pressão de fora para dentro, nascida das estruturas e dinamismos do capitalismo monopolista mundial. Fortificando-se num crescendo avassalador, essa pressão ameaçou vários interesses econômicos internos e pôs em causa a própria base material de poder de certos setores da burguesia brasileira. Essa pressão continha um elemento político explícito: condições precisas de "desenvolvimento com segurança", que conferissem garantias econômicas, sociais e políticas ao capital estrangeiro, às suas empresas e ao seu crescimento. Mas tal pressão, em sua dupla polarização, não só era compatível com a ideia da "continuidade do sistema". Ela parecia engendrar, pelo menos nos chamados "círculos conservadores influentes", novas esperanças de aceleração da história. De outro lado, dois tipos distintos de pressão interna. Uma, procedente do proletariado e das massas populares, que expunha a burguesia à iminência de aceitar um novo pacto social. Tal ameaça não era propriamente incompatível com a "continuidade do sistema", pois era contida nos limites da "revolução dentro da ordem", que a dominação burguesa devia (e também prometera) ao Brasil republicano. Não obstante, ela colocou aqueles "círculos conservadores influentes" em pânico. Outra, procedente das proporções assumidas pela intervenção direta do Estado na esfera econômica. Essa intervenção nasceu e cresceu da própria "continuidade do sistema", nas condições de um capitalismo dependente e subdesenvolvido. Todavia, ela atingiu tal peso relativo que atemorizou a iniciativa privada interna e externa.

O caráter "supletivo" das empresas estatais parecia cada vez mais diluído, enquanto os riscos potenciais de um deslocamento econômico e mesmo político da iniciativa privada configuravam-se como algo inquietador para os "círculos conservadores influentes". A experiência ensinava-lhes que o controle direto do Estado surgia como a única real garantia de autoproteção para o predatório privatismo existente. Para reagir a essas três pressões, que afetavam de maneiras muito diversas as bases materiais e a eficácia política do poder burguês, os setores dominantes das classes alta e média se aglutinaram em torno de uma contrar-revolução autodefensiva, através da qual a forma e as funções da dominação burguesa se alteraram substancialmente. O processo culminou na conquista de uma nova posição de força e de barganha, que garantiu, de um golpe, a continuidade do *status quo ante* e condições materiais ou políticas para encetar a penosa fase de modernização tecnológica, de aceleração do crescimento econômico e de aprofundamento da acumulação capitalista que se inaugurava. A burguesia ganhava, assim, as condições mais vantajosas possíveis (em vista da situação interna): 1) para estabelecer uma associação mais íntima com o capitalismo financeiro internacional; 2) para reprimir, pela violência ou pela intimidação, qualquer ameaça operária ou popular de subversão da ordem (mesmo como uma "revolução democrático-burguesa"); 3) para transformar o Estado em instrumento exclusivo do poder burguês, tanto no plano econômico quanto nos planos social e político.

Visando, predominantemente e de imediato, proteger-se contra os riscos diretos e indiretos de um pacto social suicida, a burguesia brasileira conquistou uma posição de poder que lhe facultava ir além. Pois, ao mudar seu relacionamento com o poder político estatal e o funcionamento do Estado, também mudou sua capacidade de relacionamento com o capital financeiro internacional e com a intervenção do Estado na vida econômica, ganhando maior controle da situação interna e maior flexibilidade na fixação de uma política econômica destinada a acelerar o desenvolvimento capitalista. Pela primeira vez na história do país, a dominação burguesa mostrou-se plenamente como ela é, evidenciando as forças sociais que a compõem e como ela própria funciona; e pela primeira vez também ela se manifestou de modo coletivo (não através de um setor hegemônico, de uma conglomeração passageira ou de um grupo reinante), logrando como tal a transformação política pela qual lutara desorientadamente desde a década de 1920. Qual o alcance e o grau de estabilidade dessa transformação política? Contará a burguesia com condições econômicas, sociais e políticas para aproveitá-la em uma recomposição mais vasta, repetindo a proeza da

CAPÍTULO 5 - A CONCRETIZAÇÃO DA REVOLUÇÃO BURGUESA

aristocracia agrária durante o Império? Teremos, de novo, uma sólida democracia restrita, fortalecida por trás de uma ordem civil aberta apenas para os privilegiados, mas apta a falar em nome da nação e a tratar os assuntos coletivos como matéria privada (ou vice-versa)? Os tempos mudaram, tanto interna quanto externamente. Além disso, enquanto a dominação senhorial era relativamente monolítica, a dominação burguesa surge como uma composição de poder heterogênea (com uma base nacional e outra internacional); e enquanto a dominação senhorial não se defrontava com uma pressão sistemática das massas populares, a dominação burguesa identificou essa pressão como o seu inimigo principal.

Ainda é cedo para uma avaliação de caráter global e prospectivo. Contudo, parece claro que os elementos que compõem a dominação burguesa (especialmente as forças que representam a grande burguesia industrial e financeira, bem como a burguesia internacional, diretamente envolvida nesse jogo econômico e político) compreenderam com clareza a oportunidade histórica com que depararam e, depois de uma curta hesitação pendular, trataram de aproveitá-la a fundo. Não puderam vencer todas as fraquezas de uma dominação heterogênea e compósita; e, inclusive, tiveram de acomodar-se a interesses burgueses de setores arcaicos, os quais interferem nos ritmos e nas consequências da modernização controlada de fora, diminuindo assim tanto a eficácia quanto os efeitos de demonstração da nova ordem. No entanto, foram favorecidas pelo estilo da transformação política: apesar das aparências, não se constituiu um grupo reinante homogêneo, mas uma composição civil-militar, com preponderância militar e um nítido objetivo primordial — o de consolidar a dominação burguesa (em nome da defesa do sistema da iniciativa privada e do monopólio do poder pelos "setores esclarecidos" das classes dominantes). O garante das Forças Armadas e a liderança dos oficiais-militares se definiram, portanto, mais em termos de autoridade que de poder e, especialmente, de monopolização do poder político,[2]

---

[2] A distinção precisa entre autoridade e poder é bem conhecida. Por vezes, uma ditadura é estabelecida para garantir as bases de poder de uma classe que se sente ameaçada pela mudança social: e o ditador (individual ou coletivo) não usa sua autoridade para aumentar seu poder ou para monopolizar o poder. Emprega-a para assegurar a continuidade do monopólio do poder pela classe a que pertence (ou com a qual se identifica). Também pode ocorrer que se aproveite da situação para eliminar das posições de poder pessoas e grupos de sua classe que pareçam representar um risco para o prestígio, a eficácia ou a estabilidade da própria ditadura (veja-se especialmente: F. Neumann, *Estado democrático e Estado autoritário*, cap. 9). Sobre a opinião do autor sobre as ditaduras

o que realmente permitiu a revitalização e a subsequente unificação do poder burguês.

Esse fato põe-nos diante de uma realidade nova. A crise do poder burguês não se resolveu mediante a evolução interna do capitalismo competitivo. Do mesmo modo, o vigor adquirido pela aceleração do crescimento econômico e, em particular, pela expansão do capitalismo monopolista não se produziu, especificamente, como puro efeito do desenvolvimento capitalista espontâneo. No momento do impasse, a chave das decisões saiu da esfera do político. A reorganização do Estado, a concentração e a militarização do poder político estatal, bem como a reorientação da política econômica sob a égide do Estado, foram a mola mestra de todo o processo de "recuperação" e de volta à "normalidade". Todavia, nada disso foi posto a serviço de uma transição independente e não ocorreu nenhuma ruptura nas relações de dependência: ao contrário, atrás da crise política (a partir de dentro) havia uma crise econômica (de fora para dentro), e esta se resolveu através da reorganização do padrão de dominação externa (que é o que significou a passagem do capitalismo competitivo para o capitalismo monopolista: uma nova forma submissão ao imperialismo). Coerente com sua lógica econômica e política, o poder burguês fez da iniciativa privada e de seu sistema um verdadeiro bastião, que protege e une os interesses privados internos e externos (agora associados ao poder público também no nível econômico). Em nome do "desenvolvimento econômico acelerado", ampliou-se e aprofundou-se, portanto, a incorporação da economia nacional e das estruturas nacionais de poder à economia capitalista mundial e às estruturas capitalistas internacionais de poder. Um capítulo na história econômica do Brasil se encerrou; e, com ele, foi arquivado o ideal de uma revolução nacional democrático-burguesa. Outro capítulo se abriu, pelo qual o passado se repete no presente: mais uma vez, o privilegiamento do agente econômico, social e político principal serve de base a toda uma nova evolução. Só que, agora, aceita a ideia e a prática da revolução de cima para baixo (que é como se "legitima" a revolução institucional), o sentido da dominação burguesa se desmascara, deixando a nu sua natureza incoercivelmente autocrática, "contra quem" ela se faz e sua incapacidade de realizar os alvos históricos com que se identificara durante todo o período republicano.

---

militares que se propuseram a restauração do poder burguês em crise, na América Latina, veja-se: E Fernandes, "The meaning of military dictatorship in present day Latin America" (*The Latin American in residence lectures*, cap. II) e *Capitalismo dependente e classes sociais na América Latina* (Rio de Janeiro, pp. 102-115).

CAPÍTULO 5 - A CONCRETIZAÇÃO DA REVOLUÇÃO BURGUESA

Esse é, em resumo, o ponto culminante e o fato central da evolução do "Brasil moderno", cenário e produto da transformação capitalista. Ao concretizar-se, a revolução burguesa transcende seu modelo histórico não só porque está superado. Mas, ainda, porque os países capitalistas retardatários possuem certas peculiaridades e se defrontam com um novo tipo de capitalismo no plano mundial. A burguesia nunca é sempre a mesma, através da história. No caso brasileiro, a burguesia se moldou sob o tipo de capitalismo competitivo que nasceu da confluência da economia de exportação (de origens coloniais e neocoloniais) com a expansão do mercado interno e da produção industrial para esse mercado (realidades posteriores à emancipação política e condicionantes de nossa devastadora "revolução urbano-comercial"). No entanto, a burguesia atinge sua maturidade e, ao mesmo tempo, sua plenitude de poder sob a irrupção do capitalismo monopolista, mantidas e agravadas as demais condições, que tornaram a sociedade brasileira potencialmente explosiva, com o recrudescimento inevitável da dominação externa, da desigualdade social e do subdesenvolvimento. Em consequência, o caráter autocrático e opressivo da dominação burguesa apurou-se e intensificou-se (processo que, sem dúvida, continuará, mesmo que encontre formas eficientes de dissimulação, como sucedeu com a dominação senhorial no Império). Não só porque ainda não existe outra força social, politicamente organizada, capaz de limitá-la ou de detê-la. Mas também porque ela não tem como conciliar o modelo neoimperialista de desenvolvimento capitalista, que se impôs de fora para dentro, com os velhos ideais de Revolução Burguesa nacional-democrática.

A exposição seguinte não pretende dar conta de toda essa complexa evolução, que vai da emergência da burguesia à transformação política apontada. De início tínhamos em mente esse objetivo. Depois julgamos ser melhor concentrar a atenção sobre os aspectos que tornam a revolução burguesa no Brasil tão peculiar — embora ela não seja a primeira que se concretiza por via autocrática nem tampouco a última.[3] Ao que parece, o desenvolvimento capitalista aponta essa via como a normal, nos dias que correm, o que significa que o presente do Brasil contém o futuro de outros países, que pertençam à periferia do capitalismo mundial e não possam encaminhar-se diretamente para o socialismo.

---

[3] Veja-se, especialmente: R. Bendix, Nation huilding and citizenship, cap. 6; e B. Moore, Jr., *Social origins of dictatorship and democracy* (esp. partes II e III).

CAPÍTULO 6
NATUREZA E ETAPAS DO DESENVOLVIMENTO CAPITALISTA

Não é intrínseco ao capitalismo um único padrão de desenvolvimento, de caráter universal e invariável. Podem distinguir-se vários padrões de desenvolvimento capitalista, os quais correspondem aos vários tipos de capitalismo que se sucederam ou ocorreram simultaneamente na evolução histórica. Além disso, se se toma um mesmo padrão de desenvolvimento capitalista, pode-se verificar que ele é suscetível de utilizações variáveis, de acordo com os interesses estamentais ou de classes envolvidos pelo desenvolvimento capitalista em diversas situações histórico-sociais e as probabilidades que eles encontram de varar o plano das determinações estruturais e de se converterem em fatores da história.

No caso brasileiro, o desenvolvimento capitalista significou coisas distintas, em cada uma das três fases que marcam a evolução interna do capitalismo. Em nenhuma delas tivemos uma réplica ao desenvolvimento capitalista característico das nações tidas como centrais e hegemônicas (quanto à irradiação e à difusão do capitalismo no mundo moderno). Ao contrário, nas três situações sucessivas, o desenvolvimento capitalista apresenta os traços típicos que ele teria de assumir nas nações tidas como periféricas e heteronômicas, fossem ou não de origem colonial. A *indirect rule* não se configura como uma realidade histórica passageira: ela surge como uma condição estrutural permanente, que iria assumir feições históricas mutáveis de acordo com a evolução do capitalismo nas nações que exerceram algum tipo de dominação imperialista sobre a América Latina. Por isso, considerado em termos das motivações e dos alvos coletivos dos estamentos dominantes (sob o regime de trabalho escravo), ou das classes dominantes (sob o regime de trabalho livre), em nenhuma das três fases o desenvolvimento capitalista chegou a impor: 1) a ruptura com a associação dependente, em relação ao exterior (ou aos centros hegemônicos da dominação imperialista); 2) a desagregação completa do antigo regime e de suas sequelas ou, falando-se alternativamente, das formas pré-capitalistas de produção, troca e circulação; 3) a superação de estados relativos de subdesenvolvimento, inerentes à satelização imperialista da economia interna e à extrema concentração social e regional resultante da riqueza.

Isso quer dizer que o desenvolvimento capitalista sempre foi percebido e dinamizado socialmente, pelos estamentos ou pelas classes dominantes, segundo comportamentos coletivos tão egoísticos e particularistas, que ele se tornou compatível com (quando não exigiu) a continuidade da dominação imperialista externa; a permanente exclusão (total ou parcial) do grosso da população não-possuidora do mercado e do sistema de produção especificamente capitalistas; e dinamismos socioeconômicos débeis e oscilantes, aparentemente insuficientes para alimentar a universalização efetiva (e não apenas legal) do trabalho livre, a integração nacional do mercado interno e do sistema de produção em bases genuinamente capitalistas, e a industrialização autônoma. Desse ângulo, dependência e subdesenvolvimento não foram somente "impostos de fora para dentro". Ambos fazem parte de uma estratégia, repetida sob várias circunstâncias no decorrer da evolução externa e interna do capitalismo, pela qual os estamentos e as classes dominantes dimensionaram o desenvolvimento capitalista que pretendiam, construindo por suas mãos, por assim dizer, o capitalismo dependente como realidade econômica e humana.

Apesar das diferenças existentes entre as três situações, essas omissões comuns (que se repetem quase que linearmente) trazem consigo certas consequências inexoráveis. O desenvolvimento capitalista é percebido e posto em prática, socialmente, primeiro em termos de dominação estamental, em seguida em termos de dominação de classes, como se ele fosse uma simples técnica econômica e não uma política de alcance nacional, que afeta a totalidade do processo histórico. A transformação capitalista procurada, em cada uma das três situações, definia-se a partir dos interesses egoísticos particulares dos estamentos ou das classes dominantes, como se eles constituíssem o universo real a ser atingido, privilegiado e alterado, e não a partir da nação, em suas partes e como um todo. Esta entrava em linha de conta nos cálculos racionais, de natureza econômica ou política, mas na qualidade de "meio", de "recurso estratégico" e de "base material" do poder de decisão. Portanto, a nação não chega a ser definida como objetivo central do desenvolvimento capitalista, invariavelmente centrado, através das mudanças mais ou menos profundas ocorridas em cada fase, sobre alvos coletivos particularistas, os quais preenchiam a função de fundir os desígnios dos estamentos ou das classes dominantes com os fins econômicos e extra-econômicos da dominação imperialista externa.

EMERGÊNCIA E EXPANSÃO DO MERCADO CAPITALISTA MODERNO

Consideradas de uma perspectiva global, as três fases do desenvolvimento capitalista mencionadas na história moderna da sociedade brasileira podem ser descritas da seguinte maneira: a) fase de eclosão de um mercado capitalista especificamente moderno; b) fase de formação e expansão do capitalismo competitivo; c) fase de irrupção do capitalismo monopolista.[1] A fase de eclosão do mercado capitalista moderno é, na verdade, uma fase de transição neocolonial.[2] Sua delimitação pode ir, grosso modo, da Abertura dos Portos até aos meados ou à sexta década do século XIX (tornando-se, como ponto de referência, as evidências históricas da crise estrutural irreversível do sistema de produção escravista). A fase de formação e expansão do capitalismo competitivo se caracteriza pela consolidação e disseminação desse mercado e por seu funcionamento como fator de diferenciação do sistema econômico. Ela compreende, pois, tanto o período de consolidação da economia urbano-comercial quanto a primeira transição industrial verdadeiramente importante; e vai, grosso modo, da sexta década ou do último quartel do século XIX até a década de 1950, no século XX. A fase de irrupção do capitalismo monopolista se caracteriza pela reorganização do mercado e do sistema de produção, através das operações comerciais,

---

[1] Para uma descrição sintética dessas três fases e da fase colonial, em seu mútuo encadeamento histórico (embora em termos da dominação externa), veja-se F Fernandes (*Capitalismo dependente e classes sociais na América Latina*, op. cit., cap. 1).

[2] Esse tema já foi debatido acima, na primeira parte do livro, mas para esclarecer os processos histórico-sociais e econômicos que ocorreram em conexão com a emancipação nacional e a concomitante modernização institucional. Aqui ele é retomado com outro intuito: a caracterização e o confronto dos três padrões de desenvolvimento capitalista (com as variantes que resultaram de sua evolução interna), que se vinculam à implantação e às sucessivas transformações do capitalismo na sociedade brasileira, do início do século XIX aos nossos dias.

financeiras e industriais da "grande corporação" (predominantemente estrangeira, mas também estatal ou mista). Embora as tendências para essa evolução sejam anteriores, ela só se acentua no fim da década de 1950 e só adquire caráter estrutural posteriormente à "Revolução de 1964".

É preciso não avaliar o mercado capitalista moderno em termos exclusivos de suas dimensões. Para se compreender a sua importância, seja inicialmente, seja como base da evolução ulterior para o capitalismo competitivo, é necessário levarem-se em conta três enlaces distintos, que definem, em conjunto, o que ele representava para a dinamização da vida econômica. Primeiro, o enlace da economia interna com o mercado mundial e com o mercado externo hegemônico (no caso, o da Inglaterra). Através desse enlace, ao contrário do mercado colonial, o novo tipo de mercado preenchia a função de injetar na economia brasileira dinamismos externos bastante fortes, que o convertiam em um polo de crescimento econômico acelerado. Desse ângulo, a principal função do referido mercado consistia em absorver e reorientar o impacto modernizador (no nível institucional) do mercado externo, que operava, essencialmente, como um mercado que exportava desenvolvimento econômico capitalista (e não somente firmas, controles econômicos e produtos acabados, como estratagema para a conquista de uma posição hegemônica no comércio internacional do país e de apropriação indireta da maior parcela possível do excedente econômico gerado). A passagem da satelitização colonial para a satelitização pelos mecanismos do mercado requeria que isso acontecesse, pois se impunha que a economia interna se articulasse, institucionalmente, tanto ao mercado mundial quanto ao mercado hegemônico externo, o que pressupunha a absorção de estruturas econômicas aptas a produzir o desenvolvimento de tipo capitalista inerente a esses dois mercados. Segundo, o enlace do mercado capitalista moderno à cidade e à sua população, que serviam de suporte imediato ao seu funcionamento e crescimento, e a uma hinterlândia mais ou menos descontínua, longínqua e ainda indiferenciada, constituída pelos estratos possuidores ricos e pelo vasto pequeno ou médio comércio, disseminado por regiões limítrofes ou tributárias, e que operava como elo de reforço. Através dessas irradiações, o mercado capitalista moderno adquiria "vida própria": potencialidades de crescer pela via do comércio interno, segundo os requisitos do "estilo urbano de vida" em expansão e dos padrões de gosto ou de consumo da população do país (em crescente cosmopolitização, em seus setores "altos" e "intermediários"; e em incorporação incipiente ao mercado, nos setores "baixos"). Terceiro, o enlace do mercado capitalista moderno com o sistema de produção escravista (tanto da grande lavoura quanto da lavoura de subsistência, de produção de gêneros, de animais de carga e de transporte etc.). Muitos pensam que esse enlace já existia, do mesmo modo, com referência ao mercado colonial. As semelhanças são, porém, morfológicas; não funcionais e estruturais. Sob o sistema colonial, processava-se uma drenagem extrema e rígida do excedente econômico, que deixava o mercado correspondente sem qualquer função econômica regulativa no fluxo da expropriação colonial (esta se fixava de fora para dentro, através de mecanismos administrativos, políticos e legais, que dispensavam a intervenção reguladora do mercado ou a utilizavam como mero elemento mediador). Através do novo mercado, as parcelas do excedente econômico, retidas dentro do país, iriam encontrar formas de aplicação reprodutiva fora do circuito da produção escravista. Portanto, foi esse mercado que estimulou, condicionou e, com o tempo, intensificou a passagem do entesouramento tradicionalista e da acumulação estamental para transações especulativas mais abstratas e complexas, fundadas em expectativas de que elas eram seguras, "honoráveis" e podiam incrementar o volume do dinheiro, do crédito e, por vezes, da riqueza materializada em ouro, em propriedade ou em valores. Doutro lado, o mercado capitalista moderno também cresce em sentido horizontal, impondo-se gradualmente como fulcro do comércio interno, inclusive dos gêneros e outros bens, produzidos pela disseminada economia artesanal. Por meio dessa evolução, a cidade passa a monopolizar, de forma crescentemente mais intensa, as funções de centro estratégico de reaplicação do excedente econômico e de foco de integração do mercado interno. O que quer dizer que o padrão de desenvolvimento neocolonial é profundamente diverso do padrão colonial de desenvolvimento. Pois, por seu intermédio, a cidade sai do marasmo econômico e passa, com vigor crescente, a satelitizar tanto o fluxo e o crescimento do comércio interno quanto a produção escravista em geral.

Esse bosquejo indica claramente qual é a alteração decorrente do salto econômico que se deu, na transição neocolonial, graças à incorporação da economia do país ao mercado mundial. Os arranjos estruturais resultantes criaram uma economia articulada (pois o mercado capitalista moderno se superpunha à produção escravista, destinada à exportação, ao consumo ou ao comércio interno), mas dotada de dinamismos próprios de desenvolvimento (determinados e orientados pelo mercado capitalista moderno) e de potencialidades de crescimento a largo prazo (dependentes da produção escravista; no entanto, relativamente fortes sempre que a procura externa pudesse garantir a expansão deste setor). Inicia-se, com fundamento nessa articulação da economia urbano-comercial com a economia agrária, uma autêntica revolução urbana, que iria germinar de modo lento e descontínuo. Todavia, essa revolução urbana, pela própria natureza e funcionamento do mercado capitalista que se montara nas cidades-chave, aparece dissociada de qualquer transformação semelhante e concomitante do sistema de produção escravista. Engenhos, fazendas e sítios (deixando-se de lado esferas da economia) teriam de permanecer na era do trabalho escravo, como se constituíram sob o sistema colonial, para que toda a complexa transição neocolonial se tornasse possível e a revolução urbana pudesse iniciar-se, forjando o patamar necessário para a economia funcionar com êxito e para a transformação capitalista subsequente. Por outro lado, durante um largo período de tempo (se se entender como tal cinco ou seis décadas), o padrão de desenvolvimento caracterizado não foi capaz de gerar senão um leve impulso nas relações de intercâmbio com o mercado mundial e uma gradual aceleração do crescimento urbano-comercial. Ele não era suficientemente forte, em especial, para converter a brusca orientação para dentro das atividades econômicas numa fonte de política econômica revolucionária (o que ocorreu, em circunstâncias diversas, mas em situação análoga, nos Estados Unidos). O setor agrário não dispunha de base material para arriscar-se a romper com o regime de trabalho escravo, com a propriedade servil e com o sistema de produção escravista; e os novos grupos econômicos, por sua vez, concentraram-se no aproveitamento das oportunidades abertas pela eclosão e disseminação do mercado capitalista moderno, como se ali estivesse o padrão de desenvolvimento capitalista ideal.

EMERGÊNCIA E EXPANSÃO
DO CAPITALISMO COMPETITIVO

A formação de uma economia capitalista competitiva nas condições demográficas, econômicas, sociais e políticas imperantes em uma sociedade escravista, dependia não só da consolidação, mas também do grau de difusão alcançado pelo mercado capitalista moderno. Este precisava expandir-se em termos de tamanho, de diferenciação e de intensidade financeira, para tornar-se uma fonte de estímulos à constituição de um sistema de produção diretamente vinculado às necessidades socioeconômicas do setor urbano e às funções de saturação econômica que este devia preencher em relação às unidades escravistas, de trabalho livre ou semilivre e mistas da economia agrária. Muitos escreveram que a articulação do setor novo, urbano-comercial, a um sistema de produção escravista bloqueava tanto a expansão do mercado capitalista moderno quanto os ritmos do próprio desenvolvimento capitalista. Isso seria verdadeiro se o que entrasse em jogo fosse a passagem direta da economia escravista-capitalista neocolonial para uma economia urbano-industrial avançada. A transição que se configurava, contudo, era muito menos complexa; a aristocracia agrária bem como os grupos ligados à dinamização do esquema de exportação-importação empenhavam-se, de fato, na consolidação do mercado capitalista moderno e em sua difusão interna (ou, em outras palavras, na eficácia que ele poderia e deveria ter para a consolidação e ulterior expansão de um complexo comercial especificamente capitalista. Parece claro que motivos dessa natureza, e não outros, concorriam para que recebessem com frieza ou hostilidade iniciativas mais arrojadas, como as de Mauá). Em tal contexto e em vista dos fins econômicos visados, a articulação simplificou as coisas, na medida em que a existência de uma grande massa de excluídos (por causa da escravidão, da inatividade forçada e da pobreza geral) permitiu converter a urbanização em um processo ultrasseletivo e concorreu para estabelecer uma ligação indireta entre a escravidão e o desenvolvimento do capitalismo comercial dentro do país. A articulação da economia urbano-comercial com um sistema de produção escravista deixou, assim, de ser uma desvantagem para a evolução do sistema econômico global. Mormente depois que o café passa a garantir incrementos persistentes (embora oscilantes) do excedente econômico, a articulação se mostra uma fonte de ganhos reais para o setor novo, que se pode expandir em bases capitalistas graças principalmente à persistência do escravismo e à liberdade que o senhor desfrutava de transformar a expropriação do escravo em base material do crescimento urbano-comercial. Na prática, portanto, a articulação funcionava como equivalente histórico da revolução agrária, quando se compara a evolução do capitalismo no Brasil com a da Europa. De um lado, ela correspondia precisamente às funções da acumulação originária em contextos de maior aceleração do desenvolvimento capitalista (isso, graças à significação que a emancipação nacional e a expansão do mercado capitalista moderno deram ao excedente econômico gerado pela produção escravista). De outro, era da natureza de uma economia articulada que só os setores de rendas altas, em geral, e os grupos de baixa renda mas vinculados à organização ou à influência direta do setor urbano-comercial pudessem participar ativamente e beneficiar-se dos dinamismos propriamente capitalistas do mercado interno. A cidade convertia-se em polo dinâmico do crescimento capitalista interno sem necessitar estender ao campo qualquer desdobramento da revolução urbana. Enquanto os problemas reais da política econômica das camadas dominantes em torno da consolidação e da disseminação do mercado capitalista moderno, revolução urbana significava, pura e simplesmente, lançar o peso do desenvolvimento capitalista sobre o trabalho escravo e o regime de produção escravista.

O lastro interno para o "crescimento natural" do mercado capitalista moderno procedia do incremento constante das populações urbanas, especialmente nas cidades-chave para a reorganização geográfica, econômica, sociocultural e política, que a transformação apontada requeria. Os movimentos demográficos em direção às cidades-chave levavam em seu bojo todo tipo de gente. Contudo, havia uma forte proporção de grupos de rendas altas e médias (neste caso, rebentos de famílias tradicionais empobrecidas que procuravam entrar, de uma forma ou de outra, nas torrentes de prosperidade que se prenunciavam), de origem nativa ou estrangeira (entre estes prevaleciam naturalmente as pessoas que iriam operar as várias posições do complexo comercial-financeiro, em constituição e expansão). Os grupos de baixa renda, que se incorporavam ao processo (e que vinham predominantemente do exterior), buscavam as oportunidades que as cidades-chave abriam ao trabalho livre, dentro de um mundo escravista — especialmente no comércio, em ocupações artesanais e em vários tipos de serviços (inclusive públicos), todos em crescimento moderado, mas oferecendo perspectivas de mobilidade econômica e de ascensão social. Ao lado desses contingentes humanos, estavam os escravos, os forros e os vários tipos de libertos, que também sofriam forte atração por esse processo de urbanização de longa duração. De imediato, a pressão maior era sobre os "serviços domésticos". Todavia, várias formas de trabalho artesanal ou de serviços por aluguel (inclusive prostituição) forçavam o aparecimento de novas modalidades de utilização do trabalho escravo, a pagamento (o que acarretava uma diferenciação nas relações senhor-escravo) ou como parte da rotina conspícua do trabalho livre numa sociedade escravista (o senhor transferia para seu escravo as tarefas "braçais", "degradantes" e "árduas", como transportar as ferramentas, encarregar-se de fases preparatórias ou brutas de seus serviços etc.). O liberto, por sua vez, encontrava na cidade-chave, nas esferas das ocupações artesanais e dos serviços, muitas oportunidades de transição para o trabalho livre e de reclassificação social. Com frequência, só ele podia se ocupar de certos trabalhos, que eram rejeitados pelo artesão branco ou pelo branco pobre e que não podiam ser transferidos, normalmente, para o trabalhador escravo mais qualificado (senão com o risco permanente da fuga). Para se entender esse universo, é preciso não esquecer que o comércio ambulante, ainda no início do século XX, acarretava perda de prestígio para os que o exerciam (especialmente os portugueses ou os italianos,

CAPÍTULO 6 - NATUREZA E ETAPAS DO DESENVOLVIMENTO...

no Rio de Janeiro ou em São Paulo). Por isso, o escravo de aluguel e principalmente o liberto, desde o início desse processo de urbanização (e mais fortemente a partir dos meados do século XIX), surgiam como categorias econômicas de relativa importância na reorganização do sistema de trabalho urbano. A meio caminho na transição para o trabalho livre, com escassez de candidatos para muitos tipos de ocupações, eles apareciam como a mão de obra "bruta" possível (e mesmo como a mão de obra "bruta" ideal). Só tardiamente, quando a urbanização se torna muito rápida, precipitando-se, e muito avassaladora, exigindo números que não poderiam ser fornecidos pela população escrava ou liberta, é que a pressão se deslocaria para o imigrante ou para o branco pobre de origem nativa.

Todavia, o lastro interno não era suficiente para amparar todo o complexo processo de consolidação, irradiação e disseminação do mercado capitalista moderno. Tanto no plano demográfico e econômico quanto no plano social e cultural (e aqui em termos simultâneos de tecnologia e de instituições fundamentais), uma sociedade escravista, recém-egressa do regime colonial, sem contar previamente com um setor capitalista bastante desenvolvido (como sucedeu nos Estados Unidos, na época da emancipação nacional), dificilmente poderia dispor dos recursos materiais, humanos e culturais necessários para fazer face ao referido processo (mesmo dentro das escalas possíveis no Brasil dos meados do século XIX). No entanto, as pressões dinâmicas do mercado mundial, embora fossem de outra natureza, coincidiam com as pressões dinâmicas do crescimento econômico interno: o mercado capitalista tinha de fazer face às operações comerciais e financeiras que se impunham, seja de fora para dentro (aos poucos, o padrão de desenvolvimento capitalista das sociedades hegemônicas se abatia pelo menos sobre o setor novo, urbano-comercial, exigindo certa organização do espaço socioeconômico para tornar viável o aumento do intercâmbio comercial-financeiro e institucional); seja a partir de dentro (o crescimento econômico interno, nas condições oferecidas por uma economia "nacional" de articulação de um setor arcaico pré-capitalista e um setor novo capitalista, atingira o seu ponto de maturação, que fazia com que os efeitos da consolidação, da irradiação e da disseminação do mercado capitalista moderno se voltassem sobre si mesmos, exigindo que transformações quantitativas se convertessem em transformações qualitativas, com maior diferenciação setorial ou regional e com maior integração em escala nacional daquele mercado). Em suma, passara a fase pioneira. O mercado capitalista moderno ou sofreria uma nova transição, para responder às exigências econômicas externas e internas, adaptando-se completamente, assim, aos requisitos do padrão de desenvolvimento inerente ao capitalismo comercial, ou enfrentava um colapso. Muitas economias da América Latina ruíram nesse período, pois se revelaram impotentes para fazer face a esse desafio, superando as limitações da transição neocolonial. No caso brasileiro, porém, embora a articulação persistisse (ela iria perdurar mesmo à extinção do trabalho escravo e à universalização legal do trabalho livre), o sistema econômico reagiu flexivelmente, absorvendo o impacto procedente tanto dos dinamismos do mercado mundial e das economias capitalistas hegemônicas quanto da descompressão do setor urbano-comercial e de seu desdobramento por toda a economia, sem respeitar as fronteiras que tornavam o setor agrário um mundo intocável.

Essa flexibilidade não se deve apenas ao nível de produtividade alcançado pela grande lavoura graças ao café, à eficácia do esquema comercial de importação e exportação e aos efeitos de ambos sobre a expansão relativa do setor urbano-comercial. Ela também se deve a circunstâncias que tomaram o Brasil muito atraente para os países que disputavam a "partilha do mundo" já sob a pressão do padrão de desenvolvimento do capitalismo industrial. Nações como a Inglaterra, França e Alemanha, às quais começam a se juntar os Estados Unidos, voltavam seus olhos para as reservas de recursos e as potencialidades visíveis de um país continental como o Brasil. Além disso, a imigração em massa iria criar outros laços de solidariedade entre o país e a Europa, suscitando um movimento de recursos humanos, técnicos e monetários de certa magnitude. Tudo isso, somado aos efeitos da competição entre nações capitalistas industrializadas ou em industrialização e a uma combinação racional no balanço de interesses imediatos e futuros, fez com que as nações em causa se dispusessem a intervir de modo mais ativo na reorganização institucional do espaço econômico interno. Elas já não estavam "montando" a infraestrutura do esquema de operações que precisariam manter em atividade numa economia colonial ou neocolonial. Elas estavam, de fato, concorrendo para algo novo, que era a construção de uma economia capitalista dependente nos trópicos. Os efeitos remotos da revolução industrial e a luta entre nações capitalistas por autonomia ou hegemonia no mercado mundial tornavam essa ampliação das fronteiras econômicas da Europa e dos Estados Unidos inevitável. O importante, para quem examine o processo da perspectiva brasileira, é que se desencadeia uma reorganização da infraestrutura da nossa economia que transcende, de imediato, aos incentivos diretos do mercado interno (em termos da produção para o exterior e de sua própria intensidade). Até hoje ainda não se avaliaram nem o montante dos recursos materiais e

CAPÍTULO 6 - NATUREZA E ETAPAS DO DESENVOLVIMENTO...

humanos que foram investidos nesse amplo processo, nem o que ele significou nas várias regiões do país que foram por ele afetadas. Mas é fácil perceber que nessa sua "idade de ouro" as nações capitalistas em luta por hegemonia ou por autonomia redefiniam a *indirect rule* segundo novos móveis, envolvendo-se, por isso, na transformação capitalista da sua periferia mais avançada com uma audácia desconhecida. O controle indireto das relações comerciais já não era suficiente. Era preciso ir mais longe, implantando, pelo menos na parte mais rica e avançada da periferia, controles econômicos que pudessem operar através do desenvolvimento institucional da livre empresa, em todos os níveis do comércio e, progressivamente, do movimento bancário e da produção que o fluxo comercial-financeiro exigisse. Para isso, não era suficiente um mercado capitalista especificamente moderno suportado por um fluxo limitado de modernização institucional. Impunha-se a reorganização do espaço ecológico, econômico e social, para ajustá-lo não só a potencialidades reais ou virtuais do desenvolvimento capitalista, mas aos dinamismos das sociedades hegemônicas, que irrompiam na periferia, precisando de condições concretas para se consolidarem e se expandirem.

Há dois pontos a enfatizar, nesta breve discussão. Primeiro, o caráter mesmo dessa transformação indireta, que se promove de fora para dentro (apesar das aparências em contrário). Segundo, as consequências da conexão estrutural e dinâmica, que assim se estabelece entre o mercado das nações capitalistas hegemônicas e o desenvolvimento econômico interno.

Na fase de transição neocolonial, o desdobramento para fora das economias metropolitanas imperialistas, que não pretendiam e não podiam (em certos casos ou em dadas condições, como foi a regra nas relações da Europa com a América Latina), estabelecer controles coloniais sobre as economias das "nações emergentes", visava a criar elos dinâmicos entre estas economias e os mercados centrais. A eclosão e a posterior expansão de um novo tipo de mercado, especificamente capitalista e implantado em cidades-chave para as relações de satelitização econômica e cultural, que assim se institucionalizavam, eram suficientes para alimentar esse tipo superficial de incorporação. O que se buscava não era impor controles internos indiretos à organização e ao funcionamento das economias capitalistas emergentes. Mas constituir condições de controle externo que pudessem submeter o comércio "internacional" dessas economias a um condicionamento indireto, regulado pelos interesses econômicos e políticos da nação capitalista hegemônica. Na verdade, simplificando-se brutalmente as coisas, o esquema de produção interna para exportação equivalia a um regime de feitoria ampliado, organizado e mantido a expensas do parceiro mais fraco. Os desdobramentos políticos desse padrão de relação, sempre que os conflitos de interesses criassem situações de crise, se resolviam no nível da conciliação privada, dos acordos entre governos e do trato diplomático. No caso do Brasil, onde a aristocracia agrária tinha pleno controle econômico, social e político dos assuntos públicos e privados, esse esquema acarretava poucos dividendos políticos fatalmente negativos. Ele pressupunha uma fixação estática do eixo da economia interna, eternizando a produção primária exportadora. Mas essa era uma consequência que a aristocracia agrária não só aceitava, como desejava com certo ardor. Mesmo a Inglaterra teve de enfrentar muitas dificuldades para manter privilégios acumulados sob a administração portuguesa; alcançou pouco êxito nas tentativas de solapar as bases de poder da aristocracia agrária (mediante o combate à escravidão e a interrupção do tráfico); e teve de desdobrar-se para lograr vantagens na competição com outras nações que disputavam sua posição hegemônica no mercado brasileiro.

Esse tipo de controle indireto tornou-se rapidamente obsoleto. Os próprios dinamismos do mercado capitalista moderno, implantado nas "nações emergentes", poderiam engendrar um padrão autônomo de crescimento econômico, provocando evoluções realmente similares às que haviam transcorrido (ou estavam transcorrendo) na Europa. Doutro lado, a competição em áreas especificamente comerciais entre nações que disputavam a hegemonia no mercado mundial só poderia acelerar e aprofundar tal processo, pondo as economias centrais diante do risco de investir recursos materiais e humanos na criação de mercados nacionais concorrentes na periferia. A resposta a essa contraditória situação tinha de ser procurada na reelaboração da estratégia seguida durante o período de transição neocolonial. O impasse seria facilmente superado se se dessem ao mercado capitalista moderno, implantado na periferia, maiores dimensões estruturais e dinâmicas, de modo que ele pudesse ativar um maior número de funções essenciais ao desenvolvimento capitalista, o que permitiria articulá-lo aos mercados das economias centrais. Isso exigiria que, ao lado do esquema inicial de importação e exportação, se organizassem outros esquemas simultâneos de intervenção comercializada nas economias periféricas (na esfera dos serviços públicos e da estrutura das cidades, na rede de comunicações e de transportes, na transplantação de imigrantes, na preparação de planos de colonização e de expansão da agricultura comercial ligada ao comércio interno, na substituição da produção artesanal pela produção manufatureira, na introdução de novos padrões de ensino, de utilização dos recursos humanos e de estilo de vida, na transferência das tecnologias que tornassem tudo isso viável etc.). Em conjunto, as nações centrais estavam diante de novos empreendimentos financeiros, de escala considerável, que estendiam a comercialização de suas influências do âmbito do intercâmbio comercial propriamente dito para o do desenvolvimento econômico em geral. De imediato, elas tinham de superar as técnicas de *indirect rule* mais simples, para inventar e utilizar técnicas de dominação indireta muito mais complexas, fundadas na articulação da economia capitalista hegemônica às economias capitalistas da periferia. Tem-se salientado demais que o capitalismo industrial forçava a conquista e a preservação de mercados externos. Contudo, não se tem dado a devida atenção à magnitude que tal processo teria de assumir, sob a hipótese de que controles coloniais e neocoloniais se tornassem ineficientes (ou, alternativamente, que o mercado capitalista moderno da periferia crescesse além de certos limites). Nessa situação peculiar, para manter a posição hegemônica, a economia central tinha de possuir potencialidades para desencadear, a distância, um vasto processo de transformação econômica e institucional, que permitisse reformular a satelitização, qualquer que fosse o ímpeto do crescimento capitalista suscitado pela implantação e expansão do mercado moderno na economia periférica. Portanto, aí se configura uma modalidade típica de incorporação, que se distingue das formas de incorporação colonial e neocolonial; e que se funda no volume de similaridades estruturais e funcionais que a economia hegemônica, como um todo, pode transferir para a economia periférica, como um todo. As adaptações daí decorrentes é que passariam a regular o fluxo de processos econômicos, da modernização tecnológica e institucional etc., de um polo a outro. Elas teriam de "nascer" e de "crescer" dentro das próprias economias periféricas, o que quer dizer que as referidas adaptações exigiam um certo "desenvolvimento capitalista prévio" dessas economias e potencialidades econômicas que assegurasse viabilidade global para tão complexa modalidade de transição econômica e cultural. Dadas essas condições, por outro lado, os interesses econômicos de cada polo encontravam canais flexíveis de harmonização, de confluência e de fusão. Isso fazia com que a incorporação não aparecesse como tal na consciência dos agentes econômicos (pelo menos no lado do polo periférico); e, além disso, concorria para conferir à articulação de economias capitalistas desiguais uma sólida base dinâmica (não só flexível e duradoura, mas suscetível de "crescer dentro da mudança").

A natureza de todo esse processo era pouco visível. A empresa privada (no nível do comércio, dos bancos, das manufaturas, dos serviços e da agricultura) centralizava as operações. Ela não operava de fora para dentro, mas a partir de dentro. Portanto, ela permitia diluir as pressões inevitáveis e dissimular os interesses reais que se desdobravam de fora para dentro, com a vantagem de assegurar várias formas de associação de agentes econômicos, de firmas e de capitais internos com as economias centrais. Desse ângulo, a constituição de uma nova infraestrutura para o mercado capitalista moderno e a criação quase concomitante de uma nova estrutura para todo o sistema econômico surgiam como se fossem transformações puramente internas, que encontravam suporte no exterior, mas nasciam de processos imanentes à diferenciação e ao crescimento espontâneos da economia brasileira. Na verdade, tais processos se concretizavam como se resultassem de decisões exclusivas dos agentes econômicos nativos e se fizessem parte de uma firme rede de "aspirações nacionais", que iriam acarretar a passagem gradual da dependência para o desenvolvimento capitalista autônomo e autossustentado. Não se percebia que uma economia nacional articulada não gera, pela livre expansão de seu setor moderno — mesmo que ele atinja plena integração sob o capitalismo competitivo, tornando-se capaz de uma transição industrial irreversível —, um desenvolvimento capitalista bastante forte para absorver e eliminar por si mesmo a dualidade do sistema econômico.[3] Além disso, ignorava-se que a segunda articulação, a que se configurava no nível da economia mundial, com os mercados e o sistema de produção das nações hegemônicas, operava simultaneamente em duas direções contrárias, deixando para a economia brasileira como um todo um saldo final de potencialidades dinâmicas próprias muito pobre (ou muito fraco).

De um lado, o desenvolvimento induzido de fora acelerava a revolução econômica no setor novo, porém em termos de requisitos limitados, pois o que entrava em jogo não era o desenvolvimento capitalista em si mesmo, mas a adaptação de certas transformações da economia brasileira aos dinamismos em expansão das economias centrais. Ou seja, o desenvolvimento induzido somente selecionava e transferia dinamismos que aceleravam transformações capitalistas mais ou menos necessárias ao processo de incorporação em curso; eles eram insuficientes ou neutros para transformações capitalistas mais complexas e, de qualquer modo, não poderiam gerar, por si mesmos, um desenvolvimento capitalista autônomo e autossustentado, análogo ao das economias centrais e hegemônicas. Portanto, o desenvolvimento induzido estava calibrado por suas funções. Ele provocava uma revolução econômica autêntica. Contudo, projetando-a no âmago de relações de dependência constantes, que não deixavam

---

[3] Note-se que nos Estados Unidos, por exemplo, foi preciso uma guerra civil para pôr termo aos efeitos negativos da articulação.n^os

CAPÍTULO 6 - NATUREZA E ETAPAS DO DESENVOLVIMENTO...

espaço histórico para a repetição das evoluções do capitalismo na Inglaterra, na França e nos Estados Unidos, ou na Alemanha e no Japão. De outro lado, a articulação dependente às economias centrais era, em si mesma, fonte inexorável de uma forte inibição do desenvolvimento capitalista. Como a aristocracia agrária e o alto comércio, as nações hegemônicas estavam muito empenhadas em manter a economia brasileira como uma economia articulada, não só no plano mundial, mas também e principalmente no nível nacional. Mesmo quando tentavam solapar as bases do poder senhorial e destruir a escravidão, essas nações não tinham em mira a real absorção do setor arcaico pelo setor moderno. Qualquer modificação profunda, nessa esfera, era nociva aos seus interesses imediatos e futuros, pois ela redundaria em modificações imprevisíveis do volume do excedente econômico que poderia ser drenado, direta ou indiretamente (isto é, com ou sem mediação do setor novo) para fora. Ora, era esse excedente que garantia os dois processos descritos, de formação de uma nova infraestrutura para o mercado capitalista interno e de constituição de uma nova estrutura do sistema econômico brasileiro, ambos condicionados e regulados como um desdobramento de fronteiras das economias centrais. Para estas, portanto, suprimir a articulação inerente à superposição da economia urbano-comercial e da economia agrária seria o mesmo que matar a galinha dos ovos de ouro. Elas perderiam, ao mesmo tempo: os controles econômicos estabelecidos sobre a organização da economia urbano-comercial e do comércio de exportação; e a posição de agente privilegiado no rateio do excedente econômico, que sofria, graças ao padrão induzido de desenvolvimento capitalista, uma expropriação principal no nível da "repartição internacional".

Não obstante, a transformação induzida de fora para dentro teve consequências de grande monta (consideradas as recentes origens coloniais da economia brasileira e as condições em que se dá a superação do estilo neocolonial). A partir do momento em que a articulação internacional provoca um deslocamento de fronteiras econômicas e culturais, ela põe a organização da economia periférica e seu padrão de desenvolvimento na órbita de uma revolução econômica. Por maiores que sejam as inibições que resultam da articulação de uma economia periférica a economias centrais, a transformação capitalista atingida representa o modo pelo qual se pode praticar o capitalismo competitivo na periferia. O Brasil é, por sinal, um dos países nos quais a natureza do salto histórico dado se desenha com extrema nitidez. Na medida em que se implantava uma nova infraestrutura para o mercado capitalista moderno, não só se diferenciaram e expandiram o comércio, a agricultura e a produção manufatureira, como vulgarmente se diz. Aquele mercado deixa, aos poucos, de ser prisioneiro de algumas cidades-chave e dos estreitos interesses que nutriam, inicialmente, a associação da aristocracia agrária com o alto comércio. Assim, entre o último quartel do século XIX e a Primeira Guerra Mundial, período central para esta descrição, esse mercado se transfigura por completo. Ele passa a centralizar, gradualmente, operações comerciais e financeiras que antes eram inimagináveis, concentrando o capital resultante de tais operações; doutro lado, ele também passa a ligar e a integrar, gradualmente, localidades e regiões descontínuas e muito distantes entre si, imprimindo à relação capitalista uma função unificadora nacional de que ela fora, anteriormente, destituída.

    Essa transformação estrutural e funcional do mercado capitalista moderno irá ter, por sua vez, profundas repercussões na organização e na evolução do sistema econômico global. Primeiro, no plano puramente econômico, o mercado torna-se capaz de operar como um agente de intensificação da vida econômica e de diferenciação da própria economia. Em particular, ele vai concorrer para a eliminação mais ou menos rápida da produção artesanal e substituí-la por uma impulsão contínua à produção manufatureira e à industrialização. Portanto, é graças aos dinamismos do mercado (configurado em novas bases estruturais e funcionais; e dotado de uma infraestrutura mais ampla, diferenciada e rica) que surgem, se solidificam e crescem os estímulos para constituição interna de um sistema de produção propriamente capitalista, que se implanta inicialmente no setor urbano-comercial e daí se irradia, aos poucos e descontinuamente, para o setor arcaico. Aqui, guardadas as proporções, os efeitos construtivos do mercado capitalista moderno são comparáveis ao que ocorreu na evolução das economias centrais. O capitalismo comercial aparece primeiro e atinge, com o tempo, um nível de concentração que o converte em patamar para o aparecimento do capitalismo industrial. Os ritmos dessa transição (apesar de sua aparente rapidez para o país) é que são lentos, descontínuos e demasiado débeis. Segundo, na esfera institucional — nos níveis da sociedade, da cultura e do Estado — a metamorfose estrutural e funcional do mercado condiciona e regula o fluxo da modernização. Especialmente no setor urbano-comercial, onde a intensidade do processo é marcante, contínua e relativamente rápida, o mercado irrompe como uma força revolucionária, que desagrega a ordem escravista preexistente, com a rígida bipolarização que ela instituía nas relações de poder, e engendra uma formação societária nova, fundada em relações competitivas. Tem-se dado maior atenção às inovações mais visíveis, que transparecem através da reorganização da ecologia urbana, do aumento da população, do advento do bonde ou do trem, do uso da energia elétrica, da cosmopolitização dos hábitos mundanos e do aparecimento de um novo estilo de vida, com consumo e comunicação em massa. O essencial, porém, está no pano de fundo, frequentemente negligenciado. Nessa etapa, o mercado capitalista moderno põe os homens uns diante dos outros em termos do valor de seus bens e serviços. Classifica-os fora e acima da ordem estamental e de castas da sociedade escravista, erguendo forças muito ativas contra esta e forçando os homens livres a "passar pelo mercado" para fins de estratificação social. Isso significava o fim da escravidão, pois esta não poderia manter-se a partir do momento em que o mercado era visto e aceito como uma fonte legítima de classificação social. E também significava o começo de uma nova era, que iria consolidar-se no trabalho livre. Vendo-se as coisas desta perspectiva, no Brasil a "crise do antigo regime" lança aí suas raízes. Forma-se e difunde-se, aos poucos, uma nova mentalidade econômica, social e política, que serve de pião à irrupção do povo na cena histórica. De modo tímido, modesto e incerto: primeiro, lutando contra os excessos dos senhores e pela Abolição; em seguida, lançando-se às greves e saindo às ruas para exercer pressão política contra os excessos da dominação oligárquica e pelo advento da "democracia burguesa". É nesse quadro amplo, que se estende à crise de 1929 e à Revolução de 1930, que se esbatem os efeitos sociais construtivos, desencadeados pela metamorfose do mercado, sob a consolidação do capitalismo competitivo. E é em função desse quadro, também, que se deve tentar compreender a significação sociológica que o referido mercado adquire na sociedade emergente.

Em suma, um desenvolvimento capitalista articulado não produz uma transformação capitalista de natureza diferente da que se pode observar nas sociedades capitalistas autônomas e hegemônicas. O que varia é a intensidade e os ritmos do processo. Condicionada a partir de fora, através de dinamismos econômicos que constantemente se renovam e se aprofundam, a articulação da economia periférica às economias centrais torna impossível, enquanto se mantém, a eliminação da dominação imperialista externa. Por isso, enquanto se constitui, se consolida e se expande, tal economia competitiva tende a redefinir e a fortalecer os liames de dependência, tornando impossível desenvolvimento capitalista autônomo e autossustentado. Todavia, o desenvolvimento capitalista logrado traz consigo, como nas sociedades centrais e hegemônicas, as mesmas tendências de organização e de evolução da economia, da sociedade e do Estado. A história do mercado comanda a história econômica, social e política, até que ele, sem passar propriamente para segundo plano, engendra finalmente uma transição mais complexa, na qual as funções dinamizadoras da transformação capitalista passarão a nascer das relações capitalistas de produção propriamente ditas.

Se a descrição apresentada é correta, o período de transição neocolonial oferece ao capitalismo comercial bases econômicas, institucionais e humanas de maturação interna. Dessa evolução resulta um padrão de desenvolvimento capitalista que, apesar de suas limitações intrínsecas, gera as condições estruturais e dinâmicas, simultaneamente a partir de fora e a partir de dentro (isto é, pelas influências das nações capitalistas centrais e do mercado mundial; e através das repercussões a curto e a largo prazo do crescimento econômico interno), para o aparecimento de uma economia capitalista competitiva, nucleada no setor urbano-comercial, mas com tendências a expandir-se na direção do campo (primeiro, graças à irradiação, disseminação e reintegração do mercado moderno; em seguida, pela universalização legal do trabalho livre e a emergência de um sistema de produção capitalista nas cidades-chave, dotado de dinamismos que transcendem à economia urbana). O padrão de desenvolvimento capitalista dessa economia competitiva elabora-se ao longo de uma evolução semissecular. Contudo, os dinamismos do mercado, que poderiam promover a diferenciação do sistema econômico, aparecem de modo precoce, condicionando e estimulando a formação gradual de formas capitalistas de produção nas cidades. Nesse primeiro momento, ao surgirem essas formas mais ou menos elementares de produção capitalista, vários artigos de consumo cotidiano passaram a ser elaborados ou produzidos internamente. No entanto, o modelo de mercado inerente ao padrão de desenvolvimento capitalista operante não pressionava nem a coordenação ou fusão de formas tradicionais de produção artesanal nem a intensificação da produção manufatureira. O comércio mantinha-se como o polo dinâmico do sistema de importação e exportação, organizado no período neocolonial. Na medida em que se estrutura e se difunde, territorial e socialmente, o mercado capitalista típico de uma economia competitiva, suas pressões sobre a diferenciação e a reintegração do sistema econômico crescem em qualidade e em quantidade. Surge, assim, um surto industrial propriamente dito, fortemente apoiado nos dinamismos do mercado, aos quais, em reações em cadeia, ele concorre para fortalecer. Nesse segundo momento (mais ou menos da última década do século XIX à crise de 1929), a industrialização percorre todo um ciclo de expansão. Na situação brasileira (como na de outros países de economia capitalista articulada, como seria o caso da Itália e da maioria das nações que transitaram para o capitalismo competitivo na América Latina), essa etapa não só envolve a substituição mais ou menos rápida da produção

CAPÍTULO 6 - NATUREZA E ETAPAS DO DESENVOLVIMENTO...

artesanal e da industrialização intersticial pela industrialização sistemática. Ela também pressupõe um certo grau de "amadurecimento" na manifestação interna da economia competitiva, pelo menos nos dinamismos do mercado e da produção industrial que se apoiassem sobre o crescimento urbano. Por fim, o padrão de desenvolvimento capitalista "normal" acabará sendo absorvido como um todo pela sociedade brasileira, operando como tal, simultaneamente, nos níveis estrutural, funcional e histórico. Não obstante, ele era o padrão de desenvolvimento capitalista de uma economia capitalista competitiva duplamente articulada: 1) internamente, através da articulação do setor arcaico ao setor moderno, ou urbano-comercial (na época considerada transformando-se, lentamente, em um setor urbano-industrial); externamente, através da articulação do complexo econômico agrário-exportador às economias capitalistas centrais. Por isso, as próprias condições estruturais, funcionais e históricas de vigência do referido padrão de desenvolvimento capitalista introduziam inibições sistemáticas ou ocasionais, que solapavam, reduziam ou anulavam suas potencialidades dinâmicas (tanto no nível organizatório quanto no nível evolutivo). Ainda assim, essas potencialidades eram bastante fortes: a) para provocar a emergência e sustentar a expansão gradual de formas de produção capitalista; b) para criar tendências constantes ou crescentes à industrialização e, mesmo, à diferenciação e à reintegração do parque industrial; c) para intensificar e acelerar as tendências à integração nacional do mercado interno (em suas múltiplas funções); d) para diluir e absorver barreiras que se interpunham entre as formas predominantes na produção agrária e na produção industrial, pressionando no sentido de irradiar, da cidade para o campo, formas capitalistas de relações de trabalho, de mercado e de produção (de imediato, pela transformação da propriedade agrária e da organização do trabalho nas zonas de crescimento econômico acelerado ou de imigração e de agricultura comercial voltada para o mercado interno; a longo prazo, embora de maneira descontínua e oscilante, pela incorporação do trabalho agrícola, de criação ou de mineração às relações do mercado).

Esse resumo permite situar algumas questões que precisam ser debatidas aqui, de uma perspectiva sociológica. A primeira, e mais importante de todas, diz respeito ao destino da dupla articulação econômica. Por curioso ou estranho que pareça, todos os tipos de "empresários" que operavam na agricultura, na criação, na mineração, no comércio, na indústria, com os bancos etc., orientados para dentro ou para fora, sucumbiram às limitações e às inibições do padrão descrito de desenvolvimento econômico sob o capitalismo competitivo dependente. O horizonte econômico de todos eles foi conformado pela mesma ansiedade de "aproveitar" as vantagens diretas e imediatas abertas por uma economia competitiva articulada. Mesmo mais tarde, quando o "desenvolvimento" aparece em cena, não se questiona ardentemente a dupla articulação — entram em debate questões relacionadas com a reforma agrária, o "entreguismo", a remessa de lucros e o intervencionismo econômico do Estado, sem que o essencial, a respeito da dupla articulação, sofresse verdadeiro repúdio. Aceita-se, como "natural", que o setor agrário em modernização continuasse vastamente arcaico, onde e como isso se mostrasse funcional à acumulação originária de capital. Doutro lado, também se aceita como "natural" que a articulação às economias centrais, além de persistir, se aprofundasse, sob a presunção de que aí estaria ou a "melhor" ou a "única" saída para a industrialização e a concomitante aceleração do desenvolvimento econômico interno. No setor empresarial, em particular, não surgiu nenhum grupo que combatesse frontalmente as tendências mais ou menos estáticas de contemporização diante da dupla articulação. Em consequência, os esforços esboçados para corrigir as limitações e as inibições do padrão existente de desenvolvimento capitalista foram inócuos. Meras verbalizações, caíam com frequência num irremediável vazio histórico. Se possuíram alguma utilidade prática, essa se manifestou na luta pelo poder de barganha dos círculos empresariais; as guinadas "nacionalistas" ou "entreguistas" dos governos achavam uma via de escoamento ou de estimulação nas composições dos setores privados entre si e com o poder público. Pela segunda vez na história brasileira — a primeira foi por ocasião das lutas pela Independência — as classes dominantes e suas elites econômicas preferem, por acordo tácito, evitar o nó górdio de nossa evolução econômica dentro do capitalismo.

Outra questão é de ordem teórica. Dado o fato de que a formação e a expansão do sistema de produção capitalista são processos tardios, o mercado interno associou-se, estrutural e dinamicamente, à importação de bens e serviços. Podem-se medir as várias etapas das transições descritas acima pelo número, variedade e quantidade dos produtos que foram substituídos, gradualmente, pela produção interna de artigos similares. Todavia, é má descrição dizer-se que a substituição de importações tenha sido o dínamo do processo. É provável que no cálculo racional dos empresários, em termos da técnica de programação da produção ou de comercialização, e de elaboração de políticas de conjuntura, pelos governos ou por grandes empresas, as coisas possam ser representadas e simplificadas dessa maneira. A substituição de importações, porém, aparece numa rede de efeitos. Para explicá-la como e enquanto processo

CAPÍTULO 6 - NATUREZA E ETAPAS DO DESENVOLVIMENTO...

econômico, é preciso procurar as condições que tornaram ou tornam as subsequentes substituições possíveis, em termos de causação (de transformações capitalistas que afetam o mercado, a produção industrial ou ambos). Quando a economia competitiva atinge uma fase de integração nacional do mercado e de diferenciação do sistema de produção industrial, as substituições de importações se tornam não só uma realidade banal, como um processo de longa duração, com tendência a aumentar continuamente. É, pois, na organização, diferenciação e reintegração do sistema econômico que se deve procurar a explicação tanto para as possibilidades de substituição de importações e do seu aumento constante quanto para as repercussões em cadeia das substituições simultâneas ou sucessivas sobre os dinamismos do mercado ou do sistema de produção industrial. Sob esse aspecto, o capitalismo competitivo alarga o campo econômico das "funções normais" do mercado e do sistema de produção, adaptando-os melhor ao que deveriam ser sob o padrão de desenvolvimento de uma economia competitiva. As deficiências, inconsistências e consequências negativas, que têm sido atribuídas aos mecanismos das substituições de importações, tomados em si mesmos, não decorrem desse processo especializado e técnico. Mas, como se sabe, resultam, direta ou indiretamente, das limitações ou inibições que a dupla articulação econômica impõe ao padrão de desenvolvimento econômico sob o capitalismo competitivo. Aliás, reflexões análogas poderiam ser feitas com referência às substituições de importações (e, quiçá agora, às substituições de exportações), na atual fase de transição para o capitalismo monopolista. Se insistimos sobre um fato de linguagem tão simples, fazemo-lo porque uma compreensão ambígua da realidade leva a explicações falsas. No caso, o essencial não está na substituição de importações, mas nas características que a dominação imperialista externa e a ausência da universalização das relações capitalistas de mercado e de produção introduzem no padrão brasileiro de desenvolvimento econômico sob o capitalismo dependente.

A última questão diz respeito à natureza do desenvolvimento capitalista sob a economia competitiva que se montou no Brasil. O que se escreveu acima, sobre as funções e o crescimento do mercado capitalista moderno, aplica-se como uma luva ao crescimento da economia brasileira entre as duas grandes guerras. Entre o fim da Primeira Guerra Mundial, a crise de 1929 e o "intervencionismo" econômico do Estado Novo, através de vicissitudes que os manuais de história econômica registram, o capitalismo competitivo atingiu o apogeu que poderia lograr nas condições apontadas, de dupla articulação. Vários sintomas marcantes assinalam esse apogeu. O mais saliente refere-se ao segundo surto industrial, de maior peso para a economia do país, pois afetou a produção de bens de produção. Mas igualmente marcantes são o grau de penetração do capitalismo no campo e o novo estilo de associação das oligarquias agrárias com o capital financeiro. Essa associação, que remonta à política de defesa dos preços do café e envolve, por igual, interesses financeiros nacionais e estrangeiros, pressupõe melhores condições de autoproteção do "produtor" e de comercialização dos produtos (nos mercados interno ou externo). Por fim, a partir de várias influências (de pressões políticas das classes médias, especialmente através do "tenentismo" ou de movimentos ditos "nacionalistas"; da pressão de grupos da direita; ou da pressão de alguns círculos empresariais, da qual é típica a posição assumida por Roberto Simonsen), desencadeia-se uma forma de intervencionismo econômico estatal, que se caracteriza pela saturação de certas funções de sustentação ou de reforço do desenvolvimento capitalista, mediante empresas públicas (ou semipúblicas). A Petrobrás e Volta Redonda são as duas realizações de maior vulto e significação no período considerado. Este último sintoma parece ter maior importância interpretativa que os dois outros, já que sublinha algo crucial. Ao contrário do que ocorreu antes, quando se cria a infraestrutura de um mercado capitalista plurifuncional, a infraestrutura de um complexo sistema de produção industrial não pode ser lograda pelos esforços da iniciativa privada, estrangeira ou nacional. Como em outros países de economia capitalista articulada, no Brasil teve-se de recorrer ao Estado para enfrentar esse e outros problemas econômicos. Os três sintomas, vistos em conjunto, levantam a questão crucial: rompe-se ou não, através dessas tendências novas do desenvolvimento capitalista, com o caráter articulado da economia competitiva? Os empresários — mesmo os que se proclamavam "nacionalistas" e "protecionistas" — reagiram discretamente aos imperativos de romper com a dupla articulação. Onde puderam inovar ou renovar por meio da própria empresa privada, revitalizaram, na prática, os dois tipos de articulação mencionados acima. Onde o Estado se interpôs de permeio, relutaram em compartilhar responsabilidades e, principalmente, só deram anuência total quando ficou patenteada sua capacidade de destituir o Estado de real autonomia de ação, o que convertia os interesses privados, nacionais e/ou estrangeiros, nos grandes beneficiários diretos e indiretos do "intervencionismo" econômico estatal.

Ligando-se entre si esses traços marcantes da evolução recente do capitalismo competitivo no Brasil, constata-se que nem o mercado, nem o sistema de produção internos suscitaram um movimento econômico que expusesse a dupla articulação a uma crise irreversível, ou, pelo menos, a uma crise decisiva. O crescimento da população, em escala de explosão demográfica, o ritmo da concentração urbana e,

CAPÍTULO 6 - NATUREZA E ETAPAS DO DESENVOLVIMENTO...

especialmente, as tendências mais ou menos firmes de universalização das relações capitalistas de mercado e de produção reduziram de forma considerável os efeitos inibidores da articulação no nível interno. Mas a transformação, embora econômica e sociologicamente significativa, não foi tão acentuada a ponto de forçar a destruição dos últimos baluartes vivos do "complexo econômico colonial" e do "antigo regime". O crescimento do mercado interno refletiu-se em suas relações com a economia agropecuária, estabelecendo fluxos consideráveis de comercialização voltados para dentro. Isso não impediu que práticas pré-capitalistas ou subcapitalistas se mantivessem quase incólumes ou se fortalecessem. Nem mesmo uma reforma agrária moderada chegou a ser instituída "para valer". Doutro lado, não surgiu nenhum esforço para corrigir a tradicional depressão dos salários das massas trabalhadoras em geral e dos operários urbanos. Mantinha-se, pois, a compressão do mercado, com os efeitos daí decorrentes — um mercado socialmente comprimido é, pela natureza das coisas, um mercado altamente seletivo, que acompanha a concentração social e racial da renda. O que isso representa, como fonte de inibição direta ou indireta do crescimento de formas capitalistas de produção em uma economia competitiva, é por demais sabido. Se os fatos se manifestam desse modo, isso é sintomático da persistência de uma mentalidade que via o mercado estabelecendo gradações entre "alto" e "baixo" comércio, como se a realidade de massa fosse secundária para seus dinamismos propriamente capitalistas. Em resumo, apesar do desaparecimento dos bloqueios que excluíam o setor arcaico da modernização capitalista, a situação global ainda convertia a economia competitiva num verdadeiro conglomerado de formas de mercado e de produção de desenvolvimento desigual. A pressão que essa economia, como um todo, podia fazer para libertar-se das limitações e das inibições que interferiam negativamente sobre suas potencialidades especificamente capitalistas de equilíbrio, de reorganização e de crescimento era ainda muito baixa. Na verdade, continuava a prevalecer a extrema valorização econômica de diferentes idades coetâneas e de formas de desenvolvimento *desiguais*, como expediente de acumulação originária de capital ou de intensificação da expropriação capitalista do trabalho.

Conclusões similares podem ser extraídas de evoluções condicionadas e reguladas pelos dinamismos das economias capitalistas centrais e do mercado mundial. Na verdade, já antes da Primeira Guerra Mundial ambos começam a transferir para a periferia dinamismos econômicos que refletem o advento das "corporações" ou das "empresas multinacionais", típicas da Segunda Revolução Industrial, nas esferas do comércio, da produção industrial e dos serviços. Depois da crise de 1929 eles aparecem, de fato, como os dinamismos mais importantes, que se esbatem sobre as economias periféricas para submetê-las a um novo processo de incorporação às economias centrais e para transformá-las. Pode-se fazer um esforço de abstração, procurando-se selecionar, entre os elementos da dominação imperialista externa, aqueles que seriam mais ou menos compatíveis com as dimensões e com o sentido do capitalismo competitivo. Contudo, este entrara em crise nas economias centrais. Ele se mantém quase intacto na periferia exclusivamente em virtude dos ritmos mais débeis e descontínuos de seu desenvolvimento capitalista. De qualquer forma, é preciso assinalar que se operara uma profunda transformação na natureza dos controles econômicos transferidos para o seio das economias periféricas pelas economias centrais e, também, no modo de manipular tais controles. Ainda na era do capitalismo competitivo — e de um capitalismo competitivo dependente — as economias periféricas se tornaram uma presa da avalanche dos novos dinamismos econômicos, que se sobrepunham (ou se dissimulavam) e se somavam a dinamismos que traduziam a marca do estado anterior das economias centrais, que continuavam a operar ativamente (a intensidade com que isso acontecia dependia, naturalmente, das condições da transição do capitalismo competitivo para o capitalismo monopolista nas economias centrais, ou seja, da importância relativa que as "grandes corporações" possuíam na reorganização da economia capitalista nas nações hegemônicas).

No momento em que o capitalismo competitivo atinge o apogeu, portanto, ele iria sofrer um forte solapamento não a partir de dentro da economia brasileira, mas a partir de fora. Contudo, até os meados do século XX, as percepções internas eram unânimes em apontá-lo como um "estado natural" e, mesmo, o "estado ideal" do capitalismo moderno. Apesar das incertezas, os ciclos de euforia econômica fortaleciam as convicções segundo as quais essa modalidade de capitalismo (na maneira pela qual ele fora reproduzido pela sociedade brasileira) permitia conciliar os interesses internos e externos, enfrentar com certo êxito as revoluções econômicas inerentes ao desenvolvimento de uma economia competitiva e renovar continuamente as bases materiais da dominação burguesa. De ponta a ponta, a diluição dos controles econômicos (com seus dividendos culturais e políticos), através de empresas privadas individuais, escondera a realidade da dominação imperialista, que se estabelecera mediante a irrupção e a expansão do capitalismo competitivo. As "grandes esperanças" da burguesia brasileira, por causa do ímpeto do crescimento do mercado interno e da industrialização, tornaram-na ainda mais avessa a ir ao fundo dos fatos e a questionar os sucessivos desdobramentos da "colaboração estrangeira". Na medida em que a tendência externa ia na direção de aumentar a eficácia dos controles econômicos, implantados via empresa e interesses privados, as orientações capitalistas internas evoluíam no sentido inverso, de ignorar as transformações e as consequências desses controles, a curto e a largo prazo, pondo-se maior ênfase no significado mediato ou conjuntural da transferência de capitais, de tecnologia, de empresas, de capacidade empresarial, "programas de associação" e investimentos etc. O que quer dizer que, ao chegar ao fim de sua evolução histórica, o capitalismo competitivo continuava a ser muito pouco brasileiro, em termos da capacidade interna de limitar ou de neutralizar os controles econômicos que ele internalizava ou de conter o amplo fenômeno de internacionalização da economia brasileira, que ele acarretava.

Esse traço mais geral não impedia (ao contrário, pressupunha) mudanças substantivas no quadro da organização e dos efeitos econômicos da dominação externa. Certas influências primordiais entraram em declínio, outras influências agigantaram-se. A Inglaterra, por exemplo, vê sua posição hegemônica em relação ao Brasil deteriorar-se irremediavelmente. Doutro lado, os Estados Unidos atingem, e em seguida consolidam, uma hegemonia sem paralelos na vida econômica do país. Além disso, as áreas de aplicação dos investimentos e de tecnologia moderna se deslocam, acompanhando seja as transformações ocorridas na economia brasileira, que ofereciam novas oportunidades aos dinamismos das economias centrais, seja os rumos tomados pelo próprio capitalismo mundial. O que importa aqui é que os processos de sucessão ecológica, econômica e técnica tiveram consequências que vão além da alteração da morfologia e do "rendimento relativo" da economia competitiva instalada no Brasil. Países como os Estados Unidos, a Alemanha e o Japão, principalmente, traziam modelos de organização das empresas, de arranjos empresariais e de "associação econômica" que não foram constituídos sob o impacto da Primeira Revolução Industrial. Eles não só expunham uma economia competitiva dependente e subdesenvolvida (e portanto muito débil) a pressões muito fortes, que não eram percebidas negativamente ou, então, que não podiam ser controladas a partir de dentro. Como surgiam numa etapa mais avançada de expansão da economia capitalista competitiva no Brasil, tais pressões encontravam amplo espaço econômico para operar livremente e florescer. Em consequência, os mecanismos de autodefesa e de controle indiretos, proporcionados pela associação com interesses, pessoas ou firmas estrangeiras, tornavam-se obsoletos e ineficazes. Um economista poderá dizer que tudo isso não constitui um mal em si mesmo e que não se pode debitar às regras do jogo a má sorte nas apostas. Contudo, por mais "inevitável" (ou mesmo "normal") que tenha sido essa evolução, o fato é que as alterações apontadas expunham a economia competitiva como um todo a um efeito inesperado: a dominação imperialista externa cresce (e não diminui, como se esperava) com a diferenciação e a aceleração do desenvolvimento capitalista; e, ao mesmo tempo, ela se redefine e se fortalece, agora, a partir de dentro, utilizando a base material quase inexpugnável que alcançara na organização do sistema econômico e manipulando as probabilidades de decisão inerentes à sua própria posição institucional. No conjunto, as partes por assim dizer vitais da economia competitiva, em todos os setores econômicos, constituíam verdadeiros nichos das economias centrais, que lograram assim uma tremenda vantagem estratégica mesmo em comparação com as empresas estatais e com as poucas "grandes corporações" brasileiras. Essa vantagem estratégica, na etapa de crise que afeta o capitalismo competitivo em apogeu, seria de grande valor para os interesses externos envolvidos, que podiam praticamente decidir por conta própria como fazer a transição para uma economia capitalista monopolista. Portanto, se as evoluções internas fizeram muito pouco para libertar o padrão de desenvolvimento capitalista dos efeitos da dupla articulação, as evoluções condicionadas e reguladas através dos dinamismos da economia capitalista mundial reciclaram esse padrão de desenvolvimento para continuar a ser o que sempre foi, adaptando-o às novas condições e aos novos interesses das nações centrais. Os analistas da história econômica da América Latina que tentaram explicar o desenlace negativo em que culmina a transformação capitalista, sob situação competitiva, como se os empresários nacionais pudessem ter impedido tal desenlace, mantidas as condições existentes, ou exageram as potencialidades econômicas desses empresários, ou ignoram a natureza do desenvolvimento econômico (e de sua aceleração) sob o capitalismo competitivo dependente.

O movimento global da transformação capitalista, sob as peripécias do capitalismo competitivo dependente, precisa, pois, ser analisado sociologicamente com extremo cuidado. Todos os processos básicos do desenvolvimento capitalista nas sociedades centrais se repetem (ou, seria melhor, se reproduzem, já que as condições econômicas, sociais e políticas são diferentes). As consequências desses processos, nos níveis estrutural, funcional e histórico, no entanto, são bem diversas. A existência de uma alta burguesia, solidamente implantada numa economia capitalista competitiva bastante diferenciada e integrada; a formação de uma burguesia suficientemente numerosa para saturar os quadros de comando de tal economia e suficientemente forte para não se ver suprimida, economicamente, ou deslocada, politicamente, pela associação dependente; e o aparecimento de uma pequena-burguesia cada vez mais volumosa e agressiva (em termos de competição por riqueza, prestígio e poder), pelo menos nas metrópoles e nas grandes cidades — eis uma realidade humana que se torna chocante quando se considera a performance do desenvolvimento econômico sob o capitalismo competitivo dependente. Como foi possível que ele gerasse toda essa estrutura social e toda essa engrenagem, sem gerar, concomitantemente, fontes históricas de correção ou neutralização das inibições inerentes ao padrão de desenvolvimento capitalista dependente, ou o espaço econômico que seria necessário para que essas mesmas classes tivessem outra atuação histórica? A resposta já foi dada anteriormente. A dupla articulação impõe a conciliação e a harmonização de interesses díspares (tanto em termos de acomodação de setores econômicos internos quanto em termos de acomodação da economia capitalista dependente às economias centrais); e, pior que isso, acarreta um estado de conciliação permanente de tais interesses entre si. Forma-se, assim, um bloqueio que não pode ser superado e que, do ponto de vista da transformação capitalista, torna o agente econômico da economia dependente demasiado impotente para enfrentar as exigências da situação de dependência. Ele pode, sem dúvida, realizar as revoluções econômicas, que são intrínsecas às várias transformações capitalistas. O que ele não pode é levar qualquer revolução econômica ao ponto de ruptura com o próprio padrão de desenvolvimento capitalista dependente. Assim, mantida a dupla articulação, a alta burguesia, a burguesia e a pequena-burguesia "fazem história". Mas fazem uma história de circuito fechado ou, em outras palavras, a história que começa e termina no capitalismo competitivo dependente. Este não pode romper consigo mesmo. Como a dominação burguesa, sob sua vigência, não pode romper com ele, a economia capitalista competitiva da periferia fica condenada a dar novos saltos através de impulsos que virão de fora, dos dinamismos das economias capitalistas centrais.

EMERGÊNCIA E EXPANSÃO DO CAPITALISMO MONOPOLISTA

O quadro histórico do capitalismo monopolista é profundamente diverso daquele que se apresentara, em escala mundial e latino-americana, na época de irradiação do capitalismo competitivo para a periferia. A própria transição para o capitalismo monopolista não foi tão fácil nas economias centrais. De um lado, porque ela foi afetada pelas fortes tensões, nos níveis econômico, tecnológico e financeiro, que resultaram da competição internacional de economias capitalistas avançadas. De outro, porque as nações hegemônicas, que alcançaram desenvolvimento prévio mais intenso sob o capitalismo competitivo, enfrentaram maiores dificuldades na transição. Os estudos de Hobsbawm sobre a economia inglesa demonstram, por exemplo, que uma revolução industrial precoce pode tornar-se uma desvantagem relativa. Além disso, o capitalismo monopolista começa a alcançar sua primeira fase de clímax em conexão com a Primeira Guerra Mundial. O advento do "socialismo num só país" não podia interferir nos dinamismos de sua expansão nas economias capitalistas centrais ou de sua irradiação para a periferia. Mas contribuiu para criar um elemento adicional de tensão (nos níveis econômico, cultural e político), pois o capitalismo mundial, como um todo, passou a defrontar-se, daí por diante, com a existência e os apelos de um padrão de civilização alternativo. Essa tensão manifestou-se na forma de conflito e, apesar dos efeitos suasórios da Nova Política Econômica, instituída por Lênin na Rússia, ela foi amplamente manipulada como fator de compressão e de concentração de poder pelas potências aliadas, concorrendo para "acelerar a história" em favor do capitalismo monopolista. No que concerne à periferia, a transferência do padrão de desenvolvimento econômico inerente ao capitalismo monopolista constituía um processo de muito maior complexidade e de muito maior dificuldade que as anteriores eclosões do mercado capitalista especificamente moderno e da economia capitalista competitiva em sociedades recém-egressas de situações coloniais ou neocoloniais. A esse respeito, é preciso atentar para os requisitos desse padrão de desenvolvimento econômico, que exige índices relativamente altos: de concentração demográfica, não só em cidades-chave mas em um vasto mundo urbano-comercial e urbano-industrial; de renda *per capita*, pelo menos da população incorporada ao mercado de trabalho e, em especial, dos estratos médios e altos das classes dominantes; de padrão de vida, pelo menos nesses setores da população; de diferenciação, integração em escala nacional e de densidade econômica do mercado interno; de capital incorporado ou incorporável ao mercado financeiro, para dar maior flexibilidade e intensidade ao crescimento do crédito ao consumo e à produção; modernização tecnológica realizada e em potencial; de estabilidade política e de controle efetivo do poder do Estado pela burguesia nativa etc: Tais requisitos fizeram com que poucas nações da periferia pudessem absorver o padrão de desenvolvimento econômico inerente ao capitalismo monopolista através de um simples desdobramento de fronteiras econômicas, culturais e políticas. Imediatamente

CAPÍTULO 6 - NATUREZA E ETAPAS DO DESENVOLVIMENTO...

antes e depois da Primeira Guerra Mundial, apenas o Canadá, a Austrália e a África do Sul dispunham de condições internas que conferiam viabilidade a uma transferência global (embora paulatina) desse padrão de desenvolvimento, por meio dos processos normais de *conquista econômica*. Quanto ao resto da periferia, a única estratégia generalizada viável consistia na penetração segmentada, como técnica de ocupação do meio, de alocação de recursos materiais e humanos, ou de controle econômico. Foi através dessa técnica que as grandes corporações se instalaram e expandiram nessa imensa parte da periferia, assumindo o controle parcial mas em intensidade da exploração e da comercialização internacional de matérias-primas, da produção industrial para o mercado interno, do comércio interno, das atividades financeiras etc. Para atingir os seus objetivos comerciais, financeiros ou políticos elas não precisavam interferir, extensa e profundamente, na estrutura colonial, neocolonial ou competitiva das economias hospedeiras; ao contrário, essas estruturas lhes eram altamente vantajosas, já que economias desse tipo não dispunham mecanismos econômicos reativos de autodefesa. A incorporação, por sua vez, não se fazia à economia capitalista central, mas ao império econômico das grandes corporações envolvidas. Isso tinha as suas vantagens políticas e diplomáticas, já que as nações hegemônicas não precisavam arcar com os ônus decorrentes de semelhante técnica de "expansão econômica", embora servissem como seu polo de sustentação econômica, cultural e política e monopolizassem as vantagens dela decorrentes.

Vários fatores econômicos concorreram para alterar essa situação, em seguida à crise de 1929, antes e depois da Segunda Guerra Mundial. As próprias transformações recentes da economia, da estrutura urbana e da tecnologia das sociedades hegemônicas engendraram formas ultradestrutivas de utilização das matérias-primas da periferia, as quais converteram, em maior ou menor grau, as nações periféricas em fator de equilíbrio e de crescimento balanceado das economias centrais. Em consequência, ocorreu um deslocamento econômico das "fronteiras naturais" daquelas sociedades: as nações periféricas, como fonte de matérias-primas essenciais ao desenvolvimento econômico sob o capitalismo monopolista, viram-se, extensa e profundamente, incorporadas à estrutura, ao funcionamento e ao crescimento das economias centrais como um todo. Daí resultou uma forma de incorporação devastadora da periferia às nações hegemônicas e centrais, que não encontra paralelos nem na história colonial e neocolonial do mundo moderno, nem na história do capitalismo competitivo. Doutro lado, em parte por causa desse processo, em parte por causa de seu próprio crescimento demográfico e econômico, a periferia se alterou o suficiente, depois da Primeira Guerra Mundial, para tornar-se um mercado atrativo e uma área de investimentos promissores. Tudo isso contribuiu para modificar substancialmente a relação das grandes corporações com as economias periféricas. Aquelas passaram a competir fortemente entre si pelo controle da expansão induzida destas economias, gerando o que se poderia descrever, com propriedade, como a segunda partilha do mundo. Todavia, foi no plano político que surgiu a impulsão fundamental ao processo de neocolonização, típico do capitalismo monopolista. O fim da Segunda Guerra Mundial delimita o início de uma nova era, na qual a luta do capitalismo por sua sobrevivência desenrola-se em todos os continentes, pois onde não existem revoluções socialistas vitoriosas, existem fortes movimentos socialistas ascendentes. Os fatos cruciais, nessa evolução, são a revolução iugoslava, o advento das democracias populares, a revolução chinesa e a revolução cubana. Nessa situação, o controle da periferia passa a ser vital para o "mundo capitalista", não só porque as economias centrais precisam de suas matérias-primas e dos seus dinamismos econômicos, para continuarem a crescer, mas também porque nela se achava o último espaço histórico disponível para a expansão do capitalismo. Onde a oportunidade não fosse aproveitada ou fosse perdida, a alternativa seria o alargamento das fronteiras do "mundo socialista" e novas transições para o socialismo.

Graças a esse quadro global, não é só a transferência do padrão de desenvolvimento inerente ao capitalismo monopolista das economias centrais para as economias periféricas que possuí um caráter político. A própria implantação, a posterior irradiação e a consolidação desse padrão de desenvolvimento nas economias periféricas terão de assumir também um caráter especificamente político. De um lado, as dimensões dos projetos, dos recursos materiais e humanos envolvidos, dos prazos de duração forçam as grandes corporações, e através delas os governos das nações hegemônicas e suas organizações internacionais, a colocarem em primeiro plano os requisitos políticos da transformação capitalista da periferia. "Sem estabilidade política não há cooperação econômica", eis a nova norma ideal do comportamento econômico "racional", que se impõe de fora para dentro, exigindo das burguesias e dos governos pró-capitalistas das nações periféricas que ponham "a casa em ordem", para que pudessem contar com a viabilidade do "desenvolvimento por associação". Mas, de outro lado, a luta do capitalismo por sua sobrevivência transcende a

CAPÍTULO 6 - NATUREZA E ETAPAS DO DESENVOLVIMENTO...

esses limites. Os governos das nações hegemônicas e as organizações ou alianças ligadas à comunidade internacional de negócios desencadeiam simultaneamente (às vezes de maneira coordenada) vários tipos de projetos de assistência, uns econômicos, financeiros ou tecnológicos, outros policial-militares, educacionais, sindicais, de saúde pública ou hospitalares etc. A função de tais projetos é diretamente política: acima de seus alvos explícitos, o que eles visam é a súbita elevação do poder de decisão e de controle das burguesias e dos governos pró-capitalistas das nações periféricas. Desse modo, são logradas as condições de estabilidade política almejadas, que servem para reprimir os protestos contra as iniquidades econômicas, sociais e políticas, inerentes à transição para o capitalismo monopolista (inevitáveis e chocantes nas condições predominantes nos "países pobres"), tanto quanto para conjurar "o perigo comunista". No conjunto, ambas as influências externas concorrem para deprimir fortemente as estruturas políticas das sociedades hospedeiras. Nesse sentido, a modernização visada sob o lema de "desenvolvimento com segurança" — na lapidar formulação sintética, descoberta nos Estados Unidos — dissocia-se do modelo de civilização imperante nas nações hegemônicas. Ela negligencia ou põe em segundo plano os requisitos igualitários, democráticos e cívico humanitários da ordem social competitiva, que operariam, na prática, como obstáculos à transição para o capitalismo monopolista. Na periferia essa transição torna-se muito mais selvagem que nas nações hegemônicas e centrais, impedindo qualquer conciliação concreta, aparentemente a curto e a longo prazo, entre democracia, capitalismo e autodeterminação.

A economia brasileira se relacionou com a expansão do capitalismo monopolista segundo a forma típica que ela assumiu com referência à parte mais pobre, dependente e subdesenvolvida da periferia. Primeiro, vêm as manifestações mais longínquas, que têm relativa importância até o início da Segunda Guerra Mundial. Operando diretamente, por meio de filiais, ou mediante concessionárias, as grandes corporações surgem, aqui, quase simultaneamente ao seu aparecimento nas economias centrais, explorando segmentarmente uma vasta gama de objetivos especulativos: produção e fornecimento de energia elétrica; operação de serviços públicos (transportes por bonde ou trem; gás; telefones etc.); exportação de produtos agrícolas ou derivados industrializados, carnes, minérios etc.; produção industrial de bens de consumo perecíveis, semiduráveis e duráveis para o mercado interno; loteamento de terrenos, construção de casas ou venda de terras para fins agrícolas; comércio interno, especialmente nas esferas em que se tornara típico de uma sociedade urbano-comercial de massas, em transição industrial; operações de crédito, de financiamento e bancárias; projetos de desenvolvimento agrícola ou urbano, em conexão com a iniciativa privada ou o poder público etc. Nesse período, suas influências se diluem nos mecanismos de uma economia competitiva em diferenciação e expansão. Só excepcionalmente logram transformar o controle econômico segmentar em fonte de um monopólio real (o que às vezes sucedia, em função das circunstâncias, como se poderia exemplificar com a Light e outras empresas que operavam serviços públicos); e, com frequência, submetem-se aos mecanismos competitivos do mercado interno, desfrutando vantagens extraeconômicas (procedentes de sua organização, de privilégios legais ou concessões públicas, do porte relativo de sua capacidade empresarial ou produtiva etc.). Contudo, elas não concorrem para a emergência e a irradiação do capitalismo monopolista a partir de dentro. Ao contrário, as matérias-primas e as parcelas do excedente econômico drenadas para fora se polarizam na expansão do capitalismo monopolista nas próprias economias centrais. Desse ponto de vista, elas apenas contribuem para dar maior vitalidade ao padrão de desenvolvimento econômico inerente ao capitalismo competitivo dependente.

É na década de 1950 que se pode localizar a segunda tendência de irrupção do capitalismo monopolista como realidade histórica propriamente irreversível. Nessa fase, a economia brasileira já não concorre, apenas, para intensificar o crescimento do capitalismo monopolista no exterior: ela se incorpora a esse crescimento, aparecendo, daí em diante, como um de seus polos dinâmicos na periferia. Essa transformação não se dá de modo súbito mas graças a uma evolução gradual, em que têm importância específica três fatores distintos. De um lado, a "decisão externa" de converter o Brasil numa economia monopolista dependente repousa em dois fatores diversos: a disposição das economias centrais e da comunidade internacional de negócios de alocar no Brasil um volume de recursos suficiente para deslocar os rumos da revolução econômica em processo; e no deslocamento empresarial envolvido por essa disposição, que iria implantar dentro do país o esquema de organização e de crescimento econômicos intrínsecos à grande corporação. De outro lado, a "decisão interna" de levar a cabo a referida transformação capitalista, tão temida por muitos povos de economia competitiva dependente e subdesenvolvida.

A mencionada disposição das economias centrais e da comunidade internacional de negócios manifesta-se reiteradamente no pós-guerra, esbarrando nos obstáculos erguidos ao "capitalismo industrial" pelas dimensões do mercado interno, pela ausência de um mercado financeiro

CAPÍTULO 6 - NATUREZA E ETAPAS DO DESENVOLVIMENTO...

organizado e dinâmico e pela inflação endêmica (conforme o diagnóstico da missão Abbink); ou, na falta de correspondência adequada nos setores estratégicos do governo brasileiro e dos círculos industrialistas (mais propensos a graduar a transição industrial a partir de dentro, combinando o intervencionismo estatal a um nacionalismo econômico moderado). Ao que parece, os referidos "obstáculos" tinham pouca significação estrutural. Em nenhum lugar do mundo os dinamismos de qualquer padrão de desenvolvimento capitalista foram contidos ou impossibilitados pelas estruturas econômicas preexistentes. Estas ficam, antemão, condenadas à destruição parcial ou total, o que quer dizer que, onde não existem os requisitos demográficos, econômicos e sociais para a sua emergência, o capitalismo monopolista cria o seu próprio espaço ecológico, sociocultural e político na periferia. A questão não é de "viabilidade", mas de custos, tempo e operacionalidade. Até que ponto essa interpretação é correta nos demonstra o que aconteceu sob o governo Kubitschek e os governos militares posteriores a 1964. As duas oportunidades foram aproveitadas com enorme rapidez, evidenciando que as economias centrais estavam plenamente preparadas para transformar o controle econômico segmentar em um desenvolvimento capitalista-monopolista adaptado, com referência à economia brasileira.

O deslocamento empresarial de tal disposição assumiu feições distintas nos dois momentos assinalados. No primeiro momento, as grandes corporações só contaram com o espaço econômico que elas próprias conseguiam abrir, numa economia capitalista dependente mas em fase de transição industrial relativamente madura. Não parece que a longa penetração anterior, através de controles segmentários, tenha sido uma vantagem estrutural nesse processo. Ela deu alguma cobertura psicológica e política, em termos do grau de tolerância diante da grande corporação, em particular da grande corporação estrangeira, ligada ao "imperialismo econômico", e à "desnacionalização da indústria", na imaginação popular. A outros respeitos, as vantagens que elas usufruíam não vinham da distância percorrida pelas congêneres mais antigas, porém das debilidades dos controles econômicos e políticos internos. No segundo momento, que se situa depois da consolidação dos governos militares no poder, elas puderam contar com uma política econômica que unificava a governamental e a vontade empresarial. Então começa a configurar-se o espaço econômico típico de que elas necessitavam para crescer. O fluxo da modernização institucional, requerido pela transformação capitalista implícita, é voltado com grande intensidade (e também com grande ingenuidade) na direção das condições estruturais e dinâmicas vistas como "favoráveis" à implantação e à consolidação seja das grandes corporações, consideradas isoladamente, seja do padrão de desenvolvimento capitalista-monopolista que elas pressupõem. Com isso, o deslocamento empresarial transcende à de irrupção propriamente dita, instilando dentro da economia brasileira tendências que não podem mais ser eliminadas por meios administrativos ou políticos simples. A economia competitiva ainda não desapareceu (aliás, ela não desaparece por completo nem mesmo nas nações centrais e hegemônicas). Mas já sofreu uma profunda erosão, e a parte mais dinâmica do desenvolvimento capitalista (voltado para dentro ou para fora) subordina-se aos padrões do capitalismo monopolista.

A "decisão interna" de permitir e, mais que isso, de facilitar e de acelerar a irrupção do capitalismo monopolista, como uma transição estrutural e histórica, não possui o mesmo peso econômico que os dois fatores anteriores. No entanto, ela é central. Na sua ausência, as grandes corporações não contariam com espaço econômico e político para ir tão longe. O que quer dizer que continuariam indefinidamente presas à operação de controles econômicos segmentares, intrínsecos à sua participação na vida econômica do país (o que não as impediria de retirar o melhor quinhão do crescimento econômico interno). Nas condições em que se organiza e cresce, no presente, uma economia capitalista realmente competitiva na periferia, sob forte intervenção estatal e uma polarização política tão extensa quão profunda da dominação burguesa, a iniciativa privada interna tende a restringir, normalmente, as probabilidades de que uma súbita "expansão espontânea" das grandes corporações possa converter-se em ponto de partida de uma nova transformação da dominação capitalista externa (o que ocorreria sob a "irrupção natural" do capitalismo monopolista). A transição estrutural e histórica para o padrão de desenvolvimento econômico inerente ao capitalismo monopolista, nas condições assinaladas, requer alterações tão profundas dos mecanismos de mercado, na organização do mercado financeiro e de capitais, nas dimensões da produção industrial, e medidas correlatas tão complexas (e, ao mesmo tempo, tão nocivas para vários grupos e classes sociais, inclusive empresariais), referentes à política econômica e à aplicação de incentivos que privilegiam as economias industriais de escala e a exportação, que ela se torna impraticável sem um apoio interno decidido e decisivo, fundado na base de poder real das classes possuidoras, dos estratos empresariais mais influentes e do Estado. Tudo isso transparece de modo muito claro no caso brasileiro. A "decisão interna" cristaliza-se aos poucos, depois da Revolução de 1930; fixa-se de maneira vacilante, a princípio, em favor do impulso externo como a "única solução" no fim da década de 1950, e, por fim, quando surge a oportunidade crucial (o que se dá só de 1964 em diante), ela se converte no principal dínamo político de todo o processo. A distância entre o governo Kubitschek e o regime instaurado a partir de 1964 parece muito curta. Contudo, é preciso atentar para os dois movimentos concomitantes, que a dominação burguesa restaurada teve meios para realizar: 1) iniciativa privada interna e Estado conseguem, na verdade, "armar-se" autodefensivamente para enfrentar a aludida transição, que teria de transcorrer, inevitavelmente, como um processo de conquista econômica externa; 2) ambos ganham segurança suficiente para revolucionar o espaço econômico interno, com liberdade de ação quase total, podendo implementar medidas estratégicas de política econômica e medidas econômicas instrumentais (relacionadas com a criação de uma nova infraestrutura e de um novo complexo institucional para o sistema econômico como um todo), através das quais procuravam adaptar a ordem econômica emergente não às exigências das grandes corporações apenas, mas aos requisitos estruturais e dinâmicos do padrão de desenvolvimento econômico inerente ao capitalismo monopolista. Se tudo ficasse, pura e simplesmente, ao arbítrio das grandes corporações e dos interesses econômicos ou políticos das nações hegemônicas, burguesia e Estado nacional perderiam, ao mesmo tempo, os anéis e os dedos. Estariam trabalhando não por uma nova transição econômica dentro do capitalismo, passível pelo menos de controle político interno, porém por uma reversão colonial ou neocolonial insofreável.

A base da "decisão interna" não é somente econômica. Ela repousa numa complexa motivação psicossocial e política que, infelizmente, não pode ser analisada aqui. Basta que se diga que ela envolve duas ilusões principais: 1) que a transição descrita tornaria possível resolver, através do capitalismo e dentro da ordem, os problemas econômicos, sociais e políticos herdados do período neocolonial ou que surgiram e se agravaram graças ao impasse criado pelo capitalismo competitivo dependente e pelo subdesenvolvimento; 2) que a depressão do poder econômico (com suas implicações políticas) da iniciativa privada interna e do Estado seria transitória, pois a transição descrita diluiria por si mesma, dentro de um prazo relativamente curto, tanto as desvantagens do desenvolvimento capitalista dependente quanto as desvantagens da brusca elevação da influência estrangeira. Portanto, a motivação que está por trás dos comportamentos econômicos e políticos das classes possuidoras, dos círculos empresariais e do governo é "egoística" e "pragmática". Mas não é "egoística" e "pragmática em um sentido restrito e rudimentar. Os interesses econômicos equacionados são interesses de classe, que não afetam indivíduos ou grupos isolados, mas o modo pelo qual os estratos dominantes das classes média e alta percebem o "destino do capitalismo" no Brasil. Como se viram bloqueados pelo impasse do capitalismo competitivo dependente e subdesenvolvido, tentaram uma nova saída, mantendo as demais condições e introduzindo alterações no controle político da ordem que permitissem dar viabilidade à saída escolhida. A verdadeira dificuldade foi escamoteada. Ignorou-se que ela não estava nos padrões alternativos de desenvolvimento capitalista, mas na dupla articulação. Mantida esta, o novo padrão de desenvolvimento capitalista terá de gerar, em termos estruturais, funcionais e históricos, novas modalidades de dependência em relação às economias centrais e novas formas relativas de subdesenvolvimento; e não como algo transitório, mas permanente. Se essas modalidades de dependência e essas formas de subdesenvolvimento serão mais nocivas, produzirão contradições mais perigosas e desencadearão efeitos perturbadores mais graves, só a história nos dirá. Por via interpretativa, parece claro que, mantida a articulação, não se pode esperar que o capitalismo monopolista nos reserve algo melhor que o capitalismo competitivo. A evolução de outros países, em particular daqueles que fizeram a mesma transição sem limitações tão negativas e devastadoras, como é o caso do Canadá,[4] sugere que a própria burguesia brasileira irá descobrir, rapidamente, a natureza dos terríveis equívocos que cometeu.

O significado histórico-sociológico dessa transição é evidente. A burguesia brasileira não conseguiu levar a cabo a revolução industrial, nas condições com que se defrontava (com dificuldades inerentes não só a uma economia competitiva dependente e subdesenvolvida, mas às pressões desencadeadas, a partir de dentro e a partir de fora, pelas grandes corporações e por economias centrais que operavam em outra escala a do capitalismo monopolista e da forma correspondente de dominação imperialista). Assim, a burguesia brasileira perdeu a sua "oportunidade histórica" porque, em última instância, estava fora de seu alcance neutralizar os ritmos desiguais de desenvolvimento do capitalismo: a periferia, como um todo, atrasou-se em relação às economias centrais,

---

[4] Apesar das condições excepcionalmente favoráveis de que dispunha, para a transição indicada, o Canadá defronta-se com problemas e contradições de enorme complexidade, em particular no que diz respeito ao controle interno das condições e efeitos do desenvolvimento econômico sob o capitalismo monopolista e à neutralização da dominação imperialista externa (vejam-se especialmente: *A Citizen's guide to THE GRAY REPORT*, prepared by the editors of The Canadian Forum, Toronto, New Press, 1971; K. Levitt, *Silent surrender*. The Multinational Corporation in Canada, com prefácio de M. Watkins, Toronto, Macmillan of Canada, 1970; A E. Safarian, *Foreign ownership of Canadian industry*, Toronto, McGraw-Hill Company of Canada Limited, 1966).

CAPÍTULO 6 - NATUREZA E ETAPAS DO DESENVOLVIMENTO...

que a engolfaram em sua própria transformação. É claro que existiam alternativas para organizar a política econômica, tomando-se outras direções (dentro do capitalismo e fora dele). Contudo, políticas econômicas dessa natureza nunca foram consideradas seriamente pela burguesia brasileira. Quando elas surgiram, de modo débil e tosco, sofreram forte oposição por parte da "iniciativa privada", nacional e estrangeira. O setor estatal, apesar de sua enorme importância relativa na estrutura e nos dinamismos da economia, não serviu de contrapeso às pressões privatistas internas e externas, de orientação ultraconservadora e "puramente racional" (isto é, extranacionalista). Ele próprio iria absorver, nos níveis organizatório, tecnológico e político, o "modelo" da grande corporação capitalista, convertendo-se, com grande rapidez e flexibilidade, na espinha dorsal da adaptação do espaço econômico e político interno aos requisitos estruturais e dinâmicos do capitalismo monopolista. Nesse sentido, se se pode falar nisso, ele é representativo de um "capitalismo de Estado" medularmente identificado com o fortalecimento da iniciativa privada e que pretende servir de elo ao florescimento das grandes corporações privadas (independentemente das origens de seus capitais e do seu impacto sobre a recomposição da dominação burguesa) e do capitalismo monopolista no Brasil (independentemente das eventuais "crises de soberania" decorrentes). Na verdade, a capacidade do Estado de atuar como esteio de uma maior ou menor identificação do capitalismo com alvos coletivos e nacionalistas constitui uma função do grau de identificação das classes possuidoras e de suas elites econômicas, militares e políticas com alvos dessa espécie. Apesar do apregoado "nacionalismo" dos industrialistas e das classes médias, eram pouco expressivos e influentes os círculos de homens de ação que defendiam objetivos puramente nacionais ou nacionalistas. O grosso das classes possuidoras e de suas elites econômicas, militares e políticas, já sob o Estado Novo e nas lutas contra o último governo de Vargas, via o "capitalismo de Estado" como instrumental ou funcional apenas para os interesses privados (nacionais e estrangeiros). Ao lograr o controle completo da máquina estatal, colocaram-na a serviço da revolução econômica requerida pela "captação da poupança externa" e pela "internacionalização" da economia brasileira, sob o capitalismo monopolista. Essa experiência histórica comprova que o Estado não tem nem pode ter, em si e por si mesmo, um poder real e uma vocação inflexível para o nacionalismo econômico puro. Ele reflete, historicamente, tanto no plano econômico quanto no plano militar e político, os interesses sociais e as orientações econômicas ou políticas das classes que o constituem e o controlam. O Estado nacional brasileiro sucumbiu aos interesses de classe que ele representa.

O "capitalismo de Estado", que ele fomentou, cingiu-se às funções que a intervenção econômica e política estatal deveria preencher para que a irrupção do capitalismo monopolista se tornasse viável e irreversível.

Para completar este balanço[5] da transação para o capitalismo monopolista cumpre examinar, ainda, três questões, que já podem ser debatidas com suficiente penetração analítica. Primeiro, como se processa a solução da crise do poder burguês, no plano econômico. Segundo, quais são as principais consequências e repercussões imediatas do novo padrão de desenvolvimento capitalista sobre a economia brasileira. Terceiro, o que a referida transição representa para as classes sociais antagônicas à dominação burguesa.

Os analistas da história republicana e da evolução política recente usam e abusam da palavra "crise" — em particular, quando focalizam o poder oligárquico e suas relações com a recomposição das estruturas políticas da sociedade brasileira. Na verdade, estou longe de concordar com essas análises, que repetem ideias de sociólogos, historiadores ou cientistas políticos argentinos ou do pensamento socialista latino-americano. As crises enfrentadas pela oligarquia agrária "tradicional" ou por seus rebentos urbano-comerciais e financeiros "modernos" no Brasil estão longe de possuir caráter estrutural. Nunca passaram de crises de conjuntura e históricas, que se encerraram (ou se reabriram) através de processos de rearticulação do poder de classe da burguesia, acomodando, assim, seus vários setores e as elites correspondentes, sem atingir as bases propriamente ditas da dominação burguesa (e, dentro desta, da influência da "oligarquia"). Além disso, como sucederia no Brasil, no México e em outros países da América Latina, o estilo de dominação da burguesia reflete muito mais a situação comum das classes possuidoras e privilegiadas que a presumível ânsia de democratização, de modernização ou de nacionalismo econômico de algum setor burguês mais avançado. Por isso, ele antes reproduz o "espírito mandonista oligárquico" que outras dimensões potenciais da mentalidade burguesa. As coisas tomariam outro rumo se de fato, aqui e alhures, os setores urbano-comerciais e urbano-industriais fossem levados a tomar uma posição antioligárquica irredutível, o que exigiria que a dupla articulação se diluísse automaticamente através do próprio desenvolvimento capitalista; e que esses setores fossem capazes de atingir, por sua conta, o clímax da revolução industrial sob o capitalismo competitivo. Como

---

[5] Pois não se pode ir muito mais longe na interpretação de processos histórico sociais *in flux*, com frequência muito mal conhecidos.

isso não sucedeu, as crises começaram e terminaram na antecâmara da história, por assim dizer no salão de visitas das "burguesias nacionais" (entendendo que, superada a transição neocolonial, aristocracias e oligarquias agrárias ou agrário-comerciais convertem-se, aos poucos, em um ramo poderoso, por vezes o mais poderoso, dessas burguesias). A solidariedade de classe, expressa na defesa pura e simples do *status quo* (girando, com frequência, em torno da "defesa" da propriedade privada e da iniciativa privada), sempre foi suficiente para orientar os arranjos e as composições dos setores oligárquicos "tradicionais" ou "modernos" com os demais setores (aliás, os desdobramentos econômicos, em geral, ou financeiros, em particular, tornariam uma tarefa de Hércules separar, claramente, as linhas de interesses de todos os setores, dentro da mesma classe social). Para dar continuidade quer ao desenvolvimento capitalista, da forma em que ele era acessível, quer à dominação burguesa, como ela podia ser praticada econômica, social e politicamente, todos esses setores se viam forçados a manter alianças fundamentais (visíveis ou não), que punham a solidariedade de classe em primeiro lugar e anulavam, sub-repticiamente, os conflitos setoriais ou partidários aparentemente intransponíveis. A evolução que resultou da predominância dos ritmos econômicos, tecnológicos e históricos externos levou a crise do poder burguês ao subterrâneo da história, convertendo-a em uma crise verdadeiramente estrutural. Mas, em circunstâncias tão especiais que merecem cuidadosa atenção. Pois elas revelam como se dá a revolução econômica inerente à transformação industrial mais avançada na periferia; e mostram como ela refunde, em seu transcurso, as estruturas, as funções e o significado histórico da dominação burguesa, como e enquanto dominação de classe.[6]

Os problemas práticos com que se defrontava a burguesia brasileira e que ela não tinha como resolver, nas condições de uma economia capitalista competitiva mas dependente e subdesenvolvida, não ameaçavam, em si e por si mesmos, a base econômica, social e política do poder burguês. Todavia, eles criavam uma situação de permanente desgaste e de impotência, a qual teria concorrido para desagregar a dominação burguesa se existissem forças antagônicas organizadas, de contestação política revolucionária. Na ausência destas (ou com sua

---

[6] E não, como muitos pretendem ver estreitamente, como dominação de uma categoria econômica ou profissional, que se poderia distinguir da burguesia e se opor a ela (como se pensa com relação aos militares, aos empresários, aos intelectuais, aos tecnocratas etc.).

presença sob controle), o pânico da burguesia provinha muito mais da percepção da necessidade de realizar um movimento econômico que a colocasse em condição de acompanhar os dinamismos econômicos e os ritmos históricos que as nações capitalistas hegemônicas transferiam para a sociedade brasileira. Era bastante claro que esses dinamismos e esses ritmos históricos a partir do momento em que a incorporação alcançasse maiores proporções deslocariam a burguesia brasileira, deixando-a em uma posição insustentável, com riscos econômicos e políticos evidentes se a dominação burguesa não fosse reajustada, estrutural e funcionalmente, às exigências econômicas das situações emergentes. Isso foi, exatamente, o que sucedeu. Primeiro, lentamente, do término da Segunda Guerra Mundial ao fim da década de 1950; em seguida, de modo muito rápido, bem no começo e durante a década de 1960. A crise do poder burguês aparece, pois, como uma crise de adaptação da dominação burguesa às condições econômicas que se criaram, senão exclusivamente, pelo menos fortemente, graças ao desenvolvimento capitalista induzido de fora e amplamente regulado ou acelerado a partir de fora.

O grande problema teórico, para a interpretação sociológica, consiste em explicar como essa crise do poder burguês se resolve sem maiores alterações ou comoções mais profundas na ordem social existente. As linhas fundamentais da superação da crise são perfeitamente identificáveis, o que permite sugerir uma explicação aproximada e provisória dessa transformação. Os elementos basilares do processo são: 1) a capacidade da iniciativa privada interna de captar as irradiações econômicas das grandes corporações, das nações capitalistas hegemônicas e do mercado capitalista mundial; 2) a capacidade de mobilização social e política da burguesia como classe possuidora e privilegiada; 3) a possibilidade de converter o Estado em eixo político da recomposição do poder econômico, social e político da burguesia, estabelecendo-se uma conexão direta entre dominação de classe, concentração do poder político de classe e livre utilização, pela burguesia, do poder político estatal daí resultante.

Quanto ao primeiro aspecto, existem muitas confusões a respeito das orientações econômicas, sociais e políticas do imperialismo na periferia. O sociólogo precisa romper com essas confusões, que perturbam a observação objetiva e a interpretação crítica da realidade. Em termos não só de preservação do *status quo*, mas também de irradiação e de expansão do capitalismo monopolista na periferia, não interessa às grandes corporações e às nações capitalistas hegemônicas desgastar a base econômica da dominação burguesa e, tampouco, suscitar crises

CAPÍTULO 6 - NATUREZA E ETAPAS DO DESENVOLVIMENTO...

irrecuperáveis do poder burguês. Para continuar a extrair os recursos naturais e humanos da periferia ou participar esmagadoramente da expropriação do seu excedente econômico, as grandes corporações e as nações capitalistas hegemônicas precisam, no presente, favorecer a estabilidade e a eficácia do poder burguês nas economias capitalistas periféricas. Por isso, bastou que a iniciativa privada interna demonstrasse aprovar e querer os novos rumos da transformação capitalista para que a presença externa aumentasse explosivamente, acelerando a revolução industrial e colocando-a em novas dimensões. O que importa, entre tudo que aconteceu ou está acontecendo, é a relação entre a captação das irradiações econômicas das economias capitalistas centrais e a formação de uma nova base econômica para a dominação burguesa. De um ponto de vista puramente econômico, esse foi o processo central, que permitiu adaptar a dominação burguesa às funções que ela devia ou deve desempenhar numa fase de crise e mutação do poder burguês, ou seja, de caos e de reconstrução da economia capitalista existente. A nova etapa de incorporação às economias centrais, sob o padrão de desenvolvimento econômico inerente ao capitalismo monopolista, proporcionou à burguesia brasileira, portanto, a oportunidade de dar um salto gigantesco, que permitia, a um tempo, revitalizar as bases materiais do poder burguês e revolucionar o modo pelo qual ele se equacionava, historicamente, como dominação de classe especificamente burguesa.

Quanto ao segundo aspecto, jamais a burguesia brasileira poderia dar o referido salto, sob impulsão externa, se ela não tivesse condições efetivas de automobilização como e enquanto classe. Essa automobilização não se efetuou (nem poderia efetuar-se) contra o "perigo estrangeiro", o "imperialismo econômico" ou o "controle norte-americano". Na verdade, as irradiações econômicas das nações capitalistas hegemônicas favoreceriam a recomposição e a revitalização do poder burguês: as elites das classes médias e altas entenderam isso muito bem. Doutro lado, as mesmas elites compreenderam (adequadamente quanto a seus interesses de classe) que a alternativa para o imobilismo econômico, intrínseco às taxas médias possíveis de desenvolvimento capitalista e de industrialização, seria, de qualquer modo, a deterioração e a desintegração da dominação burguesa (a largo prazo) ou o seu deslocamento econômico pela iniciativa privada estrangeira (a curto prazo). Em tal contexto, o pânico econômico forçou o aparecimento e o agravamento de atitudes de classe, fortemente agressivas, nascidas de uma frustração crônica e do medo reativo, os quais contribuíram para projetar a agressão para fora da nossa classe. A classe dos outros, no caso, tinha de ser forçosamente o proletariado (e, confusamente, a *congérie* das massas trabalhadoras e destituídas), que surge como o inimigo natural e o alvo dessa agressão autodefensiva. Como a classe dos outros não era a fonte real do estado de pânico, ela funcionou apenas como "bode expiatório" e como foco de referência para a atualização de processos elementares de solidariedade de classe. No clima histórico descrito, pânico, agressão e autodefesa reativa criavam impulsões de identificação coletiva e de comunidade política em todos os círculos das classes possuidoras e privilegiadas, simplificando as tarefas de liderança de suas elites. A defesa da "ordem", da "propriedade privada" e da "iniciativa privada" congregou o grosso da minoria dominante em torno de interesses e de objetivos comuns, fazendo com que todos os setores dessa minoria e suas elites econômicas, militares, políticas, judiciárias, policiais, profissionais, culturais, religiosas etc. evoluíssem na mesma direção. Em consequência, elevaram-se as potencialidades unificadoras dos toscos interesses e objetivos comuns, enquanto, paralelamente, as divergências e os antagonismos setoriais de classe ou de partido eram bloqueados, de modo automático ou coercitivo. Sem dúvida, a "lei dos pequenos números" explica sociologicamente essa performance, altamente facilitada pelos baixos índices de participação econômica, cultural e política das massas. Os privilégios — e não os elementos dinâmicos do "espírito capitalista" — cimentaram essa espécie de solidariedade de rapina, que não iria desfazer-se enquanto não fosse superada a crise do poder burguês e restabelecida a plena eficácia da dominação burguesa.

Quanto ao terceiro aspecto, é conhecida a extraordinária importância estratégica do Estado, quer para o desenvolvimento capitalista na periferia, quer para um tipo de dominação burguesa que se singulariza pela institucionalização política da autodefesa de classe (para a preservação e a ampliação de privilégios econômicos; para a política econômica posta calculadamente a serviço do alargamento da base material do poder burguês; ou para ambas). A natureza de todas essas conexões em função da dominação burguesa nem sempre é evidente. Contudo, em nações capitalistas nas quais as funções classificadoras do mercado e as funções estratificadoras do sistema de produção são tão limitadas, a ponto de o grosso da população permanecer excluído do funcionamento normal do regime de classes e da ordem social competitiva, somente as classes altas e médias chegam a participar efetivamente das vantagens proporcionadas pelo desenvolvimento capitalista. Essa participação é, em si mesma, um privilégio e só se pode manter na medida em que outros privilégios, vitais para as situações de classe alta e média, são intocáveis. A dominação da burguesia irradia-se de modo muito fraco da minoria dominante para o resto da sociedade (ao contrário do que sucedeu nas nações capitalistas hegemônicas, onde tal irradiação serviu de embasamento econômico para a "democracia burguesa"). Ela se concentra no tope, nos 10, 15, 20 ou 25% que têm rendas altas, monopolizam a cultura e o poder político, o que faz com que o poder político indireto, nascido do poder econômico puro e simples, e o poder especificamente político se confundam, atingindo o máximo de aglutinação, e o Estado se constitua no veículo por excelência do poder burguês, que se instrumentaliza através da maquinaria estatal até em matérias que não são nem administrativas nem políticas. Isso explica a facilidade com que, no Brasil, as classes possuidoras e privilegiadas passaram tão rapidamente, em 1964, da automobilização social para a ação militar e política; como o Estado nacional foi posto a serviço de fins particularistas da iniciativa privada; e por que as várias elites das classes dominantes (econômicas, militares, políticas, judiciárias, policiais, profissionais, culturais, religiosas etc.) encontraram tão depressa um foco de unificação institucional de suas atividades. O Estado aparece, portanto, como o segundo elemento, na ordem dos fatores de importância estratégica para a solução da crise do poder burguês, no amplo movimento da burguesia para se assegurar o êxito da transição para o capitalismo monopolista. Isso se se tomar a questão em termos da criação de uma base econômica adequada à dominação burguesa sob o capitalismo monopolista. Quando se vê a mesma questão em termos dos fundamentos políticos dessa dominação, a ordem dos fatores precisaria ser alterada. Os requisitos políticos do desenvolvimento econômico sob o capitalismo monopolista dependente, como já foi indicado acima, exigem um tão elevado grau de estabilidade política (pelo menos nas fases de eclosão e de consolidação, que nos é dado observar) que só uma extrema concentração do poder político estatal é capaz de garantir. Doutro lado, nos momentos mais críticos da transição, que ainda não foram vencidos, operou-se uma dissociação acentuada entre desenvolvimento econômico e desenvolvimento político. Isso fez com que a restauração da dominação burguesa levasse, de um lado, a um padrão capitalista altamente racional e modernizador de desenvolvimento econômico; e, concomitantemente, servisse de pião a medidas políticas, militares e policiais, contrarrevolucionárias, que atrelaram o Estado nacional não à clássica democracia burguesa, mas a uma versão tecnocrática da democracia restrita, a qual se poderia qualificar, com precisão terminológica, como uma autocracia burguesa.

No que se refere às consequências e repercussões imediatas da irrupção do capitalismo monopolista na economia brasileira, a situação apresenta muitas analogias com o que ocorreu no passado, tanto quando da eclosão de um mercado capitalista especificamente moderno em uma economia colonial, quanto quando da irrupção do capitalismo competitivo em uma economia escravista. Apenas, a heterogeneidade do quadro econômico brasileiro é agora mais pronunciada, a distância existente entre as várias épocas histórico-econômicas distintas (mas coetâneas) é muito maior e as contradições resultantes do desenvolvimento desigual interno são muito mais graves. Seria inútil fazer um bosquejo da "situação atual", pois ela tem sido tão discutida por apologistas ou críticos do milagre brasileiro que se tornou bem conhecida. O essencial, do ponto de vista sociológico, parece ser situar a irrupção do capitalismo monopolista de acordo com sua estrutura íntima: um desenvolvimento capitalista provocado na periferia pelas economias centrais e, portanto, extensa e profundamente induzido, graduado e controlado de fora. Por essa razão, ela não possui, no contexto das economias capitalistas periféricas, o mesmo significado e as mesmas implicações econômicas que teve na evolução das economias capitalistas centrais. Antes de passar por semelhante transição, estas experimentaram amplos e duráveis processos de acumulação de capital, de invenção tecnológica, de expansão de uma sociedade de massas e de um mercado de consumo em massa, de modernização institucional, de participação cultural e de educação escolarizada, de elevação dos padrões de vida, de democratização do poder etc. Isso quer dizer que, sem ignorar que essa irrupção acarreta uma revolução econômica na periferia, o sociólogo deve levar em conta o que representa a falta de antecedentes e de concomitantes (tanto econômicos, demográficos e tecnológicos quanto sociais, culturais e políticos), ao mesmo tempo no plano estrutural e no nível histórico. O capitalismo monopolista não eclode nas economias periféricas rompendo o seu próprio caminho, como uma força interna irreprimível que destrói estruturas econômicas arcaicas ou simplesmente obsoletas, dimensionando e reciclando o que deveria ser preservado e forjando suas próprias estruturas econômicas ou extraeconômicas. Vindo de fora, ele se superpõe, como o supermoderno ou o atual, ao que vinha de antes, ou seja, o "moderno", o "antigo" e o "arcaico", aos quais nem sempre pode destruir e, com frequência, precisa conservar. O seu maior impacto construtivo consiste em cavar um nicho para si próprio, naquelas esferas das economias periféricas que são mais compatíveis com a transição, formando assim um exíguo espaço econômico, a partir do qual poderá crescer e quiçá irradiar-se para toda a economia, universalizando aos poucos os requisitos estruturais, funcionais e históricos inerentes ao seu próprio padrão de desenvolvimento capitalista.

CAPÍTULO 6 - NATUREZA E ETAPAS DO DESENVOLVIMENTO...

Essa é a realidade. Pensar as coisas com paralelos e virtualidades, tomados às economias capitalistas centrais, seria ir demasiado longe... As metrópoles, as grandes cidades, uma boa parte do mercado interno e alguns segmentos do mundo agrário oferecem a semelhante padrão de desenvolvimento capitalista uma base estratégica de irradiação, de crescimento e de universalização progressiva. Sendo assim, pode-se perguntar: ele sempre acaba prevalecendo? É impossível dizer-se, com base nas evoluções que atingiram a periferia nos últimos trinta anos. Na medida em que ele for continuamente revitalizado pelos dinamismos das economias centrais, pelo crescimento interno das grandes corporações (não só estrangeiras, mas nacionais, estatais ou privadas) e pela expansão do mercado e do sistema de produção internos, ele possui altas probabilidades de "vir para ficar". Esse parece ser o caso, atualmente, com referência ao Brasil.

Contudo, não se podem ignorar duas coisas. Primeiro, como ocorreu com o capitalismo competitivo, o capitalismo monopolista terá de adaptar-se para coexistir com uma variedade de formas econômicas persistentes, algumas capitalistas, outras extracapitalistas. Não poderá eliminá-las por completo, pela simples razão de que elas são funcionais para o êxito do padrão capitalista-monopolista de desenvolvimento econômico na periferia. Em outras palavras, para se aninhar e crescer nas economias capitalistas periféricas esse padrão de desenvolvimento capitalista tem de satelitizar formas econômicas variavelmente "modernas", "antigas" e "arcaicas", que persistiram ao desenvolvimento anterior da economia competitiva, do mercado capitalista da fase neocolonial e da economia colonial. Tais formas econômicas operam, em relação ao desenvolvimento capitalista-monopolista, como fontes de acumulação originária de capital. Delas são extraídos, portanto, parte do excedente econômico que financia a modernização econômica, tecnológica e institucional requerida pela irrupção do capitalismo monopolista, e outros recursos materiais ou humanos, sem os quais essa modernização seria inconcebível. Segundo, a própria irrupção do capitalismo monopolista na periferia coincide com uma época de "crise mundial" do capitalismo. Tome-se, por exemplo, a América Latina: as nações latino-americanas que procuram em tal irrupção a restauração do "poder burguês" não são cenários de revoluções, mas de contrarrevoluções. O que significa que as opções históricas de ponta se fazem noutra direção, contra o capitalismo. Como em Cuba, a história conduz ao socialismo. A questão da duração e da presumível eficácia histórica do padrão de desenvolvimento capitalista-monopolista, nas nações da América Latina em que ele irrompeu e está crescendo, não é, pois, tão simples. Ao adaptar-se às estruturas e dinamismos de economias capitalistas dependentes e subdesenvolvidas, ele se associa a velhas iniquidades econômicas e gera, por sua vez, iniquidades econômicas novas, atraindo para si velhos e novos descontentamentos sociais e políticos. É claro que isso não auxiliará muito quanto à formação de identificações favoráveis nas massas. Ao contrário, poderá ajudá-las a perder toda a confiança no capitalismo e a moverem-se na direção oposta, do socialismo.

Considerações dessa ordem são cruciais. Não se pode supor que o Brasil, por causa de suas dimensões continentais, de seu potencial de matérias-primas e de crescimento do mercado interno, do tamanho de sua população etc., esteja fatalmente destinado a ser um caso à parte na América Latina. Para vencer, aqui como alhures, o capitalismo monopolista terá de travar a sua batalha, que não poderá ser ganha com base na violência institucionalizada e na opressão permanente. Estas demonstraram ser úteis, mas é duvidoso que sua utilidade vá além do que pode ser feito em fases de transição, durante o lapso de tempo em que ocorre o "salto histórico". A largo prazo, é visível que seria contraproducente empregá-las sistematicamente; os sacrifícios exigidos não são do tipo dos que se justifiquem por si mesmos, ou que possam ser tolerados sob condicionamentos psicossociais predeterminados. Em suma, o capitalismo monopolista não poderá prevalecer se não for capaz de oferecer uma alternativa real em face do socialismo. Impô-lo, pura e simplesmente, é uma técnica precária, que se esgotará em duas ou três décadas, se não antes disso. O que significa que a opção final caberá às maiorias silenciosas dos pobres e excluídos. Poderá o capitalismo monopolista conquistar o seu apoio concreto? A julgar pelas perspectivas brasileiras, a resposta é não! Ele se associa, em sua eclosão, a práticas econômicas e políticas tão iníquas, antidemocráticas e desumanas, que aparecerá, para as massas, como o paraíso dos ricos, dos poderosos e dos privilegiados. Herda toda a carga negativa que nasce da fusão de velhos e novos "exploradores do povo".

Pondo-se de lado qualquer juízo ético sobre o capitalismo monopolista e se ele é (ou não) compatível com condições igualitárias e democráticas de existência social, uma coisa é certa. A irrupção do capitalismo monopolista cria pressões extremamente fortes sobre a organização, o funcionamento e o desenvolvimento de economias capitalistas periféricas. O seu espaço econômico estratégico não está nessas economias, mas nas economias capitalistas centrais. Matérias-primas, capacidade de consumo ou de produção, comércio externo, recursos humanos, excedente econômico, tudo, enfim, é mobilizado de dentro para fora, posto a serviço das necessidades, básicas ou não, e do

CAPÍTULO 6 - NATUREZA E ETAPAS DO DESENVOLVIMENTO...

crescimento daquelas economias e do mercado capitalista mundial. O exemplo brasileiro é típico a esse respeito. A referida irrupção deslancha a diferenciação e a elevação da produção industrial, ela realiza a revolução industrial com que sempre se sonhou no país. Isso representa novos empregos para as massas e, com frequência, muitos empregos, empregos cobiçados e com salários mais altos. No entanto, as parcelas das massas que se podem beneficiar com tais empregos não são tão numerosas e se veem ainda mais reduzidas, porque entramos na era de técnicas que envolvem uso intensivo de capital, maior racionalização do trabalho, computadores e os primórdios da automação. De outro lado, a população como um todo, beneficie-se ou não com o padrão de desenvolvimento capitalista-monopolista, tem de arcar com o peso asfixiante das mencionadas pressões diretas ou indiretas sobre as matérias-primas e os recursos materiais ou humanos internos, que se refletem na alta dos preços, na escassez das utilidades, na desorganização do comércio (por influência não só dos intermediários mas dos produtores), na ineficácia de controles econômicos fundados nas decisões do comprador, na inflação, na criação de práticas financeiras exclusivistas mas devastadoras para a coletividade etc. A passagem tão rápida para o padrão de desenvolvimento capitalista-monopolista faz, em suma, com que a súbita mobilização externa de matérias-primas, utilidades, recursos humanos e excedente econômico, em escalas crescentemente excessivas, produza efeitos similares ao de uma dieta irracional sobre o organismo humano. "Crescendo para fora", o que fica visível e atinge a todos são os sacrifícios acarretados por essa mobilização maciça, os ônus econômicos e os custos de se tornar um satélite de grande porte. O comércio externo passa a marcar as constantes oscilações para cima desse processo sem fim de drenagem, agora não só do excedente econômico mas de todas as riquezas e de todas as forças econômicas vivas, reais ou potenciais, materiais ou humanas, essenciais ou secundárias.

O que se pode dizer, de um ponto de vista geral, é que sob o capitalismo monopolista o desenvolvimento desigual da periferia se torna mais perverso e "envenenado". Não se voltando contra a dupla articulação, ele mantém, alarga e aprofunda a dependência, ao mesmo tempo em que agrava o subdesenvolvimento relativo (malgrado os efeitos de demonstração em contrário). Além disso, como também desencadeia pressões fortes no sentido de crescer aceleradamente com "recursos internos", infunde novas distorções estruturais e dinâmicas no processo de acumulação capitalista. Isso se revela particularmente grave em duas esferas: 1) as fortes compressões conjunturais dos salários dos trabalhadores; 2) desinflatores e outras técnicas de transferência de renda que amparam, sistematicamente, os que podem "fazer poupança", isto é, todos aqueles que estão fora e acima da economia popular. Em contraste, o pequeno e exclusivo exército dos "ricos", "poderosos" e "modernos" — os grupos de rendas altas e muito altas —, além de participar direta e desigualmente da prosperidade induzida de fora, encontra novas facilidades de elevação da renda, graças a uma política econômica e financeira delineada para fazer dele um dos eixos dinâmicos da transição. Ele se projeta, assim, naquilo que se poderia descrever como a "conexão positiva" do padrão de desenvolvimento capitalista-monopolista dependente. Forma os estratos dos consumidores dos artigos de luxo e dos médios ou grandes investidores; e encarna os desequilíbrios que esse novo padrão de desenvolvimento introduz em estruturas econômicas, sociais e políticas que pareciam não suportar maiores incrementos das desigualdades de classe, de região ou de raça.

Não obstante, não é aí que se encontra o impacto negativo fundamental. Muitas das distorções, assinaladas apenas de modo genérico, ligam-se claramente a condições de transição, podendo ser eliminadas ou reduzidas a médio e a largo prazos, se a própria consolidação do padrão de desenvolvimento capitalista descrito conduzir às "técnicas normais" de produção e de consumo em massa (mesmo sob os efeitos adversos da dependência e do subdesenvolvimento relativo). O mesmo não se poderá dizer da política econômica exigida por esse padrão de desenvolvimento capitalista e das interferências que ela engendra. Nas condições em que se está dando, a transição para o capitalismo monopolista impõe tendências de concentração social da riqueza que não podem ser nem transitórias nem atenuadas com o tempo. Poderá haver uma diluição dos contrastes mais sombrios na distribuição da renda, especialmente quando os assalariados e as classes médias começarem a fazer pressão política, através dos sindicatos e de outros meios. Contudo, aquelas tendências irão persistir, contribuindo para preservar e até agravar os fatores internos que tomam a articulação de economias desiguais, a partir de dentro, uma realidade inelutável. É previsível que aí está o fundamento estrutural e dinâmico para que as grandes corporações (estatais, nacionais ou estrangeiras), os "impérios econômicos" e as metrópoles se transformem em formidáveis núcleos de satelitização de grandes, pequenas e médias cidades e do campo, ou, em outras palavras, do resto da economia e da sociedade brasileira. Do mesmo modo, nas condições em que se está dando, a transição para o capitalismo monopolista não pode concorrer para a autonomização do desenvolvimento capitalista. Ele captura tudo — o mercado interno, o vasto sistema de produção capitalista em expansão, o comércio internacional de matérias-primas

CAPÍTULO 6 - NATUREZA E ETAPAS DO DESENVOLVIMENTO...

e utilidades extraídas ou produzidas no Brasil, parcelas do excedente econômico geradas internamente — para os dinamismos e os controles econômicos das economias capitalistas centrais e do mercado capitalista mundial. Por isso, o que se pensa ser o "momento de predominância estrangeira" não poderá ser eliminado ou atenuado no futuro (próximo ou remoto). Mais que sob o capitalismo competitivo, a drenagem agora se faz sob a estratégia da bola de neve: ela se acelera, se avoluma e se intensifica à medida que o desenvolvimento capitalista interno se acelera, se avoluma e se intensifica. Nesse sentido, até as atividades econômicas diretas do Estado nacional são satelitizadas, pois são absorvidas pela estratégia externa de incorporação e por seus desdobramentos internos. E a iniciativa privada interna, em qualquer proporção significativa, da agricultura, da criação, da mineração, ao comércio interno e externo, à produção industrial, aos bancos e aos serviços, terá de crescer sob o influxo dos dinamismos e dos controles econômicos manipulados, direta ou indiretamente, a partir do desenvolvimento das economias capitalistas centrais e do mercado capitalista mundial. Chegou-se, pois, a um ponto em que a articulação no plano internacional tende a esgotar todos os limites. Sob o capitalismo monopolista, o imperialismo torna-se um imperialismo total. Ele não conhece fronteiras e não tem freios. Opera a partir de dentro e em todas as direções, enquistando-se nas economias, nas culturas e nas sociedades hospedeiras. A norma será: "o que é bom para a economia norte-americana é bom para o Brasil" (e assim por diante). Só que nunca se estabelecerão as diferenças entre a economia norte-americana (ou as outras economias capitalistas centrais) e a economia brasileira. Nessa situação, o industrialismo e a prosperidade capitalista virão finalmente, mas trazendo consigo uma forma de articulação econômica às nações capitalistas hegemônicas e ao mercado capitalista mundial que jamais poderá ser destruída, mantidas as atuais condições, dentro e através do capitalismo.

No que concerne ao significado da irrupção do capitalismo monopolista para as classes antagônicas à dominação burguesa encontramo-nos em uma situação paradoxal. As condições de transição, descritas sinteticamente acima, fizeram com que a "compressão política" se tornasse, a um tempo, extremamente dura e sistemática. A tal ponto que o espaço político, inerente à ordem legal existente, só continuou aberto, democrático e flexível para os membros e as elites das classes dominantes que se identificassem com os propósitos econômicos, sociais e políticos que polarizavam e dinamizavam, de modo consciente, agressivo e violento, a dominação burguesa na fase de transição (ainda em curso). Os divergentes, pertencessem ou não às classes dominantes, estavam sujeitos à repressão ostensiva ou dissimulada e foram (ou não) condenados ao ostracismo. Essa situação gerou duas reações, igualmente limitativas. A mais geral consistiu no aparecimento e na difusão de uma ótica tolerante em relação ao "liberalismo do passado". Criou-se algo parecido com o que ocorreu na Rússia, quando se fazia uma defesa utópico-socialista da estrutura agrária campesina, ameaçada pela expansão do capitalismo. Aqui se passou a defender a pseudodemocracia burguesa, que tivemos sob o capitalismo competitivo, sem se estabelecer qualquer relação genética entre ela e o que veio depois. A outra reação consistiu em confundir o particular com o geral, o que acontecia sob a exacerbação da crise do poder burguês com o que deverá ser esse poder burguês se superar a crise. É inegável que os instantes críticos da transição revelam os requisitos políticos do poder burguês como se eles fossem radiografados. Todavia, o próprio poder burguês não poderá perpetuar-se indefinidamente em tensão. Ele mostrou até aonde é capaz de ir — não que possa manter-se assim para sempre. A dominação burguesa exige, tanto econômica quanto socialmente, um mínimo de fluidez política, que é incompatível com um estado de tensão permanente. De qualquer modo, as duas reações provocaram o mesmo efeito. Elas corroboraram o mito de que os antagonismos de classe e as contradições de uma sociedade de classes, agravados sob o capitalismo dependente e subdesenvolvido, podem ser sufocados ou entorpecidos pela mobilização da força bruta da burguesia e do Estado.

Seria isso possível? Mesmo tornando-se autocrático, pode o poder burguês suprimir as bases econômicas e os fundamentos políticos da dominação burguesa, sem destruir-se? Esse é o busílis da questão. Ainda que se aceite que uma evolução dessa espécie fosse possível, tendo-se em mira a preponderância do "espírito mandonista" na recomposição econômica, social e política do poder burguês, semelhante polarização é histórica, não estrutural-funcional. Em outras palavras, ela não é intrínseca à dominação burguesa, e é muito provável que outras forças burguesas (internas e externas) deslocarão, se essa fase de transição vencida "dentro da ordem", os elementos oligárquicos que estão por trás dessa polarização.[7]

---

[7] E é preciso que fique claro: dada a irradiação da antiga aristocracia e da oligarquia "tradicional", do último quartel do século XIX em diante, para os setores "modernos", seria inexato fixar as fronteiras do elemento oligárquico na economia agrária. Elas vão também à economia urbana e penetram todas as elites burguesas ou pequeno-burguesas (tanto econômicas e profissionais quanto militares, judiciárias, policiais, religiosas, culturais, educacionais etc.). O melhor exemplo disso é a evolução da mentalidade política dos "tenentes" depois da Revolução de 1930.

CAPÍTULO 6 - NATUREZA E ETAPAS DO DESENVOLVIMENTO...

Desse ponto de vista, as forças burguesas, que lutam pela eternização de um regime autocrático, ignoram a essência do capitalismo privado se altera substancialmente, mas não desaparece, sob o capitalismo monopolista e, em consequência, o sentido da dominação burguesa (necessariamente orientado para a defesa sistemática do capitalismo privado). Ao confundir aquilo que "foi preciso fazer" em dado momento, para preservar e fortalecer o poder burguês, com o que se "deve fazer sempre", tais forças correm o risco de concorrer, ou para criar uma evolução alternativa dentro do capitalismo (através de um capitalismo de Estado autêntico, que teria de reduzir ou de eliminar a importância da iniciativa privada no desenvolvimento capitalista-monopolista), ou para suscitar uma evolução anticapitalista (pois os regimes autocráticos favorecem as "revoluções contra a ordem").

Todavia, além e acima de sua significação e de suas implicações políticas, a proscrição repressiva do conflito de classe possuía um fundamento especificamente econômico. Como já foi indicado, várias medidas de política econômica, essenciais para a restauração da dominação burguesa, tinham por função criar fontes de acumulação originária de capital, dentro de uma economia capitalista constituída e em adiantado estado de transformação industrial (o que é possível e normal nas economias capitalistas periféricas, por causa do atraso da industrialização, de suas oscilações evolutivas e do seu clímax tardio). Algumas dessas medidas podiam ser dissimuladas, ficando sem visibilidade ou com baixa visibilidade (como ocorreu com os mecanismos de transferência de renda dos mais explorados e que foram manipulados através da inflação, de deflatores que beneficiavam os "investidores", de operações fiscais e financeiras ou de isenções fiscais e privilégios de diversas categorias projetados com esse fito, confiscos cambiais etc.). O mesmo não sucedia com a depressão sistemática dos salários das classes trabalhadoras urbanas, com os "acordos entre cavalheiros" que sempre deixavam as oscilações dos preços entregues à ganância especulativa de produtores e de intermediários, com a revigoração da relutância a estender os critérios de mercado ao trabalho no campo ou a certos tipos de trabalho urbano, os bloqueios à reforma agrária etc. Nessas áreas, a visibilidade não pode ser contida ou dissimulada por meio de artifícios, pois estes não fazem mais que levar à tona o caráter deliberado das manipulações de salários e preços. Para que as referidas fontes de expropriação capitalista pudessem operar dentro da eficácia projetada, impunha-se impedir que medidas dessa natureza pudessem ser expostas à pressão política dos prejudicados. O que se conseguiu transferindo para a esfera de segurança nacional os comportamentos coletivos de autodefesa econômica das massas trabalhadoras. Trata-se de um processo econômico que poderia figurar no capítulo segundo da primeira parte de *O burguês*, de W Sombart (admitindo-se que o capitalismo dependente tem peculiaridades estruturais que contrariam a história das economias capitalistas centrais). Ou que lembra como se fizeram "grandes fortunas" a partir do nada, na história épica do capitalismo monopolista nos Estados Unidos (comparação que permitiria salientar a inocência dos manipuladores das técnicas de expropriação capitalista em uma economia periférica). No entanto, ele foi posto em um contexto de mecanismo da natureza, tanto pelas classes dominantes e suas elites no poder quanto por seus contestadores, como se aí estivesse a própria ordem natural do capitalismo monopolista no Brasil. Não se atentou para o fato de que aquele processo era, em si mesmo, a manifestação mais brutal de conflito de classes ocorrida no Brasil depois da universalização legal do trabalho livre e que a economia brasileira se tornaria, automaticamente, um vulcão em ignição se tal processo ganhasse o caráter de uma realidade permanente (deixando-se de lado a questão de saber se ele seria funcional, a largo prazo, para o crescimento de um mercado de consumo em massa).

Ora, enquanto existir capitalismo haverá classes sociais e os mecanismos básicos de relações de classes terão de passar por processos de acomodação, competição e conflito das classes entre si. A dependência e o subdesenvolvimento não eliminam esse fato. Apenas introduzem elementos novos na formação e na manifestação de tais processos, que se ajustam, assim, à natureza do capitalismo dependente e subdesenvolvido, o qual tende a introduzir maiores desequilíbrios econômicos na base dos antagonismos de classes e controles políticos mais rígidos sobre os seus efeitos. Nada disso pode impedir quer que os antagonismos de classes "cresçam" e se "alterem", de acordo com as transformações do desenvolvimento capitalista; quer que eles operem, em cada configuração socioeconômica e histórica do capitalismo, como reguladores do comportamento coletivo dos indivíduos, como membros das classes sociais, e das classes sociais, como unidades fundamentais da constituição estrutural e dinâmica íntima da sociedade. Portanto, se houve uma alteração do padrão de desenvolvimento capitalista no Brasil, isso significa que ocorreram, simultaneamente, transformações na base econômica de organização das classes sociais na superestrutura de suas relações entre si (não só em termos de acomodação e de competição, mas também em termos de conflito). O conflito reprimido e encoberto nem por isso deixa de existir, de estar presente nas estruturas e nas relações de classes, ou seja, de expandir-se e de condicionar

CAPÍTULO 6 - NATUREZA E ETAPAS DO DESENVOLVIMENTO...

ou causar as modificações que estamos testemunhando em nossa vida diária. Ainda que a única parte visível do conflito de classes apareça em comportamentos autodefensivos das classes dominantes e no teor agressivo de sua dominação de classe, isso já basta ao sociólogo para fazer o seu diagnóstico e para determinar que os antagonismos de classes estão ativos, fermentando nas estruturas e dinamismos sociais em reelaboração, bem como na história que se está construindo. É típico da sociedade de classes que as probabilidades de ação econômica, social e política sejam afetadas pela desigualdade das classes. Os antagonismos nem sempre podem subir à tona. Em dados momentos, essa desigualdade confere às classes que detêm o poder a faculdade de tomar iniciativas e até de usar, em seu proveito, ações agressivas de cunho autodefensivo, sem que as demais classes disponham da possibilidade de responder automaticamente, empregando por sua vez ações simétricas de agressão autodefensiva. Com referência à situação brasileira, é quase certo que tanto o otimismo utópico da burguesia vitoriosa quanto o pessimismo também utópico de seus contestadores não se reconhecerão no produto final da história em surdina, que está sendo tecida através de antagonismos de classes de proporções e violência desconhecidas no passado, porque antes o Brasil não entrara na era do capitalismo monopolista.

A descrição sumária, feita em páginas precedentes, das repercussões imediatas da irrupção do capitalismo monopolista deixa claro que o novo padrão de desenvolvimento capitalista está ampliando e aprofundando as desigualdades econômicas, sociais e políticas preexistentes. Não só aumentou o fosso entre o "pobre" e o "rico" ou a distância socioeconômica, político-cultural e histórica entre as classes despossuídas e as classes possuidoras: o caminho para chegar à riqueza e ao poder fundado na riqueza tornou-se muito mais áspero e difícil. No salto histórico descrito, mais uma vez a posição estratégica das classes dominantes e de suas elites permitiu que elas praticamente monopolizassem as vantagens diretas ou indiretas das transformações ocorridas e em processo. As pressões iniciais de revolução do mercado, do sistema de produção e do sistema bancário tomaram um cunho ultraelitista, pelo volume de recursos monetários que entram em jogo para qualquer fim (quer os papéis econômicos sejam de "comprador", no caso de bens de consumo duráveis; quer os papéis econômicos sejam de "investidor", de "intermediário" ou de "produtor"). Em consequência, o elitismo, que penetrara tão fundo no controle da economia competitiva, iria renascer, com muito maior vigor, sob a economia monopolista, graças aos novos mecanismos da competição econômica e aos novos dinamismos financeiros ou de mercado. Contudo, essa constatação não deve impedir que se reconheçam outras alterações concomitantes. No conjunto, o processo está concorrendo para aumentar a drenagem de populações do campo para as grandes cidades e para as metrópoles. Dada a resistência à reforma agrária e a relutância em universalizar as relações de mercado no campo, incluindo dentro delas, de maneira sistemática, todas as formas de trabalho rural, são evidentes o significado e as implicações da nova transformação capitalista para o mundo agrário brasileiro. De outro lado, é preciso ter-se em conta o que representa a consolidação do "capitalismo industrial" para a massa de população pobre. A via pela qual se atinge o clímax da transição industrial está longe de ser a melhor possível. Todavia, o que importa ressaltar, no caso, são as oportunidades concretas de trabalho, de adquirir um meio de vida, os ritmos de crescimento do proletariado urbano e industrial. De súbito, não é só o poder burguês que se restaura e se recompõe. Simetricamente, o povo muda de configuração estrutural e histórica, e o proletariado adquire um novo peso econômico, social e político dentro da sociedade brasileira. Pode-se dizer que é um começo e que tal evolução nem sequer serve para contrabalançar os efeitos ultraelitistas das transformações ocorridas no nível das classes possuidoras. No entanto, esse é um fato central que muda, de um golpe, o panorama atual e o futuro da sociedade brasileira. Ao consolidar e ao dar novos rumos à industrialização, o novo padrão de desenvolvimento capitalista se associa, queira ou não a burguesia, à multiplicação e ao fortalecimento das condições favoráveis aos movimentos operários e à disseminação do conflito de classes segundo interesses especificamente operários.

Em três direções, pelo menos, as alterações produzidas pelo novo padrão de desenvolvimento capitalista deverão introduzir mudanças profundas nos mecanismos de consciência de classe, de luta de classes e de solidariedade das classes operárias no Brasil. A mais importante, do ponto de vista do impacto reativo das classes submetidas à dominação burguesa sobre o próprio padrão de desenvolvimento capitalista-monopolista, diz respeito à base econômica do trabalho assalariado. Em consequência das pressões diretas das classes operárias, de um lado, e do movimento geral do mercado de uma economia de produção em massa, de outro, a participação econômica assegurada pelos níveis salariais tenderá a aumentar continuamente, no futuro próximo. Os efeitos relativos desse processo na distribuição social da renda serão compensados pela elevação proporcional (ou mais que proporcional, que é o mais certo) da participação dos setores de rendas médias, altas e muito altas. Contudo, pode-se prever que ele permitirá alimentar um maior engolfamento das classes operárias nos dinamismos da economia de consumo em massa e uma elevação constante do padrão de vida médio dos assalariados em geral. Muitas correntes sindicalistas e socialistas encaram um processo dessa natureza como uma transformação negativa e perigosa, que acarreta maior penetração da "condição burguesa" no meio operário e instiga os operários mais qualificados ou "privilegiados" ao elitismo profissional. A experiência já demonstrou fartamente o quanto há de justo nessas críticas. No entanto, esse processo possui enorme importância em uma sociedade tão fechada às práticas democráticas como é a sociedade brasileira. Para ter um peso próprio, coletivamente, os assalariados precisam melhorar sua base material de vida, alterando, assim, o que muitos descreveriam como o seu "poder de barganha". É claro que tal transformação leva mais facilmente ao que Lênin designava como "sindicalismo economicista" que ao socialismo revolucionário. Porém, não se devem perder de vista outras condições que provavelmente contribuirão para tornar mais firmes os mecanismos de consciência e de luta de classes, servindo de contrapeso à expansão que se deve esperar do chamado "socialismo democrático". Os extraeconômicos da melhoria da situação material dos assalariados possivelmente encontrarão formas de resistência relativamente fortes de outras classes sociais (em particular quando eles afetarem o poder especificamente político e o "equilíbrio da ordem"). Isso fortalecerá o sindicalismo, obrigando-o a tomar posições nitidamente políticas, e, muito provavelmente, terá repercussões mais fundas, despertando maior interesse, entre os assalariados, pela significação das organizações operárias, da solidariedade de classes e da luta de classes. E, presumivelmente, com consequências que terão outras implicações em um contexto histórico-social no qual as classes operárias contam com um peso econômico, social e político expressivo, tanto para a "preservação" quanto para a "alteração" da ordem.

Portanto, a transformação da base econômica relativa das classes operárias é, em si mesma, uma condição muito importante não só para o fortalecimento e a consolidação de formas autônomas, autodefensivas e agressivas de comportamento de classe no meio operário. Tais formas de comportamento de classe, até ao presente, só foram acessíveis às classes possuidoras e às suas elites, que apenas as empregaram para defender os seus interesses de classe e "preservar a ordem", através das sucessivas revoluções econômicas, sociais e políticas que marcam as metamorfoses do capitalismo no Brasil. Utilizadas pelas classes operárias, elas permitirão, de imediato, a eliminação de distorções pré e subcapitalistas, que se incrustaram em nosso regime de classes; a largo prazo, pôr a acomodação, a competição e o conflito de classes a serviço dos assalariados, único meio pelo qual a classe operária pode lutar por maior equidade sob e dentro do capitalismo. Ainda que isso possa parecer muito pouco, especialmente da perspectiva do socialismo revolucionário, em termos de mudança qualitativa das potencialidades de organização e de atuação da classe operária representa muito. Pela primeira vez na história do capitalismo no Brasil, os assalariados, em geral, e as classes operárias, em particular, deixarão de ser meros instrumentos e vítimas-mudas passivas do desenvolvimento capitalista. E pela primeira vez poderão fazer pressões para que o desenvolvimento capitalista também se adapte às suas necessidades, aos seus interesses e às suas aspirações como e enquanto classe. Essa é a única via pela qual o desenvolvimento capitalista pode adquirir algumas facetas nacionais e democráticas, o que não aconteceu, até agora, porque a dominação burguesa se impôs sem qualquer contestação efetiva válida, capaz de produzir efeitos positivos visíveis, em concessões ou em arranjos em que ficasse patente o "temor" diante da presença operária. Se isso fará com que as massas operárias, rurais e urbanas se identifiquem com o capitalismo, como acreditam alguns, ou que lutem decididamente contra ele, como pensam outros, só a história poderá decidir.

Em segundo lugar, é preciso levar em conta as consequências diretas e indiretas da intensificação constante e crescente da participação econômica das classes operárias para os indivíduos e grupos que as constituem. Até o segundo surto industrial, praticamente, apenas pequenas minorias (como estamentos ou como classes dominantes) tiveram acesso monopolizador aos efeitos construtivos das várias formas e fases da modernização, ligadas ao desenvolvimento capitalista. Já sob os influxos da expansão da economia competitiva essa realidade começou a alterar-se, de modo irreversível, para se acelerar sob o capitalismo monopolista e segundo um padrão que se irradia mesmo para pequenas cidades, dispersas no mundo rural. De agora em diante, é de esperar que tanto os setores urbanos (em maior escala e com relativa rapidez) quanto os setores rurais (com certa lentidão, mas com aceleração gradual) das classes operárias irão ter acesso aos efeitos construtivos da modernização econômica, sociocultural e política. Mesmo mantidas as distâncias existentes entre as classes, em termos de riqueza, de prestígio social e de poder (uma hipótese correta, embora claramente pessimista), isso significa que o incremento da participação econômica servirá de base à maior participação social, cultural e política. Essa tendência possui uma baixa visibilidade (pois ela não aparece nas medidas quantitativas mais evidentes, através das quais se têm avaliado as tendências de distribuição social da renda), porque ela se associa ao movimento das migrações do campo para as cidades e de classificação propriamente

CAPÍTULO 6 - NATUREZA E ETAPAS DO DESENVOLVIMENTO...

dita de novos contingentes na estrutura de classes da sociedade.[8] Mas é através dela que se definem as características históricas mais salientes do "Brasil moderno".

Muitos lamentarão que tal oportunidade tenha aparecido "tão tarde", sob o signo da comunicação em massas e das técnicas de controle social imperantes numa sociedade de massas, que atingem desde as condições mais externas das ações humanas até a mente do homem. Todavia, é exagerar demais supor que o poder relativo das classes dominantes se aprofunde modo unilateral e sozinho, como se as alterações ocorridas na tecnologia, na educação, nos padrões de participação intelectual e política não se irradiassem também para as classes operárias, melhorando, gradualmente, a qualidade e aumentando, constantemente, a eficácia quer de seus comportamentos especificamente fundados em interesses de classe, quer de sua solidariedade de classe. Como afirmava Durkheim, os fenômenos de alteração do padrão estrutural da sociedade custam a se tornar visíveis: quando se percebe o que está acontecendo, a sociedade já não é mais a mesma. Esse raciocínio se

---

[8] Pode-se avaliar, considerando-se duas ou três gerações, as proporções de ambos os processos pelos quais a concentração urbana e a industrialização funcionam como estádios de integração do homem rústico ou do homem pobre de origem rural à estrutura da sociedade de classes. Pessoas e grupos, que se classificavam negativamente com referência à estrutura de classes (na linguagem de Max Weber), acabam se classificando positivamente, através das relações de mercado (vendendo a própria força de trabalho ou, pelo menos, produtos do próprio trabalho). Com frequência, uma boa parte dessa população (a que consegue ocupações urbanas ou industriais estáveis) passa por um segundo processo de integração à estrutura de classes, quando o trabalho opera como uma fonte de classificação profissional ao sistema capitalista de ocupações e de diferenciação socioeconômica. Em regra, quando esse segundo processo não ocorre na primeira geração migrante, ele se realiza na segunda, o que acarreta uma consolidação relativamente rápida de *status* e dos papéis sociais dos operários nas cidades (é claro que a evolução é diversa nas cidades que "crescem por inchação demográfica", pois estas não têm as mesmas possibilidades de absorção das massas migrantes).
Todos esses processos não são apanhados por descrições fundadas na distribuição social da renda, mesmo quando os analistas comparam dois ou três decênios sucessivos. Tais descrições criam, por isso, uma visão estática da realidade, como se o crescimento de grupos de rendas ínfimas, muito baixas e baixas se desse vegetativamente, em circuito fechado. No entanto, a ampla mobilidade de grupos e pessoas de origem rústica ou pobre por essas categorias de renda (e, mesmo, na direção dos estratos médios de renda mais baixa) é que tem servido de base à expansão do regime de classes no Brasil. Ela está na raiz, pois, das contradições de classes assinaladas nesta parte do presente trabalho, as quais não podem ser sufocadas nem resolvidas por via da compressão política.

aplica ao presente estádio de evolução da sociedade de classes no Brasil. A sociedade de classes atingiu, depois da Segunda Guerra Mundial, um patamar evolutivo que a distingue, em termos do padrão estrutural e dos dinamismos societários fundamentais, do que ela foi anteriormente. Ela tende a submeter-se a uma nova configuração, sem que se tenha tomado plena consciência do que está ocorrendo. Uma única evidência atesta, concretamente, a mutação estrutural, que ainda não se refletiu profundamente na história: o comportamento da burguesia brasileira, de 1930 a 1964, e finalmente a necessidade correlata de consolidar o poder burguês de forma ditatorial e autocrática. Para que as coisas tomassem outro rumo (e a alteração em questão fosse mais visível e mais rápida), seria necessário que a ordem econômica fosse efetivamente aberta às classes operárias, possuindo, ao mesmo tempo, um mínimo de fluidez (que assegurasse a essas classes a possibilidade de autodefesa econômica, social e política diante das classes dominantes, em termos de acomodação, competição e conflito) e de potencialidades democráticas (o que converteria os processos de acomodação, competição e conflito entre as classes em fatores de consolidação e de transformação de estruturas propriamente nacionais de poder). A demora cultural, no entanto, não impediu o lento evolver de tais estruturas, perturbando pelo menos as classes que viram desgastadas e ameaçadas as bases de seu poder real e colocando-nos, em nossos dias, no próprio centro do momento crítico, em que a metamorfose estrutural principia a desvendar a história que ela nos reserva.

Por isso podemos esperar, como altamente prováveis, duas alterações concomitantes, condicionadas pela elevação da participação econômica das classes operárias. De um lado, a alteração do horizonte cultural médio dos membros individuais e dos grupos que constituem as classes operárias (lembre-se: com maior intensidade e rapidez nas metrópoles e grandes cidades e, dentro destas, nos setores propriamente urbano-industriais). Essa alteração, sem dúvida possível, refletirá um aprofundamento da "socialização burguesa" das classes operárias. Mas acarretará, com certeza, o aparecimento de um novo tipo de operário, mais qualificado, econômica, intelectual e politicamente, para entender as complexidades da economia capitalista, a realidade da dominação burguesa e a mistificação inerente ao funcionamento de um Estado que não poderá ser nacional enquanto for monopolizado pelo poder burguês e "manipulado de cima para baixo". A importância do aparecimento de um novo tipo de operário é óbvia. Ele acarretará a renovação (para dizer o menos) do movimento sindical e, em um plano mais amplo e profundo, levará a sociedade brasileira, finalmente, a

CAPÍTULO 6 - NATUREZA E ETAPAS DO DESENVOLVIMENTO...

conhecer qual é a natureza e o sentido das pressões econômicas, sociais e políticas das classes operárias, quando estas se configuram como uma "força social" da história.

Além disso, é preciso considerar outro aspecto da situação. Até o presente, a classe média tem crescido graças à transferência de elementos que pertenciam (ou pertenceram) às famílias tradicionais e às classes possuidoras ou pretendiam imitá-las. Elas se originavam dos estamentos altos e intermediários (quase sempre, neste caso, em decadência); ou dos setores que buscavam classificação no "topo" da sociedade (quase sempre, neste caso, elementos extraídos das correntes imigratórias, mas econômica, cultural, social e politicamente identificados com as classes altas e com seus móveis de dominação social). Esse ciclo está se encerrando às nossas vistas. O patamar atual de seleção de candidatos à mobilidade econômica, social e política inclui uma forte massa de elementos genuinamente pobres, com frequência de origem operária e socializados previamente para viver como operários (o que significa que muitos deles estão aptos para submeter a ideologia de ascensão social a uma crítica severa, o que lhes faculta a capacidade de defenderem-se do "ópio conservantista" que ela contém). Aí se acha, pois, um mecanismo tão importante quanto o anterior — e mais ainda, porque ambos se casam, engendrando impulsos de transformação da ordem "de baixo para cima", que nunca existiram no passado, pelo menos com a universalidade e a intensidade que tenderão a adquirir, na medida em que se manifestarem como uma nova rotina, o que sucederá no futuro próximo. Ao aumentar as proporções de elementos de origem operária e com socialização prévia operária nas classes médias, num clima de "revolução de expectativas" que não corresponde às potencialidades reais da sociedade brasileira, é claro que emergirão, concomitantemente, novas formas de radicalismo econômico, social e político, de grande importância para "aberturas democráticas" efetivas que poderão levar quer à democracia burguesa, quer ao fortalecimento do socialismo ou a revoluções socialistas.[9]

---

[9] Note-se que o autor tem clara consciência de que não está formulando uma "utopia". O contraste dessas potencialidades evolutivas com a presente situação é tão forte que torna incômoda a tarefa crítica do sociólogo. No entanto, a descrição dos aspectos prospectivos considerados permanece rente ao que se pode inferir sociologicamente das alterações em processo das estruturas da sociedade de classes brasileira (sob o impacto de avanços ocorridos sob o capitalismo competitivo; ou do que surge, em conexão com o capitalismo monopolista).

Por fim, resta considerar o terceiro aspecto. A transformação em curso altera o próprio padrão de composição e funcionamento do regime de classes. As tendências de transformação da participação econômica das classes operárias, com suas consequências quanto aos outros níveis de participação (social, cultural e política) e à diferenciação dos setores intermediários ou quanto ao próprio peso relativo da luta de classes para o equilíbrio da sociedade e sua alteração, são de molde a tirar o regime de classes do estado de latência em que se encontrava. Ele passará a funcionar "para baixo", isto é, também para as classes operárias e seus interesses econômicos, sociais e políticos. Cumpre assinalar, a esse respeito, duas coisas que merecem especial atenção.

O "monolitismo" do poder burguês e da dominação burguesa, no passado recente, não tem sido o efeito natural da ausência de cissuras mais ou menos fortes no seio das classes dominantes e de suas elites. O que aconteceu, ainda em 1964, é que não apareceram forças antagônicas suficientemente rijas e independentes para pressionar o poder burguês e a dominação burguesa ao ponto de agravar aquelas cissuras, conduzindo-as a um estado explosivo. As classes dominantes e suas elites sempre encontraram um terreno propício para resolver suas questões conflitantes intramuros, articulando de modo mecânico os interesses divergentes que pudessem ser compostos dentro da ordem ou através de revoluções "de cima para baixo". O aparecimento de pressões de classe mais fortes, primeiro no meio operário e quase concomitantemente nos estratos mais baixos das classes médias em expansão, irá alterar esse quadro por completo, presumivelmente dentro de pouco tempo. A simples existência de pressões de classe dessa natureza e sua inevitável fermentação política criam uma interferência estrutural e histórica que nunca existiu anteriormente, expondo o poder burguês a tensões novas, que terão de repercutir, a médio e a longo prazos, nas mencionadas cissuras. Isso forçará as classes dominantes e suas elites a procurarem aliados fora de suas fronteiras e a se colocarem os "problemas" econômicos, sociais e políticos também à luz dos interesses das classes baixas, pondo-se um fim ao "monolitismo" que tem impedido qualquer evolução efetivamente nacional e democrática do regime republicano.

De outro lado, o "monolitismo" da dominação burguesa sempre serviu como um biombo que encobria os interesses externos e a dominação externa sob o manto da "iniciativa privada". Em todos os níveis — da empresa e das várias associações econômicas, administrativas ou políticas, às relações de classe e ao Estado — a presença externa sempre foi diluída, encoberta e encampada pelo "monolitismo" ou dos estamentos dominantes e suas elites, ou das classes dominantes e suas elites.

CAPÍTULO 6 - NATUREZA E ETAPAS DO DESENVOLVIMENTO...

O elemento nacional do poder burguês incorporava, assim, os interesses econômicos, culturais e políticos dos dinamismos das economias capitalistas centrais, das nações capitalistas hegemônicas ou das estruturas capitalistas internacionais de poder, reduzindo ou eliminando a visibilidade do imperialismo e dos seus reflexos internos, na imperialização da própria dominação burguesa. Os débeis ataques feitos contra "interesses imperialistas" quase sempre surgiam de antagonismos que fermentavam no tope da sociedade; e sua efervescência, em regra, sempre foi também de curta duração, pois tais ataques apareciam como expedientes pelos quais certas categorias das classes dominantes procuravam obter alguma vantagem, manipulando agressivamente o próprio "monolitismo" do poder burguês. Tal padrão de reação à dominação externa dificilmente poderá ser mantido indefinidamente, sob o impulso das transformações apontadas. Primeiro, as cissuras no topo tendem a tornar-se mais sérias e graves, sob o padrão de desenvolvimento econômico inerente ao capitalismo monopolista. Elas já não podem ser superadas tão facilmente, através de uma simples "articulação mecânica" de interesses econômicos, sociais e políticos em conflito, no seio das classes dominantes e de seus associados externos. Segundo, a visibilidade dos interesses externos e da dominação externa não pode mais ser encoberta sob o manto da "iniciativa privada" que opera a partir de dentro, na era do capitalismo monopolista e do imperialismo total. A incorporação da periferia às economias capitalistas centrais, às nações capitalistas hegemônicas e às estruturas capitalistas internacionais de poder aparece nua e cruamente como ela é, sem que o "monolitismo" do poder burguês periférico possa dissimular a natureza e as consequências do processo. E isso coincide com transformações que liberam a atividade e a fermentação de pressões "de baixo para cima" das classes operárias nas sociedades capitalistas periféricas. O imperialismo configura-se como um alvo de ataque estratégico, que permitirá concentrar aquelas pressões no calcanhar de aquiles da dominação burguesa sob o capitalismo dependente.

Esta breve digressão sugere que, afinal de contas, o clímax industrial da revolução burguesa traz consigo o fortalecimento do poder burguês e da dominação burguesa. Mas, ao preço de transformações estruturais da economia capitalista e da organização da sociedade de classes que, a médio e a largo prazos, terão de minar extensa e profundamente o monopólio do poder econômico, social e político da burguesia. Ao se alterar estrutural e dinamicamente, a economia capitalista, inevitavelmente, inter-relaciona as mudanças ocorridas ou em processo. No caso brasileiro, o que aparece, de uma perspectiva sociológica, não deixa de ser paradoxal. No momento mesmo em que instaura o seu poder de dominação e de controle do Estado segundo padrões autocráticos, a burguesia se defronta com efeitos ou com exigências do desenvolvimento capitalista que afetam as bases de seu poder real como classe. Se até hoje ela teve a liberdade de voltar as costas aos interesses e às necessidades da nação como um todo e às pressões "de baixo para cima" das classes baixas, é presumível que, de agora em diante, ela terá de ser crescentemente "mais responsável" e "menos livre" de agir arbitrariamente. Todavia, se essa situação estrutural e histórica vai abrir caminho: ou para um autêntico "nacionalismo burguês" e para uma genuína "democracia burguesa"; ou para uma "revolução dentro da ordem" pró capitalista mas antiprivatista e anti-imperialista; ou, finalmente, para uma "revolução contra a ordem", definitivamente antiburguesa é algo que só a evolução futura nos dirá. Alternativas desse tipo, no mundo atual, não dependem somente de fatores estruturais e históricos internos, inerentes à "história da periferia". Os dinamismos externos contam com tamanha força, que é do conflito entre capitalismo e socialismo, no exterior, que se devem esperar os rumos decisivos das evoluções.

Por isso, como o êxito da revolução industrial, a persistência do padrão de desenvolvimento capitalista na sociedade brasileira constitui uma função da vitalidade do capitalismo no resto do "mundo ocidental": hoje, iniludivelmente, uma função de sua capacidade de enfrentar e sobreviver ao confronto com o socialismo em expansão. A internacionalização das estruturas econômicas, socioculturais e políticas da economia capitalista-monopolista aparece, em semelhante conjuntura, como a barreira histórica que impede a desintegração da dominação burguesa na periferia. A eficácia dessa barreira só agora começa a ser testada, numa periferia em crescente revolta contra as iniquidades internacionais do capitalismo e contra as iniquidades nacionais da dominação burguesa sob o capitalismo dependente. O Brasil não escapa a essa regra e a particulariza, mesmo, como um caso típico. O que confere a esse teste, na situação brasileira, uma significação que transcende ao estreito palco e à acanhada ótica a partir dos quais a burguesia brasileira situa os móveis econômicos, sociais e políticos de sua dominação de classe.

CAPÍTULO 7
O MODELO AUTOCRÁTICO-BURGUÊS DE TRANSFORMAÇÃO CAPITALISTA

A relação entre a dominação burguesa e a transformação capitalista é altamente variável. Não existe, como se supunha a partir de uma concepção europeucêntrica (além do mais, válida apenas para os "casos clássicos de Revolução Burguesa"), um único modelo básico democrático-burguês de transformação capitalista. Atualmente, os cientistas sociais já sabem, comprovadamente, que a transformação capitalista não se determina, de maneira exclusiva, em função dos requisitos intrínsecos do desenvolvimento capitalista. Ao contrário, esses requisitos (sejam os econômicos, sejam os socioculturais e os políticos) entram em interação com os vários elementos econômicos (naturalmente extra ou pré-capitalistas) e extraeconômicos da situação histórico-social, característicos dos casos concretos que se considerem, e sofrem, assim, bloqueios, seleções e adaptações que delimitam: 1) como se concretizará, histórico-socialmente, a transformação capitalista; 2) o padrão concreto de dominação burguesa (inclusive, como ela poderá compor os interesses de classe extraburgueses e burgueses ou, também, os interesses de classe internos e externos, se for o caso e como ela se impregnará de elementos econômicos, socioculturais e políticos extrínsecos à transformação capitalista); 3) quais são as probabilidades que tem a dominação burguesa de absorver os requisitos centrais da transformação capitalista (tanto os econômicos quanto os socioculturais e os políticos) e, vice-versa, quais são as probabilidades que tem a transformação capitalista de acompanhar, estrutural, funcional e historicamente, as polarizações da dominação burguesa, que possuam um caráter histórico construtivo e criador.

Até recentemente, só se aceitavam interpretativamente como revolução burguesa manifestações que se aproximassem tipicamente dos "casos clássicos", nas quais houvesse o máximo de fluidez e de liquidez nas relações recíprocas da transformação capitalista com a dominação burguesa. Tratava-se, quando menos, de uma posição interpretativa unilateral, que perdia de vista o significado empírico, teórico e histórico dos "casos comuns", nos quais a revolução burguesa aparece vinculada a alterações estruturais e dinâmicas condicionadas pela irradiação externa do capitalismo maduro, ou dos "casos atípicos", nos quais a revolução burguesa apresenta um encadeamento bem diverso daquele que se pode inferir através do estudo de sua eclosão na Inglaterra, na França e nos Estados Unidos (como o demonstram as investigações feitas sobre a Alemanha e o Japão).

Mais importante para este capítulo, do ponto de vista teórico, é a relação entre transformação capitalista e dominação burguesa nos países periféricos de economia capitalista dependente e subdesenvolvida. Duas presunções errôneas persistiram, durante muito tempo, limitando a penetração e o teor explicativo das descrições e interpretações sociológicas.

Uma presunção, muito generalizada, refere-se ao "esquema" da revolução burguesa. Ele seria idêntico ao que se aplica às sociedades capitalistas centrais e hegemônicas. Ao que parece, prevaleceu a ideia de que a dependência e o subdesenvolvimento seriam estádios passageiros, destinados a desaparecer graças ao caráter fatal da autonomização progressiva do desenvolvimento capitalista. Nesse sentido, seria legítimo admitir que a periferia dependente e subdesenvolvida tenderia a repetir — desde que se desse a revolução anticolonial e fosse superado o estado inicial de transição neocolonial — a história das nações centrais. Ignorou-se que a expansão capitalista da parte dependente da periferia estava fadada a ser permanentemente remodelada por dinamismos das economias capitalistas centrais e do mercado capitalista mundial, algo que Rosa Luxemburgo deixara bem esclarecido em sua teoria geral da acumulação capitalista.[1] E, em segundo lugar, deixou-se de considerar que a autonomização do desenvolvimento capitalista exige, como um pré-requisito, a ruptura da dominação externa (colonial, neocolonial ou imperialista).[2]

---

[1] Veja-se Rosa Luxemburgo, *A acumulação do capital*, terceira parte, *passim*.

2 Veja-se Paul A. Baran, *A economia política do desenvolvimento econômico*, *passim*.

CAPÍTULO 7 - O MODELO AUTOCRÁTICO-BURGUÊS DE...

Desde que esta se mantenha, o que tem lugar é um desenvolvimento capitalista dependente e, qualquer que seja o padrão para o qual ele tenda, incapaz de saturar todas as funções econômicas, socioculturais e políticas que ele deveria preencher no estádio correspondente do capitalismo. É claro que o crescimento capitalista se dá acelerando a acumulação de capital ou a modernização institucional, mas mantendo, sempre, a expropriação capitalista externa e o subdesenvolvimento relativo, como condições e efeitos inelutáveis. Além disso, mesmo que ocorresse uma autonomização "automática" do desenvolvimento capitalista, ela não asseguraria, por si mesma, uma via uniforme de evolução do capitalismo e de consolidação da dominação burguesa (como se pode inferir, aliás, do confronto, já bem conhecido, dos Estados Unidos com o Japão).

Portanto, o quadro geral é muito mais complexo do que as presunções iniciais deixavam supor. E, o que tem importância teórica específica para esta discussão, o que era essencial foi negligenciado. Perdeu-se de vista algo que nunca se deveria esquecer. O que a parte dependente da periferia "absorve" e, portanto, "repete" com referência aos "casos clássicos" são traços estruturais e dinâmicos essenciais, que caracterizam a existência do que Marx designava como uma economia mercantil, a mais-valia relativa etc. e a emergência de uma economia competitiva diferenciada ou de uma economia monopolista articulada etc. Isso garante uniformidades fundamentais, sem as quais a parte dependente da periferia não seria capitalista e não poderia participar de dinamismos de crescimento ou de desenvolvimento das economias capitalistas centrais. No entanto, a essas uniformidades — que não explicam a expropriação capitalista incrente à dominação imperialista e, portanto, a dependência e o subdesenvolvimento se superpõem diferenças fundamentais, que emanam do processo pelo qual o desenvolvimento capitalista da periferia se torna dependente, subdesenvolvido e imperializado, articulando no mesmo padrão as economias capitalistas centrais e as economias capitalistas periféricas. Em um sistema de notação marxista, é a estas diferenças (e não àquelas uniformidades) que cabe recorrer para explicar a variação essencial e diferencial, isto é, o que é típico da transformação capitalista e da dominação burguesa sob o capitalismo dependente. Só assim se pode colocar em evidência como e por que a revolução burguesa constitui uma realidade histórica peculiar nas nações capitalistas dependentes e subdesenvolvidas, sem recorrer-se à substancialização e à mistificação da história. Aí, a revolução burguesa combina — nem poderia deixar de fazê-lo — transformação capitalista e dominação burguesa. Todavia, essa combinação se processa em condições econômicas e histórico-sociais específicas, que excluem qualquer probabilidade de "repetição da história" ou de "desencadeamento automático" dos pré-requisitos do referido modelo democrático-burguês. Ao revés, o que se concretiza, embora com intensidade variável, é uma forte dissociação pragmática entre desenvolvimento capitalista e democracia; ou, usando-se uma notação sociológica positiva: uma forte associação racional entre desenvolvimento capitalista e autocracia. Assim, o que "é bom" para intensificar ou acelerar o desenvolvimento capitalista entra em conflito, nas orientações de valor menor que nos comportamentos concretos das classes possuidoras e burguesas, com qualquer evolução democrática da ordem social. A noção de "democracia burguesa" sofre uma redefinição, que é dissimulada no plano dos *mores*, mas se impõe como uma realidade prática inexorável, pela qual ela se restringe aos membros das classes possuidoras que se qualifiquem, econômica, social e politicamente, para o exercício da dominação burguesa.

A outra presunção errônea diz respeito à própria essência da dominação burguesa nas economias capitalistas dependentes e subdesenvolvidas. Associaram-se ao imperialismo efeitos de inibição dos elementos políticos do capitalismo dependente (ou, alternativamente, de diferenciação regressiva do poder burguês) que não são compatíveis com qualquer forma de dominação burguesa e, muito menos, com o tipo de dominação burguesa requerido, especificamente, pelas nações capitalistas dependentes e subdesenvolvidas. Ignorou-se que a apropriação dual do excedente econômico — a partir de dentro, pela burguesia nacional; e, a partir de fora, pelas burguesias das nações capitalistas hegemônicas e por sua superpotência — exerce tremenda pressão sobre o padrão imperializado (dependente e subdesenvolvido) de desenvolvimento capitalista, provocando uma hipertrofia acentuada dos fatores sociais e políticos da dominação burguesa. A extrema concentração social da riqueza, a drenagem para fora de grande parte do excedente econômico nacional, a consequente persistência de formas pré ou subcapitalistas de trabalho e a depressão medular do valor do trabalho assalariado, em contraste com altos níveis de aspiração ou com pressões compensadoras à democratização da participação econômica, sociocultural e política produzem, isoladamente e em conjunto, consequências que sobrecarregam e ingurgitam as funções especificamente políticas da dominação burguesa (quer em sentido autodefensivo, quer numa direção puramente repressiva). Criaram-se e criam-se, desse modo, requisitos sociais e políticos da transformação capitalista e da dominação burguesa que não encontram contrapartida no desenvolvimento capitalista das nações centrais e hegemônicas (mesmo onde a associação de fascismo com expansão do capitalismo evoca o mesmo

CAPÍTULO 7 - O MODELO AUTOCRÁTICO-BURGUÊS DE...

modelo geral autocrático-burguês). Sob esse aspecto, o capitalismo dependente e subdesenvolvido é um capitalismo selvagem e difícil, cuja viabilidade se decide, com frequência, por meios políticos e no terreno político. E, ao contrário do que se supôs e ainda se supõe em muitos círculos intelectuais, é falso que as burguesias e os governos das nações capitalistas hegemônicas tenham qualquer interesse em inibir ou perturbar tal fluxo do elemento político, pelo enfraquecimento provocado das burguesias dependentes ou por outros meios. Se fizessem isso, estariam fomentando a formação de burguesias de espírito nacionalista revolucionário (dentro do capitalismo privado) ou incentivando transições para o capitalismo de Estado e para o socialismo. Estariam, portanto, trabalhando contra os seus interesses mais diretos, que consistem na continuidade do desenvolvimento capitalista dependente e subdesenvolvido.

É essencial salientar esse fato, pois ele facilita a compreensão do que aconteceu e do que está acontecendo no Brasil e em outros países em situação análoga na América Latina. O que podia suceder (e por vezes sucedeu) na fase de transição neocolonial não iria repetir-se depois, em particular à medida que a consolidação do mercado interno comportava a transição para formas mais complexas de desenvolvimento capitalista (sob o capitalismo competitivo; e, de modo ainda mais acentuado mais tarde, sob o capitalismo monopolista). A própria superação da situação neocolonial já indica, por si mesma, alterações que refletem a emergência de uma burguesia articulada socialmente em bases nacionais; as outras duas transições subsequentes atestam, por sua vez, que a transformação capitalista e a dominação burguesa sofrem as gravitações que podem atingir sob o capitalismo dependente, tornando as evoluções possíveis do poder burguês uma realidade histórica. Portanto, a "fraqueza" das burguesias submetidas e identificadas com a dominação imperialista é meramente relativa. Quanto mais se aprofunda a transformação capitalista, mais as nações capitalistas centrais e hegemônicas necessitam de "parceiros sólidos" na periferia dependente e subdesenvolvida — não só de uma burguesia articulada internamente em bases nacionais, mas de uma burguesia bastante forte para saturar todas as funções políticas auto defensivas e repressivas da dominação burguesa. Essa necessidade torna-se ainda mais aguda sob o imperialismo total, inerente ao capitalismo monopolista, já que, depois da Segunda Guerra Mundial, ao entrar numa era de luta pela sobrevivência contra os regimes socialistas, tais nações passaram a depender das burguesias nacionais das nações capitalistas dependentes e subdesenvolvidas para preservar ou consolidar o capitalismo na periferia. As burguesias nacionais dessas nações converteram-se, em consequência, em autênticas "fronteiras internas" e em verdadeiras "vanguardas políticas" do mundo capitalista (ou seja, da dominação imperialista sob o capitalismo monopolista). Pensar que isso acarreta uma depressão dos requisitos políticos do capitalismo dependente é uma ilusão. Semelhante situação exacerba, ainda mais, a importância do elemento político para o desenvolvimento capitalista dependente e subdesenvolvido. Já não só a possibilidade mas também a persistência da transformação capitalista e da dominação burguesa vão passar por um eixo especificamente político. Se as burguesias nacionais da periferia falharem nessa missão política, não haverá nem capitalismo, nem regime de classes, nem hegemonia burguesa sobre o Estado. O que sugere que a revolução burguesa na periferia é, por excelência, um fenômeno essencialmente político, de criação, consolidação e preservação de estruturas de poder predominantemente políticas, submetidas ao controle da burguesia ou por ela controláveis em quaisquer circunstâncias. É por essa razão que, se se considerar a revolução burguesa na periferia como uma "revolução frustrada", como fazem muitos autores (provavelmente seguindo implicações da interpretação de Gramsci sobre a revolução burguesa na Itália), é preciso proceder com muito cuidado (pelo menos, com a objetividade e a circunspeção gramscianas). Não estamos na era das "burguesias conquistadoras". Tanto as burguesias nacionais da periferia quanto as burguesias das nações capitalistas centrais e hegemônicas possuem interesses e orientações que vão noutra direção. Elas querem: manter a ordem, salvar e fortalecer o capitalismo, impedir que a dominação burguesa e o controle burguês sobre o Estado nacional se deteriorem. Semelhante reciprocidade de interesses e de orientações faz com que o caráter político do capitalismo dependente tenha duas faces, na verdade interdependentes. E, ainda, com que a revolução burguesa "atrasada", da periferia, seja fortalecida por dinamismos especiais do capitalismo mundial e leve, de modo quase sistemático e universal, a ações políticas de classe profundamente reacionárias, pelas quais se revela a essência autocrática da dominação burguesa e sua propensão a salvar-se mediante a aceitação de formas abertas e sistemáticas de ditadura de classe.

Chegamos aqui a um ponto geral de enorme importância teórica. As Revoluções Burguesas "retardatárias" da parte dependente e subdesenvolvida da periferia não foram só afetadas pelas alterações havidas na estrutura do mundo capitalista avançado. É certo que as transformações ocorridas nas economias capitalistas centrais e hegemônicas esvaziaram historicamente, de modo direto ou indireto, os papéis econômicos, sociais e políticos das burguesias periféricas. Estas

CAPÍTULO 7 - O MODELO AUTOCRÁTICO-BURGUÊS DE...

ficaram sem base material para concretizar tais papéis, graças aos efeitos convergentes e multiplicativos da drenagem do excedente econômico nacional, da incorporação ao espaço econômico, cultural e político das nações capitalistas hegemônicas e da dominação imperialista. Aí está o busílis da questão, desse ângulo: o porquê do caráter retardatário das Revoluções Burguesas na periferia dependente e subdesenvolvida do mundo capitalista. Mas há a outra face da medalha. A esse atraso da revolução burguesa corresponde um "avanço da história". As burguesias que só agora chegaram ao vértice de suas possibilidades — e em condições tão difíceis viram-se patrocinando uma transformação da ordem que perdeu todo o seu significado revolucionário. Ela é parte da "Revolução Burguesa" porque se integra a um processo que se prolonga no tempo e se reflete nas contradições das classes que se enfrentam, historicamente, com objetivos antagônicos. No fundo tais burguesias pretendem concluir uma revolução que, para outras classes, encarna atualmente a própria contrarrevolução. A maioria já não é cega, mesmo quando compartilha as "opções burguesas", ou se volta abertamente contra elas, identificando-se com as esperanças criadas pelo socialismo, revolucionário ou reformista.

Nessas condições, há uma coexistência de revoluções antagônicas. Uma, que vem do passado e chega a termo sem maiores perspectivas. Outra, que lança raízes diretamente sobre "a construção do futuro no presente". Não se deve ignorar — nem descritiva nem interpretativamente — as implicações de tal fato e as repercussões que um encadeamento dessa natureza desata na esfera concreta das relações de classes. Ao contrário do chavão corrente, as burguesias não são, sob o capitalismo dependente e subdesenvolvido, meras "burguesias compradoras" (típicas de situações coloniais e neocoloniais, em sentido específico). Elas detêm um forte poder econômico social e político, de base e de alcance nacionais; possuem o controle da maquinaria do Estado nacional; e contam com suporte externo para modernizar as formas de socialização, de cooptação, de opressão ou de repressão inerentes à dominação burguesa. Torna-se, assim, muito difícil deslocá-las politicamente através de pressões e conflitos mantidos "dentro da ordem"; e é quase impraticável usar o espaço político, assegurado pela ordem legal, para fazer explodir as contradições de classe, agravadas sob as referidas circunstâncias. O "retardamento" da revolução burguesa, na parte dependente e subdesenvolvida da periferia, adquire assim uma conotação política especial. A burguesia não está só lutando, aí, para consolidar vantagens de classe relativas ou para manter privilégios de classe. Ela luta, simultaneamente, por sua sobrevivência e pela sobrevivência do capitalismo.

Isso introduz um elemento político em seus comportamentos de classe que não é típico do capitalismo especialmente nas fases de maturação econômica, sociocultural e política da dominação burguesa na Europa e nos Estados Unidos. Essa variação, puramente histórica, é, no entanto, central para que se entenda o crescente divórcio que se dá entre a ideologia e a utopia burguesas e a realidade criada pela dominação burguesa. Entre a ruína final e o enriquecimento, essas burguesias não têm muita escolha propriamente política (isto é, "racional", "inteligente" e "deliberada"). O idealismo burguês precisa ser posto de lado, com seus compromissos mais ou menos fortes com qualquer reformismo autêntico, com qualquer liberalismo radical, com qualquer nacionalismo democrático-burguês mais ou menos congruente. A dominação burguesa revela-se à história, então, sob seus traços irredutíveis e essenciais, que explicam as "virtudes" e os "defeitos" e as "realizações históricas" da burguesia. A sua inflexibilidade e a sua decisão para empregar a violência institucionalizada na defesa de interesses materiais privados, de fins políticos particularistas; e sua coragem de identificar-se com formas autocráticas de autodefesa e de autoprivilegiamento. O "nacionalismo burguês" enceta assim um último giro, fundindo a república parlamentar com o fascismo.

Isso nos coloca, certamente, diante do poder burguês em sua manifestação histórica mais extrema, brutal e reveladora, a qual se tornou possível e necessária graças ao seu estado de paroxismo político. Um poder que se impõe sem rebuços de cima para baixo, recorrendo a quaisquer meios para prevalecer, erigindo-se a si mesmo em fonte de sua própria legitimidade e convertendo, por fim, o Estado nacional e democrático em instrumento puro e simples de uma ditadura de classe preventiva. Gostemos ou não, essa é a realidade que nos cabe observar, e diante dela não nos é lícito ter qualquer ilusão. O máximo que se poderia dizer é que a democracia e as identificações nacionalistas passariam por esse poder burguês se a transformação capitalista e a dominação burguesa tivessem assumido (ou pudessem assumir), a um tempo, outras formas e ritmos históricos diferentes.

As conexões da dominação burguesa com a transformação capitalista se alteram de maneira mais ou menos rápida, na medida em que se consolida, se diferencia e se irradia o capitalismo competitivo no Brasil e, em especial, em que se aprofunda e se acelera a transição para o capitalismo monopolista. O elemento central da alteração foi, naturalmente, a emergência da industrialização como um processo econômico, social e cultural básico, que modifica a organização, os dinamismos e a posição da economia urbana dentro do sistema econômico brasileiro. A

CAPÍTULO 7 - O MODELO AUTOCRÁTICO-BURGUÊS DE...

hegemonia urbana e metropolitana aparece, desse ângulo, como um subproduto da hegemonia do complexo industrial-financeiro. Esse processo não modifica, apenas, os dinamismos econômicos, socioculturais e políticos das grandes cidades com funções metropolitanas. Ele acarreta e, em seguida, intensifica a concentração de recursos materiais, humanos e técnicos em tais cidades, dando origem a fenômenos típicos de metropolização e de satelitização sob o capitalismo dependente. Tais fenômenos atestam, principalmente, que mudam por completo as relações das cidades com a economia agrária e com o respectivo complexo urbano-comercial sem promover a desagregação propriamente dita do caráter duplamente articulado da economia capitalista dependente.

A alteração das conexões entre dominação burguesa e transformação capitalista, que podem ser vistas e descritas tanto estrutural quanto dinamicamente, obedeceu, no caso brasileiro, a ritmos históricos que são característicos das economias nacionais dependentes e subdesenvolvidas: as mudanças espraiam-se por um longo período de tempo, determinando um padrão de industrialização que sofre oscilações conjunturais, intermitências estruturais e inconsistências institucionais, ou seja, com fraco impulso intrínseco de diferenciação, aceleração constante e universalização do crescimento industrial. Em consequência, seu impacto histórico torna-se mais evidente pela superfície, em termos morfológicos, graças à concentração de massas humanas, de riquezas e de tecnologias modernas em um número reduzido de metrópoles-chave. De fato, somente São Paulo capitalizou as transformações essenciais, de longa duração; e a mudança fundamental do cenário reflete-se, de modo geral, mais no tope do sistema de classes, pois só os grupos com posições estratégicas (centrais ou mediadoras e intermediárias) no ciclo econômico da industrialização intensiva tiveram um aumento real (na verdade desproporcional) do poder socioeconômico e político.

Esse quadro sugere que seria legítimo retomar a técnica analítica e expositiva explorada na primeira parte deste ensaio, encarando-se os últimos três quartos de século como uma unidade inclusiva, para efeitos de descrição sociológica. Tal orientação teria a seu favor o fato de facilitar o confronto direto da presente "época da industrialização" com a pretérita "época da emancipação nacional". O resultado teórico do confronto é óbvio. Ele revelaria que sob a situação de dependência — tanto sob a dominação neocolonial quanto sob a dominação imperialista — os estratos sociais dominantes e suas elites não possuem autonomia para conduzir e completar a revolução nacional, gravitando historicamente, portanto, de um beco sem saída para outro. No entanto, semelhante conclusão não representa um dado teórico novo nem um resultado a que só se possa chegar pela via expositiva indicada. Por isso demos preferência a uma técnica analítica e expositiva menos elegante, que faz perder, aparentemente, o sentido da unidade histórica. Mas ela permite focalizar melhor as múltiplas facetas das várias cadeias de fatores e efeitos histórico-sociais especificamente vinculados à imbricação pluridimensional e em constante mutação da dominação burguesa com a transformação capitalista. Para que a exposição não levasse a uma descrição sociológica fragmentária, que pulverizasse fatos e processos sociais considerados analiticamente como totalidades interdependentes, servimo-nos de quatro temas estratégicos para apresentar, sumariamente, as conclusões a que chegamos. Julgamos que, assim, deparamos com o melhor recurso expositivo para situar a natureza e as consequências dos dilemas políticos com que se defrontam as classes burguesas e o poder burguês na era mesma do "milagre econômico".[3]

DOMINAÇÃO BURGUESA E TRANSFORMAÇÃO CAPITALISTA

O principal tema é, naturalmente, de cunho teórico. Ele diz respeito à conexão geral da dominação burguesa com a transformação capitalista, sob o capitalismo dependente e subdesenvolvido na fase mais adiantada da eclosão industrial. Ele impõe, pois, a discussão da forma, da natureza e das funções da dominação burguesa nas condições em que se dá, concretamente, a transição do capitalismo competitivo para o capitalismo monopolista, sem a desagregação do caráter duplamente articulado da economia brasileira e com a intensificação da dominação imperialista externa. Nesta etapa da discussão, não adianta levar em conta alternativas

---

[3] Na redação dos capítulos precedentes não foi feito nenhum esforço para impedir certas repetições, desde que se impusessem por causa de sobreposições inevitáveis de assuntos ou de desdobramentos das análises. Pareceu-nos que o leitor acharia, por si mesmo, as razões de tal procedimento. A solução expositiva indicada fez, no entanto, com que as sobreposições de assuntos e desdobramentos de análises viessem a ocorrer no mesmo capítulo. Fizemos uma tentativa para reduzir os inconvenientes que daí advêm, absorvendo apenas as repetições que parecem possuir certo interesse empírico ou teórico. Doutro lado, para evitar que este capítulo assumisse uma extensão demasiado grande, não procuramos submeter as convergências e as discrepâncias a uma discussão suplementar. Deixamos, assim, a tarefa de integrar os resultados da *exposição em leque* ao próprio leitor. Na verdade o nosso ponto de vista e as nossas conclusões são desenvolvidos de modo explícito, o que torna desnecessário sobrecarregar ainda mais a exposição.

CAPÍTULO 7 - O MODELO AUTOCRÁTICO-BURGUÊS DE...

utópicas da burguesia, alimentadas ideologicamente a partir de dentro e de fora (como, por exemplo: que a ampliação e a aceleração do desenvolvimento industrial promoveriam a destruição do "atraso econômico", eliminando, por si mesmas, a dependência e o subdesenvolvimento; isto é, suprimindo o caráter duplamente articulado da economia brasileira e removendo, portanto, por neutralizações de origem econômica, tecnológica e/ou política, as formas pré ou subcapitalistas de relações econômicas e a dominação imperialista). Na verdade, um maior controle do "atraso econômico" não implica, por si mesmo, supressão da dependência e do subdesenvolvimento. Ele só modifica as condições em que ambos se manifestam, em termos estruturais relativos, o que faz com que a dominação burguesa tenha de ajustar-se, em sua forma, estruturas e dinamismos, a um tipo de transformação capitalista em que a dupla articulação constitui a regra (ou seja, no qual o desenvolvimento desigual interno e a dominação imperialista externa constituem requisitos da acumulação capitalista e de sua intensificação). Esses pontos já foram devidamente analisados no capítulo precedente, dentro do ponto de vista sociológico perfilhado pelo autor. O que nos cabe, agora, é tirar deles as devidas conclusões, quanto à caracterização teórica da dominação burguesa e de suas influências sociodinâmicas sobre a transformação capitalista implicada.

A dupla articulação não cria, apenas, o seu modelo de transformação capitalista. Ela também engendra uma forma típica de dominação burguesa, adaptada estrutural, funcional e historicamente, a um tempo, tanto às condições e aos efeitos do desenvolvimento desigual interno quanto às condições e aos efeitos da dominação imperialista externa. É preciso partir dessa constatação fundamental, se se quiser entender, sociologicamente, as aspirações socioeconômicas e as identificações políticas das classes que compõem a burguesia no Brasil — e, em particular, o modo pelo qual essas classes aplicaram, concretamente, suas fórmulas de revolução nacional. É claro que nada impedia — a não ser a polarização conservadora da consciência burguesa, exclusivistamente isolada dentro de seus interesses de classe e de dominação de classe — que a revolução nacional fosse encaminhada de outra maneira, mesmo dentro do capitalismo. Não é difícil, até, conceber uma alternativa "possível", pela qual a opção burguesa passaria por uma vertente radical, culminando na destruição simultânea do desenvolvimento desigual interno e da dominação imperialista externa. Contudo, isso não ocorreu (a não ser esporadicamente, como manifestações extremistas da "vontade revolucionária" de certas facções das classes burguesas). Quando a crise de transição atingiu o ápice, aquelas definiram não só sua lealdade, mas também suas tarefas políticas e sua missão histórica na direção de um "desenvolvimento acelerado" e de uma "revolução institucional" que implicavam a mesma saída: a revolução nacional continuaria a ser dimensionada pela infausta conjugação orgânica de desenvolvimento desigual interno e dominação imperialista externa.

Portanto, as classes burguesas procuraram compatibilizar revolução nacional com capitalismo dependente e subdesenvolvimento relativo, tomando diante da dupla articulação uma atitude política "realista" e "pragmática", o que é, em suma, uma demonstração de sua racionalidade burguesa. Isso significa, como querem alguns, que não há, propriamente, nenhuma revolução nacional ou, então, que aquelas classes pura e simplesmente "traíram" a revolução nacional? Podem-se sustentar tais avaliações, desde que se estabeleçam certos requisitos ideais da transformação capitalista, que não ocorrem nem podem ocorrer na periferia. É claro que a dupla articulação não impede a revolução nacional; ao contrário, sob o capitalismo dependente a revolução nacional é igualmente necessária, pois ela constitui o verdadeiro eixo político da dominação burguesa e do controle do Estado pela burguesia. A questão é que não se deve perder de vista de que revolução nacional se está falando. Desde que se proponham o "desenvolvimento" e a "revolução dentro da ordem" que são compatíveis com o capitalismo dependente, as classes burguesas buscam a única revolução nacional por que podem lutar em tais condições, a qual consiste em consolidar o poder burguês através do fortalecimento das estruturas e funções nacionais de sua dominação de classe. O que entra em jogo, portanto, não são as compulsões igualitárias (por mais formais e abstratas que sejam) de uma comunidade política nacional, mais ou menos complexa e heterogênea. Mas o alcance dentro do qual certos interesses especificamente de classe podem ser universalizados, impostos por mediação do Estado a toda a comunidade nacional e tratados como se fossem "os interesses da nação como um todo". Literalmente, pois, revolução nacional significa, em semelhante contexto histórico-social e político: l) integração horizontal, em sentido e em escala nacionais, dos interesses das classes burguesas; 2) probabilidade de impor tais interesses a toda a comunidade nacional de modo coercitivo e "legítimo". Essa é a base política da continuidade da transformação capitalista, e dela podem resultar, indiretamente e a largo prazo, consequências mais ou menos úteis para as demais classes e universais quanto aos dinamismos da comunidade nacional. Não obstante, as classes burguesas não formalizam suas tarefas concretas a partir de semelhantes conexões indiretas. Desprovidas de qualquer romantismo político, "revolucionário" ou "conservador", afirmam-se imediatamente em termos das conexões diretas,

CAPÍTULO 7 - O MODELO AUTOCRÁTICO-BURGUÊS DE...

identificando a revolução nacional com seus alvos particularistas. Não são só a Primeira República e a "revolução institucional", de 1964, que fornecem evidências empíricas a essa interpretação. Bem avaliadas as coisas, a "revolução liberal", de 1930, o Estado Novo e os governos "nacionalistas-desenvolvimentistas" de Getúlio Vargas e de Juscelino Kubitschek palmilharam a mesma rota, embora suas aberturas políticas para baixo os apresentem sob um manto mais propício, como se fossem exceções que confirmam a regra.

O fato de a revolução nacional estabelecer-se segundo semelhante circuito fechado não invalida nem limita o significado estrutural, funcional e histórico que ela deveria ter e tem para as classes burguesas. O problema crucial, para estas, é a integração nacional de uma economia capitalista em diferenciação e em crescimento, sob as condições e os efeitos inerentes à dupla articulação (isto é, ao desenvolvimento desigual interno e à dominação imperialista externa). Uma comparação que se mantivesse alerta às diferenças essenciais específicas descobriria que, para elas, a revolução nacional possui a mesma importância econômica, social e política que outras revoluções análogas tiveram (ou têm) para as classes burguesas nas nações capitalistas hegemônicas. Ela visa a assegurar a consolidação da dominação burguesa no nível político, de modo a criar a base política necessária à continuidade da transformação capitalista, o que nunca constitui um processo simples (por causa dos conflitos faccionais, no bloco burguês; e da pressão de baixo para cima, visível ou não, das classes operárias e destituídas). Doutro lado, graças às suas conexões estruturais e dinâmicas com a dupla articulação, a revolução nacional sob o capitalismo dependente engendra uma variedade especial de dominação burguesa: a que resiste organizada e institucionalmente às pressões igualitárias das estruturas nacionais da ordem estabelecida, sobrepondo-se e mesmo negando as impulsões integrativas delas decorrentes. Configura-se, assim, um despotismo burguês e uma clara separação entre sociedade civil e nação. Daí resulta, por sua vez, que as classes burguesas tendem a identificar a dominação burguesa com um direito natural "revolucionário" de mando absoluto, que deve beneficiar a parte "ativa" e "esclarecida" da sociedade civil (todos os que se classificam em e participam da ordem social competitiva); e, simetricamente, que elas tendem a reduzir a nação a um ente abstrato (ou a uma ficção legal útil), ao qual só atribuem realidade em situações nas quais ela encarne a vontade política da referida minoria "ativa" e "esclarecida".

Nesse contexto histórico-social, a dominação burguesa não é só uma força socioeconômica espontânea e uma força política regulativa.

Ela polariza politicamente toda a rede de ação auto defensiva e repressiva, percorrida pelas instituições ligadas ao poder burguês, da empresa ao Estado, dando origem a uma formidável superestrutura de opressão e de bloqueio, a qual converte, reativamente, a própria dominação burguesa na única fonte de "poder político legítimo". Mero reflexo das relações materiais de produção, ela se insere, como estrutura de dominação, no âmago mesmo dessas relações, inibindo, suprimindo ou reorientando, espontânea e institucionalmente, os processos econômicos, sociais e políticos por meio dos quais as demais classes ou quase-classes se defrontam com a dominação burguesa. Isso explica, sociologicamente, como e por que a dominação burguesa se erige no alfa e no ômega não só da continuidade do modelo imperante de transformação capitalista como, ainda, da preservação ou da alteração da ordem social correspondente. Ela se impõe como o ponto de partida e de chegada de qualquer mudança social relevante; e se ergue como uma barreira diante da qual se destroçam (pelo menos por enquanto) todas as tentativas de oposição às concepções burguesas vigentes do que deve ser a "ordem legal" de uma sociedade competitiva, a "segurança nacional", a "democracia", a "educação democrática", o "salário mínimo", as "relações de classes", a "liberdade sindical", o "desenvolvimento econômico", a "civilização" etc. Desse ângulo, dela provém a opção interna das classes burguesas por um tipo de capitalismo que imola a sociedade brasileira às iniquidades do desenvolvimento desigual interno e da dominação imperialista externa.

Em suas investigações, o sociólogo não pode deixar de vacilar diante dos resultados de suas observações e de suas interpretações! Parece incrível que semelhante tipo de opressão sistemática possa existir nos dias atuais; e, mais ainda, que ela e os terríveis mecanismos de repressão a que precisa recorrer possam ser conciliados com os ideais igualitários, de respeito à pessoa humana, aos direitos fundamentais do homem e ao estilo democrático de vida. No entanto, ela aí está — e não apenas na sociedade brasileira. Variantes da mesma forma de dominação burguesa surgiram, se mantêm e se aperfeiçoam em outras nações da América Latina, da Ásia, da África e da Europa. Deixando de lado reflexões que colidiriam com o espírito objetivo da explicação sociológica e da linguagem científica, cabe-nos, pois, somente situar as funções desse rebento tardio da "expansão da civilização ocidental" e dessa frutificação da "modernidade burguesa" nos trópicos.

A que necessidades econômicas, sociais e políticas responde essa máquina de opressão de classe institucionalizada? As conexões diretas e indiretas, mencionadas acima, indicam claramente que essa forma de

CAPÍTULO 7 - O MODELO AUTOCRÁTICO-BURGUÊS DE...

dominação burguesa constitui a verdadeira chave para explicar a existência e o aperfeiçoamento da versão que nos coube do capitalismo, o capitalismo selvagem. O "capitalismo possível" na periferia, na era da partilha do mundo entre as nações capitalistas hegemônicas, as "empresas multinacionais" e as burguesias das "nações em desenvolvimento" um capitalismo cuja realidade permanente vem a ser a conjugação do desenvolvimento capitalista com a vida suntuosa de ricas e poderosas minorias burguesas e com o florescimento econômico de algumas nações imperialistas também ricas e poderosas. Um capitalismo que associa luxo, poder e riqueza, de um lado, à extrema miséria, opróbrio e opressão, do outro. Enfim, um capitalismo em que as relações de classe retornam ao passado remoto, como se os mundos das classes socialmente antagônicas fossem os mundos de "nações" distintas, reciprocamente fechados e hostis, numa implacável guerra civil latente.

Ao particularizar essa função global, descobrimos três funções derivadas centrais para essa forma de dominação burguesa. Primeiro, ela visa, acima de tudo, preservar e fortalecer as condições econômicas, socioculturais e políticas através das quais ela pode manter-se, renovar-se e revigorar-se, de maneira a imprimir ao poder burguês, que ela contém, continuidade histórica e o máximo de eficácia. Segundo, ela visa ampliar e aprofundar a incorporação estrutural e dinâmica da economia brasileira no mercado, no sistema de produção e no sistema de financiamento das nações capitalistas hegemônicas e da "comunidade internacional de negócios", com o objetivo de garantir o máximo de continuidade e de intensidade aos processos de modernização tecnológica, de acumulação capitalista e de desenvolvimento econômico, e de assegurar ao poder burguês meios externos acessíveis de suporte, de renovação e de fortalecimento. Terceiro, ela visa preservar, alargar e unificar os controles diretos e indiretos da máquina do Estado pelas classes burguesas, de maneira a elevar ao máximo a fluidez entre o poder político estatal e a própria dominação burguesa, bem como a infundir ao poder burguês a máxima eficácia política, dando-lhe uma base institucional de autoafirmação, de autodefesa e de autoirradiação de natureza coativa e de alcance nacional.

As duas primeiras funções derivadas pressupõem, na cena brasileira, a defesa consciente, ativa e organizada (quando necessário), pelas classes burguesas, de uma forma especial de solidariedade de classe, que articula mecanicamente, no mesmo padrão de dominação econômica, social, cultural e política, interesses capitalistas "nacionais" e "estrangeiros", convergentes e divergentes, mais ou menos conservadores e mais ou menos liberais, variavelmente compartilhados pela "grande", "média" e "pequena" burguesias e pela enorme massa de pessoal estrangeiro das filiais das corporações e outras empresas estrangeiras. Essa modalidade de aglutinação mecânica da solidariedade de classe burguesa acarreta vários efeitos inibidores, tanto no que se refere ao desenvolvimento capitalista quanto no que diz respeito às irradiações da dominação burguesa nos níveis econômico, sociocultural e político.

De um lado, só é essencial, para ela, a defesa e a promoção de interesses comuns da burguesia nacional e internacional (relativos à intocabilidade da propriedade privada, da iniciativa privada e do controle burguês do poder político estatal); e a filtragem de interesses divergentes se na base de concessões mútuas e de ajustamentos recíprocos, que anulam ou reduzem drasticamente o impacto revolucionário dos deslocamentos de interesses burgueses dominantes. Com isso, a própria dominação burguesa interpõe-se entre os antagonismos de classe intrinsecamente burgueses e sua fermentação nas esferas econômica, sociocultural e política. A unidade no bloco de classe adquire um teor altamente conservador, que se pode polarizar, facilmente, em torno de orientações de valor e de comportamento reacionários ou, até, profundamente reacionários. Ela impõe, especialmente em matérias nas quais o poder burguês assume conotações políticas, a adesão de todo o bloco ao que se poderia descrever como *principia media* dos interesses e valores burgueses nacionais e estrangeiros. Em consequência, tanto o reformismo burguês (sirvam de ilustração os dilemas decorrentes da reforma agrária e da expansão do mercado interno) quanto o movimento democrático-burguês (sirva de ilustração o amortecimento da radicalização das classes médias) são sufocados a partir das compulsões que emanam da própria dominação burguesa e da forma de solidariedade de classe em que ela repousa. E a burguesia nacional converte-se, estruturalmente, numa burguesia pró-imperialista, incapaz passar de mecanismos autoprotetivos indiretos ou passivos para ações frontalmente anti-imperialistas, quer no plano dos negócios, quer no plano propriamente político e diplomático.

De outro lado, essa modalidade de aglutinação mecânica da solidariedade de classe burguesa atua como uma fonte de inibições quanto às possibilidades de diferenciação, intensificação e autonomização progressiva do desenvolvimento capitalista interno. Por paradoxal que pareça, certos imperativos universais desse padrão de dominação burguesa compelem as classes burguesas a se omitirem ou, mesmo, a se anularem diante de certas tarefas práticas especificamente burguesas, as quais alargariam a amplitude da revolução nacional em processo e o sentido da própria transformação capitalista. Essa omissão e neutralização das potencialidades criadoras

CAPÍTULO 7 - O MODELO AUTOCRÁTICO-BURGUÊS DE...

intrínsecas das classes burguesas provocam consequências extremamente nocivas. A dupla articulação faz com que vários focos de desenvolvimento econômico pré ou subcapitalistas mantenham, indefinidamente, estruturas socioeconômicas e políticas arcaicas ou semiarcaicas operando como impedimento à reforma agrária, à valorização do trabalho, à proletarização do trabalhador, à expansão do mercado interno etc. Ela também faz com que a especulação se desenrole num contexto que é antes quase colonial que puramente capitalista, em todas as esferas da vida econômica (embora com predomínio do setor industrial e financeiro; e do capitalismo urbano-industrial sobre o capitalismo agrário). Ela impede também que as estruturas econômicas efetivamente modernas ou modernizadas fiquem expostas a controle societário eficiente, permitindo que a eclosão industrial continue largamente submetida ao velho modelo dos ciclos econômicos, tão destrutivo para o desenvolvimento orgânico de uma economia capitalista integrada em escala nacional. A ausência desse controle societário eficiente confere ainda uma liberdade quase total à "grande empresa", nacional ou estrangeira, em todos os ramos de negócios, e à devastadora penetração imperialista em todos os meandros da vida econômica brasileira. Portanto, a própria forma de dominação burguesa responde pela alienação das classes burguesas pela anulação de tarefas econômicas, socioculturais e políticas que cabem à burguesia, enquanto o desenvolvimento capitalista representar a fonte de dinamização da revolução nacional. O pior é que isso ocorre em detrimento de processos que não se constituirão espontaneamente na situação histórico-social brasileira. A dupla articulação faz com que, naturalmente, o desenvolvimento desigual interno e a dominação imperialista externa criem e reforcem pontos de estrangulamento estruturais no seio mesmo da transformação capitalista. Para libertar-se do capitalismo dependente e subdesenvolvido a burguesia brasileira precisaria livrar-se, com a maior urgência, do atual padrão de dominação burguesa e de solidariedade de classe. Ele nem sequer é uma relíquia histórica e, como tal, digno de ser arquivado. Ele tem de ser posto no lixo, pois é antes uma armadilha, que tira mais do que dá às classes burguesas. Se estas não forem capazes de fazer isso, esse padrão de dominação de classe e de solidariedade de classe erigir-se-á, fatalmente, em sua tumba.

A terceira função derivada inclui duas conexões mais ou menos conhecidas. Uma, que se relaciona com necessidades políticas de autoafirmação, autodefesa e autoirradiação dos vários estratos da burguesia brasileira. Não é fácil conduzir o barco, quando o desenvolvimento capitalista não guia a revolução nacional com uma bússola firme e os extremos do espectro burguês se encontram em formas subcapitalistas ou pré-capitalistas de produção agrária, na "empresa multinacional" estrangeira e na "grande empresa estatal". A convergência de interesses pode ser obtida e até imposta, mas em dano dos papéis burgueses negligenciados historicamente e quase sempre apenas durante certos lapsos de tempo. Pode-se ignorar a história interna, sob certas condições de sufocação dos interesses e dos conflitos de classes. Mas os ritmos históricos externos do capitalismo são inexoráveis. Daí resulta um tipo especial de impotência burguesa, que faz convergir para o Estado nacional o núcleo do poder de decisão e de atuação da burguesia. O que esta não pode fazer na esfera privada tenta conseguir utilizando, como sua base de ação estratégica, a maquinaria, os recursos e o poder do Estado. Essa impotência — e não, em si mesma, a fraqueza isolada do setor civil das classes burguesas colocou o Estado no centro da evolução recente do capitalismo no Brasil e explica a constante atração daquele setor pela associação com os militares e, por fim, pela militarização do Estado e das estruturas político-administrativas, uma constante das nossas "crises" desde a Proclamação da República. O padrão de dominação de classe e de solidariedade de classe descrito facilitava semelhante composição, pela qual as classes burguesas aliavam-se entre si, em um plano mais alto, convertendo a mencionada impotência em seu reverso, em uma força relativamente incontrolável (pelas demais classes e pelas pressões imperialistas externas). Portanto, o Estado nacional não é uma peça contingente ou secundária desse padrão de dominação burguesa. Ele está no cerne de sua existência e só ele, de fato, pode abrir às classes burguesas o áspero caminho de uma revolução nacional, tolhida e prolongada pelas contradições do capitalismo dependente e do subdesenvolvimento.

A outra conexão diz respeito às probabilidades de preservar a ordem burguesa existente. Isto é, de impedir que as divergências no seio das classes burguesas (variadas e profundas a ponto de exigir um mecanismo de unidade de classe e de solidariedade de classe como o apontado acima) e, especialmente, que as pressões de baixo para cima (tão fortes, apesar da aparente "apatia" do proletariado, das classes trabalhadoras rurais e das classes destituídas, que exigiram a sufocação dos meios de autoafirmação dessas classes) destruam as precárias bases do equilíbrio econômico, social e político dessa ordem. Ainda aqui o poder estatal surge como a estrutura principal e o verdadeiro dínamo do poder burguês. Sem a incorporação a si mesma daquele poder e o congestionamento que isso provocou nas funções do Estado a dominação burguesa teria desaparecido como a brisa. Pois não pode, sob o capitalismo dependente e subdesenvolvido, sustentar-se, impor-se coativamente e suplantar os conflitos de classes apoiando-se exclusivamente nos meios

CAPÍTULO 7 - O MODELO AUTOCRÁTICO-BURGUÊS DE...

privados de dominação de classe e nas funções convencionais do Estado democrático-burguês. Por isso, em sua evolução recente, o Estado nacional brasileiro foi plasmado pelas necessidades e interesses das classes burguesas e, em particular, pelo peculiar enredamento do padrão de dominação dessas classes com o controle de uma economia capitalista e de uma sociedade de classes dependentes e subdesenvolvidas. Na medida em que puderam tolher e unificar suas próprias reivindicações, congregando-se em torno de interesses capitalistas internos e externos comuns ou articuláveis, elas puderam silenciar e excluir as outras classes da luta pelo poder estatal, conseguindo condições ideais para amolgar o Estado a seus próprios fins coletivos particularistas. Além das demais condições favoráveis a esse objetivo, que serão ventiladas adiante, a natureza autoritária do presidencialismo e a forte lealdade dos militares à dominação burguesa, com sua profunda e obstinada identificação com os alvos que ela perseguia, facilitaram sobremaneira o processo implícito de domesticação particularista do Estado. É claro, de outro lado, que a militarização das estruturas e das funções do Estado nacional simplificou e fortaleceu todo o processo, conferindo, finalmente, à vinculação da dominação burguesa com uma ditadura de classe explícita e institucionalizada uma eficácia que ela jamais alcançaria sob o Estado democrático-burguês convencional. Todavia, essa evolução não suprime a vulnerabilidade da ordem burguesa, tão ampliada sob o capitalismo dependente e subdesenvolvido. Ela apenas aumenta, nas condições históricas em que se tornou possível, a eficácia da dominação burguesa. Na verdade, as próprias classes burguesas possuem uma percepção social nítida do significado dos arranjos descritos. Eles são instrumentais, adaptando o poder burguês às condições estáveis e instáveis de uma revolução nacional constantemente abalada e enfraquecida pelos efeitos implacáveis do desenvolvimento desigual interno e da dominação imperialista externa. A largo prazo, a alternativa é óbvia. Ou a dominação burguesa se refunde, ajustando-se às pressões de baixo para cima e ao "diálogo entre as classes", ou ela se condena a desaparecer ainda mais depressa.

Essa descrição da natureza, da forma e das funções da dominação burguesa na sociedade brasileira, embora sumária, põe-nos diante do que é essencial. Ela retrata uma evolução que é particular, pois focaliza as classes burguesas, a dominação burguesa e o poder burguês em determinada sociedade. Não obstante, essa evolução é típica: ela evidencia como se dá a interação recíproca entre dominação burguesa e transformação capitalista na periferia. Como, enfim, o capitalismo dependente e subdesenvolvido constitui uma criação de burguesias que não podem fazer outra coisa além de usar os imensos recursos materiais, institucionais e humanos com que contam e a própria civilização posta à sua disposição pelo capitalismo para manter a revolução nacional nos estreitos limites de seus interesses e valores de classe. Elas contêm, ou sufocam, por essa razão, as impulsões societárias tão conhecidas ao igualitarismo, ao reformismo e ao nacionalismo exaltado de tipo burguês, expurgando-as, por meios pacíficos ou violentos, da ordem social competitiva. Ao mesmo tempo, fomentam e exaltam outras impulsões societárias de tipo burguês, igualmente bem conhecidas, ao racionalismo acumulador e expropriativo, ao egoísmo, ao exclusivismo e ao despotismo de classe, conferindo-lhes, por meios pacíficos ou violentos, predominância na elaboração histórica da ordem social competitiva. Elas se tornam, em suma, os agentes humanos que constroem, perpetuam e transformam o capitalismo dependente e subdesenvolvido, levando a modernização para a periferia e adaptando a dominação burguesa às funções que ela deve preencher para que a transformação capitalista não só possa reproduzir-se em condições muito especiais, mas, ainda, tenha potencialidades estruturais e dinâmicas para absorver e acompanhar os ritmos históricos das economias capitalistas centrais e hegemônicas.

CONTRARREVOLUÇÃO PROLONGADA E "ACELERAÇÃO DA HISTÓRIA"

Feita toda essa discussão, cabe uma pergunta (com a qual passamos ao segundo tema da presente discussão): o que explica, sociologicamente, o êxito relativo da burguesia brasileira nesse movimento que a levou, finalmente, a descobrir e a cumprir as tarefas e os papéis que lhe cabiam no contexto histórico global? As respostas a essa pergunta sublinham, com frequência, quatro fatores. As características demográficas, econômicas e sociais da sociedade brasileira, que tornavam viável e fácil uma nova eclosão do industrialismo e a aceleração do crescimento econômico com colaboração externa; a assistência técnica, econômica e política intensiva das nações capitalistas hegemônicas e da "comunidade internacional de negócios"; a forte identificação das Forças Armadas com os móveis econômicos, sociais e políticos das classes burguesas e sua contribuição prática decisiva na rearticulação do padrão compósito de dominação burguesa; a ambiguidade dos movimentos reformistas e nacionalistas de cunho democrático-burguês e a fraqueza do movimento socialista revolucionário, com forte penetração pequeno-burguesa e

CAPÍTULO 7 - O MODELO AUTOCRÁTICO-BURGUÊS DE...

baixa participação popular ou operária. Esses fatores são, de fato, suficientes para "explicar o que houve", mas eles fixam as respostas no plano morfológico das relações e conflitos de classe. É possível ir um pouco mais longe indagando-se por que, afinal de contas, em determinado momento a burguesia brasileira realizou o seu movimento histórico de uma forma que é especificamente contrarrevolucionária (em termos do padrão democrático-burguês "clássico" de revolução nacional) e envolve uma ruptura com todo o arsenal ideológico e utópico inerente às "tradições republicanas" da mesma burguesia. Aqui entramos na área dos fenômenos de consciência de classe e de comportamentos coletivos de classe, que infelizmente têm sido mal e pouco investigados. Se ficarmos nos limites de certas constatações gerais, porém, podemos responder àquela pergunta no nível explicativo mais importante.

As quatro décadas que se sucederam ao fim da Primeira Grande Guerra constituem o período nuclear de maturação histórica da burguesia brasileira. Esse período não representa, como muitos acreditam, a "época de formação" dessa burguesia (muito anterior, como vimos); nem, como sustentam outros, ele corresponde à "época de crise da oligarquia" (pois essa crise se desenrolou, no Brasil, como uma recomposição das estruturas econômicas, sociais e políticas herdadas do passado, pela qual os estratos sociais de origem oligárquica, antiga ou recente, foram reabsorvidos pela organização da sociedade de classes em constituição e expansão). Não ocorreu, portanto, um verdadeiro deslocamento da "velha classe" ou das "velhas classes" dominantes, por "novas classes" dominantes, de formação hodierna. Mas um fenômeno muito mais amplo e (embora não pareça) mais dramático: a coalescência estrutural dos vários estratos sociais e das várias categorias econômicas que formavam as "classes possuidoras", crescentemente identificadas com uma concepção burguesa do mundo e com um estilo burguês de vida, graças à rápida e contínua aceleração da revolução urbano-comercial e, em seguida, à industrialização. Os estamentos dominantes do "antigo regime" imergem e desaparecem, assim, nas estruturas da ordem social competitiva e da sociedade de classes em constituição ou em expansão (conforme a região ou a localidade do país que se considere). Contudo, as oligarquias, "tradicionais" ou "modernas", sofrem muito pouco com isso, e a crise de reabsorção pela qual elas passam não possui o mesmo significado histórico que o aparecimento da burguesia como uma categoria histórico-social e uma comunidade política.

Este é o fato histórico principal nesse período. Desencadeia-se um amplo e profundo processo de socialização do poder econômico, social e político, pelo qual as classes sociais burguesas se unificam, a partir de sua situação material de interesses, de seu estilo de vida e de sua concepção do mundo. O predomínio dos interesses agrário-comerciais, de início, pôs certos obstáculos a esse processo. No entanto, a Revolução de 1930 indica que ele já se havia aprofundado e difundido seriamente, muito antes que os interesses industriais e financeiros lograssem a predominância relativa que iriam alcançar com o Estado Novo e, especialmente, durante e após a Segunda Guerra Mundial. A burguesia, que fora um resíduo social e, mais tarde, um estrato pulverizado e disperso na sociedade brasileira, que se perdia nos estamentos intermediários e imitava servilmente a aristocracia, ganha sua fisionomia típica e se impõe como um corpo social organizado, que constitui a cúpula da sociedade de classes e sua grande força socioeconômica, cultural e política. Mas uma coisa é ver esse processo como algo transcorrido, a partir de hoje. Outra é focalizá-lo em cada um dos momentos que marcam as etapas percorridas pela aglutinação econômica, sociocultural e política das várias classes e dos vários estratos de classe burgueses, em sua integração horizontal numa escala nacional. Para que essas classes e estratos de classe pudessem alcançar uma verdadeira forma burguesa de solidariedade de classe, de modo a integrar horizontalmente e em escala nacional seus interesses materiais e seus comportamentos coletivos, congregando-se em uma comunidade política unificada, era necessário que elas sofressem uma complexa e difícil transfiguração. Era preciso, notadamente, que elas se despojassem da "segunda natureza humana" que o escravismo incutira nas "classes possuidoras"; que fizessem um amplo esforço de revisão e de redefinição de ideologias e utopias, assimiladas da experiência democrático-burguesa europeia e norte-americana, da época de emancipação nacional em diante; e que conseguissem compreender qual é a própria realidade, em termos dos papéis e das tarefas históricas que poderiam desempenhar, como e enquanto burguesia de uma sociedade de classes subdesenvolvida e dependente na era do capitalismo monopolista e do imperialismo total.

Aí estava uma revolução demasiado complicada e difícil, não por causa do elemento oligárquico, em si mesmo, mas porque era preciso extrair o *ethos* burguês do cosmos patrimonialista em que ele fora inserido, graças a quase quatro séculos de tradição escravista e de um tosco capitalismo comercial. Doutro lado, a fragmentação das classes e dos estratos de classe burgueses favorecia muito mais o seu isolamento local ou regional e a sua pulverização que a unificação horizontal, em escala nacional, de interesses e de valores percebidos confusamente e de maneira predominantemente provinciana ou paroquialista. A rusticidade da maioria das cidades, a fraca penetração urbana no campo e o

CAPÍTULO 7 - O MODELO AUTOCRÁTICO-BURGUÊS DE...

baixo índice de universalidade dos processos de secularização da cultura e de racionalização do modo de compreender o mundo agravaram esse fenômeno, prolongando o estado de quase-classe e de semiclasse dos estratos burgueses, privados dos principais fatores externos de difusão e conformação da mentalidade burguesa (ou, como seria melhor dizer: do horizonte cultural burguês). A isso se deve acrescentar a fraqueza numérica, econômica e política dos setores médios, com sua forte impregnação tradicionalista e uma contraditória ambivalência de atitudes, nascida de ressentimentos psicossociais (e não de impulsões societárias de natureza reformista ou revolucionária propriamente ditas); e o aparecimento tardio e ao mesmo tempo muito lento, em massa, do típico "empresário moderno", no alto comércio, na indústria e nas finanças. Em suma, vários elementos concorriam, convergentemente, para incentivar as classes burguesas a uma falsa consciência burguesa, mantendo entre essas classes e no resto da sociedade ilusões que violentavam ainda mais as ideologias e as utopias burguesas importadas da Europa e dos Estados Unidos. Essas ilusões sempre foram entretidas e difundidas por uma vasta gama de propagadores (como, por exemplo: os propagandistas republicanos; os modernistas; os tenentes; os constitucionalistas; os nacionalistas etc.). Pode-se dizer que os "notáveis" da burguesia faziam delas a sua crença política, impondo-as como uma espécie de *mores* da civilização brasileira. Por sua vez, as massas populares e os jovens sentiam-se atraídos por essas mesmas ilusões, que abriam falsas perspectivas reformistas e democráticas à revolução nacional. Contudo, o desenvolvimento interno do capitalismo não conduzia a sociedade burguesa em tal direção. Ele não comportava uma burguesia "heroica" e "conquistadora"; e tampouco podia alimentar qualquer espécie de igualitarismo, de reformismo ou de nacionalismo exaltado de tipo burguês. Para "governar seu mundo", as classes burguesas deviam começar por conhecê-lo melhor e por introduzir a racionalidade burguesa na compreensão de seus papéis históricos sob o capitalismo dependente.

Essa aprendizagem realizou-se por etapas e por três vias diversas, todas frustradoras. Primeiro, através da descoberta de que não iríamos "repetir a história". A grande esperança republicana, de que se faria a revolução industrial de modo autônomo e segundo o modelo de desenvolvimento econômico inerente ao capitalismo competitivo, esboroa-se por completo no limiar mesmo da industrialização intensiva. Quando isso ficou patente, também se evidenciou que a concretização de uma democracia burguesa plena não era uma "questão de tempo" nem de "gradualismo político". Os cálculos infundados e as expectativas erradas tinham de ser revistos. Assim, a burguesia brasileira aprendeu, de um golpe, que a história não é autogerminadora; e que ela não corrige os erros dos homens, nasçam eles de ambições exageradas ou de fantasias medíocres. Segundo, através de entrechoques alimentados por antagonismos intraclasses, ou seja, por interesses e aspirações divergentes de classes ou estratos de classe burgueses. Ignorando os limites de seus papéis históricos, em diferentes momentos, setores civis ou militares e civis-militares, da alta e da média burguesia, lançaram-se a aventuras tidas como "nacionalistas", "democráticas" e "revolucionárias" e de fato elas sofriam essa elaboração intencional; e seriam isso mesmo, se fosse possível transformar, primeiro, as bases dependentes das relações de produção e de mercado. Todavia, as classes burguesas que lutavam por causas tão amplas não tinham coragem de romper com a dominação imperialista e com os liames que as prendiam às várias formas de subdesenvolvimento interno. Em consequência, patronizavam uma variedade especial de "populismo", a demagogia populista, agravando os conflitos de classe sem aumentar, com isso, o espaço político democrático, reformista e nacionalista da ordem burguesa existente. Essas foram, no entanto, as experiências que acordaram a burguesia brasileira para a sua verdadeira condição, ensinando-a a não procurar vantagens relativas para estratos burgueses isolados, à custa de sua própria segurança coletiva e da estabilidade da dominação burguesa. Terceiro, através da exposição de elites das classes burguesas a influências socializadoras externas e de manipulações diretas de problemas internos por meio de controles desencadeados e/ou orientados a partir de fora. O âmbito da dominação imperialista aprofunda-se e alarga-se com a passagem do capitalismo competitivo para o capitalismo monopolista. Não existem neste último fronteiras ao controle societário externo, o que permite falar em um imperialismo total. As experiências, nessa esfera, são bem conhecidas. Há os grupos, extraídos de várias categorias profissionais, civis e militares, que foram deslocados para o exterior e sofreram completa reciclagem (ideológica e utópica), graças a programas especiais de "treinamento", de "preparação técnica especializada" ou de doutrinação. Há os programas de comunicação em massa, através do rádio, televisão, imprensa e mesmo da educação escolarizada, e os programas de assistência técnica (saúde, cooperação militar, defesa e segurança pública, cooperação econômica, cooperação educacional etc.), que criam redes articuladas de "modernização dirigida". Há, por fim, programas de instituições mundiais e de governo a governo que recobrem essas e outras áreas, todos difundindo uma filosofia desenvolvimentista própria. Por aqui, os estratos burgueses aprenderam a mudar a qualidade de suas percepções e explicações do mundo, procurando ajustar-se a "avaliações pragmáticas", que representam o subdesenvolvimento

CAPÍTULO 7 - O MODELO AUTOCRÁTICO-BURGUÊS DE...

como um "fato natural" autocorrigível e estabelecem como ideal básico o princípio, irradiado a partir dos Estados Unidos, do "desenvolvimento com segurança". Dava-se, assim, o último salto na limpeza do sótão. A burguesia brasileira encontrava novos elos de "modernização", descartando-se de suas quinquilharias históricas libertárias, de origem europeia, substituídas por convicções bem mais prosaicas, mas que ajustavam seus papéis à "unidade do hemisfério", à "interdependência das nações democráticas" e à "defesa da civilização ocidental". Para se ter uma imagem concreta de como essas três vias de aprendizagem mudaram a percepção da realidade e as orientações de valor da burguesia brasileira é suficiente acompanhar a carreira política ou administrativa recente de alguns próceres civis e militares "rebeldes" das décadas de 1920, de 1930 ou de 1940. O curioso, em todo o processo, são as identificações, que acabaram prevalecendo, ao longo e ao cabo da depuração do idealismo burguês, entre a "mentalidade oligárquica" e o "racionalismo pragmático" a que chegaram muitos representantes das correntes burguesas "nacionalistas", "democráticas" e "revolucionárias".

É evidente que as nações hegemônicas exportam suas ideologias e utopias. Nesse sentido as ideologias e as utopias das nações hegemônicas são também as ideologias e as utopias das classes dominantes das nações dependentes. Contudo, é preciso levar-se em conta que isso ocorre dentro de uma linha que responde a novas condições econômicas, histórico-sociais e políticas. As nações capitalistas dependentes não possuem as mesmas potencialidades que as nações capitalistas hegemônicas. Mas as ideologias e utopias das classes dominantes deixam de sofrer controle societário eficiente, pois, com frequência, as demais classes não possuem "condições de barganha" e de autodefesa "dentro da ordem". De outro lado, as ideologias e utopias perdem, muito comumente, suas consequências úteis, convertendo-se, na maioria das vezes, numa fonte de racionalização e de legitimação das vantagens que as classes dominantes extraem rotineiramente de sua submissão aos interesses e manipulações externos. Portanto, o que aconteceu com o liberalismo iria suceder, em condições tão diversas, com o desenvolvimentismo e com a doutrina catastrófica da "democracia forte". A renovação de ideias, valores e orientações de comportamento das várias classes e estratos de classe burgueses aumentou a percepção e a consciência crítica, em sentido "realista" e "pragmático", da situação global e de como ela se encadeava com os interesses de classe burgueses, ameaçados ou não. Mas não concorreu, de qualquer modo definido, para melhorar ou ampliar a qualidade da identificação dessas classes e desses estratos de classe com os dilemas sociais enfrentados pelas populações pobres ou miseráveis e com o que se poderia descrever, eufemisticamente, como "interesses gerais da nação como um todo". Ao contrário, o novo tipo de "modernização dirigida" tendia a deslocar a lealdade à nação e às polarizações ideológicas ou utópicas da revolução nacional em favor da lealdade a certas causas muito abstratas e supranacionais, como a "solidariedade hemisférica", "a solidariedade às nações democráticas" ou a "defesa da civilização cristã e ocidental". Portanto, é visível que a internacionalização das estruturas materiais das relações de mercado e de produção também se estende às superestruturas das relações do poder burguês. As burguesias da periferia sofrem, desse modo, uma oscilação ideológica e utópica, condicionada e orientada a partir de fora. De classes patronizadoras da revolução democrático-burguesa nacional passam a conceber-se como pilares da ordem mundial do capitalismo, da "democracia" e da "civilização cristã". Essa reviravolta ideológica e utópica, quanto às suas repercussões no plano interno, não só aumenta o grau de alienação filosófica, histórica e política da burguesia perante os problemas nacionais e sua solução. Ela fortalece a insensibilidade diante deles, na medida em que não perturbem o desenvolvimento capitalista interno nem o "equilíbrio do sistema capitalista mundial", ou, ainda, na medida em que sejam úteis para a intensificação da acumulação capitalista. E suscita enorme indulgência para com atitudes e comportamentos que se chocam, precisamente, com os *mores* da democracia e da civilização cristã, o que significa que, indiretamente, ela amplifica o espaço psicológico, cultural e político para o florescimento de um padrão de liberdade de classe que é extremamente egoístico e irresponsável. No fundo, a referida reviravolta confere novos fundamentos psicológicos, morais e políticos ao enrijecimento da dominação burguesa e à sua transfiguração numa força social especificamente autoritária e totalitária.

É aqui, e não numa suposta deterioração do liberalismo nem numa presumível exacerbação do mandonismo tradicionalista, que se devem procurar as raízes psicossociais e históricas da mudança do horizonte cultural das classes e dos estratos de classe burgueses. Essa mudança levou, gradualmente, nas últimas quatro décadas, a uma nova filosofia política e a ações de classes que puseram em primeiro plano o privilegiamento da situação de interesses da burguesia como um todo. Ela serviu, pois, de fundamento para uma solidariedade de classes que deixou de ser "democrática" ou, mesmo, "autoritária", para tornar-se abertamente "totalitária" e contrarrevolucionária, em suma, o fermento de uma ditadura de classe preventiva.

É inegável que foi graças a tal mudança que as classes e os estratos de classe burgueses deram um verdadeiro salto histórico, realizando

CAPÍTULO 7 - O MODELO AUTOCRÁTICO-BURGUÊS DE...

sua integração horizontal, em escala nacional, diretamente no plano de dominação de classe (e antes mesmo que se completasse seu processo de diferenciação vertical). De outro lado, também foi graças a tal mudança que essas mesmas classes e estratos de classe conseguiram extrair vantagens estratégicas seja dos conflitos que minavam intestinamente a solidariedade burguesa, seja dos conflitos com as classes operárias e destituídas. O primeiro ponto explica por que lhes foi possível abandonar, com tanta rapidez e facilidade, a antiga filosofia de "dar tempo ao tempo", do "gradualismo burguês subdesenvolvido". Integrando-se horizontalmente, pelo menos no plano de dominação de classe, podiam impor às demais classes e à nação como um todo seus próprios interesses de classe. Quaisquer que fossem as desvantagens da aglutinação através dos interesses comuns (ou, inversamente, da acomodação de interesses díspares e heterogêneos), ela não comportava riscos políticos. Em suma, o padrão decorrente de hegemonia burguesa agregada e compósita constituía um mal menor que a "derrocada da nação" (isto é, a desagregação da ordem burguesa e o colapso do poder burguês). O segundo ponto explica como as classes e os estratos de classe burgueses exploraram em proveito próprio tanto os conflitos sociais intestinos quanto os conflitos com o proletariado, as classes trabalhadoras em geral e as classes marginalizadas ou excluídas. Os conflitos faccionais foram capitalizados exclusivamente pela própria burguesia, em vez de servir de base para a dinamização das propaladas "reformas de estrutura", a aceleração e o aprofundamento da revolução nacional ou de possíveis "aberturas" à democratização da riqueza e do poder. Os conflitos com as classes antagônicas, ao serem estigmatizados, postos "fora da ordem" e sufocados por meios repressivos e violentos, perderam sua conexão com a revolução nacional democrático-burguesa, sendo capitalizados, também por sua vez, pela própria burguesia. Ao "defender a estabilidade da ordem", portanto, as classes e os estratos de classe burgueses aproveitaram aqueles conflitos para legitimar a transformação da dominação burguesa em uma ditadura de classe preventiva e para privilegiar o seu poder real, nascido dessa mesma dominação de classe, como se ele fosse uma encarnação da ordem "legitimamente estabelecida". É claro que a nação burguesa era, assim, sobreposta e passava a imperar sobre a nação legal. Mas a burguesia estava preparada para aceitar esse deslocamento da ordem (na verdade, uma contrarrevolução que envolvia, inclusive, o recurso à guerra civil) como algo necessário, que se fazia para salvaguardar "a legalidade", "a ordem democrática e os interesses do povo". A interpretação que apresentamos procura fugir a certas distorções analíticas que o radicalismo burguês, o socialismo reformista e mesmo um socialismo revolucionário mecanicista introduziram na compreensão da revolução burguesa nas nações capitalistas da periferia. Não tentamos descrever as relações da dominação burguesa com a transformação capitalista em função de supostos "determinantes universais". Evitamos também o falso problema correlativo — "por que a história não se repetiu?". Diante dessas duas orientações interpretativas, opusemos a busca das conexões específicas da dominação burguesa com a transformação capitalista onde o desenvolvimento desigual interno e a dominação imperialista externa constituem realidades intrínsecas permanentes, apesar de todas as mudanças quantitativas e qualitativas do capitalismo.

Como seus cientistas sociais e seus adversários socialistas ou comunistas, a burguesia brasileira ignorou o que se poderia chamar de "dura realidade" de sua condição durante muito tempo — pelo menos, enquanto não teve de se defrontar com os problemas suscitados pela industrialização intensiva, mantidos o subdesenvolvimento interno e a dominação imperialista externa. A partir do momento em que começa a se defrontar com tais problemas e, em particular, a partir do momento subsequente, em que se viu diretamente ameaçada em sua existência e em sua capacidade de sobrevivência a esses mesmos problemas, a burguesia brasileira teve de realizar uma revolução copernicana, tanto em seu horizonte cultural quanto em seu circuito político. Foi isso que tentamos sumariar, dentro do ponto de vista adotado, situando como ela toma consciência e tenta desfazer-se, na esfera da ação econômica, social e política, das ilusões utópicas referentes à democracia burguesa e ao nacionalismo burguês. As transformações externas dos ritmos e estruturas do capitalismo mundial e do imperialismo agravaram ainda mais as dificuldades inexoráveis dessa burguesia, forçando-a a entender que ela não podia preservar a transformação capitalista rompendo com a dupla articulação, mas fazendo exatamente o inverso, entrelaçando ainda com mais vigor os momentos internos da acumulação capitalista com o desenvolvimento desigual da economia brasileira e com os avassaladores dinamismos das "empresas multinacionais", das nações capitalistas hegemônicas e do capitalismo mundial.

As rupturas que deviam e precisavam ser feitas eram, não obstante, tão terríveis como a amputação de um braço ou de uma perna. A que se condena uma burguesia que destrói a imagem ideológica e utópica de que ela gosta e da qual tem necessidade compensatória de inculcar-se historicamente? O drama é, a um tempo, psicológico, moral e político. Se começa como um dilema histórico, termina como um tremendo desafio político. Para romper o nó górdio, era preciso despojar a dominação burguesa de qualquer conexão real, que fosse substantivamente

CAPÍTULO 7 - O MODELO AUTOCRÁTICO-BURGUÊS DE...

e operativamente democrático-burguesa e nacionalista-burguesa: 1º) neutralizando as pressões especificamente democráticas e nacionalistas dos setores burgueses mais ou menos radicais; 2º) reprimindo as pressões de igualdade econômica, social e política ou de integração nacional e de mobilização de classe das massas populares. Dado o salto nessa direção, o êxito obtido é que iria determinar até onde essa burguesia poderia chegar em suas novas adaptações históricas ao capitalismo dependente, agora na era do capitalismo monopolista e do imperialismo total. Portanto, no fundo da crise do poder burguês estava a necessidade histórico-social de adaptação da burguesia brasileira ao industrialismo intensivo não sob uma evolução que acelerasse e aprofundasse a revolução nacional, como ocorria sob o capitalismo competitivo. Porém, ao contrário, sob uma evolução que agravava o desenvolvimento desigual interno e intensificava a dominação imperialista externa, pois ambos teriam de ser, irremediavelmente, os ossos, a carne e os nervos do industrialismo intensivo. Ao superar essa crise, a burguesia brasileira torna-se uma "burguesia madura", apta a enfrentar e a conduzir a industrialização intensiva, como etapa mais complexa e mais alta da transformação capitalista, e a completar o ciclo da revolução burguesa, mas sob e dentro do capitalismo dependente. É que a crise não visava (nem podia visar, em termos da situação de interesses de classe da burguesia brasileira) a autonomia do desenvolvimento capitalista nacional ou da revolução nacional. Ela visava a autonomia das classes e dos estratos de classe burgueses dentro da sociedade de classes brasileira e a possibilidade que eles teriam de chegar ao fim e ao fundo da transformação capitalista, sem remover a situação de dependência e os efeitos que ela desencadeia sobre o subdesenvolvimento relativo do país.

É evidente que o êxito histórico relativo, alcançado pela burguesia brasileira, embora possua uma base estrutural (a integração horizontal do poder de classe burguês e seus reflexos sobre a consciência burguesa, a solidariedade de classe burguesa e a dominação burguesa), só alcança eficácia prática a curto prazo. Ele não engendrou, nem podia engendrar pois se trata de um processo no nível histórico — qualquer espécie de "estabilização definitiva" da ordem burguesa. No entanto, ele deu e continuará a dar, por algum tempo, condições para que as classes e os estratos de classe burgueses possam formular e aplicar uma política global, que produzirá efeitos estruturais e dinâmicos de médio e largo prazos. O poder burguês está alcançando e continuará a alcançar, assim, os objetivos imediatos que provocaram a sua crise e exigiram uma reordenação da ordem burguesa em direções autocráticas, autoritárias e totalitárias.

Não obstante, mesmo nas condições brasileiras, é quase certo que as transformações produzidas pelo enrijecimento da dominação burguesa e a imposição de uma ditadura de classe burguesa preventiva não cabem na categoria do que "vem para ficar". Nada "vem para ficar" na história, e muito menos na história de um regime tão instável como o regime de classes. A burguesia brasileira conta, tão somente, com uma "paz armada", que durará enquanto o atual padrão compósito e articulado de dominação burguesa puder fazer face às contrapressões do radicalismo burguês, das massas populares e do proletariado, as quais tenderão a reconstituir-se, a crescer e a se fortalecer, graças às novas condições histórico-sociais, geradas pela industrialização intensiva e pelo capitalismo monopolista. Parecia, no clímax do processo de "Contrarrevolução Burguesa", que esse padrão de dominação de classe não resistiria por mais de uma ou duas décadas (embora ele tenha durado quase meio século em nações como Portugal e Espanha). Supunha-se, então, que o radicalismo burguês retomaria, com facilidade, o seu curso, em condições econômicas, sociais e políticas ainda mais propícias ao recrudescimento do nacionalismo revolucionário e de suas repercussões positivas sobre a democracia burguesa. De outro lado, também se supunha que as massas populares e o proletariado iriam superar, com certa rapidez, a supressão de seu espaço político, impedindo a estigmatização de seus movimentos sociais ou políticos e removendo a "compressão política" às suas pressões igualitárias. Todavia, evoluções similares, ocorridas em outros países (dentro e fora da América Latina), deixaram patente que o movimento autocrático-burguês constitui uma alternativa que conta com reforço externo bastante forte e estável. À luz desse fato, a duração das ditaduras burguesas preventivas é condicionada por dinamismos que alcançam muito maior eficiência e continuidade do que as burguesias nativas da periferia poderiam imprimir ao processo, se estivessem confinadas às suas próprias forças. Apesar disso, convém ter presente que a própria sociedade de classes segrega, de modo ininterrupto, tensões e conflitos variavelmente pró-burgueses e antiburgueses, ou seja, que ela está sujeita a fenômenos constantes de autodesagregação. Essa tendência reaparece na periferia e nela acaba atingindo maiores proporções, em virtude do desenvolvimento desigual interno e dos seus efeitos sociopáticos diretos ou indiretos. Os recursos de opressão e de repressão de que dispõe a dominação burguesa no Brasil, mesmo nas condições especialíssimas seguidas ao seu enriquecimento político e à militarização do Estado, não são suficientes para "eternizar" algo que é, por sua essência (e em termos da estratégia da própria burguesia nacional e internacional), intrinsecamente transitório. Dessa perspectiva, malgrado sua considerável magnitude, o êxito histórico da burguesia circunscreve-se à superação das perturbações imediatas da crise do poder burguês, o que faz com que ele seja, sob todos os aspectos, uma autêntica faca de dois gumes.

ESTRUTURA POLÍTICA DA AUTOCRACIA BURGUESA

O terceiro tema da presente discussão refere-se à estrutura política íntima do modelo autocrático-burguês de transformação capitalista. É claro que essa estrutura não reflete, sociologicamente, apenas as condições econômicas, socioculturais e políticas do atual estado da sociedade de classes brasileira, sob um capitalismo dependente e subdesenvolvido de grande vitalidade. Ela também revela, por igual e simultaneamente: 1º) os objetivos e desígnios políticos, mais ou menos deliberados, que animaram a atuação prática das classes e dos estratos de classe burgueses na crise descrita do poder burguês no Brasil; 2º) as potencialidades de absorção efetiva desses objetivos e desígnios pelos processos de estabilidade e mudança da ordem social, inerente à referida sociedade de classes, e o grau de racionalidade demonstrado pelas classes e pelos estratos de classe burgueses no aproveitamento do espaço político daí resultante; 3º) O modo pelo qual interesses indireta e especificamente políticos externos, transmitidos através dos dinamismos das nações capitalistas hegemônicas, das "empresas multinacionais" e da "comunidade internacional de negócios", se encadearam seja com aqueles desígnios e objetivos, seja com suas "possibilidades históricas", reforçando-os e, portanto, aumentando sua viabilidade a curto, médio e largo prazos. Aqui não poderemos tratar de todos os aspectos de um tema tão vasto e complexo, em si mesmo digno de uma investigação especial e de um livro. Vamos cuidar, somente, dos requisitos e das implicações políticos mínimos, que localizam e explicam sociologicamente, segundo entendemos, a maneira pela qual o modelo autocrático-burguês de transformação capitalista se concretizou historicamente, alterando por completo, pelo menos por enquanto, o significado e as consequências das relações e conflitos de classes.

A adaptação da dominação burguesa às condições históricas emergentes, impostas pela industrialização intensiva, pela metropolização dos grandes centros humanos e pela eclosão do capitalismo monopolista, processou-se mediante a multiplicação e a exacerbação de conflitos e de antagonismos sociais, que desgastavam, enfraqueciam cronicamente ou punham em risco o poder burguês. Nunca chegou a existir uma situação pré-revolucionária tipicamente fundada na rebelião antiburguesa das classes assalariadas e destituídas. No entanto, a situação existente era potencialmente pré-revolucionária, devido ao grau de desagregação, de desarticulação e de desorientação da própria dominação burguesa, exposta ininterruptamente, da segunda década do século à "revolução institucional" de 1964, a um constante processo de erosão intestina. As linhas de clivagem se estabeleciam dentro e fora da burguesia. As classes e os estratos de classe burgueses divergiam e se digladiavam entre si por causa de vários interesses em conflito, que poderiam ser facilmente conciliados se o grau de unificação e de centralização do poder burguês tivesse caminhado com maior velocidade (especialmente no nível institucional; e, em particular, na atuação das associações patronais, dos partidos políticos e do Estado). Os conflitos em tela não abriam nenhum risco à sobrevivência da dominação burguesa e do poder burguês. Todavia, como eles não encontravam solução rápida e superação definitiva, inibiam ou paralisavam as potencialidades sociodinâmicas da dominação burguesa e restringiam substancialmente a eficácia política do poder burguês, cronicamente pulverizado e oscilante. Ambos se mantinham e cresciam pelo efeito estático da expansão da economia capitalista e do regime de classes (incluindo-se, naquele efeito, o baixo teor de contestação política antiburguesa das massas assalariadas urbanas e rurais). A articulação política ativa, espontânea e deliberada mal atingia as forças burguesas e pró-burguesas diretamente investidas do poder político estatal ou empenhadas em canalizar a sua aplicação. De outro lado, os conflitos tolerados e contidos "dentro da ordem" se agravavam continuamente, em grande parte como consequência dessa inibição e paralisação da dominação burguesa e do poder burguês. Não só certos estratos da alta burguesia se lançavam uns contra os outros, defendendo políticas econômicas ou privilégios exclusivos. Os setores médios convertiam suas frustrações e suas aspirações em fatores que dissociavam o radicalismo burguês da ordem burguesa existente e possível. Por conseguinte, eram as classes e os estratos de classe burgueses que rasgavam as fendas pelas quais a instabilidade política se instaurava no âmago dos conflitos de classes, no intento frequente de dinamizar em proveito próprio o radicalismo pró-burguês ou antiburguês das massas populares, em geral, ou do proletariado urbano e dos trabalhadores rurais, em particular. Embora em nenhum momento essa "pressão dentro da ordem" chegasse a transcender os interesses e os projetos burgueses, ela dividia e fragmentava a burguesia, ao mesmo tempo em que solapava

CAPÍTULO 7 - O MODELO AUTOCRÁTICO-BURGUÊS DE...

e impedia a aceleração dos processos de unificação e centralização do poder burguês, diretamente ou mediante a unificação e a centralização do poder político do Estado nacional. Definiam-se, assim, várias órbitas, em permanente atrito, em torno das quais gravitavam os projetos de revolução nacional, o que fazia com que as classes e os estratos de classe burgueses não conseguissem chegar a uma conciliação fundamental, em torno de alvos e de interesses comuns a toda a burguesia. Em tão largo período, essas classes e estratos de classe mais aprenderam "o que não deviam fazer", para não se prejudicarem de modo irremediável, do que "o que deveriam fazer", para articular seus interesses de classe numa comunidade política.

Foi a própria expansão interna da economia capitalista e do regime de classes que suscitou pressões políticas suficientemente fortes para despertar e fomentar a solidariedade de classes burguesas. Primeiro, as "pressões dentro da ordem", através das quais classes ou estratos de classe burgueses tentavam se autoproteger ou se autoprivilegiar, exorbitaram os limites burgueses e as identificações pró-burguesas. As impulsões democráticas e nacionalistas, inerentes ao radicalismo burguês, em geral, e às manifestações da "demagogia populista", em particular, dirigidas e tuteladas por setores burgueses mais ou menos "esclarecidos" e mais ou menos "rebeldes", transcenderam ao reformismo e ao nacionalismo democrático-burguês, compatíveis com o débil ponto de equilíbrio de uma sociedade de classes dependente e subdesenvolvida. A extrema concentração social da riqueza e do poder não conferia à burguesia nativa espaço político dentro do qual pudesse movimentar-se e articular-se com os interesses sociais mais ou menos divergentes. Ela só podia, mesmo, mostrar-se "democrática", "reformista" e "nacionalista" desde que as "pressões dentro da ordem" fossem meros símbolos de identificação moral e política, esvaziando-se de efetividade prática no vir-a-ser histórico. Em suma, as classes e os estratos de classe burgueses não tinham como servir-se do radicalismo burguês para captar a simpatia e o apoio das massas populares sem ao mesmo tempo aprofundar seus conflitos entre si e, o que era mais importante, sem arriscar os fundamentos materiais e políticos da ordem social competitiva sob o capitalismo dependente e subdesenvolvido. A esse fato acrescentaram-se a emergência e a difusão de movimentos de massa antiburgueses, nas cidades e até em algumas áreas do campo. Tais movimentos estavam longe de representar um "perigo imediato", pelo menos em si e por si mesmos. Todavia, eles encontravam uma ressonância intimidadora e continham uma força de irradiação inesperada. Por isso, acabaram repercutindo e fermentando, de modo quase incontrolável, no próprio radicalismo burguês: "contaminaram" estudantes, intelectuais, sacerdotes, militares, vários setores da pequena-burguesia etc. Além disso, infiltraram influências especificamente antiburguesas e revolucionárias nas massas populares, despertadas mas refreadas pela "demagogia populista", o que estabelecia um perigoso elo entre miséria e pobreza, "pressão dentro da ordem" e convulsão social.

Segundo o Estado nacional, irrefreavelmente intervencionista, por efeito da extrema diferenciação e do crescimento congestionado de suas funções econômicas diretas e de suas múltiplas funções culturais, converteu-se numa formidável ordem administrativa (por causa de seu corpo de funcionários e de técnicos) e numa considerável força socioeconômica (por causa da massa das empresas estatais e das inúmeras áreas em que incidiam, coativamente, os "programas especiais do governo"). A burguesia sempre solapara esse processo. Contudo, ela dependia dele e tinha de admiti-lo e estimulá-lo, procurando, não obstante, manter o Estado e suas forças econômicas, culturais e políticas como uma esfera controlada e segura do poder burguês (no que era ajudada pelos efeitos políticos diretos e indiretos do desenvolvimento desigual interno; e pela estrutura do presidencialismo em um país no qual o Legislativo e o Judiciário estão condenados à predominância de interesses burgueses ou pró-burgueses conservadores). O volume alcançado pelo Estado brasileiro, como associação administrativa e organização política, e o transbordamento do radicalismo burguês na direção do poder estatal — mediante a atuação política de certos governos de "base populista"; e graças às identificações nacionalistas que começaram a grassar entre "altos funcionários" e no pessoal técnico de "alto gabarito" — despertaram, em pouco tempo, um temor novo. O Estado surgia como uma espécie de fantasma, não em si e por si mesmo (pois os "governos populistas" e a "alta burocracia nacionalista" não se atreveram a ir demasiado longe), mas por causa do que esse deslocamento parecia representar, como perda do "controle burguês" sobre o Estado e em termos de suas aparentes consequências negativas para a "iniciativa privada" e a liberdade burguesa. As recentes origens patrimonialistas da burguesia brasileira, com seu agressivo particularismo e seu arrogante mandonismo conservador, impediam uma compreensão mais ampla ou flexível do problema (como, por exceção, a que havia sido defendida, na decolagem desse processo, por Roberto Simonsen e alguns expoentes do "industrialismo"). A simples autonomização institucional das funções básicas do Estado e a mera ameaça de que isso iria acarretar uma verdadeira nacionalização de suas estruturas administrativas ou políticas e servir de fundamento a um processo de centralização independente

CAPÍTULO 7 - O MODELO AUTOCRÁTICO-BURGUÊS DE...

do poder apareciam como uma clara e temível "revolução dentro da ordem" antiburguesa. De fato, se ocorresse semelhante transformação política, a burguesia perderia o controle do Estado. Vários processos políticos de "pressão dentro da ordem" se alterariam gradualmente, no seu inverso, convertendo-se em fatores de "revolução dentro da ordem", contra os quais as classes e os estratos de classe burgueses pouco ou nada poderiam, sem o ponto de apoio institucional repressivo e opressivo que sempre encontraram no Estado. O poder burguês se esvaziaria se perdesse o monopólio do poder estatal, e a prefiguração dessa ameaça calou fundo mesmo em grupos burgueses que gravitaram pelas searas do radicalismo burguês e da "demagogia populista".

Terceiro, a industrialização intensiva e a eclosão do capitalismo monopolista alargaram e aprofundaram, de maneira explosiva, as influências externas sobre o desenvolvimento capitalista interno, exigindo das classes e dos estratos de classe burgueses novos esquemas de ajustamento e de controle daquelas influências. Era impossível deter semelhante processo, nascido da própria estrutura mundial do capitalismo e incentivado pelo caráter dependente da economia capitalista brasileira. As classes e os estratos de classe burgueses tinham de enfrentar, no entanto, seus efeitos políticos. Pois se a irradiação do capitalismo competitivo, de fora para dentro, não atingia diretamente as estruturas de poder político da sociedade brasileira, o mesmo não sucedia com a irradiação do capitalismo monopolista. Aquelas classes e estratos de classe viam-se, de repente, na posição de antagonista do aliado principal. O desafio externo também se erguia, portanto, como um espantalho. Se, como parte da autodefesa e da autoafirmação da "iniciativa privada" em geral, se impunha defender e aumentar a associação com os "capitais externos", fomentando os ritmos das "inversões estrangeiras" e, com elas, os da modernização controlada de fora, a autoproteção de classe da burguesia brasileira estabelecia um limite à "interdependência". Acima do afluxo de capitais, de tecnologias e de empresas e, mesmo, acima da aceleração do desenvolvimento capitalista estava, para ela, seu *status*, em parte mediador e em parte livre de "burguesia nacional". O fulcro do poder real interno da burguesia, no que diz respeito ao capitalismo dependente e subdesenvolvido e às conexões de economias nacionais capitalistas da periferia com as nações capitalistas hegemônicas e com o sistema capitalista mundial, passa por esse *status*. As classes e os estratos de classe burgueses viam-se na contingência de resguardar esse *status*, embora a quatro mãos estivessem empenhados numa cruzada pró-imperialista. Se ele fosse afetado, não haveria base material para qualquer processo de autodefesa e de autoafirmação da burguesia nativa como parte de um sistema nacional de poder. Ela deixaria, automaticamente, de ser uma "burguesia nacional" — embora dependente e da periferia do mundo capitalista e reverteria à condição de burguesia-tampão, típica de economias coloniais e neocoloniais, em transição para o capitalismo e para a emancipação nacional (da qual a melhor ilustração é a "burguesia compradora" chinesa). Desse ângulo, percebe-se claramente o quanto o referido *status* é importante para uma burguesia dependente. Ele constitui a base material de autoproteção, autodefesa e autoafirmação dessa burguesia, no plano das relações internacionais do sistema capitalista mundial. Privadas desse *status*, as burguesias nativas da periferia não contariam com suporte e funções políticas, que o monopólio do poder estatal lhes confere, para existir e sobreviver como comunidade econômica. Daí a perturbadora evolução política do desafio externo, para uma burguesia tão empenhada em atingir o ápice da transformação capitalista através da "colaboração externa" e da "associação com os capitais estrangeiros".

Esses três focos de pressões diretas e indiretas atuaram convergentemente, imprimindo à crise do poder burguês uma significação política catastrófica e compelindo as classes e os estratos de classe burgueses a buscar, nos interesses materiais e políticos comuns, uma unidade de classe, por precária que fosse. A questão já não era "ganhar tempo" e transferir reiteradamente para o futuro o enfrentamento com a realidade. Mas usar a dominação de classe e o poder de classe da burguesia como elementos ativos de sua autodefesa e autoprivilegiamento políticos: tratava-se, em suma, de conjurar os fantasmas, reais ou imaginários, que povoavam os sonhos dourados das classes e dos estratos de classe burgueses, ou seja, de travar uma verdadeira batalha pelo "mundo burguês", aparentemente ameaçado.

Alguns dos pontos focalizados nesta sumaríssima concatenação precisam ser retidos com cuidado, pois são típicos da organização e do funcionamento da sociedade de classes sob o capitalismo dependente e subdesenvolvido (e não se manifestam da mesma forma onde a revolução burguesa segue seu curso "clássico" ou liberal-democrático). Referimo-nos à reação societária (naturalmente calibrada pelos interesses e valores das classes burguesas dominantes), às "pressões dentro da ordem" e às pressões contra a ordem; e à manipulação das duas espécies de pressões pelas classes e pelos estratos de classe burgueses.

Sem nenhuma "idealização sociológica", é evidente que nesta última situação (portanto, onde o modelo democrático-burguês de transformação capitalista encontrou efetiva vigência histórica) prevaleceu uma ampla correlação entre radicalismo burguês, reformismo

CAPÍTULO 7 - O MODELO AUTOCRÁTICO-BURGUÊS DE...

e "pressões dentro da ordem" de origem extraburguesa (procedentes do proletariado urbano e rural ou das "massas populares"). A situação de classe da burguesia como um todo comportava essa correlação, pois ela repousava em uma base material de poder de classe suficientemente "integrada", "estável" e "segura" para permitir (e, mesmo, para exigir) a livre manifestação de dinamismos econômicos, sociais e políticos que só poderiam ser desencadeados pelas classes assalariadas. Em consequência, o radicalismo burguês acabou refletindo, no nível estrutural-funcional tanto quanto no nível ideológico, pressões que tinham uma origem operária, proletária ou sindical, as quais, com frequência, transcendiam e colidiam com os interesses de classe especificamente burgueses. Isso tornou, muitas vezes, ambíguas as relações do radicalismo burguês com o socialismo reformista (e chegou a fomentar, mesmo, o que Lênin caracterizou como uma "infecção burguesa" do marxismo). Doutro lado, as "pressões contra a ordem" encontravam tolerância no plano ideológico e mesmo na esfera prática, objetivando-se socialmente através do movimento sindical, dos partidos operários etc. As relações dessas pressões com o radicalismo burguês também eram, sem dúvida, fortemente ambíguas e complexas. O radicalismo burguês podia avançar o suficiente para absorver, entre tais pressões, pelo menos aquelas que fossem compatíveis com os tipos de "revolução dentro da ordem" que poderia advogar, o que lhe dava certa elasticidade para adaptar a ordem social competitiva a certos interesses revolucionários da classe operária e, até, dos setores destituídos. Não obstante, se tal coisa não sucedesse, nem por isso o conflito de valores e de interesses engendrava, em si e por si mesmo, a confusão entre as duas espécies de pressões de modo que as "pressões dentro da ordem" das classes baixas ou de estratos burgueses ultrarradicais fossem estigmatizadas e banidas por meios repressivos, com fundamento na mera existência e propagação das "pressões contra a ordem". Por fim, embora seja uma regra o aproveitamento das tensões e conflitos de classes pelos diversos estratos burgueses dominantes, raramente as classes burguesas se viram na contingência de ter de empregar as "pressões dentro da ordem" e as "pressões contra a ordem" da classe operária (ou das massas destituídas) como um expediente normal de autoprivilegiamento em face de outros setores burgueses ou como técnica sistemática na obtenção de vantagens esporádicas. Um comportamento de classe tão elementar e tosco podia ser necessário em momentos de crise do regime de classes, de alteração do padrão de hegemonia burguesa, na competição política associada aos processos eleitorais, em "frentes comuns" por ou contra certas políticas governamentais etc. Todavia, o grau de diferenciação vertical e de integração horizontal das várias classes burguesas punha a dominação burguesa e o poder burguês em bases materiais e políticas mais firmes, elásticas e estáveis. Como consequência geral, o padrão de reação societária às "pressões de baixo para cima", a favor ou contra a ordem existente, podia ser, normalmente, mais tolerante, flexível e democrático. Certos valores da democracia burguesa se incorporam, pois, aos requisitos materiais, legais e políticos da própria existência, continuidade e fortalecimento da dominação burguesa e do poder burguês. O consenso burguês podia, por conseguinte, "abrir" a ordem existente àquelas pressões, como parte de uma rotina que conferia à cidadania, às franquias políticas ligadas à ordem legal, à participação política das massas etc. o caráter de algo essencial para a estabilidade e a normalidade de uma sociedade nacional.

A sociedade de classes dependente e subdesenvolvida reflete uma dinâmica e uma história bem diversas. Como se pode exemplificar com o Brasil, no decorrer desta última metade de século, as classes e os estratos de classe burgueses se viram compelidos a enfrentar pressões favoráveis e contrárias à ordem social estabelecida: algumas, nascidas dentro dos setores burgueses ou, pelo menos, manipuladas por eles; outras, de origem especificamente operária ou de cunho "popular". O quadro com que deparamos constitui o reflexo invertido do que acabamos de descrever. As "pressões de dentro da ordem", com frequência incentivadas ou radicalizadas pelos setores intermediários e até pela alta burguesia urbana, eclodiram em um clima histórico negativo. O grau de diferenciação vertical e de integração horizontal das classes e dos estratos de classe burgueses não era suficientemente alto e complexo para engendrar qualquer modalidade de consenso burguês médio de tipo democrático. Na verdade, o radicalismo burguês, que assim se exteriorizava, exprimia mais uma impaciência histórica do que um processo estrutural de radicalização de setores insatisfeitos e rebeldes da burguesia. Em termos da composição da burguesia e de sua relação com a organização da sociedade nacional não existia uma tendência consistente e socialmente necessária de radicalismo burguês consequente e militante. À luz dessa relação, a burguesia não tinha como articular e absorver interesses antagônicos ou semidivergentes das demais classes, apesar de eles decorrerem de e serem impostos pela própria estrutura e pelos dinamismos da ordem social existente. O radicalismo burguês não podia crescer por aí, alimentando, ao mesmo tempo, uma maior dinamização da dominação burguesa e do poder burguês. As "pressões dentro da ordem", fomentadas pelas classes operárias ou pelas massas populares, com ou sem o apadrinhamento de setores burgueses extremistas, pipocavam

CAPÍTULO 7 - O MODELO AUTOCRÁTICO-BURGUÊS DE...

aqui e ali, ameaçando transformar-se numa torrente histórica. Contudo, o consenso burguês mostrou-se invariavelmente tímido e hostil a tais pressões, as quais ele devia temer, dada a distribuição da riqueza e do poder numa sociedade de classes dependente e subdesenvolvida. A massa dos que se classificam dentro da ordem é pequena demais para fazer da condição burguesa um elemento de estabilidade econômica, social e política, enquanto o volume dos que não se classificam ou só se classificam marginal e parcialmente é muito grande. Isso acirra o temor de classe e torna a inquietação social algo temível. Por conseguinte, a reação societária às pressões dentro da ordem obedeceu à natureza de uma mentalidade política burguesa especial, inflexível e intolerante mesmo às manifestações simbólicas e compensatórias do radicalismo burguês, e disposta a impedir ou bloquear o seu avanço, em particular, o impacto que elas poderiam ter sobre a aceleração da revolução nacional.

Esse tipo de reação societária fundava-se, diretamente, em uma forma ultravulnerável de temor de classe. Ele não era um produto de obscurantismo intelectual ou político. Pois nunca se ignorou o que as pressões dentro da ordem representariam, quer idealmente (para a existência de um regime democrático), quer concretamente (para retirar a "revolução brasileira" do seu ponto morto). Não obstante, aquele padrão de reação societária levou a inflexibilidade e a intolerância muito longe, como se fosse sistematicamente obscurantista e imobilista. As "pressões dentro da ordem" foram assimiladas às "pressões contra a ordem" como um expediente prático para facilitar a estigmatização das primeiras e aumentar, em bloco, a eficácia do sistema de opressão e de repressão que conferia, desse modo, aos setores conservadores da burguesia o monopólio de selecionar e de introduzir as inovações historicamente necessárias. Dentro de semelhante contexto, o próprio radicalismo burguês "esclarecido" podia confundir-se com a "subversão" e o "comunismo"; e as "pressões contra a ordem" perdiam, em geral, qualquer "legitimidade" moral, legal ou política. Não se tratava, porém, de um imobilismo histórico ou de uma defesa obstinada do estancamento. Ao contrário, os vários estratos da burguesia se abriam tanto para as alterações da ordem, a partir de dentro, quanto para a "modernização dirigida de fora", desde que as condições e os efeitos de tais processos estivessem sob controle conservador. O que importa é que as classes e os estratos de classe burgueses, portanto, não são só incapazes de sair da própria pele. A maneira pela qual funciona e cresce a versão brasileira da sociedade de classes impede: 1) que eles possam estabelecer (mantidas as condições atuais) qualquer articulação flexível com as pressões dentro da ordem das classes operárias e das classes destituídas; 2) que eles possam absorver (mantidas as condições atuais) as pressões contra a ordem dessas mesmas classes. A dominação burguesa e o poder burguês ficam, em consequência, estreitamente confinados aos interesses e aos meios de ação das classes burguesas. E o consenso burguês não pode alargar-se em função do suporte direto ou indireto das demais classes, que não são articuladas à burguesia, quer mediante impulsões igualitárias de integração nacional, quer através dos dinamismos materiais de participação econômica ou dos dinamismos sociais de participação cultural e política. Ao se fecharem sobre si mesmas, as classes e os estratos de classe burgueses comprimem seu campo de atuação histórica e o seu espaço político criador, propriamente reformista ou revolucionário.

Temos, aí, não a ordem social competitiva "ideal", mas a que se torna possível em uma sociedade de classes dependente e subdesenvolvida. Ela se ajusta como uma luva ao capitalismo dependente e às sequelas do desenvolvimento desigual interno ou da dominação imperialista externa. Contudo, ela não lembra, nem de longe, a flexibilidade dessa mesma ordem nas condições de um desenvolvimento capitalista autônomo ou hegemônico; e tampouco pode preencher suas "funções normais" quanto à dinamização do regime de classes. Porque ela é uma ordem social competitiva que só se abre para os que se classificam positivamente em relação a ela; e que só é competitiva entre os que se classificam positivamente, para as classes possuidoras, ou seja, para os ricos e poderosos. O que é pior, no plano histórico essa ordem social e competitiva só se preserva e se altera graças ao enlace da dominação e do poder das classes possuidoras com a neutralização ou a exclusão das demais classes, que ou só se classificam negativamente em relação a ela (e permanecem inertes), ou se classificam positivamente, mas não podem competir livremente dentro dela (e permanecem tuteladas). Não obstante, esse encadeamento liga entre si o senhor e o escravo, fazendo com que o destino daquele se realize através deste. Mesmo para ganhar maior liberdade histórica ou maior espaço político, como e enquanto burguesia, as classes e os estratos de classe burgueses têm de procurar fora de suas fronteiras pontos de apoio materiais e políticos, que transferem para as classes operárias e excluídas, em última instância, os dinamismos mais profundos da ordem social competitiva. Esse não é, apenas, o fundamento da "demagogia populista". Nele se acham a essência do regime republicano, com seu presidencialismo autoritário, e o fulcro do "equilíbrio da ordem" durante toda a evolução da sociedade de classes. As conhecidas ideias de Nabuco a respeito do "mandato abolicionista" aplicam-se de modo perfeito ao circuito de uma cidadania que se afirma

CAPÍTULO 7 - O MODELO AUTOCRÁTICO-BURGUÊS DE...

para alguns, com base na negação do grande número: o cidadão válido é um "advogado *ex officio*" do povo, que trai o seu mandato, porém, e o volta para o exclusivo benefício próprio. Por essa via, as contradições intrínsecas da sociedade de classes sobem à esfera da vida burguesa, condensando-se dentro dela, penetrando-a a fundo e envenenando as relações das classes burguesas entre si. Malgrado toda a sua riqueza, toda a sua segurança e toda a sua estabilidade, o centro de equilíbrio do mundo burguês desloca-se para o núcleo infernal de uma sociedade de classes extremamente injusta e desumana cujo despertar surge como a derrocada final. Essa situação histórico-social, psicológica e política empobrece e limita o consenso burguês, que se fecha sobre si mesmo, quando posto em confronto com desafios históricos concretos. Ele só conta com e só confia nas "pressões de cima para baixo", que possam ser mobilizadas através da dominação burguesa ou impostas pelo poder burguês; e, nos casos de tensão extrema, só acredita, de fato, nas "pressões de cima para baixo" submetidas ao controle institucional da dominação e do poder burgueses, isto é, que se incorporem e sejam garantidos pelos meios de opressão e de repressão, normais ou extraordinários, do Estado nacional.

Esta breve digressão sociológica aponta para algo que é crucial: a crise do poder burguês não coincidia com qualquer movimento fundamental das classes e dos estratos de classe burgueses em direção à "consolidação" (ou, como querem outros, que levam a sério a crise da Primeira República, de "restauração") da democracia burguesa no Brasil. Ao contrário, ela colocou essas classes e esses estratos de classe diante dos três focos de pressões diretas e indiretas, mencionados acima, sem que existisse, em seu seio, disposições coletivas realmente consistentes no sentido da democratização das relações de classes. A própria estrutura e as tendências de diferenciação a curto prazo da ordem social competitiva existente não comportavam tais disposições, que irrompiam como uma ameaça à necessidade urgente de conferir à dominação e ao poder burgueses um padrão definido de hegemonia de classe. Desse ângulo, aquelas pressões punham as classes e os estratos de classe burgueses não diante do problema da democracia (mesmo entendida como uma "democracia burguesa"); mas, isto sim, diante do problema da ordem (entenda-se: de uma "ordem burguesa", que "devia ser salva", posta em bases estáveis e "consolidada").

Se se quiser traduzir tais conceitos em termos claros, o enfrentamento da burguesia brasileira com sua realidade estrutural e histórica impulsionou-a a colocar-se o dilema de como instaurar, abertamente, uma oligarquia coletiva das classes possuidoras. O que entrava em questão era, portanto, o problema da autocracia (embora dissimulado sob a aparência ambígua da "democracia forte"). Só assim ela podia deter os processos incipientes ou adiantados de "desagregação da ordem", passando de uma ordem burguesa "frouxa" para uma ordem burguesa "firme". Aí, o elemento político desenhava-se como fundamento do econômico e do social, pois a solução do dilema implicava, inevitavelmente, transformações políticas que transcendiam (e se opunham) aos padrões estabelecidos institucionalmente de organização da economia da sociedade e do Estado. As "aparências da ordem" teriam de ruir, para que se iniciasse outro processo, pelo qual a dominação burguesa e o poder burguês assumiriam sua verdadeira identidade, consagrando-se em nome do controle absoluto das relações de produção, das superestruturas correspondentes e do aparato ideológico.

Contudo, uma burguesia econômica, social e politicamente impotente para enfrentar e resolver dentro da ordem pressões e tensões do tipo indicado possui, naturalmente, limitadas saídas históricas. Se sua base de poder real fosse de fato sólida e flexível, ela poderia se arriscar a tirar proveito do radicalismo burguês e, mesmo, das "pressões contra a ordem", superando as contradições tão elementares com que se defrontava e ampliando, ao mesmo tempo, a articulação das classes operárias e das classes destituídas com os interesses burgueses. Isso não seria impossível dentro do intenso (embora falso) clima de nacionalismo reformista, suscitado pelo radicalismo burguês e pela "demagogia populista". No entanto, as contradições enfrentadas pelas classes burguesas eram "estruturais" no sentido de fazerem parte de uma constelação de mudanças essenciais à existência e ao funcionamento de uma sociedade de classes e da ordem social competitiva correspondente. Para absorvê-las, aquelas classes teriam de transcender à situação de interesses modelada pela dependência e pelo desenvolvimento desigual interno. Esse era o salto que, na realidade, tanto os estratos altos quanto os estratos médios da burguesia temiam dar. A prova concreta demonstrou isso com clareza. Postas contra a parede, nos momentos críticos de decisão coletiva, as classes burguesas finalmente repeliram toda "conciliação entre classes", porque qualquer acomodação imporia uma ruptura aberta com esses dois polos do padrão imperante de relação capitalista e acumulação capitalista; e, feita a escolha, ela se tornaria irreversível, acelerando, com ou sem "consentimento burguês" ulterior, sucessivas transformações profundas da economia, da sociedade e do Estado, do tipo "revolução dentro da ordem". Só restavam o enrijecimento e o uso organizado da violência de classe, "enquanto fosse tempo". Nesse jogo é que a classe tinha de sobrepor-se à nação; e de prevalecer sobre ela.

CAPÍTULO 7 - O MODELO AUTOCRÁTICO-BURGUÊS DE...

Tal saída era, não obstante, mais difícil que arriscada. Os obstáculos estavam na própria capacidade de ação coletiva das classes e dos estratos de classe burgueses. De um lado, o grau de diferenciação vertical e de integração horizontal dessas classes estava aquém das "exigências históricas". Ele não comportava, por si mesmo, uma forma de solidariedade de classe suficientemente balanceada para congregar as classes e os estratos de classe burgueses na defesa coletiva de suas diferenças e da dinamização ou aprofundamento dessas diferenças.

Em termos estruturais, um "movimento unificador da burguesia" só poderia repousar naquilo que eles possuíam em comum, ou seja, o seu *status* como e enquanto classes possuidoras (pois os elementos diferenciais lançavam as classes e os estratos de classe burgueses uns contra os outros, tanto no plano mais geral dos "projetos de participação" na ordem social competitiva existente, quanto na esfera específica da luta pelo controle societário do poder de classe e do Estado). De outro lado, o padrão de articulação das classes e dos estratos de classe burgueses, que resultava dos dinamismos econômicos, sociais e políticos da ordem competitiva existente, agravava ainda mais tais contradições intrínsecas da burguesia. Os surtos industriais e de crescimento econômico rápido expunham essas classes e esses estratos de classe, arcaicos ou modernos, a uma intensa e incontrolável avidez por "oportunidades" e "vantagens estratégicas" novas. Em situações dessa natureza, as instituições que organizam e regulam o comportamento e a mentalidade da burguesia (via empresa, associações patronais, partidos políticos, Estado etc.) não desenvolvem (nem poderiam fazê-lo) controles coercitivos de tipo expurgador. Prevalece a "regra de ouro" de que aquilo que é bom para o agente individual também é bom para a burguesia como um todo, com o seu corolário prático: é melhor arcar com os efeitos negativos das tendências centrífugas, que assim se fortalecem, que lutar contra elas e submetê-las a controle deliberado, mas de implicações limitativas. Os dois elementos, em conjunto, erguiam uma barreira considerável a qualquer transformação política necessária, imobilizando a capacidade de ação coletiva da burguesia nos dois níveis concomitantes, o de classe e o nacional.

Isso não é novo e a burguesia brasileira não é nem a primeira nem a última que tem de enfrentar esse "dilema de juventude". Todavia, as classes e os estratos de classe burgueses se viram diante do dilema, no Brasil, em uma época de crise estrutural e histórica do poder burguês. Não tinham tempo para esperar que os processos naturais de diferenciação vertical, de integração horizontal e de articulação das classes burguesas promovessem, em um quarto de século (o que seria mais provável, dados os ritmos lentos, imperantes a partir de dentro), a maturação da ordem social competitiva e produzissem, assim, um padrão mais complexo e plástico de solidariedade de classe. As circunstâncias fizeram com que os interesses de classe comuns trabalhassem psicológica e politicamente as frustrações e a agressividade inerentes a um impasse dessa magnitude, expondo o temor de classe burguês a uma rápida elaboração explosiva. Desencadeiam-se, diretamente no seio das classes burguesas (e tanto na alta quanto na média burguesias) ou nas instituições que organizam e aplicam o poder burguês, vários movimentos convergentes, voltados para a criação de uma evolução artificial, deliberada, que traduzisse a vontade burguesa. O objetivo clarificou-se com certa rapidez, pois as melhores descrições mostram que essa transformação, incipiente e incerta sob o Estado Novo, já alcançara o seu pico dentro das forças conservadoras que galvanizaram a candidatura Quadros à Presidência da República e põe em primeiro plano a manipulação política daquilo que se poderia chamar, à falta de uma expressão melhor, de "unidade tática" das classes e dos estratos de classe burgueses. Impotentes para compor e superar suas divergências, eles deslocam o foco da unidade de ação, transferindo-o das grandes opções históricas para o da autodefesa coletiva dos interesses materiais comuns, que compartilhavam como e enquanto classes possuidoras. Por isso, pode-se qualificar o padrão de hegemonia burguesa resultante como sendo o de uma hegemonia agregada, de simples aglutinação mecânica dos interesses de classe. Essa qualificação não é derrisória, porém; ao contrário, nenhum sociólogo pode ignorar o que tal transformação teria de implicar, seja estruturalmente, seja politicamente. Ela constituía, literalmente, uma "aceleração burguesa da história". Sem modificar substancialmente a si próprios, à nação e ao seu relacionamento material com as demais classes, as classes e os estratos de classe burgueses descobriram um equivalente das condições estruturais e dinâmicas de dominação de classe, que não estavam a seu alcance. Antes mesmo de concluir todo o complexo processo de sua diferenciação vertical, de sua integração horizontal e de sua articulação, logram estabelecer, por via política, uma unificação que permitiria atingir os mesmos fins, pelo menos durante o período de desgaste imprevisível e de risco supostamente mortal do poder burguês. Por elementar e tosca que seja, essa forma de hegemonia burguesa transferiu para as mãos da burguesia o controle do tempo, do espaço e da sociedade, fixando os ritmos internos do impacto da industrialização intensiva e da eclosão do capitalismo monopolista sobre a ordem social competitiva existente.

CAPÍTULO 7 - O MODELO AUTOCRÁTICO-BURGUÊS DE...

Como não refletia mudanças estruturais prévias do "meio social interno", a consolidação do padrão agregado ou articulado de hegemonia burguesa pode parecer, a uma análise sociológica convencional, um fenômeno sem importância (de superfície e secundário). Não obstante, sua simples possibilidade (o fato de as classes burguesas tentarem concretizá-lo historicamente) já constituiria uma transformação marcante do sistema brasileiro de classes sociais. Ao se tornar realidade e ao conduzir, em seguida, a uma súbita alteração do alcance da dominação burguesa e da eficácia do poder burguês, ele patenteou qual é sua exata significação sociológica. Ele indica uma alteração qualitativa fundamental das potencialidades sociodinâmicas e políticas da dominação e do poder de classes da burguesia. Mesmo que a transformação decorrente fosse insuficiente para modificar as estruturas e os dinamismos de todo o sistema de classes, ela permitia à burguesia remediar e contornar os obstáculos econômicos, socioculturais e políticos com que se defrontava, superando, assim, pelo menos transitoriamente, sua impotência histórica. É esse, segundo pensamos, o aspecto que se deve reter e colocar em primeiro plano na análise sociológica. A mudança qualitativa das forças econômicas, socioculturais e políticas, concentradas nas mãos das classes e dos estratos de classe burgueses, conferiu-lhes uma nova oportunidade histórica, como se as alterações estruturais prévias do "meio social interno" se tivessem dado (e em favor da burguesia) e se o poder burguês não sofresse deficiências intrínsecas tão fortes. A unificação dos interesses de classes e da solidariedade de classes, com fundamento nos elementos da situação material compartilhados universalmente (embora com intensidade desigual) por todos os setores da burguesia, como classes possuidoras, preenchia a função assinalada, de concentrar e de centralizar socialmente as forças econômicas, socioculturais e políticas de que dispunham. Dessa forma, as classes e os setores de classe burgueses podiam aproveitar, estrutural e dinamicamente, as vantagens de sua condição de minoria, ou seja, dos "pequenos números", utilizando tais vantagens de modo consciente, deliberado e organizado. Essa concentração e essa centralização do poder real processavam-se, simultaneamente, em dois níveis: o das relações diretas de classes; e o de dominação de classe mediada pelo Estado nacional. Compensavam-se, portanto, as duas deficiências congênitas, que inibiam e solapavam o poder burguês, tornando-o incapaz de suplantar as tendências centrífugas que o desagregavam e o anulavam politicamente. Como o que prevalecia, nesses processos, eram os interesses materiais comuns, inerentes à condição de classe possuidora de todos os setores da burguesia, e o deslocamento do poder real se dera, por conseguinte, na direção do núcleo estático da ordem social competitiva existente, a unificação e a centralização do poder burguês ganharam densidade para resistir aos efeitos reativos imediatos, fatalmente desagregadores, de sua conversão em "fatores históricos". A burguesia como um todo conseguia, pelo menos, de uma a duas décadas ou a um quarto de século, período de tempo dentro do qual suas tendências mais conservadoras poderiam dirigir, na cena histórica, a transbordante modernização provocada pela industrialização intensiva e pela eclosão do capitalismo monopolista. Em suma, ela ficava livre para imprimir à autoafirmação burguesa o caráter de uma contrarrevolução, que devia associar a explosão modernizadora com a regeneração dos costumes e da estabilidade da ordem.

Essa evolução dependia, porém, de algo mais que a simples alteração súbita da "vontade burguesa" e da organização do comportamento coletivo dos estratos dominantes das classes burguesas. Como já apontamos acima, a transformação em questão respondia, globalmente, às pressões do radicalismo burguês, da oposição operária e da insatisfação popular. A unificação e a centralização do poder real das classes e dos estratos de classe burgueses nos níveis das relações diretas das classes e da mediação do Estado nacional —, para serem politicamente "úteis" e "eficientes", tinham de transcender aos limites estritos dos interesses de classe burgueses, indo além das fronteiras físicas da dominação burguesa. Isto é, os estratos dominantes das classes burguesas careciam de um excedente de poder, através do qual pudessem: 1) desbaratar as pressões inconformistas pró-burguesas e as pressões antiburguesas; 2) garantir-se um máximo de autonomia histórica no controle de classe das sucessivas transformações subsequentes da ordem. Por aí se vê, inconfundivelmente, que a autodefesa da burguesia organizava-se e armava-se como um movimento histórico de autoafirmação e de autoprivilegiamento dos interesses de classe burgueses. Não era, pois, uma autodefesa passiva, mas o seu oposto: uma autodefesa ativa, militante e agressiva, que assumia, nos limites históricos do capitalismo dependente, uma dimensão histórica "conquistadora". Isso define a natureza dos dois processos, de unificação e de centralização do poder real de classe, que entravam em jogo. No nível das relações diretas de classes e no nível da intermediação do Estado nacional, as classes e os estratos de classe burgueses defendiam o monopólio da cidadania válida, com os dividendos políticos resultantes: ou seja, o controle burguês da sociedade civil e do próprio Estado nacional. Mesmo antes de se tornar conspirativo e de explodir como uma contrarrevolução em defesa da modernização dependente e da regeneração dos costumes e da ordem, os dois processos apontavam nessa direção. Daí a extensa e intensa mobilização de classe de todos os

CAPÍTULO 7 - O MODELO AUTOCRÁTICO-BURGUÊS DE...

recursos materiais, ideológicos, políticos e armados ao seu alcance, que caracterizou o cerne do movimento centralmente de autodefesa coletiva da burguesia brasileira, depois de 1945.

Desse ponto de vista, as minorias burguesas contavam com uma ampla base estrutural para estabelecer e explorar politicamente o referido consenso autodefensivo. As classes e os estratos de classe burgueses irradiavam-se por todos os níveis de organização da sociedade civil e do Estado nacional. Deles poderiam depender tanto a normalidade e a continuidade quanto a crise e o colapso de uma e de outro. Em um plano, podiam entorpecer ou neutralizar todas as funções mais ou menos fundamentais para a sobrevivência da ordem social competitiva existente. Em outro plano, podiam empolgar "o controle da situação", imprimindo a essas funções as distorções e as deformações que se tomassem recomendáveis ou necessárias. Os setores radicais da pequena, da média e da alta burguesias juntamente com os setores mobilizados das classes operárias e das classes destituídas pouco ou nada podiam fazer para obstar essa realidade. A "paralisação" e a "sabotagem" burguesas da ordem significavam, literalmente, uma "paralisação" e uma "sabotagem" da ordem existente como tal. Isso surgiu à superfície à medida que os efeitos paralisadores e sabotadores das iniciativas burguesas se desdobraram e convergiram para o solapamento do precário regime representativo; e ficou nítido depois da transição contrarrevolucionária propriamente dita, com a instauração de controles autocrático-burgueses de depuração e tutelagem desse regime. Somando-se as evidências esclarecedoras essenciais, parece claro que os processos de unificação e de centralização do poder burguês descansavam sobre uma base estrutural bastante ampla; que essa base foi mobilizada em extensão e em profundidade; e que esses são os elementos centrais que explicam a súbita emergência e o êxito, ao mesmo tempo, do processo contrarrevolucionário propriamente dito. Este não estava contido naqueles dois processos como "a galinha no ovo". No entanto, eles forjaram a transformação que tornava a contrarrevolução o seu coroamento lógico, quer estabelecendo o nexo entre a explosão modernizadora e a regeneração dos costumes e da ordem, quer imprimindo à autodefesa de classe da burguesia o caráter de uma autoafirmação e de um autoprivilegiamento de classe por meios insólitos.

É discutível se o referido nexo poderia ou não ser evitado pelas forças históricas em conflito e, com maior razão, se a reação de autodefesa da burguesia deveria assumir uma impregnação militar e tecnocrática tão profunda e tão persistente. Ambos os pontos possuem, quando muito, uma significação acadêmica. Os fatos se encarregaram de demonstrar, concretamente, o que havia de inexorável nas evoluções descritas. Ainda assim, é importante considerar esses dois pontos, porque eles ajudam a desvendar os elementos centrais da reação autocrático-burguesa conservadora.

Quanto ao primeiro ponto, o chamado "colapso do populismo" constitui, em sua essência, um colapso do radicalismo burguês e da ordem pseudamente democrático-burguesa que o engendrara. A ausência de articulação política sólida, ao mesmo tempo flexível e firme, entre as classes possuidoras e as classes despossuídas (classes operárias e destituídas) tirara da ordem social competitiva existente qualquer potenciação democrática efetiva e irreversível. A "demagogia populista" não procedia de qualquer pluralismo real: ela era uma aberta manipulação consentida das massas populares. O povo não possuía nem mandatários responsáveis nem campeões leais no "campo burguês"; e quando o jogo democrático se tornou demasiado arriscado, os verdadeiros atores continuaram o baile sem máscaras. Em suma, não existia uma democracia burguesa fraca, mas uma autocracia burguesa dissimulada. Este pode parecer um retrato muito duro. Porém, qual é o retrato que se pode fazer, depois de tudo que ocorreu ou está ocorrendo? Nem mesmo a "massa popular" chegou a se omitir, porque não houve "um momento de omissão histórica da massa popular". O que houve, e os analistas do "populismo" deixam bem claro, foi "um momento de tentativa de afirmação da massa" (ou de convencionamento tácito de "um novo pacto social", como querem alguns autores), suprimido de modo insólito pela reação autodefensiva da burguesia. Portanto, o nexo poderia ter sido eliminado, se a história também tivesse sido diferente. Como a história não foi diferente, ele define e muito bem — o que as classes e os estratos de classe burgueses procuravam, ao liquidar as aparências "democrático-burguesas" da ordem.

Quanto ao segundo ponto, é óbvio que a impregnação militar e tecnocrática é uma resultante, embora seja uma resultante de caráter primordial e essencial. As classes e os estratos de classe burgueses só poderiam prescindir dessa impregnação se contassem com amplo apoio estrutural "vindo de baixo", isto é, das classes operárias e das classes destituídas. Mas, se tivessem semelhante apoio, seria um contrassenso que empreendessem uma contrarrevolução modernizadora e regeneradora. A própria estigmatização do radicalismo burguês não teria razão de ser, pois a ordem social competitiva se abriria a todas as pressões, conformistas ou inconformistas, que caem na órbita do "pluralismo democrático". Os "fatos duros" revelam, porém, o contrário, que a reação autodefensiva da burguesia só podia atingir seu ponto de maturação e

CAPÍTULO 7 - O MODELO AUTOCRÁTICO-BURGUÊS DE...

de eclosão sob forte e persistente impregnação militar e tecnocrática. Era da própria essência do padrão agregado ou articulado de hegemonia burguesa que se transferissem para certos setores burgueses, civis e principalmente militares, as tarefas centrais do movimento histórico autodefensivo e contrarrevolucionário da burguesia. Pode-se afirmar com segurança que, se a burguesia brasileira não possuísse estratos médios e altos fortemente instalados, em massa, "dentro do Estado" (os quais constituíam uma autêntica burguesia burocrática, dotada de poder estatal e de ampla liberdade para usar este poder), os processos de unificação e de centralização do poder burguês eclodiriam no vazio histórico. Em vez de serem coroados por uma contrarrevolução e pela restauração da ordem burguesa, eles esbarrariam no agravamento dos conflitos com o "inimigo principal" e, talvez, se esboroariam de maneira melancólica. Dessa perspectiva, a militarização e a tecnocratização tanto do movimento contrarrevolucionário da burguesia (em suas diversas fases: conspirativa, de assalto e consolidação do poder etc.) quanto do Estado nacional "regenerado", autocrático-burguês, são intrínsecas à reação autodefensiva da burguesia e instrumentais para os fins históricos imanentes, de autoafirmação e autoprivilegiamento das classes burguesas. Se ambas não ocorressem e, ainda mais, se não atingissem níveis altos e persistentes, a crise do poder burguês provavelmente culminaria em uma "revolução contra a ordem". Mesmo que se iniciasse sob o impulso e se mantivesse durante certo tempo sob o controle do radicalismo burguês, é improvável que tal revolução pudesse ser contida nesse limite, estabilizando-se através de uma ordem democrático-burguesa suficientemente forte para absorver as "pressões antiburguesas" das classes operárias, das classes destituídas e do movimento socialista revolucionário.

A questão que restaria diz respeito à duração e à intensidade da militarização e da tecnocratização das estruturas e das funções do Estado nacional. Há quem pense que um poder externo à burguesia ou o próprio consenso burguês se voltariam (ou se voltarão) contra tais processos. Trata-se de uma questão que transcende à presente discussão. Ainda assim, nada impede que ela seja ventilada. O poder externo à burguesia não se evidenciou, como alternativa histórica; e quando ele se configurar como tal, terá de partir do Estado nacional existente, para organizar-se como "classe dominante" e concluir sua própria revolução. Para ele, portanto, a relação com as forças de militarização e de tecnocratização do Estado dependerá de situações concretas, que não podem ser previstas. O que importa, agora, é a alternativa que se concretizou e que se está convertendo em história: o consenso burguês. A seu respeito, só se podem fazer constatações melancólicas. O consenso burguês, no caso, aparece como um consenso duplamente vinculado com as impulsões autocráticas da burguesia brasileira: por causa da estrutura da sociedade de classes; e por causa do caráter contrarrevolucionário assumido pela reação autodefensiva das classes e dos estratos de classe burgueses. Ele não só acolhe como endossa a militarização e a tecnocratização como processos de preservação e de consolidação da ordem. Como só teria a perder se fizesse o contrário. O próprio consenso burguês reflete essa polarização, ao se converter na única fonte de legitimação dos dois processos e de suas consequências. São os "cidadãos válidos" da sociedade civil que os aprovam e que defendem com ardor tanto a sua "necessidade" quanto a sua "legitimidade". Ainda aqui as coisas não poderiam caminhar de outra maneira. Essa legitimação não exprime senão o lado "abstrato" e "ideal" daquilo que o consenso burguês quer no "plano prático". Sem a militarização e a tecnocratização intensivas e persistentes, seria impossível colocar o Estado nacional no centro das transformações históricas em curso e, portanto, seria também impossível: 1) manter o nexo entre a explosão modernizadora e a regeneração dos costumes e da ordem; 2) converter a reação autodefensiva de uma "burguesia ameaçada" numa fonte de autoafirmação e autoprivilegiamento das classes burguesas como um todo. O consenso burguês traduz, nessa matéria, a essência pragmática e realista de sua racionalidade.

Os três processos mencionados dão conta das grandes transformações históricas sofridas pela organização do poder burguês e da sociedade de classes na última metade do século. A unificação e a centralização do poder de classe da burguesia explicam como se altera a solidariedade das classes e dos estratos de classe burgueses; e como emerge, se irradia e se consolida um novo padrão compósito de hegemonia dessas classes e estratos de classe. A contrarrevolução burguesa, por sua vez, explica como se passa do econômico e do social para o político: como as classes e os estratos de classe burgueses impuseram às demais classes sua própria transformação econômica, social e política, a qual acarretava profundas alterações nos padrões institucionais de relações de classes, de organização do Estado nacional e de vinculação dos interesses de classe burgueses com os ritmos econômicos, sociais e políticos de integração da nação como um todo. No plano histórico, passava-se, pura e simplesmente, de uma ditadura de classe burguesa dissimulada e paternalista para uma ditadura de classe burguesa aberta e rígida. Trata-se de uma passagem aparentemente irrelevante, especialmente para os observadores externos, acostumados à ideia de que "eles se entendem", ou de que "certos países só podem ser governados

CAPÍTULO 7 - O MODELO AUTOCRÁTICO-BURGUÊS DE...

assim". Todavia, uma realidade inalteravelmente terrível e chocante pode sofrer gradações para melhor e para pior. Os que têm de arcar com os custos econômicos, sociais e políticos da passagem podem ver-se em um estado de privação relativa e de opressão sistemática ainda mais agudo, o que revela se a oscilação se deu em benefício de uns e contra outros. Como a economia, a sociedade e o Estado se encontraram envolvidos por igual em tal passagem, não houve área ou esfera em que as consequências negativas, passageiras ou persistentes, deixassem de se refletir: depressão de salários e da segurança no emprego, e compressão do direito de greve e de protesto operário; depressão dos níveis de aspiração educacional das "classes baixas", e compressão das "oportunidades de educação democrática"; depressão dos direitos civis e dos direitos políticos, e compressão política e policial-militar etc.

As palavras "deprimir" e "comprimir" exprimem, muito bem, a substância das relações da nova sociedade civil, constituída pelos cidadãos válidos, em sua quase totalidade burgueses, com o Estado nacional e com a nação. Pois a ditadura de classe aberta e rígida exige, para o seu "equilíbrio ideal" estático e dinâmico, um esvaziamento dos controles reativos e do poder relativo de autodefesa ou de retaliação seja das classes dominadas, em geral, seja dos setores dissidentes das classes dominantes. Se, por sua própria natureza, os três processos aprofundavam o entrosamento do poder burguês com o Estado nacional, a instauração e a continuidade de uma ditadura de classe aberta e rígida convertiam o Estado nacional no núcleo do poder burguês e na viga mestra da rotação histórica, que se operou quando a burguesia evoluiu da autodefesa para a autoafirmação e o autoprivilegiamento. Para o bem e para o mal, é através do Estado nacional, portanto, que essa ditadura de classe iria mostrar quais são os parâmetros políticos do modelo autocrático-burguês de transformação capitalista.

Se as demais condições são mantidas ou se elas se alteram muito pouco, a "aceleração da revolução burguesa" (que é o efeito histórico da industrialização intensiva e da eclosão do capitalismo monopolista) só pode levar ao incremento e à agravação das desigualdades econômicas, sociais e políticas preexistentes. É fácil observar como isso se concretizou (assunto de que já tratamos no capítulo anterior). Todavia, é mais difícil tirar de tais observações as conclusões políticas pertinentes.

Em primeiro lugar, essa relação entre a aceleração da revolução burguesa e a distribuição da riqueza, do prestígio social e do poder numa sociedade de classes pressupõe que a distância econômica, sociocultural e política entre a sociedade civil e a nação não diminui, mas aumenta de forma desordenada e em todas as direções, no decurso do processo. O enrijecimento da ordem constitui um processo automático e prévio, em semelhante situação: o Estado nacional precisa assumir novas funções, diferenciar as antigas ou cumpri-las com maior rigor, o que implica intensificar a opressão indireta e a repressão direta, inerentes à "manutenção da ordem". No contexto em que as coisas se deram, como fruto de um movimento burguês contrarrevolucionário, a autodefesa da burguesia associou-se ao recurso à guerra civil, que não se concretizou por falta de resposta e, ainda, porque o golpe de Estado revelou-se uma técnica suficiente de transição política. O enrijecimento da ordem evoluiu naturalmente, assim, para uma excessiva e desnecessária "demonstração de força" preventiva. O que vinculou a militarização de funções repressivas do Estado e a preservação da segurança nacional com a criação de um novo *status quo*, necessário à instauração e à persistência da ditadura de classes aberta e rígida. A curto prazo, cabia ao Estado nacional "deprimir e comprimir" o espaço político e jurídico de todas as classes ou estratos de classe (mesmo burgueses e pró-burgueses) que se erguessem ostensivamente contra a transição, opondo-se a ela por meios violentos. A médio e a longo prazos, cabia-lhes uma tarefa mais complexa: criar o arcabouço legal de uma ordem social competitiva que deve possuir reguladores especiais contra a "guerra revolucionária", a "agitação política" e a "manipulação subversiva do descontentamento". O elemento saliente, nesta diferenciação, não é a institucionalização da violência (o mesmo tipo de violência e sua institucionalização estavam presentes na armadura anterior do arsenal opressivo e repressivo do Estado nacional). Mas a amplitude e a qualidade das funções e subfunções que ligam o Estado nacional e a militarização de muitos de seus serviços e estruturas a uma concepção de segurança fundada na ideia de guerra permanente de umas classes contra as outras. Ao contrário do que podia ocorrer sob uma ditadura de classe dissimulada e paternalista, a nova forma de ditadura de classe não admite ambiguidades. Embora a dissimulação continue a jogar o seu papel, pois não se podem designar claramente as coisas nem pintar a realidade como ela se apresenta, é impossível evitar a cara definição dos inimigos de classe e das situações reais ou potenciais de conflito de classe, sem comprometer seriamente a própria eficácia dos "órgãos de segurança do Estado". Doutro lado, uma filosofia militante e agressiva de defesa da ordem impõe correlações mais ou menos rígidas entre "crime, punição" e "formas de punir". É nesse plano, que muitos consideram policial-militar, mas que é jurídico e político também, que a autocracia burguesa coloca seu ideal de Estado em conexão histórica com o fascismo e o nazismo. O Estado não tem por função essencial proteger a articulação política

CAPÍTULO 7 - O MODELO AUTOCRÁTICO-BURGUÊS DE...

de classes desiguais. A sua função principal consiste em suprimir qualquer necessidade de articulação política espontânea nas relações entre as classes, tornando-a desnecessária, já que ele próprio prescreve, sem apelação, a ordem interna que deve prevalecer e tem de ser respeitada.

Em segundo lugar, a relação apontada, pelo mesmo motivo, requer que a sociedade civil possa retirar da nação e transferir para si própria, por meios visíveis e invisíveis, os controles políticos essenciais sobre a vida econômica. A questão não se liga, como muitos pensam, somente a medidas simples e diretas de autoproteção das classes burguesas contra as reações das classes operárias e destituídas contra o incremento das desigualdades econômicas, ou, de um modo mais geral, contra o aumento brutal de seu "fardo econômico". Além e acima disso, coloca-se a necessidade de revolucionar as técnicas de acumulação de capital, imposta pela industrialização intensiva e pela eclosão do capitalismo monopolista. No conjunto, pois, as exigências econômicas da situação vão no sentido de converter o consenso burguês, que se estabelece e se define a partir da sociedade civil, no equivalente e no substituto do consenso nacional. Essas exigências, entre outras coisas, impõem a continuidade da contrarrevolução e, através dela, o congestionamento econômico da ordem. Já consideramos, anteriormente, o significado econômico do deslocamento político envolvido. Agora só nos resta apontar como ele se concretizou e o que ele representa em si mesmo, para a articulação política da ordem social competitiva em tensão contrarrevolucionária.

Dois artifícios possibilitaram transpor o consenso burguês do plano da sociedade civil para o da nação como um todo. Primeiro, a impregnação militar e tecnocrática dos serviços, estruturas e funções do Estado. Essa impregnação não só elevou o volume da burguesia burocrática como ampliou sua participação direta na condução dos "negócios do Estado". Além disso, ela também redundou em controles mais específicos, flexíveis e eficientes do funcionamento e da transformação do Estado por parte dos estratos dominantes das classes burguesas. Segundo, a modernização e a racionalização dos processos de articulação política dos estratos dominantes das classes burguesas entre si e com o Estado. Os interesses burgueses superaram, assim, sua debilidade congênita na esfera política. Deixaram de "ter de pressionar" o Estado por vias indiretas e precárias (através do Parlamento, dos meios de comunicação de massa, da manipulação de greves e de agitações populares etc.), conduzindo os ajustamentos necessários a formas de exteriorização menos visíveis, mas que se adaptam melhor a requisitos técnicos e políticos de rapidez, sigilo, eficácia, segurança, economia etc. Quanto ao que representa o deslocamento político em questão, é óbvio que contém uma dupla evolução: 1) dentro dos tempos da revolução burguesa, a revolução econômica foi dissociada da revolução nacional, sendo esta relegada a segundo plano; 2) o Estado capitalista dependente, ao modernizar-se, converteu-se em elo do tempo econômico da revolução burguesa, sendo levado a negligenciar e a omitir, sistematicamente, suas funções econômicas diretamente vinculadas à revolução nacional ou à sua aceleração. As classes e os estratos de classe burgueses patrocinaram e estão patrocinando, portanto, um intervencionismo estatal *sui generis*. Controlado, em última instância, pela iniciativa privada, ele se abre, em um polo, na direção de um capitalismo dirigido pelo Estado, e, em outro, na direção de um Estado autoritário. Ambas as noções são ambíguas. Contudo, elas traduzem uma realidade concreta. O Estado adquire estruturas e funções capitalistas, avançando, através delas, pelo terreno do despotismo político, não para servir aos interesses "gerais" ou "reais" da nação, decorrentes da intensificação da revolução nacional. Porém, para satisfazer o consenso burguês, do qual se tornou instrumental, e para dar viabilidade histórica ao desenvolvimentismo extremista, a verdadeira moléstia infantil do capitalismo monopolista na periferia.

Em terceiro lugar, a relação apontada, pelo mesmo motivo, requer que a sociedade civil possa assumir o controle da vida política da nação. Aqui não se definiu uma impulsão coletiva no sentido de deslocar o consenso nacional pelo consenso burguês. Isso seria irrealizável, na medida em que a concentração do poder legal e político não se materializava do mesmo modo que a concentração do poder econômico e da riqueza. Aliás, a ordem legal e política de uma sociedade de classes, para ter validade e para possuir alguma utilidade instrumental (mesmo que para as classes burguesas ou somente para as classes burguesas dominantes), precisa ser universal. Por isso, era impossível, na esfera do jurídico e do político, sobrepor o consenso burguês ao consenso nacional e impor aquele sobre este, sem os riscos de um desdobramento regressivo da própria ordem legal e política. Para prevalecer, mesmo através de um movimento legal e politicamente contrarrevolucionário, a sociedade civil tinha que se amparar no grau de sua monopolização social do poder legal e político e, ao mesmo tempo, impor-se à nação a partir de dentro da ordem legal e política, como se ela objetivasse esta ordem, aparecendo como a sua encarnação ideal e corpórea. Esse processo desenrolou-se em várias etapas, que não podem ser seguidas na presente discussão. Cumpre-nos assinalar, apenas, que ele estabelecia exigências especiais, conforme se tratasse da autoproteção das classes burguesas "antes" ou "depois" da instauração de uma ditadura de classe aberta e rígida; e que os requisitos

CAPÍTULO 7 - O MODELO AUTOCRÁTICO-BURGUÊS DE...

estruturais e dinâmicos da dominação burguesa mudaram de caráter com esse "depois". Os que pensam em motivos como a repressão das greves operárias ou estudantis e do protesto popular, a destruição das bases dos movimentos nacionalistas-reformistas e socialistas ou a debelação da "guerra revolucionária" veem uma fase do processo e uma parte do quadro social. Há um "outro lado", que se atualiza gradualmente, através das peripécias e dos vários momentos sucessivos, percorridos pela autoafirmação e pelo autoprivilegiamento das classes burguesas nas fases "seguras" e "construtivas" da contrarrevolução. Nessas fases, ao lado dos controles inibitórios e destrutivos que persistem, aparece um esforço mais profundo e amplo, que busca a eficácia da contrarrevolução, a estabilidade da dominação burguesa e o engrandecimento do poder burguês. A esse esforço se prendem a criação e a aplicação de novas estruturas jurídicas e políticas, a modernização de estruturas jurídicas e políticas preexistentes, a renovação e a racionalização da maquinaria de opressão e de repressão do Estado e a adaptação de todo o aparato ideológico e utópico da burguesia a uma situação contrarrevolucionária que pretende "vir para ficar".

Aqui, pois, é evidente que o consenso burguês concilia a "tradição brasileira", de democracia restrita — a democracia entre iguais, isto é, entre os poderosos, que dominam e representam a sociedade civil — com a "orientação modernizadora", de governo forte. A ordem legal e política se mantém "aberta", "democrática" e "universal", preservando os valores que consagram o Estado de direito; e este Estado se concretiza, historicamente, por sua vez, na medida em que tudo isso é necessário à monopolização do poder real, da autoridade e do controle das fontes de legitimidade pelas classes burguesas e suas elites. No entanto, a validade formal ou positiva e a fruição ou participação da ordem legal e política são coisas distintas: a eficácia dos direitos civis e das garantias políticas se regula, na prática, através de critérios extrajudiciários e extrapolíticos. A contrarrevolução não criou essa situação histórica, que ela herdou da República Velha e do Império. Mas ela se caracteriza por sua defesa intransigente do *status quo* herdado e por sua concepção autocrática de "equilíbrio da ordem". Este não é visto em termos de uma confluência das duas determinações em questão. Porém, à luz de um paralelismo ideal, que estipula que "cada coisa deve ficar em seu lugar". Em suma, a democracia, como prática humana de toda uma nação, só se realizaria no infinito, se as duas paralelas chegassem a se encontrar... A democracia não só é dissociada da autoafirmação burguesa, como ela seria um tremendo obstáculo ao tipo de autoprivilegiamento que as classes burguesas se reservaram, para poderem enfrentar a industrialização intensiva e a transição para o capitalismo monopolista.

O importante a salientar, no caso, é que a ordem legal e política não sofre, apenas, um deslocamento na direção do autoprivilegiamento das classes burguesas, que fornecem os cidadãos válidos da sociedade civil. Ela sofre, simultaneamente, um estrangulamento simétrico (embora não-proporcional e invariável), no sentido da negação parcial dos dissidentes e das outras classes (com a redução ou eliminação de seu espaço político), incorporados ou não na sociedade civil. As inovações, a modernização e a racionalização, introduzidas pela contrarrevolução na esfera das relações jurídicas e políticas, visavam a adaptar a ordem às injunções da simultaneidade e interdependência dos dois processos. Portanto, a ditadura de classe aberta e rígida procura dar perenidade ao solapamento da ordem, ao mesmo tempo que o coloca em um contexto de compressão política sistemática e permanente. Ela não repele as práticas formais da "democracia burguesa, as quais se vincula, reiteradamente, através de uma utópica volta à normalidade". Mas requer, objetiva e idealmente, um Estado de emergência neoabsolutista, de espírito aristocrático ou elitista e de essência oligárquica, que possa unir a "vontade revolucionária autolegitimadora" da burguesia com um legalismo republicano pragmático e um despotismo de classe de cunho militar e tecnocrático. Esse é o preço da pseudo— "conciliação". Para superar a contradição intrínseca à dualidade da ordem (o solapamento engendra, na verdade, duas ordens superpostas, uma legal e "ideal", outra real e "possível"), o Estado nacional completa, pois, sua evolução no sentido de converter-se em uma superentidade política. Ele se tomou, de um lado, a fonte de uma autoridade sagrada e indiscutível e, de outro, o centro de um poder absoluto e total. Só assim, porém, tal Estado conseguiu transcender sua debilidade congênita, estabelecendo, através ou acima dos dois momentos simultâneos mas exclusivos de afirmação da sociedade civil e de negação da comunidade nacional, as bases de sua própria unidade política e de integração política da nação.

Essa discussão põe em relevo aonde levam os três processos (a unificação e a centralização do poder de classe da burguesia; e a contrarrevolução burguesa): o modelo típico de Estado capitalista moderno na forma em que pode surgir na periferia, quando o capitalismo dependente e a sociedade de classes correspondente atingem a fase de industrialização intensiva e de transição para o capitalismo monopolista. Nessa forma, ele aparece como um Estado nacional complexo e heterogêneo, que contém várias camadas históricas, como se refletisse os pontos extremos, de partida e de chegada, das transformações por que passou, originariamente, o Estado capitalista nas sociedades hegemônicas e centrais. Ele combina estruturas e dinamismos (funcionais e

CAPÍTULO 7 - O MODELO AUTOCRÁTICO-BURGUÊS DE...

históricos) extremamente contraditórios, aliás de acordo com a própria situação histórica das burguesias dependentes e com a organização da sociedade de classes sob o capitalismo dependente, também extremamente contraditórias. O fundamento dessa complicação e dessa complexidade especiais é conhecido e já foi apontado; as classes burguesas têm de afirmar-se, autoproteger-se e privilegiar-se através de duas séries de antagonismos distintos: os que se voltam contra as classes operárias e as classes destituídas (que se poderiam considerar como o "inimigo principal"); e os que atingem as burguesias e os focos de poder das sociedades capitalistas hegemônicas e do sistema capitalista mundial (que se poderia entender como "aliado principal"). As contradições são intrínsecas às estruturas e aos dinamismos da sociedade de classes sob o capitalismo dependente; e minam a partir de dentro e a partir de fora o padrão de dominação burguesa, o poder real da burguesia, os padrões de solidariedade de classes e de hegemonia de classe da burguesia, e o Estado capitalista periférico e dependente.[4]

De acordo com a descrição apresentada, a versão final dessa forma de Estado, a que se está constituindo e consolidando com a irradiação do capitalismo monopolista pelas áreas da periferia do mundo capitalista que comportam semelhante desenvolvimento, é a de um Estado nacional sincrético. Sob certos aspectos, ele lembra o modelo ideal nuclear, como se fosse um Estado representativo, democrático e pluralista; sob outros aspectos, ele constitui a expressão acabada de uma oligarquia perfeita, que se objetiva tanto em termos paternalistas-tradicionais quanto em termos autoritários e modernos; por fim, vários aspectos traem a existência de formas de coação, de repressão e de opressão. Ou de institucionalização da violência e do terror, que são indisfarçavelmente fascistas. Quando se fala em conexão com "ditadura de classe aberta e rígida" em relação a esse tipo de Estado, não se pode ter em mente, portanto, nada que lembre as chamadas "ditaduras políticas tradicionais" ou, pura e simplesmente, os modelos mais elementares de ditadura política, que se realizam mediante o "controle absoluto dos meios tradicionais de coação". O Estado se diferencia e, ao mesmo tempo, satura sua estrutura constitucional e funcional de uma maneira tal que fica patente ou que se pratica, rotineiramente, uma democracia restrita, ou que se nega a democracia. Ele é, literalmente, um Estado autocrático e oligárquico. Preserva estruturas e

---

[4] O mesmo tipo de impacto ocorre com as classes operárias e destituídas. Não consideramos necessário discutir, neste trabalho, todos os aspectos da situação.

funções democráticas, mas para os que monopolizam simultaneamente o poder econômico, o poder social e o poder político, e usam o Estado exatamente para criar e manter uma dualidade intrínseca da ordem legal e política, graças à qual o que é oligarquia e opressão para a maioria submetida, é automaticamente democracia e liberdade para a minoria dominante. Doutro lado, não se pode dizer que tal ditadura de classe transitória e que culmine num sistema político destinado a esvair-se, paralelamente à eliminação dos riscos ou ameaças que "perturbem a ordem estabelecida". Na verdade, o que entra em jogo é um processo de reorganização das estruturas e funções do Estado nacional, nas condições historicamente dadas de relações de classe. Estado e ordem legal e política transformam-se concomitantemente, adaptando-se cada um, de per si e reciprocamente, a condições externas e internas dotadas de certa continuidade. Por fim, seria inútil "depurar" analiticamente esse Estado. Não existe uma linha pura e única de compreensão e descrição do Estado capitalista dependente e periférico. Produto da situação mais contraditória e anárquica que qualquer burguesia poderia viver, ele é uma composição sincrética e deve ser retido como tal. Precisa-se, no mínimo, recorrer à Antropologia, para se entender cabalmente esse Estado nacional. De outra maneira, é impossível descobrir-se como uma instituição pode ordenar-se e ser operativa, apesar de tantos elementos e influências em choque, que se atritam, se negam e se destroem uns aos outros, embora se objetivem com certa unidade, compatível com seu uso social pelo homem. Ele é *Leviathan* no verso, e *Behemouth* no reverso, mas só existe e possui algum valor porque as duas faces estão fundidas uma à outra, como a cara e a coroa de uma moeda.[5]

Esse Estado nacional não poderia nem deveria surgir na crista da revolução burguesa. No entanto, nas condições do desenvolvimento capitalista dependente, ele constitui uma exigência mesma dos ritmos históricos, sociais e políticos que essa revolução assume na periferia (dentro da Europa e fora dela). A industrialização que se atrasa, indefinidamente, no tempo, que se descola do desenvolvimento do mercado interno, da revolução agrária e da revolução urbana, ou que se dá sem que tais processos adquiram certa velocidade e intensidade, e que se compensa e avança graças ao intervencionismo estatal e ao empuxo externo dos dinamismos do capitalismo mundial, fragmenta a revolução

---

[5] Ambos os conceitos são empregados, em seu sentido e contraste clássicos, por Hobbes. Gostaríamos de enfatizar, porém, que quanto às implicações do segundo termo temos em mente o importante estudo de F. Neumann sobre o nazismo.

CAPÍTULO 7 - O MODELO AUTOCRÁTICO-BURGUÊS DE...

burguesa. O que possuía enorme sincronia, pelo menos com referência a certos países da Europa e, em grande parte, aos Estados Unidos, na periferia tende a suceder de modo pulverizado e por etapas mais ou menos distantes umas das outras. E as transições, à medida que o capitalismo amadurece e se moderniza, ficam crescentemente mais difíceis, perigosas ou, até, cataclísmicas. Em consequência, o Estado nacional acaba prevalecendo como um fator de compensação, de fato o único que pode ser mobilizado pelas burguesias da periferia e empregado compactamente na solução de tais dilemas e na superação da debilidade orgânica que os origina. Não é sem razão, pois, que ele tenha as duas faces mencionadas antes e que, no extremo do processo, mescle tão monstruosamente ardil, força bruta e racionalidade.

Em última instância, é nesse modelo autocrático de Estado capitalista que acaba residindo a "liberdade" e a "capacidade de racional" da burguesia dependente. Ele confere às classes e aos estratos de classe burgueses não só os fundamentos da existência e da persistência da dominação e do poder burgueses, depois de atingido um ponto crítico à sobrevivência da sociedade de classes. Mas, ainda, o que é mais importante: ele lhes dá o espaço político de que elas carecem para poder intervir, deliberada e organizadamente, em função de suas potencialidades relativas, no curso histórico da revolução burguesa, atrasando ou adiantando certos ritmos, bem como cindindo ou separando, entre si, seus tempos diferenciados (econômico, social e político). Sem o controle absoluto do poder, que as classes burguesas podem tirar da constituição desse Estado, seria inconcebível pensar-se como elas conseguem apropriar-se, com tamanha segurança, da enorme parte que lhes cabe no excedente econômico nacional; ou, ainda, como elas logram dissociar; quase a seu bel-prazer, democracia, desenvolvimento capitalista e revolução nacional.

É natural que os aspectos perturbadores desse Estado capitalista alcancem sua plenitude na era de confronto mundial entre o capitalismo e o socialismo. Tal confronto torna a periferia um vasto campo de batalha e o Estado capitalista dependente nele aparece em sua conexão mais ampla e profunda, ou seja, como elemento decisivo dos combates. As burguesias nacionais dependentes, para se defenderem, continuarem a existir e crescerem, não têm outra alternativa (dentro da polarização em que ficam, de submissão ao imperialismo), além da que acabamos de descrever. Ela projeta o Estado nacional e democrático burguês em um contexto de violência organizada e institucionalizada em escala internacional, que o dilacera de alto a baixo, tornando-o uma entidade política irreconhecível, mas eficaz. Assim, se as linhas de sua modernização seguem e obedecem as transformações que resultaram da evolução do Estado capitalista nas nações hegemônicas e centrais, ele não traça após si qualquer epopeia, como uma fonte de realização do homem ou da liberdade na história. Fronteiras dessa natureza lhes são extrínsecas e proibidas (pelo menos enquanto elas não se coloquem em termos da revolução contra a ordem, atualmente de origem e orientação socialistas). E se chegam a se equacionar, por equívoco, como sucede às vezes com o radicalismo burguês, logo se dissipam as confusões... Eis uma verdade dura de admitir pelos que pensam a ordem a partir unicamente do foco estreito e exclusivo do sistema que se dá, de fato, como realidade, como se as alternativas fossem, sempre, determinadas pelo pensamento e pelo comportamento conservadores. Contudo, se isso não fosse verdade, como entender o afinco com que as classes burguesas se devotaram (e estão se devotando), no Brasil, à aceleração do tempo econômico de sua revolução, entregando-se por completo à neurose do desenvolvimentismo extremista enquanto atrofiam ou extinguem, com as próprias mãos, qualquer possibilidade de convivência democrática entre as classes e de uma efetiva comunidade política nacional?

PERSISTÊNCIA OU COLAPSO DA AUTOCRACIA BURGUESA?

O quarto tema que selecionamos para debater neste capítulo diz respeito às perspectivas políticas desse modelo autocrático-burguês de transformação capitalista. A discussão precedente deve ter deixado claro que o padrão compósito e articulado de hegemonia burguesa possui uma precária base de sustentação estrutural e histórica. Ele engendrou, sem dúvida, o "excedente de poder" que conferiu às classes burguesas e às suas elites a possibilidade: 1) de desencadearem as formas abertas de luta de classes, que se impunham em consequência da passagem do capitalismo competitivo para o capitalismo monopolista e da transição inerente para a industrialização intensiva; 2) de criar o estado capitalista autocrático burguês, que cortava as amarras com o passado e estabelecia, por fim, como um novo ponto de partida histórico, uma base estrutural e dinâmica para converter a unidade exterior das classes burguesas num elemento de socialização política comum, em escala nacional. Todavia, a própria natureza desse Estado autocrático-burguês e a necessidade de manter, através dele, a continuidade do processo contrarrevolucionário que o tornou possível indicam o tipo de circularidade histórica com

CAPÍTULO 7 - O MODELO AUTOCRÁTICO-BURGUÊS DE...

que se defrontam as classes burguesas. Para vencerem essa circularidade histórica, elas careciam de um excedente de poder bem diverso, que não lhes desse, apenas, "autonomia de classe para dentro", mas também "autonomia de classe para fora", que servisse de substrato para uma ruptura com o imperialismo e uma consequente inversão autonomizadora do desenvolvimento capitalista.

Se isso fosse possível, as classes burguesas e suas elites poderiam fazer uma típica "revolução dentro da ordem", orientada contra a dominação imperialista externa, o capitalismo dependente e o desenvolvimento desigual interno. Elas sairiam de tal processo, se tivessem êxito, trazendo nas mãos um Estado democrático e a bandeira de um nacionalismo revolucionário. O fato de se verem condenadas à contrarrevolução permanente conta, por si mesmo, outra história — e toda a história, que se desenrolou ou está se desenrolando. A unificação e a centralização do poder real das classes burguesas não atingiram níveis suficientemente altos e profundos mesmo com o auxílio, ulterior, do seu Estado autocrático e do que ele representa, como fator de reforço e de estabilidade da ordem a ponto de mudarem o significado dos interesses especificamente burgueses em termos das outras classes, da nação como um todo e dos centros de dominação imperialista externa. Por conseguinte, as classes burguesas continuam tão presas dentro de seus casulos, isoladas da realidade política de uma sociedade de classes e submetidas a partir de fora, como estavam há vinte ou há quarenta anos. Depois de tudo e apesar de tudo, elas se alienam das demais classes, da nação e da "revolução brasileira" pelo mesmo particularismo de classe cego, o qual as leva a perceber as classes operárias e as classes destituídas em função de uma alternativa estreita: ou meros tutelados; ou inimigos irreconciliáveis. De outro lado, elas não contam com uma base material de poder para se autoafirmarem e se autoprivilegiarem, de modo pleno, a não ser para dentro, pois seu famoso "Estado autoritário" (eufemismo que circula, reveladoramente, no exterior) não produz os mesmos efeitos para fora, especialmente diante das exigências impretríveis das multinacionais, das nações capitalistas hegemônicas ou de sua superpotência e da comunidade internacional de negócios. Aí, até as funções autoprotetivas do Estado autocrático-burguês são antes (ou muito pouco ativas), pois ele carece de um suporte interno mais amplo, que transcenda ao particularismo de classe burguês e introduza na barganha, mediada ou garantida por via estatal, o peso de um *countervailing power* efetivamente nacional. Se não é um simples biombo, ele só constrange e modifica as disposições do "aliado principal" em matérias nas quais este consente em sofrer ou "negociar" inibições impostas.

Ao que parece, o calcanhar de aquiles do poder burguês reside, paradoxalmente, no fator que explica a própria possibilidade da fulminante reação burguesa a uma situação de aparente ou real "ameaça histórica". O padrão compósito e articulado de solidariedade das classes burguesas e de hegemonia burguesa, ao mesmo tempo que possibilitou uma certa unificação e uma certa centralização com fundamento em interesses de classe comuns, restringiu o alcance dos alvos coletivos e limitou ao econômico as impulsões "revolucionárias" das classes burguesas. No caso, ocorreram duas limitações centrais concomitantes. Meios e fins intrinsecamente díspares, que só perdem velocidade e eficácia quando são fundidos, foram mesclados e convertidos, artificialmente (isto é, por meio de conciliações sucessivas, que avançaram mais em função do "risco potencial" que da vontade deliberada prévia de cortar caminho aos fatos irreparáveis), em unidades coletivas de ação política de classe. Por isso, se há um elemento saliente que convém a todos, há paralelamente a ausência (ou a presença moderada) do elemento que cada estrato de classe privilegiaria (basta considerar-se, no arrolamento, o que poriam em primeiro plano: os investidores estrangeiros, os grandes banqueiros ou comerciantes ou industriais, brasileiros, o grande empresário rural capitalista, setores "tradicionais" ou "modernos" da classe média, e por aí adiante). O elemento comum podia ser eficaz quanto à preservação do *status quo* e como garantia futura de que, em seguida, o curso de evolução da ordem obedeceria aos interesses e aos valores da burguesia, nacional e estrangeira. Mas ele não se impunha como o elemento de "maior dinamismo", o que quer dizer que, quanto à aceleração da revolução burguesa, justamente os elementos variáveis poderiam ser os mais importantes e decisivos. Além disso, é preciso considerar-se o enquadramento nacional dos interesses burgueses comuns, que foram privilegiados e postos em primeiro plano. A partir do momento em que o dilema político burguês passou a ser, crucialmente, a segurança e a "salvação da ordem", o enquadramento nacional dos interesses das classes burguesas perdeu sua significação histórica específica, naturalmente muito variável de classe para classe ou de estrato de classe para estrato de classe. O Relatório Rockefeller sugere que o impacto modernizador dos interesses externos pode assumir uma significação reformista comparável à de outras impulsões puramente internas e centradas nacionalmente do radicalismo burguês e pequeno-burguês, de inspiração conservadora (como sucedia com as medidas de mudança desejadas pelos industrialistas) ou demagógica (como sucedia com as pressões ao consumismo e ao incremento da participação popular, que vinham de políticos profissionais). Quando toda essa diversidade de in-

CAPÍTULO 7 - O MODELO AUTOCRÁTICO-BURGUÊS DE...

teresses e de valores foi aplastada pelo medo de classe, a reação comum deslocou a fronteira histórica para um centro ultraconservador de acomodação, que deixava de refletir a relação das classes dominantes com a transformação da sociedade nacional e passava a uma relação nova que era uma pura expressão do que todas as classes em conjunto esperavam, como e enquanto classes possuidoras, da preservação do *status quo*. O influxo fermentativo e construtivo do cruzamento de estruturas nacionais de poder desapareceu e ficou, em seu lugar, um símile empobrecido, que identificava a "defesa da ordem" com uma operação egoística de rescaldo.

Esses dois ângulos revelam, portanto, como a contrarrevolução precipitou, primeiro, e tolheu, em seguida, em um mesmo movimento histórico muito rápido, os efeitos mais dinâmicos, a largo prazo, dos processos de unificação e de concentração dos interesses e do poder das classes burguesas. Aonde nos conduziriam aqueles processos se eles continuassem a operar livremente, nunca se poderá saber. O que se sabe, concretamente, é que eles foram interrompidos numa fase incipiente (apesar de sua duração abranger quase meio século); e culminaram em processos de autoafirmação e de autoprivilegiamento das classes e dos estratos de classe burgueses que em nada contribuíram, positivamente, para a diferenciação e a reintegração da ordem social competitiva vigente. Ao contrário, eles fortaleceram processos que sociólogos como Max Weber considerariam negativos para a consolidação e o ulterior desenvolvimento dessa ordem; ou que sociólogos positivistas, como Durkheim e os especialistas em Sociologia aplicada norte-americanos qualificariam de "patológicos" ou de "sociopáticos". Pois, na verdade, nenhum sociólogo pode ignorar, qualquer que seja sua orientação na Sociologia, que a contrarrevolução deslocou o centro de gravitação política das classes burguesas e de suas elites, transferindo-o do eixo de relação das classes dominantes, com a integração e o equilíbrio da sociedade nacional, para o eixo do equilíbrio das classes burguesas em si mesmas e do seu controle sobre a sociedade nacional. Já discutimos acima, à luz das alterações recentes da sociedade de classes, por que isso se tornou historicamente "possível" ou "necessário". Agora cumpre-nos ressaltar o que tal evolução acarretava, pelo menos conjunturalmente e a curto prazo, espaço de tempo dentro do qual as articulações de poder das classes burguesas dominantes alcançaram sua maior eficácia política, graças à existência do Estado autocrático-burguês e ao seu caráter instrumental para a regeneração dos costumes e da ordem.

Levando-se a análise um pouco mais a fundo, descobre-se que o consenso burguês, firmado nas bases indicadas e segundo o movimento descrito, logo que se erigiu na base política das "tomadas de decisão de um regime", mudou de significado político. A sociedade civil cobrou, por fim, o seu preço pela "estabilização da ordem" e se impôs como o verdadeiro — e sob certos aspectos, o único — eixo político válido da nação. No entanto, ela não operava, somente, como a "fonte de legitimidade da ordem"; ela era, simultaneamente, o seu "núcleo revolucionário", o ponto de partida e de chegada de todos os processos políticos que traduzissem, na prática, a "vontade revolucionária" das classes burguesas dominantes, de suas elites e dos governos institucionais que as representavam. Aparentemente, estamos diante de uma transformação sutil, uma espécie de simples alteração da semântica política. Na realidade, esse passo era central não só como efeito estático dos dinamismos políticos do poder burguês, porém como encarnação substantiva do sentido coletivo da regeneração burguesa da própria ordem social competitiva preexistente. Na verdade, a contrarrevolução política, ao interromper os dinamismos políticos do poder burguês a largo prazo, substituiu-os por outros, que deveriam crescer e funcionar no contexto político imediato, criado pela instauração de uma ordem social competitiva "regenerada" e submetida aos controles "revolucionários" e "institucionais", operantes nessa nova ordem. Foi graças a esse corte e ao salto súbito que ele possibilitou que o consenso burguês adquiriu o seu próprio espaço político "revolucionário", no qual ele passou a encarnar a "vontade revolucionária" e, por conseguinte, a se identificar com a ordem legal e política da nação como um todo e, por extensão, a incorporar a vontade política soberana desta última, investida no Estado autocrático-burguês. O empobrecimento dos dinamismos do regime de classes, que advinha da interrupção prematura dos dois processos concomitantes de unificação e de centralização dos interesses e do poder das classes e estratos de classe burgueses, encontrava, assim, uma compensação política imprevista e decisiva.

O que importa ressaltar é que essas classes e esses estratos de classe "conquistavam" uma unidade, que não passava nem pelas demais classes nem pelas estruturas políticas extraburguesas da nação, mas que lhes conferia, não obstante, o controle concreto da ordem legal e política, bem como a possibilidade histórica de sobreporem a sociedade civil à nação. Tal alteração, que se precipita com incrível rapidez, modifica por completo o significado da hegemonia burguesa e, principalmente, suas funções políticas, neutralizando suas raízes artificiais e compensando seu precário fundamento sociopolítico. As classes e estratos de classe burgueses safam, por esse meio, do imobilismo político relativo, a que se viam condenados por seu padrão de solidariedade de classe e de hegemonia de classe, pois ao sobreporem a sociedade civil à nação equipararam, de fato, sua própria democracia restrita a uma oligarquia das classes burguesas dominantes. Interesses e valores variáveis e em conflito voltaram a circular e a se articularem entre si ou uns contra os outros. Contudo, agora, o seu eixo de gravitação era "fechado" e confinava-se às fronteiras da sociedade civil, onde se localizava e se constituía o consenso burguês, como força social e política. Como outros Estados capitalistas, democráticos ou não, o Estado autocrático-burguês teria de conter e de articular entre si todas as tensões e contradições que são inerentes à estratificação de uma sociedade de classes, mesmo quando a minoria burguesa dominante se fecha sobre si mesma. Apenas, por causa dessa situação, ele só iria receber e absorver essas tensões e contradições através do consenso burguês, que passaria a exprimir: 1°) diretamente, o seu "inferno interior"; 2°) indiretamente, o que vai pelas outras classes e pela nação como um todo.

O que quer que as classes e os estratos de classe burgueses saíram do imobilismo político relativo, a que se viam expostos, para realizar algo que se poderia chamar de uma estrita "política de classe" e nos limites em que tal política poderia expandir-se, no seio de uma ordem legal e política "aberta", mas solapada pela sobreposição da sociedade civil à nação (ou da democracia restrita à oligarquia de classe). A articulação política entre os mais iguais se degrada, assim, automaticamente, porque o que reflete a legitimidade do consenso burguês se impõe, pela mediação de um Estado autocrático, como a legitimidade que deveria resultar do consentimento das outras classes e do consenso nacional. E aqui está o busílis da questão. Essa articulação política entre os mais iguais, democrático-oligárquica em sua essência e em suas aplicações, assume, de imediato e irremediavelmente, a forma de uma cooptação sistemática e generalizada. A cooptação se dá entre grupos e facções de grupos, entre estratos e facções de estratos, entre classes e facções de classes, sempre implicando a mesma coisa: a corrupção intrínseca e inevitável do sistema do poder resultante. Além disso, a cooptação se converte no veículo pelo qual a variedade de interesses e de valores em conflito volta à cena política, nela se instala e ganha suporte ou rejeição. Desse ângulo, a autocracia burguesa leva a uma democracia restrita típica, que se poderia designar como uma democracia de cooptação. Nesse desfecho, as vantagens alcançadas pela unificação e pela centralização dos interesses e do poder burgueses se consolidam, mas são orientadas numa direção que antes não se fazia visível (embora talvez estivesse latente no substrato plutocrático da consciência burguesa). Com todas as suas limitações e inconsistências, o padrão compósito e articulado da hegemonia burguesa pode demonstrar, então, toda a sua utilidade como uma "ponte" entre classes e estratos de classe burgueses nacionais e estrangeiros, um elo flexível, que facilita a distribuição de todos no espaço político "revolucionário" e a fruição desigual do poder ou de suas vantagens entre os mais iguais. Graças a ele, os estratos médios ganham no rateio e se privilegiam muito acima do seu próprio prestígio social, movendo as alavancas do aparato estatal que estão nas mãos da burguesia burocrática, tecnocrática e militar. Ao mesmo tempo, também graças a ele, os "interesses verdadeiramente fortes" e os "interesses predominantes" deparam, enfim, com o seu meio político ideal, podendo impor-se à vontade, "de cima para baixo", e florescer sem restrições. Se já houve, alguma vez, um "paraíso burguês", este existe no Brasil, pelo menos depois de 1968.

Uma avaliação sociológica crítica do modelo autocrático-burguês de transformação capitalista tem de levar em conta esses aspectos e deles partir. Eles nos põem diante da problemática da ditadura de classes total e absoluta, quando ela é controlada pela burguesia e com vistas, exclusivamente, à continuidade do capitalismo e do Estado capitalista. Mas, com algo específico. Trata-se do capitalismo dependente na era do imperialismo total, num momento de crise mundial da periferia do sistema capitalista e como parte de uma luta de vida e morte pela sobrevivência da dominação burguesa. Outras burguesias, mesmo as que cabem por inteiro no "modelo clássico" de revolução burguesa, poderiam ser estigmatizadas, em função de seu individualismo egoístico, de seu particularismo agressivo ou de sua violência "racional". Com tudo isso, porém, tais burguesias não se achavam desfocadas, a um tempo, da dinâmica do regime de classes e da socialização política requerida pelo enquadramento nacional das relações de classes. Ambas as realidades se tornavam presentes nos interesses de classe, na consciência de classe, na solidariedade de classe e nos padrões de dominação de classes das referidas burguesias, revelando-se através de impulsões igualitárias, democráticas e nacionalistas, que punham tanto o radicalismo quanto o consenso burgueses em interação constante com os interesses ou valores de outras classes e com as necessidades fundamentais da nação como um todo. Aqui estamos em face de uma burguesia dependente, que luta por sua sobrevivência e pela sobrevivência do capitalismo dependente, confundindo as duas coisas com a sobrevivência da "civilização ocidental cristã". Em suas mãos, o individualismo egoístico, o particularismo agressivo e a violência "racional" só se voltam para um fim: a continuidade do tempo econômico da revolução burguesa, ou seja, em outras palavras, a intensificação da exploração capitalista e da opressão

CAPÍTULO 7 - O MODELO AUTOCRÁTICO-BURGUÊS DE...

de classe, sem a qual ela é impossível. Esse, aliás, é o único ponto para o qual convergem os mais díspares e contrastantes interesses e valores burgueses, constituindo-se, por isso, no polo histórico onde se unem todas as "forças vivas", nacionais e estrangeiras, da revolução burguesa sob o capitalismo dependente. Ou "aceleração do desenvolvimento econômico", ou "fim do mundo", o que não deixa de ser uma verdade histórica, pois a aceleração do desenvolvimento econômico e a sua impossibilidade são os limites que separam a existência do capitalismo dependente de sua destruição final.

Todavia, em um país com as características geográficas, demográficas, econômicas, sociais, culturais e políticas que o Brasil possui, não é possível estabelecer-se "para sempre" semelhante correlação estática entre aceleração do desenvolvimento econômico e salvação do *status quo*. Tal possibilidade poderia ser estabelecida (e mantida indefinidamente), se as classes burguesas pudessem acelerar, livremente, o desenvolvimento econômico e conseguissem, ao mesmo tempo, manter acesa a contrarrevolução preventiva.[6] Ao que parece, porém, o Brasil não se apresenta como um campo propício para uma solução desse tipo, que requer uma "associação estática" entre os dois processos.

É visível que na situação brasileira existe uma forte reação contraditória entre os dois mencionados processos. A aceleração do desenvolvimento econômico ainda mais na forma e com a intensidade requeridas pela industrialização intensiva e pela súbita transição para o capitalismo monopolista tende a convulsionar, a médio e largo prazos, todo o sistema de classes sociais. As alterações bruscas, que se delineiam, afetam tanto as condições de diferenciação e de reintegração das classes (e, note-se, de todas as classes) quanto as suas relações de acomodação, competição e conflito entre si. Poder-se-ia supor que o desenvolvimento desigual interno funcionaria como um obstáculo a esse fenômeno ou, pelo menos, à velocidade que ele está adquirindo depois de 1967. No entanto, ainda que à custa do congestionamento anárquico e do inchamento das cidades, ou de outros efeitos sociopáticos paralelos, a aceleração do desenvolvimento econômico tornou as realidades do regime de classes muito mais virulentas e irreversíveis do que elas eram antes. Em contraposição, a contrarrevolução preventiva não é um processo estrutural e dotado de potencialidades sociodinâmicas comparáveis. Não só é um

---

[6] Deixando-se de lado a alternativa de uma "consolidação democrática da ordem", pois é evidente que o modelo democrático-burguês de transformação capitalista está fora de cogitação.

processo histórico localizado que já entrou em fase de esvaziamento, como colide, frontalmente, com as novas relações das classes e dos estratos de classe burgueses com a nova ordem social competitiva emergente, revitalizada pela industrialização intensiva e pela eclosão do capitalismo monopolista. A cada dia que passa, ela tende a unir cada vez menos todas as classes burguesas entre si; e a separar cada vez mais os interesses burgueses, em particular os que se organizam e crescem a partir dessa nova ordem social competitiva. Se o seu sentido profundamente reacionário era compatível com o temor de classe, que prevaleceu no clímax da crise do poder burguês e no período mais agudo da "regeneração revolucionária", hoje ele não se ajusta mais à racionalidade da transformação capitalista, acelerada a partir de fora e de dentro pela iniciativa privada e pela intervenção estatal. Por conseguinte, os processos de diferenciação e de concentração dos interesses e do poder das classes burguesas retomam o seu circuito. E isso ocorre sob um tempo muito mais veloz, possibilitado pela mesma aceleração do desenvolvimento econômico. A contrarrevolução não só se dilui: ela perde sua base material nas relações de classes burguesas, voltando a ser uma expressão da força econômica, social e política dos estratos burgueses ultraconservadores, mais ou menos deslocados pela própria alteração do "mundo burguês" e da sociedade de classes inclusiva.

Não obstante essa contradição não produz os efeitos de "distensão política" ou de "normalização da ordem", que seriam de esperar em outro contexto histórico. De um lado, porque certos fatores de enrijecimento da ordem não são puramente internos. Eles se impõem de fora para dentro, como parte do confronto mundial entre os sistemas capitalista e socialista (realidade que ainda não se alterou, apesar das tendências incipientes à "coexistência pacífica"). De outro lado, por causa da coetaneidade das duas revoluções antagônicas, mencionada no início deste capítulo, que expõe a revolução burguesa e as forças que a alimentam a partir de dentro a um atrito permanente com o socialismo e as forças que o configuram como uma realidade histórica emergente. Na verdade, as forças de desagregação do capitalismo são intrínsecas à estrutura e à organização da sociedade de classes, e quando esta se expande, aquelas tendem a crescer. Sob esse aspecto, a aceleração do desenvolvimento capitalista fez o que a burguesia mais receava. Ela concorreu para expandir bruscamente a sociedade de classes e, assim, para aumentar o volume e a potencialidade daquelas forças, reprimidas e represadas, mas visíveis e temidas. Entre esses dois condicionamentos persistentes, agravados pelos efeitos reflexos da crise do capitalismo dependente na periferia, tinha de impor-se a necessidade de armar

CAPÍTULO 7 - O MODELO AUTOCRÁTICO-BURGUÊS DE...

essa sociedade de classes com recursos de autodefesa policial-militar e política que possam preencher, dentro da ordem (e, portanto, de sua "normalidade" e "legitimidade"), as funções de um equivalente da contrarrevolução preventiva (a frio ou a quente). Essa evolução ainda não se completou no Brasil. Contudo, ela situa claramente o significado político do modelo autocrático-burguês de transformação capitalista e deixa patente qual é o tipo de hegemonia burguesa que ele requer "normalmente", isto é, como realidade histórica permanente. A ditadura de classe não se contrai nem se dilui, acompanhando as alterações do desenvolvimento do sistema de produção capitalista e da sociedade de classes correspondente. Com a "situação sob controle", a defesa a quente da ordem pode ser feita sem que "os organismos de segurança" necessitem do suporte tático de um clima de guerra civil, embora este se mantenha, através da repressão policial-militar e da "compressão política". Em consequência, a contrarrevolução preventiva, que se dissipa no nível histórico das formas diretas de luta de classes, reaparece de maneira concentrada e institucionalizada, como um processo social e político especializado, incorporado ao aparato estatal. É aí que cabem, segundo julgamos, os esforços de "distensão política" que têm sido fomentados, reiteradamente, pelas classes burguesas depois de 1969, dentro dos marcos da "defesa da Revolução". Para conseguir esse objetivo, as classes burguesas precisariam ter um controle estático e dinâmico da ordem bastante sólido para poderem enfrentar e neutralizar as forças antiburguesas existentes dentro de seus muros ou nas outras classes. E precisariam possuir, ainda, um "excedente de poder" bastante estável e forte: 1º) para permitir a localização do enrijecimento da ordem em certas funções ditatoriais permanentes do "Estado constitucional"; 2º) e, dada essa condição, para possibilitar a continuidade indefinida do solapamento da ordem (que não pode ser atenuado ou interrompido sob o capitalismo dependente e subdesenvolvido). No conjunto, o "avanço democrático" de tais esforços de distensão política apenas repõe o problema político da hegemonia burguesa, agora em termos de um novo contexto histórico e sob a impetuosa necessidade de criar os vínculos orgânicos que deverão entrelaçar os mecanismos da democracia de cooptação com a organização e o funcionamento do Estado autocrático.

Pode-se concluir, pois, que está em curso uma dupla "abertura". Ela não leva à democracia burguesa, mas à consolidação da autocracia burguesa: 1º) por pretender ampliar e consolidar a democracia de cooptação, abrindo-a "para baixo" e para a dissidência esterilizada ou esterilizável; 2º) por querer definir o alcance do poder legítimo excedente, que deve ser conferido constitucional e legalmente ao Estado autocrático. Não se trata de um "retorno à democracia", que nunca existiu, nem de uma tentativa de abrir o caminho para uma "experiência democrática" autêntica. O que as classes burguesas procuram é algo muito diverso. Elas pretendem criar condições normais para o funcionamento e o crescimento pacíficos da ordem social competitiva, que se achava estabelecida antes de 1964 e foi convulsionada em seus fundamentos ideais, e revitalizada, em seus fundamentos econômicos, sociais e políticos, pelo desenvolvimento econômico acelerado e pela contrarrevolução preventiva. Nem elas podem ou poderiam ir mais longe. Para fazê-lo, teriam de abrir mão de muitas coisas, que são, afinal de contas, essenciais para a sua sobrevivência como burguesia de uma sociedade de classes dependente e subdesenvolvida duramente afetada por duas crises simultâneas — a que decorre do abalo do capitalismo e a que resulta da eclosão do socialismo na periferia.

As classes burguesas não querem (e não podem, sem destruir-se) abrir mão: das próprias vantagens e privilégios; dos controles de que dispõem sobre si mesmas, como e enquanto classes; e dos controles de que dispõem sobre as classes operárias, as massas populares e as bases nacionais das estruturas de poder. As vantagens e privilégios estão na raiz de tudo, pois se as classes burguesas realmente "abrissem" a ordem econômica, social e política, perderiam, de uma vez, qualquer possibilidade de manter o capitalismo e preservar a íntima associação existente entre dominação burguesa e monopolização do poder estatal pelos estratos hegemônicos da burguesia. Os controles que se voltam para "dentro do mundo burguês" tornam-se, agora, muito mais decisivos do que foram no passado recente. Na medida em que a contrarrevolução preventiva vai murchando e, quiçá, desaparecendo, a hegemonia burguesa terá de se articular de modo bem diverso. Impõe-se à burguesia, com premência crescente, suplementar os mecanismos rotineiros de dominação de classe direta ou mediada, por novos controles de classe formais e, especialmente, por controles coercitivos de caráter estatal. Além disso, o radicalismo burguês acabará reaparecendo, só que revelando, de maneira mais intensa, a outra face de radicalismo de classes burguesas especificamente "contra a ordem". A principal característica da recente evolução da ordem social competitiva foi a rápida diferenciação e o enorme crescimento das classes médias, em escala nacional. Não tivemos um "despertar das massas", mas um "despertar das classes médias". O grave dilema, que essa alteração coloca politicamente, é que a sociedade brasileira não dispõe de recursos nem de potencialidades socioeconômicas para atender à "revolução de expectativas" que se deu e que se está alastrando na órbita dos "privilegiados de segunda

CAPÍTULO 7 - O MODELO AUTOCRÁTICO-BURGUÊS DE...

grandeza". A democracia de cooptação, por último, ao se abrir "para baixo" e para certas modalidades de dissidência ou de contestação, também suscita problemas especiais de controle da ordem. Os mecanismos de mobilidade social vertical e de corrupção permitem estender as fronteiras da "consciência burguesa" e da condição burguesa dentro das classes operárias e das classes destituídas. Contudo, numa sociedade de classes em convulsão é impossível impedir que as migrações humanas, o desenraizamento social e cultural, a miséria e a desorganização social etc. operem, simetricamente, como focos de inquietação e de frustração sociais em larga escala. Por isso estamos prestes a conhecer tanto o movimento de protesto dentro da ordem "corrompido pelo sistema" quanto o protesto contra a ordem "verdadeiramente revolucionário", ambos típicos de uma sociedade de classes moderna. As classes burguesas tentam, portanto, acompanhar esse giro histórico, preparando-se a si próprias e ao Estado autocrático para um futuro prenhe de dificuldades e no qual terão de enfrentar, pela primeira vez, as "manifestações contra a ordem" sob a forma específica de violência antiburguesa organizada.

Até onde pudemos chegar, por via analítica e interpretativa, não padece dúvida de que as contradições entre a aceleração do desenvolvimento econômico e a contrarrevolução preventiva só podem ser resolvidas, "dentro da ordem", não pela atenuação mas pelo recrudescimento do despotismo burguês. Parece fora de dúvida que as classes burguesas mais conservadoras e reacionárias considerarão exagerado o preço que terão de pagar à sobrevivência do capitalismo dependente, através da democracia da cooptação. Mas esse é o único caminho compatível com o tipo de "abertura democrática" que se pretende pôr em prática. Doutro lado, apesar das semelhanças óbvias, seria dogmático afirmar que o Estado autocrático burguês constituirá, pura e simplesmente, uma variante subdesenvolvida e modernizada do fascismo. Ao que parece, mesmo a transição para o fascismo será contida pelo temor de classe, que impediu, até agora, qualquer forma de mobilização ideológica e política das massas populares no âmbito da contrarrevolução preventiva. A fascistização incidiu diretamente sobre o Estado, e, neste, concentrou-se em algumas de suas estruturas e funções, assumindo, por isso, o caráter de um processo localizado e institucionalizado (e, sintomaticamente, dissimulado e posto acima de qualquer comunicação ou articulação das elites com a massa). Nada indica que a "normalização do Estado autocrático" seguirá outro curso. Por fim, é impossível que as classes burguesas venham a contar com as condições para enfrentar, de ponta a ponta, o processo de longa duração, que deveria resultar do casamento de uma democracia de cooptação tão precária, em vista de sua base socioeconômica, com um Estado autocrático tão complexo, seja em suas estruturas, seja em suas funções. É possível que esse casamento aumentará, juntamente com certas tendências de "estabilidade da ordem", as fricções das classes burguesas entre si e o radicalismo antiburguês virulento e ultraesquerdista, que só pode fermentar, nas sociedades modernas, dentro dessas classes. Acresce que a democracia de cooptação possui pouca eficácia e pouca "flexibilidade" em nações capitalistas pobres onde a extrema concentração da riqueza e do poder deixa um escasso excedente para dividir na compra de alianças ou de lealdades. Por isso, ela concorre para exacerbar as contradições intrínsecas ao regime de classes, levando-as a pontos explosivos de efervescência, que mais debilitam que fortalecem o Estado autocrático, compelido a funcionar sob extrema tensão permanente e autodestrutiva, de insuperável paz armada.

Dentro da lógica dessas constatações, cabe perfeitamente admitir que as classes burguesas, apesar de tudo, levaram água demais ao moinho e que acabarão submergindo no processo político que desencadearam, ao associar a aceleração do desenvolvimento capitalista com a autocratização da ordem social competitiva. No contexto histórico de relações e conflitos de classes que está emergindo, tanto o Estado autocrático poderá servir de pião para o advento de um autêntico capitalismo de Estado, *stricto sensu*, quanto o represamento sistemático das pressões e das tensões antiburguesas poderá precipitar a desagregação revolucionária da ordem e a eclosão do socialismo. Em um caso, como no outro, o modelo autocrático-burguês de transformação capitalista estará condenado a uma duração relativamente curta. Sintoma e efeito de uma crise muito mais ampla e profunda, ele não poderá sobrepor-se a ela e sobreviver à sua solução.

POSFÁCIO

ENTREVISTA – GABRIEL COHN: FLORESTAN FERNANDES E OS LIMITES DA AUTOCRACIA BURGUESA[1]

O senhor terminou sua graduação em 1963, um pouco antes de Florestan defender sua tese de cátedra, *A integração do Negro na Sociedade de Classes*. Mas o senhor comentou em entrevista[2] que nunca assistiu a um curso dele e mesmo assim está entre as pessoas às quais é dedicada *A revolução burguesa no Brasil*. Como se deu a sua relação com Florestan?

Aquilo foi muito gentil dele, porque Florestan, no fundo, dispensava qualquer auxílio. Nunca perdia, entretanto, a oportunidade de um gesto generoso com os aprendizes de pesquisador que infestavam seu ambiente. É verdade que ele manifestou gosto por algo que fiz em relação ao livro anterior, quando nem livro era, mas um Boletim do tipo que a Faculdade de Filosofia (Letras e Ciências da Universidade de São Paulo) usava na época para editar teses em versão restrita. Era uma resenha feita por mim de *A integração do negro na sociedade de classes*, a primeira de todas, coisa que me enchia de orgulho. Como estudante e depois, na parte inicial da carreira, eu tinha imensa admiração por ele, o grande modelo do cientista social (qualificação que ainda mantenho hoje). Até por isso, morria de medo dele, embora ele fosse uma pessoa muito gentil pessoalmente. Florestan, que sabia ser um "trator" quando

---

[1] Entrevista realizada por Bernardo Ricupero e Leonardo Belinelli, em março de 2020.

[2] A entrevista referida, compartilhada com Elide Rugai Bastos e Mariza Peirano, foi dada a André Botelho, Antonio Brasil Jr. e Maurício Hoelz. "Florestan Fernandes entre dois mundos: entrevista com Elide Rugai Bastos, Gabriel Cohn e Mariza Peirano". *Sociologia &. Antropologia*, 8:1, (2018), pp.15-43.

se tratava de coisas da universidade (quando preciso, entrava na sala do reitor a pontapé, dizia o futuro historiador Carlos Guilherme Mota, leal admirador seu), no contato pessoal era um homem gentil e, na fase final da vida, mesmo doce. Então, não era difícil chegar perto dele, mas eu nunca tentei. A aproximação maior ocorreu depois que ele foi aposentado pelo AI-5 (Ato Institucional n.5), quando estava fora do circuito acadêmico. Foi aí que eu me aproximei e nessa época conversamos bastante. Ou seja, a relação foi inteiramente fora dos quadros institucionais.

Em um dos seus textos sobre Florestan o senhor comenta que *A revolução burguesa no Brasil* foi um livro com a intenção de intervir no debate da época.[3] O senhor lembra de como foi a recepção do livro?

Olha, eu não tenho elementos para falar com mais firmeza, mas suspeito de que, especialmente no meio acadêmico, a recepção inicial foi relativamente fria. O livro não entrou de imediato no grande debate. Deve ter contribuído para isso o fato de Florestan ter saído de cena quando foi aposentado. Estou falando das Ciências Sociais da USP (Universidade de São Paulo). Passaram uma borracha nele. Alguns colegas, especialmente um, que merece especial admiração por isso, o sociólogo Brasílio Sallum Jr., sempre fizeram questão de continuar a ensinar Florestan. Mas a maior parte do pessoal o esqueceu. Também contribuiu para a recepção do livro a imagem de que Florestan tinha um estilo difícil (no livro sobre a integração do negro, em que havia forte impulso empático, e em textos posteriores e ainda mais no período de representante no Legislativo, isso já não se aplicava).

Além disso, vamos lembrar que *A revolução burguesa no Brasil* foi publicado no período em que o Cebrap (Centro Brasileiro de Análise e Planejamento) vivia seus primeiros anos. O Cebrap, para se firmar, criou uma identidade com grande reserva em relação aos remanescentes na USP e a Florestan. Então, havia uma certa resistência. Eu

---

[3] Referência ao artigo de Gabriel Cohn, "*A revolução burguesa no Brasil*". Lourenço Dantas Mota (org.), *Introdução ao Brasil: um banquete nos trópicos*, São Paulo: Editora SENAC, 1999.

me pergunto se essa resistência, além de outros fatores, não tem também a ver com Florestan estar caminhando na época, à sua maneira rebelde, para o uso sistemático da ideia de dependência, que via com reserva. Assim como nunca aceitou a ênfase na "sociedade civil" no lugar das classes. *A revolução burguesa no Brasil* tem muito disso e suspeito que tal potencialidade não repercutiu bem.

A esse respeito, é bastante interessante um comentário feito por Florestan como resposta às intervenções aparecidas em um seminário realizado na Universidade do Texas (Austin), em 1976, sobre *A revolução burguesa no Brasil*. Ele disse o seguinte: "[...] o que havia ocorrido é que os 'círculos acadêmicos' abandonaram o uso do conceito de dominação burguesa, a teoria de classes e, especialmente, a aplicação da noção de revolução burguesa à etapa da transição para o capital industrial nas nações capitalistas da periferia".[4] Dando sequência à pergunta anterior, o senhor poderia indicar com quem Florestan está discutindo em *A revolução burguesa no Brasil* e até contra quem ele escreve o livro?

Eu acho que aí, além das discrepâncias com colegas mais próximos e antigos discípulos, ele está dando forma a uma velha polêmica, em que assume a posição institucionalmente vinculada à USP contra uma posição nacionalista, como a do ISEB (Instituto Superior de Estudos Brasileiros), que ele nunca aceitou. Embora só implicitamente ele, de certa forma, estava dialogando em especial com Guerreiro Ramos ou com Álvaro Vieira Pinto e não tanto com os colegas mais próximos. Nesse sentido, procura estabelecer não só um diálogo, mas, sem querer ou até querendo, uma disputa com grupos anteriormente mais poderosos.

O senhor não acha que Florestan está debatendo também com aqueles que defendiam a tese do autoritarismo? Me chamou a atenção — talvez seja mera coincidência —, mas em 1975, que é quando sai *A revolução burguesa no Brasil*, também ocorre um importante seminário na Unicamp (Universidade Estadual de

---

[4] Encontros com a civilização brasileira, 4, 1978, p. 203.

Campinas), do qual Juan Linz participa. O próprio Fernando Henrique Cardoso publica, no mesmo ano, *Autoritarismo e democratização*. Florestan não está discutindo com eles? Ou isso faz parte do clima da época, do ambiente intelectual e político do momento num sentido mais amplo?

É bom vocês lembrarem aquele seminário na Unicamp, o primeiro grande evento na universidade de resistência (acadêmica, no caso) à ditadura (ou à autocracia burguesa, diria Florestan, que deve ter ficado um tanto chateado com o predomínio liberal entre os participantes). Aliás, Florestan e Linz habitavam mundos diferentes. Encerrada a fase de afastamento total da universidade — a USP nunca o acolheu de volta, foi a PUC/SP (Pontifícia Universidade Católica de São Paulo) que lhe deu guarida no Brasil, enquanto no exterior foi Toronto, quando o Canadá era relativamente desconhecido, e não deixa de ser significativo que ele não tenha ido para os grandes centros.

O interessante nisso é que os tipos de trabalhos de Florestan e de Fernando Henrique são inteiramente diferentes. Fernando Henrique sempre foi um homem que procurava deixar a sua impressão digital no que passasse por perto. Então, ele ia pegando os temas e, como é um homem com alta inteligência e uma agilidade intelectual extraordinária, quando sentia que alguma coisa estava "no ar" ele prontamente fazia um artigo, um livro, e quando sentia que o tema estava saindo do debate, se afastava. Por exemplo, quando a teoria da dependência começou a "perder gás", ele se distanciou antes dos demais. É um estilo de trabalho muito baseado na agilidade intelectual e numa grande habilidade no debate. O Florestan nunca teve isso. Seu estilo sempre foi mais demorado, mais reflexivo. Um era ágil corredor de curta distância e o outro, persistente maratonista. E Florestan não teve a penetração nos debates da sua época que eu penso que ele gostaria de ter tido. Sempre gozou de respeito quase unânime, mesmo entre adversários (O "quase" fica por conta de antagonistas eminentes, como o filósofo Olavo de Carvalho). Mas não era propriamente uma figura popular.

Você fala de estilos diferentes de Florestan e de Fernando Henrique.

Totalmente. É difícil imaginar duas pessoas que estiveram tão próximas que tivessem tamanha diferença, digamos, de estilos intelectuais, o que talvez tenha raízes nas próprias biografias. O jeito do Fernando

POSFÁCIO

Henrique, desde jovem, era de alguém talhado para ser um homem público, um político. Aliás, ele já dizia para seus estudantes de graduação: "não me venham falar muito de política. Na minha casa, enquanto eu engatinhava no chão o meu pai tratava de alta política". Referia-se nisso à militância nacionalista do pai (que não herdou), como na campanha em favor da nacionalização do petróleo, que daria impulso à criação da Petrobrás (Petróleo Brasileiro S.A.). No conjunto, o estilo é praticamente o oposto ao de Florestan.

Será que nessa diferença entre Florestan e Fernando Henrique daria para pensar a diferença entre uma perspectiva senhorial e uma perspectiva plebeia?[5]

Embora não dê para entender o Fernando Henrique como propriamente senhorial, há elementos dessa perspectiva em seu pensamento. Plebeu ele não é, isso é o mínimo que se pode dizer. Não há nele uma perspectiva nem dos "debaixo" e nem daquilo que eu gosto de chamar "da margem" diante do centro. Por outro lado, Florestan era totalmente "plebeu", sua perspectiva sempre foi aquela dos mantidos fora. É bom lembrar, porém, que sua posição plebeia guarda muito de radical. Não se trata de simplesmente penetrar naquilo que os dominantes buscam preservar para si. É entrar por um ângulo crítico, de não aceitar aquilo que ali está, e revolucionária (como diria Florestan, que usava o termo de maneira bastante ampla e não por isso menos contundente), de algo como uma mudança dirigida (não nos esqueçamos de que Florestan, como também seu exato contemporâneo Celso Furtado, tinha traços de estudioso radical de Mannheim, temperado por Marx, claro). Mudança que viria a partir de baixo, sem margem para dúvidas.

Vale a pena, neste ponto, lembrar que seu grande adversário intelectual por tudo que representava, Guerreiro Ramos (nesse ponto mais do que Gilberto Freyre), também tinha uma perspectiva plebeia, porém muito diferente no modo de conceber as questões e agir. Há sempre um confronto curioso entre esses dois. No campo das ideias, Florestan era muito mais institucional, voltado para a organização e aplicação da ciência de ponta, contra a informalidade rebelde de

---

[5] Referência ao artigo de Gabriel Cohn, "Florestan Fernandes e o radicalismo plebeu em Sociologia". *Estudos Avançados*, 19:55, (2005), pp. 245 - 250.

Guerreiro. Já no campo da prática política, era o contrário. Florestan voltava-se diretamente para o campo social, dos grupos em competição, enquanto Guerreiro agia no campo da organização política partidária, entrando no PTB (Partido Trabalhista Brasileiro) décadas antes da "virada eleitoral" de Florestan, já na época do PT (Partido dos Trabalhadores).

Talvez devido a essa condição é que Florestan consegue realizar algo muito próximo a uma proeza em *A revolução burguesa no Brasil*. O livro, já no título, é uma análise de classe. No entanto, o autor está chamando a atenção o tempo todo para a dificuldade da constituição de uma classe. Quer dizer, a tal burguesia não se formou integralmente. Para usar a linguagem de Florestan, ela nunca chegou a "saturar" seu papel histórico. Histórico, sim: sem ser historiador de ofício, Florestan sempre via o mundo de uma perspectiva histórica, de mudança e desenvolvimento com todos os seus problemas. E isso se aplica tanto à observação curiosa e interessada de brincadeiras infantis em bairro paulista quanto ao Brasil inteiro.[6]

Nessas horas, eu lembro do título do livro de um francês sobre o burguês conquistador.[7] O que o Florestan estava dizendo é que o nosso burguês é muito pouco burguês conquistador, nem todos são Mauá. Florestan é um homem que aposta na constituição de uma sociedade de classes, mas, ao mesmo tempo, aponta como ela não se constitui plenamente no país. E não tem como chegar a isso sem ser empurrada, e portanto ameaçada, a partir de baixo, pois o que vem acima ela sabe responder. Esses traços persistem até hoje. Então, essa burguesia é falha. O frustrado, o inacabado, o incompleto constituem temas centrais em Florestan; sempre alimentando a questão de por que só se chegou nesse ponto e, eventualmente, por que não é possível ir além. Em suma, não há propriamente burguesia "autóctone", se couber o termo. Imagino que Florestan, em alguns momentos, torcia para a formação real de uma burguesia, porque daí seria possível a polarização social e política, o que não ocorreu — a não ser pela franja, por meio da repressão.

---

[6] Referência ao artigo "As 'trocinhas do Bom Retiro'", publicado por Florestan Fernandes em 1944 na *Revista do Arquivo Municipal*.

[7] Referência ao livro de Charles Morazé, *Les bourgeois conquérants: à la conquête du monde, 1780-1848*, Bruxelles: Éditions Complexe, 1985.

POSFÁCIO

Isto é, a própria forma como se dá a revolução burguesa no Brasil talvez indique, num sentido mais amplo, que a categoria funciona de forma diferente na periferia, em termos de não haver ruptura com o passado e o horizonte cultural da burguesia ser o mesmo da oligarquia...

É um pouco isso. Florestan demonstra que aquela classe que deveria ascender cortando os laços com as classes anteriores, na realidade simplesmente criou novos elos, menos subalternos, porém de manutenção de uma estrutura que, supostamente, deveria ser superada. Para mim, o fascinante em *A revolução burguesa no Brasil* é que as duas coisas do título são duvidosas. Nem revolução, nem burguesia. É a indicação de que a burguesia não tem como fazer a revolução que lhe caberia, quer dizer, posicionar-se com uma certa orientação de transformação das bases da sociedade. Mas, ao seu modo ela existe, dentre dos limites históricos aceitáveis para ela.

Ao mesmo tempo em que escrevia sobre a burguesia, Florestan, é claro, estava olhando também para o polo oposto, para a classe trabalhadora, de certa forma, o tema de seu grande livro sobre *A integração do negro na sociedade de classes*. Também aí se encontra o problema da dificuldade de constituir uma classe. Não por falha dos personagens históricos, mas porque simplesmente se esgotaram todos os espaços em que eles podiam atuar com impulso transformador.

A burguesia aqui é desconcertante. É duvidoso dizer que ela estivesse "sufocada"; "não podia fazer isso, nem aquilo, devido ao imperialismo" etc. Provavelmente ela tinha mais margem de manobra do que as burguesias das sociedades capitalistas mais desenvolvidas. Quer dizer, havia espaço para sua atuação, o que não houve foi apetite para ocupá-lo. Então, a questão que se levanta imediatamente é: como se gerou essa inapetência burguesa, e como tem condições para persistir? Havia, sim, margem de movimento para a burguesia local, e ela, dentro dos seus limites, tinha espaço para atuar, mas usou-o muito pouco. Em linguagem que causaria arrepios em Florestan, ela concentrou sua atuação na busca de resultados "satisfatórios" e não "ótimos".

A burguesia brasileira sempre tendeu a agir, pontualmente, para atender aos seus interesses imediatos, o que talvez responda em parte à questão da inapetência de classe. O problema que parecia se colocar era garantir retornos e vantagens de curto prazo, algo como na frase do economista Edmar Bacha, de que no Brasil só há um partido, o PQM, *Partido do Quero o Meu*. Agora, de uma burguesia que procura simplesmente garantir a sua parte não se pode falar nem que seja propriamente uma burguesia, pois não é transformadora e, claro, não é revolucionária. Contra quem ela teria feito a revolução? Contra seus pares? Contra o setor agrário ou coisa do gênero? Não. Talvez parte dessa característica derive do fato de que ela podia agir assim, constituindo uma espécie de burguesia oportunista, porque essa sociedade ainda fluída, oferecia condições para quem estava em posição mais vantajosa de agir. Mas, vantajosa para quê? Para recolher os despojos. Estar rapidamente com, digamos assim, a mão na massa e se aproveitar disso, da sua potência econômica mais do que política, numa espécie de oportunismo de classe.

Tanto é assim que podemos perguntar: politicamente, qual partido brasileiro poderia ser considerado representante de uma burguesia moderna? Talvez quem tenha chegado mais perto disso tenha sido a tão mal falada UDN (União Democrática Nacional), em meados do século passado. Mas o resto era exatamente a briga pelo que existia. O PTB, por exemplo, era uma tentativa de absorver uma parcela do que estava ali, ligado aos sindicatos oficiais, mas sem intenção de transformar a sociedade. E os atuais, então, é manifesta a passividade deles, mesmo os que têm nomes que sugerem um projeto transformador. Não vejo onde haja uma representação política organicamente vinculada à burguesia. O que significa isso? Significa que havia meios indiretos e, eu diria, quase sorrateiros para se chegar à satisfação de interesses de classe que dispensavam a organização e o confronto político. Ou então o meio mais direto possível, aquilo que Florestan chama de autocracia.

A burguesia brasileira não era de confrontação "construtiva", como diria Florestan, nem em relação ao que ia se formando como operariado. Que classe é essa, capaz de organizar a repressão sem ser capaz de organizar a transformação da sociedade? Trata-se de uma classe que tem uma posição sempre defensiva. A repressão é um ato defensivo, embora tenha terríveis consequências. É o caso de lembrar da época de Getúlio [Vargas], que estava mais perto, de certa forma, de ser o nosso [Otto von] Bismarck, como queria o Hélio Jaguaribe, de ser uma grande liderança que plasmasse o Estado nacional. Mas Vargas estava mais preocupado com a consolidação do Estado Nacional do que com essa ou aquela classe. Claro, seria possível invocar Juscelino Kubitschek, o homem do desenvolvimentismo, de Brasília e da implementação de mecanismos inflacionários para captar recursos para seus grandes projetos. Sua atuação, contudo, não era de representante de uma classe, era mais a de implementador de aparelhos de Estado oportunistas e corruptos, corrigidos por comissões diretamente ligadas ao presidente, numa herança de Vargas.

POSFÁCIO

Há diversos pontos nos quais você toca que são muito interessantes. A começar por indicar que a outra face dessa burguesia com dificuldade de se constituir como classe seria a classe trabalhadora, também com dificuldade de se tornar classe, como sugere a situação dos negros que estão na pior posição na sociedade e foram antes escravos. Ou seja, trata-se de um problema mais amplo, da própria dificuldade de constituição de uma sociedade de classes no Brasil.

Veja, a burguesia brasileira, de certo modo, explicita uma dificuldade interpretativa mais ampla, que é a de pensar que a classe substitui o estamento. Não, elas convivem. Há um componente estamental na classe, como também pode haver um componente classista no estamento. O problema é exatamente a maneira como se dá o convívio dessas duas formas básicas de organização, mais social no estamento e mais econômica na classe, como diria Weber. Usualmente, pensamos em passos gradativos no sentido da modernização ou de qualquer coisa nessa direção. Entretanto, na realidade, são rearranjos. Se pensarmos bem, é um tabuleiro que vai se arrumando. Agora, quem mexe no tabuleiro? Essa é a questão. Florestan dizia que a burguesia brasileira não se sentiu à vontade ou estimulada para realmente mexer de forma forte no tabuleiro. Ela se contentava com estar perto daqueles que mexiam peças que lhe importavam. Isto é, a dificuldade é entender que o sentido da revolução burguesa brasileira não é de uma luta mal sucedida entre uma burguesia ascendente e os setores mais conservadores. Trata-se, na verdade, do processo de se plasmar uma nova organização do tabuleiro político-social que fosse satisfatória aos componentes da classe burguesa. Em suma, *A revolução burguesa no Brasil* é quase um estudo sobre o que eu falava antes a respeito da inapetência política burguesa, que não é incompatível com a voracidade econômica.

Agora, ao mesmo tempo, Florestan mostra que essa burguesia não era inerte, ela foi até onde podia ir. Mas não foi feito aquilo que teria sido realizado se a burguesia brasileira plasmasse uma posição realmente de classe. Então, uma outra questão que se poderia levantar, que não é a de Florestan, é: o que se poderia esperar da atuação de uma classe burguesa realmente organizada, levando em conta que nós estamos falando de um cenário interno? É importante registrar também que Florestan não era alheio ao fato de que havia influxos externos importantes de toda ordem. Não por acaso, depois ele se dedicou bastante a esse problema.

No fundo, se examinarmos a revolução burguesa perceberemos que é esse o jogo que se coloca o tempo todo. Há momentos em que se confrontam interesses. Em cada momento histórico, limites que se estabelecem funcionam como energia para derrubar as fronteiras existentes, ao invés de refletirem a formação de novos grupos orgânicos no interior da sociedade. A burguesia, na etapa que poderia dar seu grande salto, ficou bocejando. Em parte, porque os seus integrantes estavam interessados naquilo que eu falava antes, nos despojos que podiam obter. Não estavam interessados na construção de uma sociedade. O verdadeiro drama é de uma burguesia que não se propõe a construir sociedade. Nesse sentido, Roberto Simonsen é muito pouco típico. Diferente dele, o que se faz é brigar por cortar um pouquinho de imposto ali, conseguir um subsídio acolá, possivelmente uma licença de exportação, mas não há articulação para se estabelecer um projeto de ordem social.

E a pergunta do Florestan nem é tão complexa. Ele está preocupado sobretudo com aquilo que pode gerar agentes sociais realmente competitivos. Essa coisa de ser competitivo é central em Florestan, ele não suportava a renúncia a competir. Em um certo momento, ele mostra em relação aos negros que, apesar de todas as condições desfavoráveis, eles competiram com muita força, criaram seus mecanismos próprios de ação na sociedade.

Uma questão mais indireta, mas que chama a atenção, é como essa burguesia converte sua fraqueza em uma força incontrolável e até, de alguma maneira, como a própria ordem legal acaba sendo absorvida e transforma o que era a dominação senhorial em algo muito mais potente, uma dominação estamental propriamente dita.

Sim, isso é verdade. Não se pode dizer que tenha sido criado simplesmente pelo impulso de uma classe específica, mas o resultado vai nesse sentido. Agora, o que deve estar girando na cabeça de vocês é: o que, afinal, ficou? O inesperado, para desespero de todos nós, provavelmente também de Florestan, é que sua análise foi confirmada. Mas ele talvez dissesse: "escuta, eu não queria que isso que chamo de autocracia burguesa assumisse tamanha relevância meio século depois de meu livro". Não era essa a aposta dele. A aposta dele era na constituição do oponente, a classe trabalhadora. Esse era o drama dele — que talvez seja também o drama da análise militante de classe. E se isso não acontece? Lembra o Kafávis no apelo para que chamem os bárbaros.[8] Florestan estava chamando a burguesia. Bom, a burguesia não veio para o jogo, mas inventou o seu próprio. E o jogo dela, que é estar sempre onde há despojos disponíveis, lhe permitiu também neutralizar os passos da outra classe, chegando até a um ponto sem limites. Esse talvez seja o mais importante. A tal autocracia burguesa não é a simples concentração de poder num núcleo só, é o combate acirrado à classe adversária em formação.

Isso de certa maneira se liga àquela famosa conferência que Florestan deu no IBESP (Instituto Brasileiro de Economia, Sociologia e Política), "Existe uma crise da democracia no Brasil?",[9] na qual ele questiona a própria formulação da questão?

Dizia ele: por que falamos que uma coisa que não existe entrou em crise, não é? Mas o que impressiona é que, quando se fala dos conflitos de classes, dos choques de interesses, dos projetos de sociedade que se contrapõem, pode-se imaginar que haja uma espécie de jogo, de conflito regrado. Ou seja, os dois lados sabem quais são seus objetivos, lutam por eles, fazem isso tendo em vista o sucesso de seu empreendimento. Quer dizer, há limites. A autocracia tem esse problema: não tem limites. Aparece essa repressão brutal e, aí sim, cultiva-se o autoritarismo, ou seja, o uso sistemático do poder organizado na forma de violência. Lembrem-se que o termo autocracia refere-se a uma forma de governo, o poder do "auto" e não do "demo", do povo. Já o autoritarismo, essa espécie de expressão absoluta da autoridade, é uma forma de exercício do poder, que pode ter diferentes conteúdos.

A autocracia, ou seja, essa forma de poder político voltada sobre si mesma, autocentrada, não combina com a democracia. Agora, é bom lembrarmos que pode muito bem haver democracia com autoritarismo. Não há nenhum impedimento.

---

[8] Referência ao poema "À espera dos bárbaros", do poeta grego Kontantínos Kafávis, que termina com os seguintes versos: "Sem bárbaros, o que será de nós? Ah, eles eram uma solução.". Ver: Konstantino Kafávis, *Poemas* (tradução, seleção, estudo crítico e notas de José Paulo Paes), Rio de Janeiro: Nova Fronteira, 1982, pp. 106-7.

[9] O IBESP é o antecessor do ISEB (Instituto Superior de Estudos Brasileiros), órgão do Ministério da Educação que existiu entre 1955 e 1964. O texto da conferência, pronunciada em 1954, se encontra no livro *Mudanças sociais no Brasil*, 1960.

Com a democracia?

Com a democracia. Ninguém menos do que Max Weber dizia com todas as letras: "não há qualquer afinidade eletiva entre capitalismo e democracia", ou seja, nada os incentiva a se ligarem. É equivocado o raciocínio dos que acham que o desenvolvimento do capitalismo leva à ampliação da democracia. São retas paralelas, independentes, que podem mesmo entrar em choque.

  Retomando o raciocínio: eu insistia que é como se tivéssemos uma situação em que uma classe avança, com força e energia, até o ponto que lhe parece senão o ideal, pelo menos suficiente. Não o ponto ótimo, mas o ponto que satisfaz, em que ela consegue, nas condições dadas, maximizar seus recursos. Como age essa burguesia incompleta, no interior de uma sociedade de classes também incompleta? O que Florestan mostra muito claramente é que não é porque há travações que não existe uma dominação que na prática funciona como sendo de classe — o que indica, aliás, mais um problema. Não é necessária a existência de uma classe inteiramente constituída para se estabelecerem mecanismos de dominação de classe.

O senhor usa até o termo extraclasse...

O que me impressiona é a cristalização dessa situação em que vivemos. Nós ficamos um pouco desprevenidos por causa dos famosos dezesseis anos civilizados que tivemos. Não percebemos o que estava se fermentando "por baixo". Mas o que se criou é uma sociedade que, usando a formulação de Paulo Sérgio Pinheiro, se caracteriza pelo "autoritarismo social".[10] É esse autoritarismo que interessa. O institucional pode ser combatido às claras, já o social está arraigado onde menos se espera. A emergência desse autoritarismo social permite que se aja de uma maneira que não seria compatível com a presença real de uma classe burguesa plenamente constituída e capaz de estabelecer limites para a sua atuação e para a atuação de outras forças sociais. Uma classe plenamente constituída e no poder é capaz de "disciplinar a sociedade". É capaz de frear determinados movimentos que são potencialmente disruptivos ou que simplesmente causam problemas que podem ser evitados. Quer dizer,

---

[10] Referência a Paulo Sérgio Pinheiro, "Autoritarismo e transição", *Revista da USP*, 9, (1991), pp. 45 – 56.

uma classe bem constituída tem objetivos claros e modos igualmente claros de realizá-los. Quando não se tem isso, abre-se o caminho para que se transfira para o lado político aquilo que socialmente já existe. Não há limites para quem tem poder, e isso faz parte do modo de pensar do nosso país há muitos anos. Isso é expresso naquelas frases conhecidas, como "manda quem pode, obedece quem tem juízo". Por outro lado, como mencionado antes, Florestan esclarece que a burguesia brasileira fez o que podia fazer.

O interessante, pensando no momento atual, é que talvez isso tudo possa ser percebido mais nitidamente. Nesse sentido, não se pode dizer que nossos dias também ajudam a entender a própria categoria de autocracia burguesa?

Sim, mas de modo contrário ao que Florestan gostaria. Em um contraste entre autocracia e burguesia, quer dizer, entre a forma de dominação política e a classe, ele estava, digamos, disposto a colocar algumas fichas do lado da burguesia, da constituição da classe, porque o interesse dele era a formação das classes. O que vem acontecendo, cada vez de maneira mais nítida, é que as fichas estão do lado da autocracia. Nós estamos vivendo, por exemplo, num momento em que não se consegue enxergar com clareza projetos, programas e formas de atuação da burguesia, como já mencionado. Mas pode-se facilmente enxergar aspectos até caricaturais da autocracia. Mesmo Florestan tendo apostado na constituição das classes e se preocupado em mostrar porque a burguesia chega até esse ponto e não vai em frente...

Mesmo ele tendo apostado na classe...

É porque temos o problema de que nessa sociedade se conseguiu concentrar tudo no lado autocrático, com aquela característica perversa de que as instituições representativas funcionam, ainda quando em termos meramente formais em certas conjunturas.

Em relação a isso, uma questão interessante abordada por Florestan é a relação entre autocracia e crise do poder burguês. Quer dizer, ao mesmo tempo em que a burguesia é autocrática ela está em crise. Essa dispersão de objetivos da classe seria produto dessa situação, não?

Isso que você aponta é muito interessante. Florestan fornece elementos para pensar a questão. É que todo esse processo histórico que conduziu a uma burguesia que chega a um ponto em que revela não ser transformadora surge de uma classe que não consegue se constituir plenamente, até porque é incapaz de formular um projeto claro. Na história brasileira nunca houve tal projeto. O que se teve foram projetos, eu diria, autocráticos. Juscelino [Kubitschek], sob esse ângulo, era um projeto autocrático. Não era produto da organização da sociedade e tinha uma orientação exclusivamente utilitária com as classes. Foi um sujeito que, inteligentemente, percebeu as oportunidades abertas. O Getúlio era um autocrata, claro. Mas — e esse talvez seja o ponto mais amargo para o Florestan —, o projeto de classe não chega a se constituir.

Em parte, eu imagino que ele esperava que, na constituição do povo, pelo influxo poderoso das lutas e da organização da população negra como representante extrema do lado mais vulnerável da ordem capitalista de classes em constituição (agora ele falaria também dos povos indígenas), surgissem possibilidades de construções de projetos coerentes de classe. Quando ele sugere que o problema é se constituir como classe, eu diria que se trata da conversão dos projetos setoriais então existentes em projetos articulados, de modo que o seu aprofundamento levasse a se criar um programa para a sociedade toda, amparado numa organização de classe. Se houvesse um avanço nessa orientação, a burguesia seria obrigada a fazer a parte dela. A não ser que ela pudesse, como ocorreu em mais de um momento e Florestan via como a consolidação de um padrão, apostar tudo na autocracia. O resultado disso é que se faz de conta que existem instituições que funcionam, o que leva à conclusão equivocada de que há democracia. Pode-se, a partir daí, fazer qualquer coisa: esfarelar o Judiciário, diminuir o Legislativo, caricaturizar o Executivo. Mas, no papel, as instituições estão funcionando. Essa decalagem entre instituições e sociedade está associada à questão da não constituição plena das classes.

Ou seja: se há exigência efetiva de apostar no que se propõe e colocar os projetos claramente na mesa, então a coisa funciona. Mas se existe a possibilidade de não colocar propostas na mesa e fazer de conta que tudo está funcionando, que as classes estão se representando quando,

POSFÁCIO

na realidade, há apenas um pequeno segmento fingindo que representa o conjunto, o cenário se torna diferente. Este é o caso brasileiro, que realmente indica como aqui é difícil haver alguma vertebração. A velha imagem do invertebrado continua assombrando nosso sono. Isso reforça a concentração, mesmo pessoal, do poder, porque se destrói a legitimidade dos atos. Pequenos segmentos da sociedade colocam algo na mesa e não têm respaldo social claro, mas conseguem fazer passar a ideia de que representam algo. O resultado desse quadro é a falta do estabelecimento de laços de legitimidade e, consequentemente, a ausência de estímulos à ação da cidadania.

É um preço alto que pagamos. Florestan provavelmente diria: "olha, me reconheço aqui inteiro, só que não gostaria de estar vendo isso". E acrescentaria: "eu preferiria que a burguesia fosse capaz de operar sem o fantasma da autocracia. No entanto, o tempo todo a figura da autocracia está na anteporta. Mas agora sou obrigado a dizer que, de certo modo, a autocracia deu um pontapé na porta, ou seja, ela ganhou a parada".

E por que conseguiu ganhar a parada? Porque a "autocracia burguesa" não é burguesa, no sentido de que estivesse a serviço da burguesia. O termo autocracia burguesa é complexo e fascinante, leva longe, é um achado de Florestan. Ele parece estar trabalhando com uma ideia fundamental, a de que uma autocracia de classe não precisa ser realizada pela própria classe. Basta, como diria Marx a respeito das formas de pensamento burguês, não ultrapassar os limites da classe. O problema é que o exercício autocrático do poder tende a ganhar autonomia em relação à classe e, dadas certas circunstâncias (em geral devidas a rupturas no interior da classe), ela caminha no rumo da institucionalização na forma da ditadura. E a burguesia fica na desconfortável situação de que é fácil montar no tigre, difícil é desmontar.

O problema, no entanto, é que não se constrói uma sociedade de modo autocrático. Ninguém consegue, não há nenhum caso. Você pode sufocar uma sociedade de modo autocrático, mas a sua construção tem que passar por outras formas de organização, outros mecanismos. A questão que ocupava Florestan no tocante ao que seria a revolução burguesa era a de como foi possível criar uma estrutura de poder incapaz de pensar o país, de formular um projeto. E como, ao mesmo tempo, pelo viés autocrático se consegue obstar a organização plena da outra classe fundamental.

Talvez Florestan, que era um homem bastante cioso das suas posições mas ao mesmo tempo era de uma integridade total, dissesse: "a burguesia chegou no seu limite, o proletariado não chegou a se constituir inteiramente como classe, embora tenha avançado, por exemplo, ao criar um partido próprio, o PT. E eu também parei nesse ponto. O meu limite é o limite da autocracia burguesa". Pode soar cruel dizer isso, mas é isso mesmo. O limite da explicação de Florestan provavelmente é o limite da autocracia burguesa; da revolução burguesa que não se realiza e, ao mesmo tempo, sufoca a constituição da outra classe.

Enfim, Florestan é um pensador que chegou no limite da sua sociedade. Não estou dizendo isso como ressalva, mas como elogio. Essa é a maior apreciação que se pode fazer de um intelectual às voltas com os problemas e dilemas da sua sociedade. Ele chegou até o ponto que podia chegar, chegou no limite. Infelizmente para nós, tudo o que veio depois confirmou o limite, sem fornecer nenhuma indicação de algo que o pudesse transcender, constituir algo novo. Florestan bem que gostaria de escrever sobre outra revolução, mais "construtiva", mais transformadora, com capacidade e gana para fazer história.

BIBLIOGRAFIA SELECIONADA[1]

Não é fácil compor a bibliografia de um livro como este, que reflete os conhecimentos acumulados ao longo de toda uma carreira e reflexões cujo início podemos datar, com precisão, no primeiro semestre de 1941! Como fazer justiça às várias influências, mais ou menos marcantes, e às diversas fontes de informação, de dados e de análises? As investigações ou cursos, que culminaram em livros ou ensaios publicados, revelam pelo menos o essencial quanto aos livros e às obras de que nos valemos, seja empiricamente, seja teoricamente. Contudo, algumas investigações não chegaram a ser concluídas,[2] cursos sobre o Brasil[3] ou a América Latina[4] não deram origem a livros ou ensaios. A bibliografia compulsada ficou perdida na memória e em gavetas do fichário. Agora, seria impossível reproduzi-la aqui, no seu todo. Especialmente

---

[1] Para a presente edição, buscou-se atualizar a bibliografia, segundo o critério da disponibilidade atual das obras mencionadas pelo autor. Assim, sempre que se constatou a disponibilidade de edição brasileira de obra citada pelo autor em língua estrangeira, ou de nova edição de obra em língua portuguesa, essas informações foram acrescentadas, entre colchetes, ao final da referência original. (N. E.}

[2] Investigações não-concluídas: sobre a formação e a evolução do comércio externo de 1808 a 1940, assunto sobre o qual trabalhei intensamente em 1941; sobre a sociedade paulistana no século XVI, em colaboração com o professor Donald Pierson, iniciada e interrompida em 1946; sobre a aculturação de sírios e libaneses em São Paulo, na qual trabalhamos esporadicamente de 1944 a 1949, com a prestimosa assistência do professor Jamil Safady; sobre as conexões da urbanização com a formação e o desenvolvimento da sociedade de classes, cuja parte empírica ficou com o professor Paul Singer, na qual trabalhamos intensamente depois de 1962 e que interrompemos por motivos alheios à nossa vontade (aliás, este livro compendia, de um modo livre e ensaístico, as principais conclusões a que chegamos, através das leituras feitas).

[3] Especialmente o curso que projetamos para alunos de 3-4 anos e de especialização, sobre a formação e a evolução da sociedade brasileira, e do qual algumas unidades didáticas foram desenvolvidas em 1966.

[4] Em cursos de que o autor se encarregou na Universidade de Toronto, de 1969 a 1972.

as fontes primárias, os romances, contos ou pequenas novelas e uma vasta coleção de "contribuições menores" — que só são "menores" em um sentido relativo: com referência aos processos gerais de formação e evolução da sociedade de classes no Brasil — precisam ser omitidos.

Na presente seleção, demos preferência a dois tipos de autor ou de obras: 1º) que podem ter alguma relação direta ou indireta com pontos de vista e com ideias que perfilhamos; 2º) que podem ser muito úteis à crítica desses pontos de vista e dessas ideias. Deixamos de lado a construção de uma bibliografia exaustiva e reveladora por motivos óbvios. Mas, se deixamos de arrolar todas as fontes de nossa inspiração e de traçar, assim, os caminhos de nosso itinerário intelectual, achamos que, como ponto de partida, esta bibliografia constitui um excelente instrumento de trabalho.[5]

---

[5] Em 1941 elaboramos uma extensa bibliografia sobre a formação e o desenvolvimento da economia brasileira, do período colonial a 1940 (que não foi publicada). Nos estudos sobre os Tupinambá, o folclore paulistano, as relações raciais cm São Paulo ou a educação e nos livros de ensaios sobre o Brasil ou a América Latina, os leitores encontrarão grande parte da bibliografia utilizada. É bom lançar mão dessas referências, para completar esta bibliografia, e principalmente das bibliografias que constam: 1) de "Caracteres rurais e urbanos na formação e desenvolvimento de São Paulo" e "Aspectos do povoamento de São Paulo no século XVI" (em *Mudanças sociais no Brasil*); 2) de *Capitalismo dependente e classes sociais na América Latina* (esp. pp. 116-122, onde se encontram menções a obras fundamentais, que não puderam ser arroladas aqui); e 3) de *Sociedade de classes e subdesenvolvimento* (pp. 199-206 e, especialmente, 207-26 7, nas quais o leitor encontrará uma referência mais completa às contribuições que os vários campos das ciências sociais oferecem ao estudo de aspectos recentes da modernização no Brasil); 4) de *Comunidade e sociedade no Brasil (passim)*.

1) BIBLIOGRAFIA DE REFERÊNCIA

a) *Parte geral*

ABDEL-MALEK, Anouar (org.) — *Sociologie de l'impérialisme.* Paris, Editions Anthropos, 1971.
APTER, David — *The politics of modernisation.* Chicago e Londres, The University of Chicago Press, 1967.
AUSTEN, Ralph A. (org.) — *Modern imperialism. Western overseas expansion and its aftermath,* 1776-1965. Lexington, Massachusetts, D.C. Heath and Co., 1969.

BAGÚ, Sergio — *Tiempo, realidad social y conocimiento. Propuesta de interpretación.* México, Argentina e Espanha, Sigla Veintiuno Editores, 1970.
BARAN, Paul A. — *A economia política do desenvolvimento econômico,* trad. de S. Ferreira da Cunha. Rio de Janeiro, Zahar, 1960.
BARAN, Paul A. e SWEEZY, Paul M. — *Capitalismo monopolista. Ensaio sobre a ordem econômica e social americana,* trad. de Waltensir Dutra. Rio de Janeiro, Zahar, 1966.
BENDIX, Reinhard — *Nation building and citizenship. Studies of our changing world.* Garden City, Nova York, Doubleday Anchor, 1969 [*Construção nacional e cidadania,* São Paulo, Edusp, 1996].
BOTTOMORE, L. T. — *Classes in modern society.* Nova York, Vintage Books, 1966. - *Elites and society.* Penguin Books, 1966.
BUKHARIN, Nikolai — *El imperialismo y la economia mundial,* trad. de Luís F. Bustamante e José Arícó. Córdova, Cuadernos de Pasado y Presente, 1971.

DEUTSCHER, Isaac; MANDEL, Ernst; MILIBAND, Ralph; WEDDERBURN, Dorothy; McFARLANE, Bruce; ABDEL-MALEK, Anouar; MOHAN, Nitendra; CALDWELL, Malcolm; ALAVI, Hamza. — *Problemas e perspectivas do socialismo,* trad. de Marco Aurélio de Moura Mattos e Sérgio Santeiro. Rio de Janeiro, Zahar, 1969.
DOBB, Maurice — *Studies in the development of capitalism.* Routledge & Kegan Paul, 1950. Political economy and capitalism. Some essays in economic tradition. Londres, Routledge & Kegan Paul (cap. 7, sobre imperialismo).
DURKHEIM, Émile — *De la division du travail social.* Paris, Félix Alcan Editeur, 2ª ed., 1902 [Da divisão do trabalho social. São Paulo, Martins Fontes, 1999].

EMMANUEL, Arghiri; BETTELHEIM, Charles; AMIN, Samir e PALLOIX, Christian — *Imperialismo y comercio internacional (El intercambio desigual)*. Córdova, Cuadernos de Pasado y Presente, 1971.
ENGELS, Friedrich — *L'origine de la famille, de la propriété privée et de 1 'Etat*. Paris, Editions Sociales, 1954 [*A origem da família, da propriedade privada e do Estado*. São Paulo, Centauro, 2004]. — *Socialism* — Utopian and Scientific, trad. de Edward Aveling. Londres, George Allen & Unwin Ltd., 1950. — *The condition of the working-class in England in 1844*. With a preface written in 1892, trad. de Florence Kelly Wisclinewetzky. Londres, George Allen & Unwin Ltd., 1950.

FANN, K. T. e HODGES, Donald C. (orgs.) — *Readings in U. S. imperialism*. Boston, Massachusetts, Extending Horizons Book, 1971.
FERNANDES, Florestan — *Capitalismo dependente e classes sociais na América Latina*. Rio de Janeiro, Zahar, 1973 (caps. 1 e 3). — *Sociedade de classes e subdesenvolvimento*. Rio de Janeiro, Zahar, 2ª ed., 1972 (cap. 1).

GALBRAITH, John Kenneth — *O novo Estado industrial*, trad. de Alvaro Cabral. Rio de Janeiro, Civilização Brasileira, 1968.
GERSCHENKRON, Alexander — *Economic backwardness in historical perspective*. Cambridge, Massachusetts, Harvard University Press, 1962.
GONZÁLEZ CASANOVA, Pablo — *Sociologia de la explotación*. México, Siglo Veintiuno Editores, 1969.
GRAMSCI, Antonio — *Il risorgimento*. Turim, Giulio Einaudi Editore, 1949.

HELLER, Hermann. — *Teoria do Estado*, trad. de Lycurgo Gomes da Motta e revisão de João Mendes de Almeida. São Paulo, Mestre Jou, 1968.
HOBSBAWM, Eric J. — *Industry and empire* (vol. 3 de *The Pelican economic history of Britain*. From 1750 to the present day). Penguin Books, 1970.
HOBSON, John A. — *The evolution of modern capitalism. A study of machine production*. Londres, George Allen & Unwin Ltd., 1926.

LASKI, Harold J. — *The rise of european liberalism*. Londres, George Allen & Unwin, 1947.

BIBLIOGRAFIA SELECIONADA

LÊNIN, Vladimir Ilyich Ulianov — *Le développement du capitalisme en Russie. CEuvres*, vol. 3. Paris e Moscou, Editions Sociales e Editions du Progrès, 1969. — *Deux tactiques de la social-démocratie dans la révolution démocratique, CEuvres*, vol. 9, 1966. — *L'impérialisme, stade supréme du capitalisme. Essai de Vulgarisation, CEuvres*, vol. 22, 1960 [*O imperialismo - Fase superior do capitalismo.* São Paulo, Centauro, 2003]. — *L'Etat et la révolution. La doctrine marxiste de l'Etat, CEuvres*, vol. 25, 1970. — "Pour bien juger de la révolution Russe" (*CEuvres*, vol. 15, 1967, pp. 48-61); "Objectif de la lutte du proletariat dans notre révolution" (*CEuvres*, vol. 15, pp. 385- 406). — "Au sujet de certaines sources des desaccords idéologiques actuelles" (*CEuvres*, vol. 16, 1968, pp. 87-95); "De la structure sociale du pouvoir, des perspectives futures et du courant liquidateur" (*CEuvres*, vol. 17, 1968, pp. 141-162). — "Le reformisme dans la social-democratie russe" (vol. 17, pp. 231-244).

LUKÁCS, Georg. — *Histoire et conscience de classe. Essais de dialectique marxiste*, trad. de K. Axelos e J. Bois. Paris, Éditions de Minuit, 1960 [*História e consciência de classe.* São Paulo, Martins Fontes, 2003].

LUTTWAK, Edward — *Coup d'Etat. A Practical Handbook*. Pcnguin Books, 1969 [*Golpe de Estado.* São Paulo, Paz e Terra, 1991].

LUXEMBURGO, Rosa — *La acumulación de capital*, trad. de Raimundo Fernández O. México, Editorial Grijalbo, 1967.

MAGDOFF, Harry — *The age of imperialism. The economics of U. S. foreign policy.* Nova York e Londres, Modern Reader Paperbacks, 1969.

MANDEL, Ernest — *Marxist economic theory*, trad. inglesa de Brian Pearce. Nova York e Londres, Modem Reader, 1970 (2 vols.).

MANNHEIM, Karl — *Ideologia e utopia. Introdução à sociologia do conhecimento*, trad. de Emílio Willems. Porto Alegre, Globo, 1950. — *Libertad y planificación social*, trad. de Rubén Landa. México, Fondo de Cultura Económica, 1946.

MARCUSE, Herbert — *One dimensional man. Studies in the ideology of advaced industrial sociecty.* Londres, Routledge & Kegan Paul, 1974.

MARSHALL, T. H. — *Cidadania, classe social e status*, trad. de Meton Porto Gadelha. Rio de Janeiro, Zahar, 1967.

MARX, Karl — *El capital*, trad. do prof. Manuel Pedroso. México, Ediciones Frente Cultural, s.d. (5 vols.) [*O capital.* São Paulo, Civilização Brasileira, 1998 (vol. 1), 2000 (vol. 2)]. — *Contribuição à crítica da economia política*, trad. de Florestan Fernandes. São Paulo, Ed. Flama, 1946 [*Contribuição à crítica da economia política.* São Paulo, Martins Fontes, 2003]. — *Fondements de la critique de l'economie politíque*, trad. de Roger Dangeville. Paris, Anthropos, 1968 (2 vols.). — *As lutas de classes em França: 1848 a 1850*. Rio de Janeiro, Editorial Vitória, 1956. — *Le 18 brumaire de Lonis Bonaparte*. Paris, Edítions Sociales, 1945 [*O dezoito brumário de Louis Bonaparte*. São Paulo, Centauro, 2003]. — *La guerre civile en France*, 1871 (*La commune de Paris*). Paris, Éditions Socialcs, 1946.

MARX, Karl e ENGELS, Friedrich — *The german ideology*, trad. de S. Ryazanskaya. Moscou, Progress Publishers, 1964 [*A ideologia alemã*, São Paulo, Martins Fontes, 2002].

MILIBAND, Ralph — *O Estado na sociedade capitalista*, trad. de Fanny Tabak. Rio de Janeiro, Zahar, 1972.

MILLER, Norman e AYA, Roderick (orgs.) — *National liberation. Revolution in the third world*, com introdução de Eric Wolf. Nova York e Londres, The Free Press e Collier-Macmillan, 1971.

MOORE, Jr., Barrington — *Social origins of dictatorship and democracy. Lord and peasant in the making of the modern world*. Boston, Beacon Press, 1970.

MYRDAL, Gunnar — *An international economy. Problems and prospects*. Londres, Routledge & Kegan Paul, 1956. — *Asian drama. An inquiry into the poverty of nations*. Nova York, Pantheon, 1968 (3 vols.).

NEUMANN, Franz — *Estado democrático e Estado autoritário*, organização e prefácio de Herbert Marcuse, trad. de Luiz Corção. Rio de Janeiro. Zahar, 1969. — *Behemoth. Pensamiento y acción en el nacional-socialismo*, trad. de Vicente Herrero e Javier Marques. México, Fondo de Cultura Económica, 1943.

NOLTE, Ernst — *Three faces of fascism. Action française. Italian fascism. National socialism*, trad. de Leila Vcnnewitz. Nova York, Chicago e San Francisco, Holt, Reinehart and Winston, 1966.

OSSOWSKI, Stanislaw — *Estrutura de classes e consciência social*, trad. de Alfonso Blacheyre. Rio de Janeiro, Zahar, 1964.

POULANTZAS, Nicos — *Fascismo e ditadura. A terceira Internacional face ao fascismo*, trad. de João G. P. Quintela e M. Fernanda S. Granado. Porto, Portucalense Editora, 1972 (2 vols.) — *Poder político y clases sociales en el Estado capitalista*, trad. de Florentino M. Torner. México, Siglo Veintiuno Editores, 1969.

Premiere conférence internationale d'lústoire économique. Estocolmo, Mouton & Cie., 1960.

BIBLIOGRAFIA SELECIONADA

RHODES, Robert I. (org.) — *Imperialism and underdevelopment*. Nova York e Londres, Modem Reader, 1970.

ROMEO, Rosario. — *Risorgimento e capitalismo*. Bari, Editori Laterza, 1959. — *Il risorgimento in Sicilia*. Bari, Editori Laterza, 1950.

SCHUMPETER, Joseph — *Social classes, imperialism*, introdução de Bert Hoselitz, trad. de Heinz Norden. Nova York, Meridian Books, 1955.

SIMIAN, François — *Le salaire, l'evolution social et la monnaie*. Paris, Librairie Félix Alcan, 1932 (3 vols.).

SOMBART, Werner — *Il borghese. Contributo alia storia dello spirito dell'uomo economico moderno*, trad. de Henry Furst. Milão, Longanesi & Cia., 1950. — *El apogeo del capitalismo*, trad. de José Urbano Guerrero e Vicente Caridad. México, Fondo de Cultura Económica, 1946 (2 vols.). — "Capitalism" (*Encyclopaedia of social sciences*. Nova York, The Macmillan Co., 1942, vol. III; pp. 195-208).

TOURAINE, Alain — *La société post-industrielle*. Paris, Denoel, 1969 (pp. 7-37 e cap. 1).

TROTSKY, Leon — *Revolução e contra-revolução na Alemanha*, prefácio de Mario de Janeiro Pedrosa. São Paulo, Gráfico-Editora Unitas, 1933.

WEBER, Max — *Economia y sociedad*, trad. de José Medina Echavarría, Juan Roura Parella, Eduardo Garcia Maynez, Eugenio Imaz e José Ferrater Moura. México, Fondo de Cultura Económica, 1944 (4 vols.) [*Economia e sociedade*, Brasília, UnB, 1994 (v. 1), 1999 (v. 2)]. *Historia económica general*, trad. de Manuel Sánchez Sarto. México, Fondo de Cultura Económica, 1942. — *The protestant ethic and the spirit of capitalism*, trad. de Talcott Parsons, com introdução de R. H. Tawncy. Londres, George Allen & Unwin, 1948 [*A ética protestante e o espírito do capitalismo*, trad. de José Marcos Mariani, São Paulo, Companhia das letras, 2004].

WILLIAMS, Eric — *Capitalism and slavery*. Nova York, Capricom Books, 1966.

WRIGHT-MILLS, C. — *The power elite*. Nova York, Oxford University Press, 1959.

WORSLEY, Peter — *The Third World*. Londres, Weidenfeld and Nicolson, 1964.

ZEITLIN, Maurice (org.) — *American Society, Inc.* Studies of the social structures and political economy of the United States. Chicago, Markham Publishing Co., 1970.

b) *Parte sobre a América Latina*

ABELARDO RAMOS, Jorge — *Historia de la nación latinoamericana.* Buenos Aires, A. Pena Lulo, 1968.
ADAMS, Richard N. — *The second sowing. Power and secondary delopment in Latin America.* San Francisco, Califórnia, Chandler Publishing Co., 1967.
ADAMS, Richard N.; GILLIN, John P.; HOLMBERG, Allan R. LEWIS, Oscar; PATCH, Richard W.; WAGLEY, Charles — *Social change in Latin America today. Its implications for United States policy.* Nova York, Vintage Books, 1961.

Banco Interamericano de Desarrollo, *La participación de Europa en el financiamento de desarrollo de América Latina.* BID, s.d.
BERNSTEIN, Marvin D. (organização e introdução) — *Foreign investmenl in Latin Anwtíca. Cases and Attitudes.* Nova York, A. Knopf, 5ª ed., 1966.
BIANCHI, Andres; PREBISCH, Raúl; CASTRO Antonio B. de; FURTADO, Celso; PINTO, Anibal; TAVARES, Maria Conceição; SUNKEL, Osvaldo — *América Latina. Ensayos de interpretación económica.* Santiago, Editorial Universitária, 1969.
BOORSTEIN, Edward – *The economic transformation of Cuba.* Nova York e Londres, Modem Reader Paperbakes, 1969.
BRANDENBURG, Frank R. — *The making of modem Mexico*, introdução de Frank Tannenbaum. Englewood Cliffs, N. L, Prentice-Hall, lnc., 1964.
BRAVO JIMÉNEZ, Manuel, e outros — *El perfil de México en 1980*, vol. 2. México, Siglo Veintiuno Editores, 2ª ed., 1971.

CABEZAS DE G., Betty — *América Latina una y múltipla.* Santiago, DESAL, 1968.
CALDERÓN RODRIGUEZ, José Maria — *Génesis del presidencialismo en México.* México, Universidad Nacional Autónoma de México, 1970 (ed. mimeog.).
CARDOSO, Fernando Henrique — *Mudanças sociais na América Latina.* São Paulo, Difusão Européia do Livro, 1969.
CARDOSO, Fernando Henrique e FALETTO, Enzo — *Desenvolvimento e dependência na América Latina.* Ensaio de interpretação sociológica. Rio de Janeiro, Zahar, 1970 [Rio de Janeiro, Civilização Brasileira, 2004]. — *Industrialización, estructura ocupacional y estratificación social en América Latina.* Santiago, Cepal, 1966.

CARDOSO, Fernando Henrique e WEFFORT, Francisco C. (orgs.) — *América Latina: ensayos de interpretación sociológico-política*. Santiago, Editorial Universitária, 1970.

CARMONA, Fernando; MONTANO, Guillermo; CARRIÓN, Jorge; AGUILLAR M., Alonso — *El milagro mexicano*. México, Editorial Nuestro Tiempo, 1970.

CASE, Robert P. — "El entrenamiento de los militares latinoamericanos en los Estados Unidos", *Aportes*, n° 6, outubro de 1967, pp. 44-56.

CECEÑA, José Luís — *México en la orbita imperial*. México, Ediciones "El Caballito", 1970.

Centro para el Desarrollo Económico y Social de América Latina — *América Latina y desarrollo social*. Santiago, DESAL, 1965 (2 vols.).

Center for Inter-American Relations — *Conference on the western hemisfere*. Issues for the 1970's, prefácio de Doris Howe. Nova York, 1971.

Centro Latino-Americano de Pesquisas em Ciências Sociais (Nações Unidas) — *Situação social da América Latina*. Rio de Janeiro, 1965.

CEPAL — *El proceso de Industrialización en América Latina*. Nova York, United Nations, 1965. — *External financing in Latin America*. Nova York, United Nations, 1965. — *El segundo decenio de las Naciones Unidas para el desarrollo. El cambio social y la política de desarrollo*. Santiago, Naciones Unidas, 1969. — "La distribución de ingreso en América Latina", *Boletín económico de América Latina*, XII-2, 1967, pp. 152-175.

CLINE, Howard F. — *Mexico. Revolution to evolution: 1940-1960*. Nova York, Oxford University 1963.

COCROFT, James D.; JOHNSON, Dale L.; FRANK, Andre Gunder. — *Economia política del subdesarrollo en América Latina*. Buenos Aires, Ediciones Signos, 1970 (trabalhos de Cocroft e Johnson, traduzidos por Luis Eteheverry).

O'CONNOR, James — *The origins of socialism in Cuba*. Ithaca e Londres, Cornell University Press, 1970.

CÓRDOVA, A. — *América Latina integración económica para el desarrollo o subdesarrollo integrado?* Rheda, Universidade de Rheda, 1970 (ed. mimeog.).

CÓRDOVA, Arnaldo — *La ideologia de la revolución mexicana. Formación del nuevo réginum*. México, Ediciones Era, 1973. — *La formación del poder político en México*. México, Ediciones Era, 1972.

DEBRAY, Regis — *Revolution in the revolution? Anned struggle and political struggle in Latin America*. Nova York, Grove Press, Inc., 1967.
— *The Chilean revolution. Conversations with Allende*, com um pós-escrito de Salvador Allende, trad. de Ben Brewster, Jeão Franco e Alison MacEwan. Nova York, Vintage Books, 1971.
DELGADO, Carlos — *A revolução peruana*, trad. de Miguel Urbano Rodrigues, Rio de Janeiro, Civilização Brasileira, 1974.
DE VRIES, Egbert e ECHAVARRÍA, José Medina — *Aspectos sociales del desarrollo económico en América Latina*. Paris, Unesco, 1962 (2 vols.).
DIX, Robert H. — *Colombia: The political dimensions of change*. New Haven e Londres, Yale University Press, 1967.

FALS BORDA, Orlando — *La subversión en Colombia. El cambio social en la historia*. Bogotá, Departamento de Sociologia, Facultad de Ciencias Humanas, Universidad Nacional e Ediciones Tercer Mundo, 1967.
FAYT, Carlos S. — *La naturaleza del peronismo*. Buenos Aires, Viracocha Editores-Libreros, 1967.
FERNANDES, Florestan — *Capitalismo dependente e classes sociais na América Latina (op. cit., cap. II)*. — 'The meaning of military dictatorship in present day Latin America" e "Authoritarian regimes and the política roles of the intellectual in Latín America", *in* F. Fernandes, *The Latin American in residence lectures*. Toronto, University of Toronto, 1969-1970, pp. 24-63.
FRANK, Andre Gunder — *Lumpen-burguesia: Lumpen-desenvolvimento*, trad. de José Gomos. Porto, Portucalense Editora, 1971. — *LatinAmerica: underdevelopment or revolution*. Nova York e Londres, Modem Reader, 1969. — *Capitalism and underdevelopment in Latin America*, 2ª ed. Nova York e Londres, Modern Reader, 1969. "The underdevelopment policy of the United Nations in Latin America", Nacla Newsletter, 111-8, dezembro de 1969, pp. 1-9.
FUENTES, Carlos e outros — *Whiter Latin America?* Nova York, Monthly Review Press, 1963.
FURTADO, Celso — *Formação econômica da América Latina*. Rio de Janeiro, Lia Editora, 2ª ed., 1970. — *Subdesenvolvimento e estagnação na América Latina*. Rio de Janeiro, Civilização Brasileira, 2ª ed., 1968. "A hegemonia dos Estados Unidos e o futuro da América Latina". Rio de Janeiro, Associação Brasileira de Independência e Desenvolvimento, 1966.

BIBLIOGRAFIA SELECIONADA

GARCÍA, Antonio — *La estructura del atraso en América Latina*. Buenos Aires, Editorial Pleamar, 1969.
GERASSI, John — *A invasão da América Latina*, trad. de Waltensir Dutra. Rio de Janeiro, Civilização Brasileira, 1965.
GERMANI, Gino — *Sociologia de la modernización*. Buenos Aires, Editorial Paidós, 1969. — *Política y sociedad en una epoca de transición*. Buenos Aires, Editorial Paidós, 1966. — *Política e massa*, trad. de João Cláudio Dantas Campos. Belo Horizonte, edição da *Revista Brasileira de Estudos Políticos*, 1960.
GILLY, Adolfo — *La revolución interrumpida*, México, 1910-1920: una guerra campesina por la tierra y el poder. México, Ediciones "El Caballito", 1971.
GONZÁLEZ CASANOVA, Pablo — *La democracia en México*. México, 2ª ed., Ediciones Era, 1967. — "Las reformas de estructura en la América Latina (Su lógica dentro de la economia de mercado", separata de *El Trimestre Económico*, XXXVIII-150, abril-junho de 1971. — "Sociedad plural, colonialismo interno y desarrollo", *América Latina*. 6-3, julho-setembro de 1963, pp. 15-32. "México: el ciclo de una revolución, separata de *Cuadernos Americanos*, janeiro-fevereiro de 1962.
GONZÁLEZ SALAZAR, Gloria — *Subocupación y estructura de clases sociales en México*. México, Facultad de Ciencias Políticas y Sociales, 1972.
GRABENER, Jürgen (org.) — *Klassengesellschaft und Rassismus. Zur Marginalisierung der Afroamerikaner in Lateinamerika*. Düsseldorf, Bertelsman Universitatsverlag, 1971.
GUEVARA, Che — *Selected works of Ernesto Guevara*, organização e introdução de Rolando E. Bonachea e Nelson P. Valdes. — Cambridge, Massachusetts, MIT Press, 1970. *Guerrilla warfare*, Penguin Books, 1969.
GUZMÁN CAMPOS, German; FALS BORDA, Orlando; UMAÑA LUNA, Eduardo — *La violencia en Colombia. Estudio de un proceso social*. Bogotá, Facultad de Sociologia, Universidad Nacional, 1962 (1 ° vol.) e Ediciones Tercer Mundo, 1964 (2° vol.)
HALPERIN DONGHI, Tulio — *Historia contemporánea de América Latina*. Madrí, Alíanza Editorial, 1969 (*História da América Latina*, Rio de Janeiro, Paz e Terra, 1975].
HARRIS, Marvin — *Patterns of race in the Americas*. Nova York, Walker and Co. 1964.
HAUSER, Philip M. — *L'urbanisation en Amérique Latine*, Paris, Unesco, 1962.
HIRSCHMAN, Albert O. — *Política econômica na América Latina*, trad. de Carlos Werneck de Aguiar e Jorge Arnaldo Fortes. Rio de Janeiro, Fundo de Cultura, 1965.

HOETINK, H. — *Caribean race relations. A study of two variants*, trad. de Eva M. Hooykaas. Londres, Oxford e Nova York, Oxford University Press, 1967.
HOROWITZ, Irving L. — *Urban politics in Latin America*. Louisiana, Washington University, 1965.
HOROWITZ, Irving L.; CASTRO, Josué de; GERASSI, John (orgs., com uma introdução de Horowitz, pp. 3-28) — *Latin American radicalism*. Nova York, Vintage Books, 1969.

IANNI, Octavio — *A formação do Estado populista na América Latina* (Ms., 1974) [Rio de Janeiro, Civilização Brasileira, s.d.] — *Imperialismo na América Latina*. Rio de Janeiro, Civilização Brasileira, 1974. — *Sociologia da sociologia latino-americana*. Rio de Janeiro, Civilização Brasileira, 1971. — *Imperialismo y cultura de la violencia en América Latina*. México, Siglo Veintiuno Editores, 1970.
IBARRA, David; NAVARRETE, Ifigenia M. de; SOUS M., Leopoldo; URQUIDI, Víctor L. — *El perfil de México en 1980*, vol. 1. México, Siglo Veintiuno Editores, 1970.
Instituto Latinoamericano de Planificación Económica y Social — *La brecha comercial y la integración latinoamericana*. México, Siglo Veintiuno Editores, 1967.

JOHNSON, John J. — *Political change in Latin America: The emergence of the middle sectors*. Stanford, Califórnia, Stanford University Press, 1958. — *The military and society in Latin America*. Stanford, Califórnia, Stanford University Press, 1964.
JOHNSON, Kenneth F. — *Mexican democracy: A critical view*. Boston, Allyn and Bacon, Inc., 1971.

KAPLAN, Marcos — "El Estado empresario de Janeiro en la Argentina", *Aportes*, n° 10, outubro de 1968, pp. 33-69.
KHAL, Joseph A. — *The measurement of modernism. A study of values in Brazil and Mexico*. Austin e Londres, The University of Texas Press, 1968.
KHAL, Joseph A. (org.) — *La industrialización en América Latina*, prefácio de Pablo González Casanova, México e Buenos Aires, Fondo de Cultura Económica, 1965.

LAMBERT, Jacques — *América Latina. Estruturas sociais e instituições políticas*, trad. de Lolio Lourenço de Oliveira. São Paulo, Cia. Editora Nacional e Universidade de São Paulo, 2ª ed., 1967.

LÉON, Pierre — *Economies et sociétés de l'Amérique Latina*. Essai sur les problémes du développement à I' epoque contemporaine, 1815-1967. Paris, Société d'Edition d'Enseignement Superieur, 1969.

LIEUWEN, Edwin — *U.S. policy in Latin America*. A short history. Nova York, Washington e Londres, Praeger Pubilshers, 1965. — *Generals vs. presidents*. Nova York, Frederick A. Praeger, seg. imp., 1965.

LIEUWEN, Edwín; ALBA, Victor; PYE, Lucian W — *Militarismo e política na América Latina*, trad. de Waltensir Dutra. Rio de Janeiro, Zahar, 1964.

LIPSET, Seymour Martin e SOLAR!, Aldo E. (orgs.). — *Elites in Latin America*. Nova York, Oxford University Press, 1967.

MARÍATEGUI José Carlos — *7 ensayos de interpretación de la realidad peruana*. Lima, Empresa Editora Arnauta, 1972 [*Sete ensaios de interpretação da realidade peruana*, São Paulo, Alfa-Ômega, 2004].

MARINI, Rui Mauro — "La pequena burguesia y el problema dei poder: el caso chileno", *Pasado y Presente*, n° 1 Ano IV, abril-junho de 1973, pp. 65-86.

MARTZ, John D. — *The dynamics of change in Latin American politics*. Englewood Cliffs, N. J., Prentice-Hall, Inc., 1965.

MORNER, Magnus — *Race mixture in the history of Latin America*. Boston, Little, Brown and Co., 1967.

MORNER, Magnus (org.) — *Race and class in Latin America*. Nova York e Londres, Columbia University Press, 1970.

MORSE, Richard M. — "The heritage of Latin America", *in* Louis Hart (org.), *The founding of New societies*. Studies in the history of the United States, Latin America, South Africa and Australia, Nova York, Harcourt, Brace & World, lnc., 1964 (pp. 123-177). — "Recent research on Latin American urbanization: a selective survey with commentary", separata de *Latin American Research Review* (1-1, 1965, pp. 35-74). — "A prolegomenon to Latin American urban histort", separata de *The hispanic american urban history* (LII-3, agosto de 1972, pp. 359-394).

MURMIS, Miguel e PORTANTIERO, Juan Carlos — *Estudos sobre as origens do peronismo*, trad. de J. A. Guilhon Albuquerque. São Paulo, Brasiliense, 1973.

NUN, José — *América Latina: la crisis hegemónica y el golpe militar*, separata de *Desarrollo Económico* (6-22 e 23, 1966, pp. 355-415).

NUN, José (org.) — *La marginalidad en América Latina*, número especial da *Revista Latinoamericana de Sociologia* (v-2, 1969).

NYSTRON, J. Warren e HAVERSTOCK, Nathan A. — *The alliance for progress. Key to Latin America's development*. Princeton, Nova Jersey, D. Van Nostrand Co., 1966.

PIERRE-CHARLES, Gerard — *Dependencia estructural y modelas de desarrollo en el Caribe*, Conferencia sobre las Estrategias dei Desarrollo Africa versus América Latina, Dakar, 4 ai 18 Septiembrc 1972, ed. mimeog. — *Crisis de la sociedad latinoamericana dependiente y nuevas formas de la dominación política*, IX Congreso Latinoamericano de Sociologia, México, 1969, ed. mimeog.

PINTO SANTACRUZ, Aníbal — *Distribuição de Renda na América Latina*. Rio de Janeiro, Zahar, 1973. — *Chile. Un caso de desarrollo frustrado*. Santiago, Editorial Universitaria, 1959. "Diagnósticos, estructura y esquema de desarrollo en América Latina", *Boletín ELAS*, n° 5, Ano 3, junho de 1970, pp. 77-108.

PORTANTIERO, Juan Carlos — "Clases dominantes y crisis politica en la Argentina actual", *Pasado y Presente*, 1-IV, abril-junho de 1973, pp. 31-64.

PREBISCH, Raúl — *Hacia una dinâmica del Desarrollo Latinoamericano*. Mar del Plata, Argentina, Cepal, 1963.

PETRAS, James — *Politics and social forces in chilean development*. Berkeley, Los Angeles e Londres, University of California Press, 1970.

PETRAS, James e ZEITLIN, Maurice {orgs.) — *Latin America: reform or revolution?* Nova York, Fawcett Publications, 1968.

RANGEL CONTLA, José Calisto — *La pequena burguesia en la sociedad mexicana, 1895 a 1960*. México, Universidad Nacional Autónoma de México, 1972.

RANIS, Peter — *Five Latin American nations. A comparative political study*. Nova York, The Macmillan Co., 1971.

RIBEIRO, Darcy — *El dilema de América Latina* {estructuras de poder y fuerzas insurgentes). México, Sigla Veintiuno Editores, 1971. — *As Américas e a civilização. Processo de formação e causas do desenvolvimento desigual dos povos americanos*. Rio de Janeiro, Civilização Brasileira, 1970.

RIVAROLA, Domingo M. e HEISECKE, G. (orgs.) — *Población, urbanización y recursos humanos en el Paraguay*. Assunção, Centro Paraguayo de Estudios Sociológicos, 1969.

RODRIGUES, Miguel Urbano — *Opções da revolução na América Latina*. Rio de Janeiro, Paz e Terra, 1968.

SANTOS, Theotonio dos — *Dependencia y cambio social*. Santiago, Centro de Estudios Socio-Económicos, Universidad de Chile, 1970. — *Socialismo o fascismo, dilema latinoamericano*. Santiago, Ediciones Prensa Latinoamericana, 1969. — *El nuevo carácter de la dependencia*, Santiago, Universidad de Chile, 1968.

SAXE-FERNÁNDEZ, John — "Ciencia social y contrarevolución preventiva en Latinoamérica", *Aportes*, n$^{\underline{o}}$ 26, outubro de 1972, pp. 97-135.

SCOTT, Robert E. — *Mexican government in transition*. Urbana, University of Illinois Press, ed. rev., 1964. — *Mexico: the established revolution*, separata de Lucian W. Pye e Sidney Verba (orgs.), *Political culture and political development*. Princeton, Nova Jersey, Princeton University Press, 1965.

SIGMUND, Paul E. (org.) — *Models of political change in Latin America*. Nova York, Washington e Londres, Praeger Publishers, 1970.

SILVERT, Kalman H. — *The conflict society: reaction and revolution in Latin America*. New Orleans, The Hauser Press, 1961.

SILVERT, Kalman H. (org.) — *Expectant peoples. Nationalism and development*. Nova York, Random House, 1963 (capítulos 3, 7 e 10).

Sociologie du Travail, número especial (4/61, outubro-dezembro), sobre "Ouviers et syndicats d'Amérique Latine".

STAVENHAGEN, Rodolfo — *Essai comporatif sur les classes sociales rurales et la stratitication des quelques pays sous-développés*. Paris, Ecole Pratique dos Hautes Etudes, 1964. — "Social aspects of agrarian structure in Mexico" (*in* R. Stavenhagen, org., *Agrarian problems and peasant movements in Latin America*. Gardeu City, Nova York, 1970, pp. 225-270).

STEGER, Hanns-Albert (org.) — *Die Aktuelle Situation Lateinamerikas*. Frankfurt, Athenaum Verlag, 1971.

STEIN, Stanley J. e STEIN, Barbara H. — *The colonial heritage of Latin America*. Essays on economic dependence in perspective. Nova York, Oxford University Press, 1970 [*A herança colonial da América Latina*, Rio de Janeiro, Paz e Terra, 1977].

DI TEU.A, Torcuato S. — *The political process in Latin Americeu* (ed. mimeog., s.d.). — *El sistema político argentino y la clase obrera*. Buenos Aires, Eudeba, 1964.

DI TELLA, Torcuato S.; GERMANI, Gino; GRACIARENA, Jorge (orgs.) — *Argentina, sociedad de mesas*. Buenos Aires, Eudeba, 1965.

TORRE, Haya de la — *El antiimperialismo y el APRA*. Lima, Editorial--Imprenta Amauta, 3ª, ed., 1970.
TOURAINE, Alain — "Mobilidade social, relações de classe e nacionalismo na América Latina", *Difusão*, São Paulo, nº 4, 1971, pp. 14-26.

União Pan-Americana — *Materiales para el estudio de la clase media en América Latina*. Washington, D.C., 1950-1951 (6 vols.).
URQUIDI, Victor — *Viabilidad económica de América Latina*. México, Fondo de Cultura Económica, 1962.

VALENCIA, Enrique — *Notas para una sociologia de la guernlla*. México, Noveno Congreso Latinoamericano de Sociologia, 1969 (ed. mimeog.).
VEKEMANS, Roger; FUENZALIDA, Ismael Silva e outros — *Marginalidad en América Latina*. Santiago, DESAL-Herder, 1968.
VELIZ Claudio (org.) — *The politics of conformity in Latin America*. Londres, Oxford e Nova York, Oxford University Press, 1967. — *Obstacles to Change in Latin America*. Nova York, Oxford University Press, 1965.

WAGLEY, Charles — *The Latin American tradition*. Nova York e Londres, Columbia University Press, 1968.
WOLF, Marshall — *Las clases medias en Centro América: características que presentan en la actualidad y requisitos para su desarrollo*. Santiago, Cepal, 1960. — *Recent changes in urban and rural settlement patterns in Latin America. Some implications for social organization and development*. Santiago, Cepal, 1966.

2) BIBLIOGRAFIA SOBRE O BRASIL.

ADALBERTO OF PRUSSIA, Prince — *Travels in the South Europe and Brazil, with a voyage up the Amazon, and its tributary Xingu, now first explored*, trad. de R. H. Schomburg e J. E. Taylor, com introdução do Barão von Humboldt. Londres, David Bague, Publisher, 1849 (2 vols.).
AGASSIZ, Luiz e AGASSIZ, Elizabeth Cary — *Viagem ao Brasil, 1865-1866*, trad. e notas de Edgard Sussekind de Mendonça. São Paulo, Cia. Editora Nacional, 1938 [Belo Horizonte, Itatiaia, s.d.].
ALMEIDA, Aluísio de — *A revolução liberal de 1842*, prefácio de Carlos da Silveira. Rio de Janeiro, José Olympio, 1944.

BIBLIOGRAFIA SELECIONADA

ALMEIDA PRADO, J. F. — *D. João VI e o início da classe dirigente no Brasil (Depoimento de um pintor austríaco no Rio de Janeiro de Janeiro)*. São Paulo, Cia. Editora Nacional, 1968 (2ª ed. do livro sobre Tomas Ender).

AMARAL, AZEVEDO — *O Estado autoritário de Janeiro e a realidade nacional*. Rio de Janeiro, José Olympio, 1938.

AMARAL, Breno Ferraz do — *José Bonifácio*. São Paulo, Martins, 1968.

AMARAL, Luís — *História geral da agricultura brasileira no tríplice aspecto político, social e econômico*. São Paulo, Cia. Editora Nacional, 1940 (3 vols.).

AMARAL LAPA, José Roberto do — *A Bahia e a carreira da Índia*. São Paulo, Cia. Editora Nacional e Editora da Universidade de São Paulo, 1968 [São Paulo, Hucitec, 2000].

AMORA, Paulo — *Bernardes*. O estadista de Minas na República. São Paulo, Cia. Editora Nacional, 1964.

AMOROSO LIMA, Alceu — *Revolução, reação ou reforma?* Rio de Janeiro, Tempo Brasileiro, 1964.

ANDRADA E SILVA, José Bonifácio de — *Representação à Assembléia Geral Constituinte e Legislativa do Brasil sobre a escravatura*. Paris, Tipografia de Firmin Didot, 1825.

ANDRADE, Almir de — *Contribuição à história da administração do Brasil*. Rio de Janeiro, José Olympio, 1950. — *Força, Cultura e Liberdade*. Origens históricas e tendências atuais da evolução política do Brasil. Rio de Janeiro, José Olympio, 1940.

ANDRADE, Manoel Correa de — *A terra e o homem no Nordeste*. São Paulo, Brasiliense, 1963.

ANDREONI, João Antônio (André João Antonil) — *Cultura e opulência do Brasil*, introdução e vocabulário de Alice P. Canabrava. São Paulo, Cia. Editora Naulonal, 1967.

ARAÚJO FILHO, J. R. de — *O café, riqueza paulista, separata do Boletim Paulista de Geografia*, n° 23, 1956.

ARMITAGE, John — *História do Brasil*, desde o período da chegada da família real de Bragança em 1808 até a abdicação de D. Pedro I em 1831, anotações de Eugênio Egas e Garcia Jr. Rio de Janeiro. Zélio Valverde, 3& ed., 1934.

ARRAIS, Miguel — *Palavras de Arrais*, textos publicados com depoimentos de Antônio Callado, Márcio Moreira Alves, Mário de Janeiro Martins e Tristão de Ataíde. Rio de Janeiro, Civilização Brasileira, 1965.

ARRAIS, Monte — *O Estado Novo e suas diretrizes*. Estudos Políticos e Constitucionais. Rio de Janeiro, José Olympio, 1938.

ARRUDA, José Jobson de Andrade — *O Brasil no comércio colonial (1796-1808)*, Contribuição ao estudo quantitativo da economia colonial. São Paulo, Departamento de História, Faculdade de Filosofia, Letras e Ciências Humanas da Universidade de São Paulo, 1972 (ed. mimeog.).

AZEREDO COUTINHO, J. J. da Cunha — *Obras econômicas de ...* (1794-1804). Apresentação de Sérgio Buarque de Holanda. São Paulo, Cia. Editora Nacional, 1966.

AZEVEDO, Aroldo de (org.) — *A cidade de São Paulo*. São Paulo, Cia. Editora Nacional, 1958 (4 vols.). — *Brasil*. São Paulo, Cia. Editora Nacional, 1964 e 1970 (publicados: 2 vols.).

AZEVEDO, Fernando de — *A cultura brasileira*. São Paulo, Cia. Editora Nacional, 2ª ed., 1944 [Brasília, UnB, 1997]. — *A educação e seus problemas*. São Paulo, Melhoramentos, 3ª ed., 1953. — *Canaviais e engenhos na vida política do Brasil*. Rio de Janeiro, Instituto do Açúcar e do Álcool, 1948. — *Um trem corre para o oeste*. São Paulo, Martins, 1950.

AZEVEDO, J. Lúcio de — *Épocas de Portugal econômico*. Esboços de História. Lisboa, Liv. Clássica, 2ª ed., 1942.

AZEVEDO, Dr. Luiz Correia de — "Da cultura do café", *in* Francisco Peixoto de Lacerda Werneck (ver adiante), pp. 220-317.

AZEVEDO, Thales — *Les elites de couleur dans une ville brésilienne*. Paris, Unesco, 1953.

AZEVEDO MARQUES, Manoel Eufrazio de — *Apontamentos históricos, geográficos, biográficos, estatísticos e noticiosos da Província de São Paulo*, Seguidos da cronologia dos acontecimentos mais notáveis desde a fundação da Capitania de São Vicente até o ano de 1876. — Rio de Janeiro, Tipografia Universal de Eduard & Henrique Laemmert, 1979 (2 vols.) [*Província de São Paulo*, Belo Horizonte, Itatiaia, s.d.].

BAER, Werner — *Industrialization and economic development in Brazil*. Homewood, Illinois, Richard D. Irwin, Inc., 1965. — *Siderurgia e desenvolvimento brasileiro*, trad. de Wando Pereira Borges. Rio de Janeiro, Zahar, 1970. — "A inflação e a eficiência econômica no Brasil", *Revista Brasileira de Ciências Sociais*, 11-1, 1963, pp. 178-194.

BAER, Werner, e VILLELA, Annibal — "Crescimento industrial e industrialização: revisões nos do desenvolvimento econômico do Brasil", *Dados*, 9, 1972, pp. 114-134.

BIBLIOGRAFIA SELECIONADA

BAILÃO, Jamil Munhoz — "As possibilidades industriais do Brasil", *O Estado de S. Paulo*, números de 10 e 15 de setembro de 1961.

BALAN, Jorge — "Migração e desenvolvimento capitalista no Brasil: ensaio de interpretação histórico-comparativa", em *Estudos Cebrap*, nº 5, 1973, pp. 5-79.

BANDECCHI, Brasil — "O município no Brasil e sua função política", *Revista de História*, nº 90, 92, 93, 1972-1973.

BANDEIRA, Moniz — *Presença dos Estados Unidos no Brasil. Dois séculos de história*. Rio de Janeiro, Civilização Brasileira, 1973.

BANDEIRA JÚNIOR, Antônio Francisco — *A industrialização no Estado de São Paulo em 1901*. São Paulo, Tipografia do Diário de Janeiro Oficial, 1901.

BANDEIRA DE MELLO, Affonso de Toledo — *Política comercial do Brasil*. Rio de Janeiro, Tipografia do Departamento Nacional de Estatística, 1933. — *O trabalho servil no Brasil*. Rio de Janeiro, Departamento de Estatística e Publicidade do Ministério de Janeiro do Trabalho, Indústria e Comércio, 1936.

BARBOSA, Francisco de Assis — *Juscelino Kubitschek. Uma revisão na política brasileira*. Rio de Janeiro, José Olympio, 1960.

BARBOSA, Rui — *Obras Completas de...* (vol. XI, 1884, tomo 1). *Discursos parlamentares*. Emancipação dos escravos, prefácio de Astrojildo Pereira. Rio de Janeiro, Ministério de Janeiro de Educação e Saúde, 1945.

BARROS, Gilberto Leite de — *A cidade e o planalto*. Processo de dominância da cidade de São Paulo. São Paulo, Martins, 1967 (2 vols.).

BARROS, Maria Paes de — *No tempo de dantes*, prefácio de Monteiro Lobato. São Paulo, Brasiliense, 1946 [São Paulo, Paz e Terra, 1998].

BASBAUM, Leôncio — *História sincera da República*. São Paulo, 1º e 2º vols., Edições LB, 2ª ed., 1962; 3º vol., Ed. Edaglit-Edições LB,1962 [São Paulo, Alfa-Ômega, 1986].

BASTANI, Tanus Jorge — *Memórias de um mascate. O soldado errante da civilização*. Rio de Janeiro, F. Briguiet & Cia., 1949. — *O Líbano e os libaneses no Brasil*. Rio de Janeiro, Estabelecimento de Artes Gráficas C. Mendes Júnior, 1945.

BASTIDE, Roger — *Les religions africaines au Brésil*. Vers une sociologie des interpénétrations des civilisations. Paris, Presses Universitaires de France, 1960. — *Brésil, terre des contrastes*. Paris, Hachette, 1957.

BASTIDE, Roger e FERNANDES, Florestan — *Brancos e negros em São Paulo*. Ensaio sociológico sobre aspectos da formação, manifestações atuais e efeitos do preconceito de cor na sociedade paulistana. São Paulo, Cia. Editora Nacional, 3ªed.,1971.

BASTOS, Aureliano Cândido Tavares — *Cartas do solitário.* São Paulo, Cia. Editora Nacional, 3ª ed., 1938. — *A Província: estudo sobre a descentralização no Brasil.* São Paulo, Cia. Editora Nacional, 2ª ed., 1937.

BASTOS, Humberto — *A economia brasileira e o mundo moderno.* São Paulo, Martins, 1949. — *A marcha do capitalismo no Brasil.* São Paulo, Martins, 1944.

BATISTA FILHO, Olavo; FERREIRA LIMA, Heitor; MARTINS RODRIGUES, Jorge; Oi PIERRO, Mano; IANNI, Constantino — *Capítulos da história da indústria no Brasil.* São Paulo, Forum Roberto Simonsen, 1959.

BAZZANELLA, Waldemiro — "Industrialização e urbanização no Brasil", *América Latina,* 6-1, 1963, pp. 3-28.

BEIGUELMAN, Paula — *A formação do povo no complexo cafeeiro: aspectos políticos.* São Paulo, Faculdade de Filosofia, Ciências e Letras da Universidade de São Paulo, 1968. — *Formação política do Brasil.* São Paulo, Pioneira, 1967 (2 vols.). — *Pequenos estudos de ciência política.* São Paulo, Ed. Centro Universitário, 1967.

BELLO, José Maria — *História da República (1889-1954).* São Paulo, Cia. Editora Nacional, 5ª ed., 1964.

BENNETT, Frank — *Forty years in Brazil.* Londres, Mills & Brown, 1814.

BERGSMAN, Joel — *Brazil. Industrialization and trade policies.* Londres e Nova York, Oxford University Press, 1970.

BERLINCK, Manoel Tosta — *Algumas percepções sobre a mudança de papel ocupacional da mulher na cidade de São Paulo.* São Paulo, Escola de Sociologia e Política, 1964 (ed. mimeog.).

BERLINCK, Manoel Tosta e HOGAN, Daniel J. — *Migração interna e adaptação na cidade de São Paulo: uma análise preliminar* (Ms., s.d.).

BERNARDES, Nilo — "Características gerais da agricultura brasileira em meados do século xx", *Revista Brasileira de Geografia e Estatística,* XXIII-2, 1961, pp. 363-419.

BESOUCHET, Lídia — *Mauá e seu tempo.* São Paulo, Anchieta, 1942.

BETHELL, Leslie — *The abolition of the Brazilian slave trade questions, 1807- 1869.* Cambridge, At the University Press, 1970.

BEYER, Gustavo — *Ligeiras notas de viagem, separata da Revista do Instituto histórica e geográfico de São Paulo,* vol. XII, 1907. São Paulo, Tipografia do Diário Oficial, 1908.

BIARD, Auguste François — *Dois anos no Brasil,* trad. de Mário Sette. São Paulo, Cia. Editora Nacional, 1945.

BIBLIOGRAFIA SELECIONADA

BINZER, Ina von — *Alegrias e tristezas de uma educadora alemã no Brasil.* São Paulo, Anhembi, 1956 [*Os meus romanos* - Alegrias e tristezas de uma educadora alemã no Brasil, São Paulo, Paz e Terra, 1994]

BLAY, Eva Alterman, — *A mulher e o trabalho qualificado na indústria.* São Paulo, Departamento de Ciências Sociais, Faculdade de Filosofia, Letras e Ciências Humanas da Universidade de São Paulo, 1972 (2 vols., ed. mimeog.)

BOHRER, George C. A. — *Da Monarquia à República. História do Partido Republicano do Brasil* (1870-1889), trad. de Berenice Xavier. Rio de Janeiro, Ministério de Educação e Cultura, 1954.

BONFIM, Manoel — *O Brasil Nação.* Rio de Janeiro, Francisco Alves, 1928

BONILHA, José Fernando Martins — *Organização social e educação escolarizada numa comunidade de imigrantes italianos.* Presidente Prudente, Faculdade de Filosofia, Ciências e Letras de Presidente Prudente, 1970

BONILLA, Frank — "Brazil: a national ideology of development", *in* Kalman H. Silbert (org.), *Expectant peoples* (ver acima).

BOUÇAS, Valentim F. — *Os dois ciclos econômicos da República e o seu comércio exterior.* Rio de Janeiro, Estabelecimento de Artes Gráficas C. Mendes Júnior, 1935.

BOSI, Ecléa — *Cultura de massa e cultura popular. Leituras de operárias.* Rio de Janeiro, Vozes, 1972 [2003].

BOXER, C. R. — *Race relations in the Portuguese colonial empire, 1415-1825.* Oxford, Clarendon Press, 1963. — *A Idade de Ouro do Brasil* (Dores de crescimento de uma cidade colonial), trad. de Nair de Lacerda, prefácio de Carlos Rizzini. São Paulo, Cia. Editora Nacional, 1963 [Rio de Janeiro, Nova Fronteira, 2000].

BRANDÃO, Maria Azevedo — *Desenvolvimento e conduta governamental.* Salvador, Divisão de Pesquisa do Instituto de Serviço Público da Universidade da Bahia, 1965.

BRASILIENSE, Américo — *O programa dos partidos e o Segundo Império.* Silo Paulo, Tipografia de Jorge Seckler, 1878.

BRITO, João Rodrigues — *A economia brasileira no alvorecer do século XIX,* prefácio de F. M. Góes Calmon. Salvador, Livr. Progresso, s.d.

BRITO, Lemos — *Pontos de partida para a história econômica do Brasil.* Rio de Janeiro, Tipografia do Anuário do Brasil, 1923.

BROZEN, Yale — *Causes and consequences of inflation in Brazil.* São Paulo, Escola de Sociologia e Política, 1954.

BUARQUE DE HOLANDA, Sérgio — *Raízes do Brasil.* Rio de Janeiro, José Olympio, 2ª ed., 1948 [São Paulo, Companhia das Letras, 1997]. — *Monções.* Rio de Janeiro, Casa do Estudante do Brasil, 1945 São Paulo, Brasiliense, 1990].

BUARQUE DE HOLANDA, Sérgio (org.) — *História geral da civilização brasileira*. São Paulo, Difusão Europeia do Livro, 1960-1972 (7 vols.) [Rio de Janeiro, Bertrand Brasil, vv. 1, 2, 3 (2003), vv. 4, 5 (2004), v. 6 (1995)].

BUENO DE ANDRADE, Dr. Antônio Manoel — "A abolição em São Paulo. Depoimento de uma testemunha", em *O Estado de S. Paulo*, 13 de maio de 1918.

BULHÕES, Octavio Gouvea de — *À margem de um relatório*. Texto das conclusões da comissão mista brasileira-americana de estudos econômicos (Missão Abbink). Rio de Janeiro, Edições Financeiras, 1950.

BURTON, Cap. Richard F. — *Viagem aos planaltos do Brasil* (1868). Do Rio de Janeiro a Morro Velho, trad. de A. Jacobina Lacombe. São Paulo, Cia. Editora Nacional, 1941 [Belo Horizonte, Itatiaia, 1976].

CALMON, Pedro — *História social do Brasil*. São Paulo, Cia. Editora Nacional (1°, volume, 4ª ed., s.d.; 2° vol., 3ª ed., s.d.; 3° vol., 2ª ed., s.d.) [São Paulo, Martins Fontes, 2002].

CALÓGERAS, J. Pandiá — *Formação histórica do Brasil*. São Paulo, Cia. Editora Nacional, ª ed., 1945. — *A política monetária do Brasil*, trad. de T. Newlands Neto. São Paulo, Cia. Editora Nacional, 1960.

CAMARGO, Cândido Procópio Ferreira de. — *Igreja e desenvolvimento*. São Paulo, Cebrap e Centro Brasileiro de Ciências, 1971.

CAMARGO, Cândido Procópio Ferreira de (org.) — *Católicos, protestantes, espíritas*. Petrópolis, Vozes, 1973.

CAMARGO, Cândido Procópio Ferreira de; LAMOUNIER, Bolivar; DUARTE, João Carlos; MADEIRA, Felícia R.; SPINDEL, Chejwa R. — *Composição da população brasileira*. São Paulo, Cadernos Cebrap, n° 15, 1973.

CAMPOS, Roberto de Oliveira — *Política, planejamento e nacionalismo*. Rio de Janeiro, APEG, 1963.

CANABRAVA, Alice P. — *O desenvolvimento da cultura do algodão na Província de São Paulo (1861-1875)*. São Paulo, Indústria Gráfica Siqueira, 1951.

CANDIDO, Antônio — *Os parceiros do Rio Bonito*. Rio de Janeiro, José Olympio, 1964 [São Paulo, Editora 34, 2001]. — *Formação da literatura brasileira* (Momentos decisivos). São Paulo, Martins, 1959 (2 vols.). — *A família brasileira* (Ms.): publicado numa versão condensada em: T. Lynn Smith e Alexander Marchant, *Brazil: portrait of a continent* (cap. 13).

BIBLIOGRAFIA SELECIONADA

CAPISTRANO DE ABREU, J. — *Ensaios e estudos* (Crítica e História). Rio de Janeiro, Edição da Sociedade Capistrano de Abreu, Briguiet, 1931, 1932 e 1938 (3 vols.).

CARDOSO, Fernando Henrique — *A questão do Estado no Brasil* (Ms., 1974; a ser publicado na revista *Dados*). — *O modelo político brasileiro e outros ensaios.* São Paulo, Difusão Europeia do Livro, 1972. — *Política e desenvolvimento em sociedades dependentes.* Rio de Janeiro, Zahar, 1971. — *Empresário industrial e desenvolvimento econômico no Brasil.* São Paulo, Difusão Europeia do Livro, 1964. — *Capitalismo e escravidão no Brasil meridional.* São Paulo, Difusão Europeia do Livro, 1962 [Rio de Janeiro, Civilização Brasileira, 2003). — *Notas sobre estado e dependência.* São Paulo, Cadernos Cebrap, n° 11, 1973. - "O modelo brasileiro de desenvolvimento", *Debate e Crítica*, n° 1, 1973, pp. 18-47.

CARDOSO, Fernando Henrique e FALETIO, Enzo — *Dependência e desenvolvimento na América Latina* (ver acima).

CARDOSO, Fernando Henrique e IANNI, Octavio — *Cor e mobilidade social em Florianópolis*, prefácio de Florestan Fernandes. São Paulo, Cia Editora Nacional, 1960.

CARDOSO, Fernando Henrique; SINGER, Paul I.; CAMARGO, Cândido Procópio Ferreira de; KOWARICK, Lúcio Felix — *Cultura e participação na cidade de São Paulo.* São Paulo, Cadernos Cebrap, n° 14. 1973.

CARDOSO, Miriam Limoeiro — *Ideologia do desenvolvimento. Brasil: J.K. — J. Q.* São Paulo, Departamento de Ciências Sociais, Faculdade de Filosofia, Letras e Ciências Humanas da Universidade de São Paulo, 1972.

CARNEIRO, J. Fernando — *Imigração e colonização no Brasil.* Rio de Janeiro, Faculdade Nacional de Filosofia, 1956.

CARONE, Edgard — *A Segunda República (1930-1937).* São Paulo, Difusão Europeia do Livro, 1973. — *A República Velha* (Evolução Política) São Paulo, Difusão Europeia do Livro, 1971. — *A República Velha* (Instituições e classes sociais). São Paulo, Difusão Europeia do Livro, 1970. — *A Primeira República (1889-1930).* São Paulo, Difusão Europeia do Livro, 1969. — *Revoluções do Brasil.* São Paulo, DESA, 1965.

CARVALHO, Alceu Vicente W. de (org.) — *A População brasileira.* Rio de Janeiro, IBGE, 1960. — *Estudos demográficos*, Política de educação e previsão econômica. Rio de Janeiro, IBGE, 1964.

CARVALHO, Delgado de — *Le Brésil Meridional.* Paris, Société Anonyme des Publications Périodiques, 1910.

CARVALHO, Orlando M. — *Ensaios de sociologia eleitoral*. Belo Horizonte, Edição da Revista Brasileira de Estudos Políticos, 1958.
— *A crise dos partidos políticos nacionais*. Belo Horizonte, Kriterion, 1950. — *Problemas fundamentais do município*. São Paulo, Cia. Editora Nacional, 1937.
CARVALHO, Sousa — *A crise da praça em 1875*. Rio de Janeiro, Tipografia do Diário do Rio de Janeiro, 1875.
CARVALHO FRANCO, Maria Sylvia — *Homens livres na ordem escravocrata*. São Paulo, Instituto de Estudos Brasileiros da Universidade de São Paulo, 1969. — *Os alunos do interior na vida escolar e social da cidade de São Paulo*. São Paulo, Faculdade de Filosofia, Ciências e Letras da Universidade de São Paulo, 1962.
CASTELNAU, Francis — *Expedições às regiões centrais da América do Sul*. trad. de Oliverio M. de Oliveira Pinto. São Paulo, Cia. Editora Nacional, 1949 (2 vols.).
CASTRO, Antônio Barros de — *7 ensaios sobre a economia brasileira*. São Paulo, Forense (1º vol., 2ª ed., 1972, 22 vol., 1971).
CASTRO, Josué de — *Geografia da fome*. A fome no Brasil. Rio de Janeiro, Empresa Gráfica Brasileira, 1946 [Rio de Janeiro, Civilização Brasileira, 2001].
CASTRO, Sertorio de — *A República que a revolução destruiu*. Rio de Janeiro, Freitas Bastos, 1932.
CASTRO CARREIRA, Liberato de — *História financeira e orçamentária do Império do Brasil desde a sua fundação*. Rio de Janeiro, Imprensa Nacional, 1889.
CASTRO GONÇALVES, José Sérgio Rocha de — *O nacionalismo desenvolvimentista*. São Paulo, Edição mimeografada do autor, 1972.
CAVALCANTI, Amaro — *Elementos de finanças* (Estudo teórico-prático). Rio de Janeiro, Imprensa Oficial, 1896. "A vida econômica e financeira do Brasil", *Anais da Biblioteca Nacional do Rio de Janeiro*, 1936, vol. 38, pp. 12-34.
CECCHI, Camilo — "Determinantes e características da imigração italiana", *Sociologia*, XXI-1, 1959, pp. 68-97.
CENNI, Franco — *Italianos no Brasil*. São Paulo, Martins, s.d. [São Paulo, Edusp, 2003].
CHACON, Vamireh — *História das idéias socialistas no Brasil*. Rio de Janeiro, Civilização Brasileira, 1965.
CINTRA, Antônio Octavio e REIS, Fabio Wanderley — "Política e desenvolvimento: o caso brasileiro", *América Latina*, 9-3, 1966, pp. 52-74.

BIBLIOGRAFIA SELECIONADA

COELHO BRANCO FILHO, A. (org.). — *O Brasil e seus regimes constitucionais*. Rio de Janeiro, Cia. Brasileira de Artes Gráficas, 1947.
COHN, Amélia — *Crise regional e planejamento*. O processo de criação da Sudene. Departamento de Ciências Sociais, Faculdade de Filosofia, Letras e Ciências Humanas da Universidade de São Paulo, 1972 (ed. mimeog.) [São Paulo, Perspectiva, 1978].
COHN, Gabriel — *Petróleo e nacionalismo*. São Paulo, Difusão Europeia do Livro, 1968.
CONY, Carlos Heitor — *O ato e o fato: crônicas políticas*. Rio de Janeiro, Civilização Brasileira, 1964 [Rio de Janeiro, Objetiva, 2004].
COSTA, Emilia Viotti da — *Da senzala à colônia*. São Paulo, Difusão Européia do Livro, 1966 [São Paulo, Editora da Unesp, 1998].
COSTA, Jorge Gustavo da — *Planejamento governamental*. A experiência brasileira. Rio de Janeiro, Fundação Getúlio Vargas, 1971.
COSTA PINTO, L. A. — *Sociologia e desenvolvimento*. Rio de Janeiro, Civilização Brasileira, 1963. — *O negro no Rio de Janeiro*. Relações de raça numa sociedade em mudança. São Paulo, Cia. Editora Nacional, 1953. — *Lutas de famílias no Brasil*. São Paulo, Cia. Editora Nacional, 1949.
COUTY Louis — *L'esclavage au Brésil*. Paris, Librairie de Guillaumin et Cie., Editeurs, 1881. — Le Brésil en 1884. Rio de Janeiro, Faro & Lino, Editeurs, 1884.
CRUZ, Levy — *As migrações para o Recife* (Caracterização social). Recife, Instituto Joaquim Nabuco de Pesquisa Social, 1961.
CRUZ COSTA, João — *Contribuição à história das idéias no Brasil*. Rio de Janeiro, José Olympio, 1956.
CUNHA, Euclides da — *Os sertões* (Campanha de Canudos). Rio de Janeiro, Francisco Alves, 14'ª ed., 1938 [São Paulo, Ática, 1998]. — *À margem da história*, estabelecimento de texto e notas de Dermal de Camargo Manfrê. São Paulo, Lello Brasileira, 1967 (cap. 3) [São Paulo, Martins Fontes, 1999].
CUNHA, Mário Wagner Vieira da — *O sistema administrativo brasileiro*. Rio de Janeiro, Centro Brasileiro de Pesquisas Educacionais, 1963.

DAVATZ, Thomas — *Memórias de um colono no Brasil* (1850), trad., prefácio e notas de Sérgio Buarque de Holanda. São Paulo, Martins, 1941 [Belo Horizonte, Itatiaia, 1980].
DEAN, Warren — *A industrialização de São Paulo (1880-1945)*, trad. de Octavio Mendes Cajado. São Paulo, Difusão Européia do Livro 1971 [Rio de Janeiro, Bertrand Brasil, 1991].
DEBRET, Jean-Baptiste — *Viagem pitoresca e histórica ao Brasil*, trad. e notas de Sérgio Milliet. São Paulo, Martins, 1940 (2 vols.) [Belo Horizonte, Itatiaia, s.d.].

DEFONTAINE, Pierre — *Geografia humana do Brasil*. Rio de Janeiro, Conselho Nacional de Geografia, 1940.

DEGLER, Carl N. — *Neither black nor white. Slavery and race relations in Brazil and the United States*. Nova York, Totonto, The. Macmillan Co., 1971.

DELFIM NETTO, Antônio — *O problema do café no Brasil*. São Paulo, Faculdade de Ciências Econômicas e Administrativas da Universidade de São Paulo, 1959.

DELFIM NEITO, Antônio; PASTORE, Afonso Celso; CIPOLLARI, Pedro; CARVALHO, Eduardo Pereira de — *Alguns aspectos da inflação brasileira*. São Paulo, Estudos ANPES, n° 1, 1965.

DÉNIS, Pierre — *Le Brésil au XX° Siècle*. Paris, Armand Colin, 7° tirage, 1928.

DIAS, Everardo — *História das lutas sociais no Brasil*. São Paulo, Ed. EDAGLIT, 1962.

DIEGUES JÚNIOR, Manoel — *Imigração, urbanização, industrialização*. Rio de Janeiro, Centro Brasileiro de Pesquisas Educacionais, 1964.
— *Regiões culturais do Brasil*. Rio de Janeiro, Centro Brasileiro de Pesquisas Educacionais, 1960.

DINES, Alberto; CALLADO, Antônio; ARAÚJO NETTO; CASTELLO BRANCO, Carlos; MELLO E SOUSA, Cláudio; DUARTE, Eurilo; GOMES, Pedro; FIGUEIREDO, Wilson — *Os idos de março e a queda em abril*. Rio de Janeiro, José Álvaro Editor, 2ª ed., 1964.

DORNAS FILHO, João — *O ouro das Gerais e a civilização da capitania*. São Paulo, Cía. Editora Nacional, 1957.

DUARTE, João Carlos — *Aspectos da distribuição da renda no Brasil em 1970*. Piracicaba, Escola Superior de Agricultura Luiz de Queiroz, da Universidade de São Paulo, 1971 (ed. mimeog.).

DUARTE, Nestor — *A ordem privada e a organização nacional*. Contribuição à sociologia política brasileira. São Paulo, Cia. Editora Nacional, 1939 (2ª ed., idem, 1966).

DUNSHEE DE ABRANCHES, A. — *A expansão econômica e o comércio exterior do Brasil*. Rio de Janeiro, Imprensa Nacional, 1915.

DUOUN, T. — *A emigração sírio-libanesa às terras de promissão*. São Paulo, Tipografia Editora Árabe, 1944. — *Confissões e indiscrições. Meio século de experiências em quatro continentes*. São Paulo, Tipografia Editora Árabe, 1943.

DUQUE-ESTRADA, Osório — *A abolição (esboço histórico), 1831-1888*, prefácio de Rui Barbosa. Rio de Janeiro, Liv. Ed. Leite Ribeiro & Maurilo, 1918.

BIBLIOGRAFIA SELECIONADA

DURHAM, Eunice Ribeiro — *A caminho da cidade*. São Paulo, Ed. Perspectiva, 1973. — *Assimilação e mobilidade*. A história do imigrante italiano num município paulista. São Paulo, Instituto de Estudos Brasileiros da Universidade de São Paulo, 1966. — "Mobilidade do imigrante italiano na zona rural", *Revista do Museu Paulista*, N.S., XIV, 1963, pp. 299-310.

ELLIS JÚNIOR, Alfredo — *O café e a paulistânia*. São Paulo, Faculdade de Filosofia, Ciências e Letras da Universidade de São Paulo, 1951. — *A evolução da economia paulista e suas causas*. São Paulo, Cia. Editora Nacional, 1937.

ELLIS JÚNIOR, Alfredo e ELLIS, Myriam — *A economia paulista no século XVIII. O ciclo do muar. O ciclo do açúcar*. São Paulo, Faculdade de Filosofia, Ciências e Letras da Universidade de São Paulo, 1950.

ESCHWEGE, Wilhelm Ludwig von — *Diário de uma viagem da Rio de Janeiro a Vila Rica*, na Capitania de Minas Gerais, trad. de Lúcia Furquim Lahmeiyer. São Paulo, Imprensa Oficial do Estado, 1936. — *Pluto Brasiliensis*, trad. de Domicio Figueiredo Murta. São Paulo, Cia. Editora Nacional, 1948 (2 vols.).

EVANS, Peter B. — *The military, the multinationals and the "milagre": the political economy of the "Brazilian model" of development*. Providence, Brown University, 1973 (ed. mimeog.).

EWBANK, Thomas — *Life in Brazil*; or, the land of the cocoa and the palm. Londres, Sampson & Son, 1856 [*Vida no Brasil*, Belo Horizonte, Itatiaia, s.d.].

FAORO, Raymundo — *Os donos do poder. Formação do patronato político brasileiro*. Porto Alegre, Globo, 1958.

FARIA, Alberto de — *Mauá. Irineu Evangelista de Sousa, barão e visconde de Mauá, 1813-1889*. São Paulo, Cia. Editora Nacional, 1958.

FAUSTO, Bóris — *A revolução de 1930. Historiografia e história*. São Paulo, Brasiliense, 2ª ed., 1972 [São Paulo, Companhia das Letras, 1997).

FERNANDES, Florestan — *Capitalismo dependente e classes sociais na América Latina* (ver acima). — *Sociedade de classes e subdesenvolvimento* (ver acima). — *O negro no mundo dos brancos*. São Paulo, Difusão Européia do Livro, 1972. — *Educação e sociedade no Brasil*. São Paulo, Dominus Editora e Editora da Universidade de São Paulo, 1966. — *A integração do negro na sociedade de classes*. São Paulo, Dominus Editora e Editora da Universidade de São Paulo, 2ª ed., 1965 (2 vols.). — *A sociologia numa era de revolução social*. São Paulo, Cia. Editora Nacional, 1963. — *Folclore e mudança social na cidade de São Paulo*. São Paulo, Anhembi, 1961 [São Paulo, Martins Fontes, 2004]. — *Mudanças sociais no Brasil*. São Paulo, Difusão Européia do Livro, 1960 [Rio de Janeiro, Difel, 1979]. — *A etnologia e a sociologia no Brasil*. São Paulo, Anhembi, 1958.

FERNANDES, Florestan (org.) — *Comunidade e sociedade no Brasil*. Leituras básicas de introdução ao estudo macrossociológico do Brasil. São Paulo, Cia. Editora Nacional e Editora da Universidade de São Paulo, 1972 (esta obra contém referências aos estudos de comunidade, que não foram arrolados sistematicamente nesta bibliografia).

FERNANDES, Heloisa Rodrigues — *Política e segurança*. Força Pública do Estado de São Paulo. Fundamentos histórico-sociais, prefácio de Florestan Fernandes. São Paulo, Alfa-Omega, 197 4.

FERREIRA, Oliveiras S. — *As Forças Armadas e o desafio da revolução*. Rio de Janeiro, Edições GRD, 1964.

FERREIRA LIMA, Heitor — *História político-econômica e industrial do Brasil*. São Paulo, Cia. Editora Nacional, 1970. — Formação industrial do Brasil (Período colonial). Rio de Janeiro, Fundo de Cultura, 1961. — *Evolução industrial de São Paulo*. São Paulo, Martins, 1954.

FIGUEIREDO, Nuno Fidelino — *Dimensão e produtividade na indústria de São Paulo*. São Paulo, Escola de Sociologia e Política, 1953.

FLEIUSS, Max — *História administrativa do Brasil*. São Paulo, Melhoramentos, 2ª ed., s.d.

FLORENCE, Hercules — *Viagem fluvial do Tietê ao Amazonas de 1825 a 1829*, trad. do visconde de Taunay. São Paulo, Melhoramentos, 1948.

FLYNN, Peter — *Brazil: ten years of military control* (Ms., Glasgow, 1974). — *Class, clientelism and coercion*: Some mechanisms of internal dependency and control, University of Glasgow, Conference Discussion Paper, novembro de 1973. — "The Brazilian development model: the political dimension", *The World Today*, novembro de 1973, pp. 481-494.

FORACCHI, Marialice Mencarini — *A juventude na sociedade moderna*. São Paulo, Livraria Pioneira Editora, 1972 (cap. VII). — *O estudante e a transformação da sociedade brasileira*. São Paulo, Cia. Editora Nacional, 1965. — "Ideologia estudantil e sociedade dependente", *Revista Mexicana de Sociologia*, XXXI-3, 1969. — "A juventude e a realidade nacional", *Revista Civilização Brasileira*, n° 5-6, 1966, pp. 9-18.- "A valorização do trabalho na ascensão social dos imigrantes", *Revista do Museu Paulista*, n° 5, XIV, 1963, pp. 311-320.

BIBLIOGRAFIA SELECIONADA

FRANK, Andre Gunder: ver acima.
FREYRE, Gilberto — *Novo mundo nos trópicos*, trad. de Olívio Montenegro e Luiz de Miranda Correa. São Paulo, Cia. Editora Nacional e Editora da Universidade de São Paulo, 1971 (só os capítulos V, VII, IX e X que não foram publicados previamente em Interpretação do Brasil) [Rio de Janeiro, Topbooks, 2001]. — *Vida social no Brasil nos meados do século XIX*. Recife, Instituto Joaquim Nabuco de Pesquisa Social, 1964. — *Nordeste*. Rio de Janeiro, José Olympio, 3ª ed., 1961 [São Paulo, Global, 2004]. — *Ordem e progresso*. Rio de Janeiro, José Olympio, 1959 (2 vols.) [São Paulo, Global, 2004]. — *Sobrados e mucambos*. Rio de Janeiro, José Olympio, 2ª ed., 1951 (3 vols.) [São Paulo, Global, 2003]. — *Casa-grande e senzala*. Rio de Janeiro, José Olympio, 9ª ed., 1958 (2 vols.) [São Paulo, Global, 2005]. — *Interpretação do Brasil*. Rio de Janeiro, José Olympio, 1947 [São Paulo, Companhia das Letras, 2001]. — *O mundo que o português criou*. Rio de Janeiro, José Olympio, 1940.
FURTADO, Celso — *Análise do modelo brasileiro*. Rio de Janeiro, Civilização Brasileira, 1972. — *Um projeto para o Brasil*. Rio de Janeiro, Saga, 1968. — *Formação econômica do Brasil*. São Paulo, Cia. Editora Nacional, 7ª ed., 1967 [32ª ed., 2003]. — *A pré-revolução brasileira*. Rio de Janeiro, Fundo de Cultura, 1962. — *Subdesenvolvimento e estado democrático*. Recife, Comissão de Desenvolvimento Econômico de Pernambuco, 1962. — *A operação Nordeste*. Rio de Janeiro, Instituto Superior de Estudos Brasileiros, 1959. — *Perspectivas da economia brasileira*. Rio de Janeiro, Instituto Superior de Estudos Brasileiros, 1958. — "Obstáculos políticos ao crescimento econômico no Brasil", *Revista Civilização Brasileira*, n° 1, 1965, pp. 129-145.
FURTADO, Celso (org.) — *Brasil: tempos modernos*. Rio de Janeiro, Paz e Terra, 1968.

GALJART, Benno — "Class and 'following' in rural Brazil", *América Latina*, 7-3, 1964, pp. 3-24.
GARDNER, George — *Viagens ao Brasil principalmente nas províncias do Norte e nos distritos do ouro e do diamante durante os anos de 1836-1841*, trad. de Albertino Pinheiro. São Paulo, Cia. Editora Nacional, 1942 [*Viagem ao interior do Brasil*, Belo Horizonte, Itatiaia, 1975].
GASPARIAN, Fernando — *Capital estrangeiro e desenvolvimento da América Latina*. Rio de Janeiro, Civilização Brasileira, 1973.
GEIGER, Pedro Pinchas. — *Evolução da rede urbana brasileira*, Rio de Janeiro. Centro Brasileiro de Pesquisas Educacionais, 1963. —

"Urbanização e industrialização na orla oriental da baía da Guanabara", *Revista Brasileira de Geografia*, 18-4, 1956, pp. 435-518.
GEIGER, Pedro Pinchas e DAVIDOVICH, Fany — "Aspectos do fato urbano no Brasil", *Revista Brasileira de Geografia e Estatística*, XXIII-2, 1961, pp. 263-360.
GNACCARINI, José Cesar A. — *Estado, ideologia e ação empresarial na agroindústria açucareira do estado de São Paulo*. Departamento de Ciências Sociais, Faculdade de Filosofia, Letras e Ciências Humanas da Universidade de São Paulo, 1972. — *Formação da empresa e relações de trabalho no Brasil rural*. Faculdade de Filosofia, Ciências e Letras da Universidade de São Paulo, 1966 (Ms.). "A empresa capitalista no campo", *Revista Brasiliense*. n° 44, 1962, pp. 68-75.
GODOY, Antônio Carlos — *Estudos sobre a formação da empresa industrial (Votorantim)*. São Paulo, Departamento de Ciências Sociais, Faculdade de Filosofia, Letras e Ciências Humanas da Universidade de São Paulo, 1971 (ed. mimeog.).
GOERTZEL, Ted — *Brazilian students attitudes towards politics and education*. Ph. D. Ms. Washington University, Saint Louis, Missouri, 1970. — "Generational differences and student activism in Brazil", *Sociology and Social Research*, 56-1, 1971, pp. 49-61. — *Political attitudes of brazilian youth*, comunicação ao 7° Congresso Mundial de Sociologia, 14 a 19 de setembro de 1970, Varna (ed. mimeog.).
GOLDENSTEIN, Léa — *A industrialização da baixada santista*. Estudo de um centro industrial satélite. São Paulo, Instituto de Geografia da Universidade de São Paulo, 1972.
GORDON, Lincoln e GROMMERS, Englebert L. — *United States manufacturing investment in Brazil*. Impact of brazilian government policies, 1946-1960. Boston, Harvard University Press, 1962.
GOULART, Maurício — *Escravidão africana no Brasil (das origens à extinção do tráfico)*. São Paulo, Martins, 2ªed., 1950.
GOUVEIA, Aparecida Jolly — *Professoras de amanhã*. Um estudo de escolha ocupacional. Rio de Janeiro, Centro Brasileiro de Pesquisas Educacionais, 1965 [São Paulo, Pioneira, s.d.]. — "Aspirações em relação ao futuro dos filhos", *Educação e Ciências Sociais*, 2-6, 1957, pp. 279-292.
GRAHAM, Maria — *Journal of a voyage to Brazil, and residence there, during of part of the years 1821, 1822, 1823*. Londres, printed for Longman, Hurst, Rees, Orme, Brown, and Green, Patternoster--Row, 1824 [Belo Horizonte, Itatiaia, s.d.].

GRAHAM, Richard — *Britain and the onset of modernization in Brazil. 1850-1914*. Cambridge, at the University Press, 1961. — "Brazilian slavery re-examined. A review article", *Journal of Social History*, 111-4, 1970, pp. 431-453.

GUIMARÃES, Alberto Passos — *Inflação e monopólio estatal no Brasil*. Rio de Janeiro, Civilização Brasileira, 1963.

HADDAD, Paulo Roberto — "A economia mineira", *Revista Brasileira de Ciências Sociais*, IV-2, 1966, pp. 117-153.

HALLER, Archibald O. — "Urban economic growth and changes in rural stratification. Rio de Janeiro, 1953-1962", *América Latina*, 10-4, 196 7, pp. 48-67.

HALLER, Archibald O.; HOLSINGER, Donald B.; SARAIVA, Hélcio Ulhoa — "Variations in occupational prestige hierarchies: Brazilian data", *The American Journal of Sociology*, 77-5, 1972, pp. 941-956.

HERRMANN, Lucila — *Evolução da estrutura social de Guaratinguetá num período de trezentos anos*. São Paulo, Edição da *Revista de Administração*, 1948. — *Flutuação e mobilidade da mão-de-obra fabril em São Paulo*. São Paulo, Instituto de Administração da Universidade de São Paulo, 1948.

HOFFMANN, Helga — *Desemprego e subemprego no Brasil*. São Paulo, Departamento de Ciências Sociais, Faculdade de Filosofia, Letras e Ciências Humanas da Universidade de São Paulo, 1972 (ed. mimeog.).

HOFFMANN, Rodolfo — *Contribuição à análise da distribuição da renda e da posse da terra no Brasil*. Piracicaba, Escola Superior de Agricultura Luiz de Queiroz, da Universidade de São Paulo, 1971 (ed. mimeog.). — *Tendências de distribuição da renda no Brasil e suas relações com o desenvolvimento econômico*. Piracicaba, Escola Superior de Agricultura Luiz de Queiroz, da Universidade de São Paulo, 1972 (ed. mimeog.).

HOFFMANN, Rodolfo e DUARTE, João Carlos — "A distribuição da renda no Brasil", *Revista de Administração de Empresas*, 12-2, 1972, pp. 46-66.

HOROWITZ, Irving Louis (org.) — *Revolution in Brazil. Politics and society in a developing nation*. Nova York, E. P. Dutton and Co., Inc., 1964.

HUTCHINSON, Bertram — "Urban social mobility rates in Brazil related to migration and changing occupational structure", *América Latina*, 6-3, 1963, pp. 4 7-62. — "The migrant population of urban Brasil", *América Latina*, 6- 2, 1963, pp. 41-72. — "The

social grading of occupations in Brasil", *The British Journal of Sociology*, 111-2, 1957, pp. 176-189.
HUTCHINSON, Bertram, com a colaboração de MARTUSCELLI BORI, Carolina; LOPES, Juarez Brandão; e CASTALDI, Carlo: *Mobilidade e trabalho*. Um estudo na cidade de São Paulo. Rio de Janeiro, Centro Brasileiro de Pesquisas Educacionais, 1960.

IANNI, Constantino — *Homens sem paz*. Os conflitos e os bastidores da emigração italiana. São Paulo, Difusão Européia do Livro, 1963.
IANNI. Octavio — *Estado e planejamento econômico no Brasil (1930-1970)*. Rio de Janeiro, Civilização Brasileira, 1971. — *O colapso do populismo no Brasil*. Rio de Janeiro, Civilização Brasileira, 1968. — *Raças e classes sociais no Brasil*. Rio de Janeiro, Civilização Brasileira, 1966 [São Paulo, Brasiliense, 2004]. — *Estado e capitalismo: estrutura social e industrialização no Brasil*. Rio de Janeiro, Civilização Brasileira, 1965 [São Paulo, Brasiliense, 2004]. — *Industrialização e desenvolvimento social no Brasil*. Rio de Janeiro, Civilização Brasileira, 1963. — *As metamorfoses do escravo*. São Paulo, Difusão Européia do Livro, 1962. — "Populismo e classes subalternas", *Debate e Crítica*, n° 1, 1973, pp. 7-17.
IANNI, Octavío; SINGER, Paul I.; COHN, Gabriel; WEFFORT, Francisco C. — *Política e revolução social no Brasil*. Rio de Janeiro, Civilização Brasileira, 1966.
IGLESIAS, Francisco — *Política econômica do governo provincial mineiro (1835 - 1889)*. Rio de Janeiro, Instituto Nacional do Livro, 1958. — "Estudo sobre o pensamento reacionário: Jackson de Figueiredo", *Revista Brasileira de Ciências Sociais*, 11-2, 1962, pp. 3-52.

JAFET, Nami — *Ensaios e discursos*, traduzidos do árabe por Taufik Darid Kurban, com notas do tradutor. São Paulo, São Paulo Editora, 1947.
JAGUARIBE, Hélio — *Brasil: crise e alternativas*. Rio de Janeiro, Zahar, 1974. — *Desenvolvimento econômico e desenvolvimento político*. Rio de Janeiro, Fundo. de Cultura, 1962. — *O nacionalismo na atualidade brasileira*. Rio de Janeiro, Instituto Superior de Estudos Brasileiros, 1958. — "A renúncia do presidente Jânio Quadros e a crise política brasileira", *Revista Brasileira de Ciências Sociais*, 1-1, 1961, pp. 272-311.
JILIAM, José — *Marilère, o civilizador*. Esboço biográfico, Belo Horizonte, Itatiaia, 1958.

JULIARD, Etienne — "Europa industrial e Brasil. Dois tipos de organização do espaço periurbano", *Boletim Baiano de Geografia*, 1-4, 1961, pp. 3-10.

DE KADT, Emanuel — *Catholic radicals in Brazil*. Londres e Nova York, Oxford University Press, 1970.

KAHL, Joseph A. (ver acima),

KIDDER, Daniel P. — *Reminiscências de viagens e permanência no Brasil* (Rio de Janeiro e província de São Paulo). Compreendendo notícias históricas e geográficas do Império e de diversas províncias, trad, de Moacyr N. Vasconcelos. São Paulo, Martins, 1940 [Belo Horizonte, Itatiaia, 1980].

KNOWLTON, Clark S. — *Sírios e libaneses*. Mobilidade social e espacial. São Paulo, Anhembi, 1961.

KOSERITZ, Karl von — *Imagens do Brasil*, trad., prefácio e notas de Afonso Arinos de Melo Franco. São Paulo, Martins, 1943.

KOSTER, Henry — *Travels in Brazil*. Londres, Printed for Longman, Hurst, Rees, Orme, and Nrown, Patternoster-Row, 1816 [*Viagens ao Nordeste do Brasil*, Recife, Massangana, 2002].

KOWARICK, Lúcio — *Marginalidade urbana e desenvolvimento: aspectos teóricos do fenômeno na América Latina*. São Paulo, Departamento de Ciências Sociais, Faculdade de Filosofia, Letras e Ciências Humanas da Universidade de São Paulo, 1972 (ed. mimeog.); *Estratégias do planejamento social no Brasil*, prefácio de Octavio Ianni. São Paulo, *Cadernos Cebrap*, n° 2, s.d.

KURBAN, Taufik D. — *Os sírios e libaneses no Brasil*, editado por e Taufik D. Kurban. São Paulo, Sociedade Impressora Paulista, 1933.

KUZNETZ, Simon; MOORE, Wilbert E.; SPENGLER, Joseph J. (orgs.) — *Economic growth*: Brazil, Índia, Japan, Durham, North Caroline, Duke University Press, 1955.

LACERDA E ALMEIDA, dr. Francisco José de — *Diário da Viagem do doutor pelas Capitanias do Pará, Rio Negro, Mato Grosso, Cuiabá e São Paulo, nos anos de 1780 a 1790*. São Paulo, impresso por ordem da Assembléia Legislativa da Província de São Paulo, Tipografia da Costa Silveira, 1841.

LAMBERT, Jacques — *Le Brésil*. Structure sociale et institutions politiques, Paris, Armand Colin, 1953.

LANGONI, Carlos Geraldo — *Distribuição da renda e desenvolvimento econômico no Brasil*. Rio de Janeiro, Expressão e Cultura, 1973.

LE LANNOU, Maurice — *Le Brésil*. Paris, A. Colin, 1955.

LARAIA, Roque de Barros e MATTA, Roberto da — *Índios e castanheiros*. A empresa estrativa e os índios no médio Tocantins. São Paulo, Difusão Européia do Livro, 1967 [Rio de Janeiro, Paz e Terra, 1978].

LEAL, Victor Nunes — *Coronelismo, enxada e voto*. Rio de Janeiro, Revista Forense, 1948 [Rio de Janeiro, Nova Fronteira, 1997].

LECLERC, Max — *Cartas do Brasil*, trad., prefácio e notas de Sérgio Milliet. São Paulo, Cia. Editora Nacional, 1942.

LEFF, Nathaniel H. — *Economic policy-making and development in Brazil, 1947-1964*. Nova York, Londres, Sidney e Toronto, John Wiley & Sons, 1968 [São Paulo, Perspectiva, 1977]. — "Long term brazilian economic development", *The Journal of Economic History*, XXIX-3, 1969, pp. 473-493.

LEITE, Antônio Dias — *Caminhos do desenvolvimento*. Contribuição para um projeto brasileiro. Rio de Janeiro, Zahar, 1966.

LEITE, Dante Moreira — *Caráter nacional brasileiro*. História de uma ideologia. São Paulo, Livraria Pioneira, 1969 [São Paulo, Editora da Unesp, 2003].

LEITHOLD, T. von e RANGO, L. von — *O Rio de Janeiro visto por dois prussianos em 1819*, trad. e notas de Joaquim Sousa Leão Filho. São Paulo, Cia. Editora Nacional, 1966.

LESSA, Carlos — "Quince años de política económica en el Brasil", *Boletín Económico de América Latina*, IX-2, 1964, pp.153-213.

LIMA, Hermes — "Federalismo e presidencialismo", *Revista Brasileira de Estudos Políticos*, nº 7, 1949, pp. 75-92 — "O positivismo e a República", *Revista do Brasil*, 3ª Fase, 11-1, 1939.

LIMA, Rui Cirne — *Pequena história territorial do Brasil*. Porto Alegre, Sulina, 2ª ed., 1954.

LIMA SOBRINHO, Barbosa — *Desde quando somos nacionalistas?* Rio de Janeiro, Civilização Brasileira, 1963. — *A verdade sobre a revolução de outubro*. São Paulo, Unitas, 1933 [Petrópolis, Vozes, s.d.].

LIMEIRA TEJO, A. de — *Retrato sincero do Brasil*. Porto Alegre, Globo, 1950.

LIMONGI, S. Papaterra — "Política comercial brasileira", *Revista Paulista de Contabilidade*, nº, 59-60, 1929.

LINDLEY, Thomas — *Narrativa de uma viagem ao Brasil*, trad. de Thomaz Newlands Neto, prefácio de Wanderley Pinho, notas e revisão de Américo Jacobina Lacombe. São Paulo, Cia. Editora Nacional, 1969.

LINS, Ivan — *História do positivismo no Brasil*, São Paulo, Cia. Editora Nacional, 1964.

LIPSON, Leslie — "O Governo no Brasil contemporâneo", *Revista Brasileira de Estudos Políticos*, 1-1, 1956, pp. 49-69.
LOPES, Juarez Brandão — *Desenvolvimento e mudança social. Formação da sociedade urbano-industrial no Brasil*. São Paulo, Cia. Editora Nacional, 1968. — *Crise do Brasil arcaico*. São Paulo, Difusão Européia do Livro, 1967. — *Sociedade industrial no Brasil*. São Paulo, Difusão Européia do Livro, 1964. — "Desenvolvimento e migrações. Uma abordagem histórico-estrutural", *Estudos Cebrap*, n⁰ 6, 1973, pp. 125-164.
LOURENÇO FILHO, M. B. — *Juazeiro do padre Cícero*. São Paulo, Melhoramentos, s.d.
LOWENSTEIN, Karl — *Brazil under Vargas*. Nova York, Macmillan Co., 1942.
LOWRIE, Samuel H. — *Imigração e crescimento da população no estado de São Paulo*. São Paulo, Escola de Sociologia e Política, 1938. — "Origem da população da cidade de São Paulo e diferenciação das classes sociais", *Revista do Arquivo Municipal*, IV-XLII, 1938, pp. 195-212.
LOWY, Michael e CHUCID, Sarah — "Opiniões e atitudes de líderes sindicais metalúrgicos", *Revista Brasileira de Estudos Políticos*, n⁰ 13, 1962, pp.132-169.
LUCAS, Fábio — *Conteúdo social das constituições brasileiras*. Belo Horizonte, Faculdade de Ciências Econômicas da Univerdade de Minas Gerais, 1959.
LUCCOCK, John — *Notas sobre o Rio de Janeiro e partes meridionais do Brasil tomadas durante nossa estada de dez anos nesse país, de 1808 a 1818*, trad. de Milton da Silva Rodrigues. São Paulo, Martins, 1942.
LUZ, Nícia Vilela — *A luta pela industrialização do Brasil (1808 a 1930)*. São Paulo, Difusão Européia do Livro, 1961.
LYNN SMITH, T. — *Brazil: people and institutions*. Baton Rouge, Louisiana State University Press, 1946.
LYNN SMITH, T. e MARCHANT, Alexander (orgs.) — *Brazil: portrait of half a continent*. Nova York, The Dryden Press, 1951.
LYRA, Heitor — *História da queda do Império*. São Paulo, Cia. Editora Nacional, 1964 (2 vols.).

MACHADO DE OLIVEIRA, J. J. — *Quadro histórico da Província de São Paulo para o uso das escolas de instrução pública, oferecido à Assembléia Legislativa Provincial...* (exemplar manuscrito, pertencente à Biblioteca da Faculdade de Direito da Universidade de São Paulo; 6 de fevereiro de 1864).

MACIEL DE BARROS, Roque Spencer (org.) — *Diretrizes e bases da educação nacional*. São Paulo, Livr. Pioneira, 1960.

MADEIRA, Felícia R. e'SINGER, Paul L — *Estrutura do emprego e trabalho feminino no Brasil, 1920-1970*. São Paulo, Cadernos Cebrap, n°2 13, 1973.

MALHEIROS, Agostinho Marques Perdigão — *A escravidão no Brasil. Ensaio histórico-jurídico-social*. Rio de Janeiro, Tipografia Nacional, 1866 (3 vols.).

MALTA, Octavio — *Os "tenentes" na revolução brasileira*. Rio de Janeiro, Civilização Brasileira, 1969.

MANCHESTER, Allan K. — *British preeminence in Brazil, its rise and decline*. A study in European expansion. Chapel Hill, The University of North Caroline Press, 1939.

MARCÍLIO, Maria Luiza; GONÇALVES, Mirna Ayres Issa; LAURENTI, Ruy; BERQUÓ, Elza; MERRICK, Thomaz. — *Crescimento populacional (histórico e atual) e componentes do crescimento (fecundidade e migrações)*. São Paulo, Cadernos Cebrap, n° 16, 1973.

MARCONDES, José Vicente Freitas — *First Brazilian legislation relating to rural labor unions*. Gainesville, University of Florida Press, 1962. — *Revisão e reforma agrária*. São Paulo, 1962 (edição do autor).

MARCONDES, José Vicente Freitas e PIMENTEL, Osmar (orgs.) — São Paulo. Espírito, povo e instituições. São Paulo, Livr. Pioneira, 1968.

MARIA, padre Júlio — *O catolicismo no Brasil* (memória histórica). Rio de Janeiro,Agir, 1950.

MARIA DOS SANTOS, José — *A política geral do Brasil*. São Paulo, J. Magalhães, 1930. — *Os republicanos paulistas e a abolição*. São Paulo, Martins, 1942.

MARINI, Ruy Mauro — *Sous-développement et révolution en Amérique Latine*. Paris, François Maspero, 1972 (o livro é especificamente sobre o Brasil). — "Brazil interdependence and imperialist integration", *Monthly Review*, 17, 1965, pp. 10-29.

MARTINS, Carlos Estevam — *Brasil-Estados Unidos dos 60 aos 70*. São Paulo, Cadernos Cebrap, n° 9, 1972.

MARTINS, F. Magalhães — *Delmiro Gouveia. Pioneiro e nacionalista*. Rio de Janeiro, Civilização Brasileira, 1963.

MARTINS, José de Sousa — *A imigração e a crise do Brasil agrário*. São Paulo, Liv. Pioneira, 1974. — *Conde Matarazzo; o empresário e a empresa*. Estudo de Sociologia do Desenvolvimento. São Paulo, Hucitec, 2" ed., 1973. — "Modernização agrária e industrialização no Brasil", separata, *América Latina*, 12-2, 1969.

BIBLIOGRAFIA SELECIONADA

MARTINS, Luciano — *Industrialização, burguesia nacional e desenvolvimento*. Rio de Janeiro, Ed. Saga, 1968. — "Política das corporações multinacionais na América Latina", *Estudos Cebrap*, n° 5, 1973, pp. 81-129, — "Formação do empresariado industrial no Brasil", *Revista Civilização Brasileira*, 111-13, 1967, pp. 91-131. — "Os Grupos bilionários Nacionais (de 1 a 4 bilhões)", *Revista do Instituto de Ciências Sociais*, 2-1, 1965, pp. 79-116, "Aspectos políticos da revolução brasileira", *Revista Civilização Brasileira*, n° 2, 1965, pp. 15-38.

MARTINS, Luís — *O patriarca e o bacharel*. São Paulo, Martins, 1953.

MARTINS, Wilson — *Um Brasil diferente* (ensaio sobre fenômenos de aculturação no Paraná). São Paulo, Anhembi, 1955.

MAUÁ, Visconde de — *Autobiografia* ("exposição aos credores e ao público"), seguida de "O meio circulante no Brasil", edição prefaciada e anotada por Cláudio Ganns. Rio de Janeiro, Zélio Valverde, 1942.

MAURETTE, Fernand — *Quelques aspects sociaux du développement présent et futur de l'economie brésilienne*. Genebra, Bureau International du Travail, 1937.

MAWE, John — *Viagens ao interior do Brasil principalmente aos Distritos do Ouro e dos Diamantes*, trad. de Solena Benevides Viana e introdução e notas de Clado Ribeiro de Lessa. Rio de Janeiro, Zélio Valverde, 1944.

MEDEIROS, Laudelino T. — *O processo de urbanização no Rio Grande do Sul*. Porto Alegre, Universidade do Rio Grande do Sul, 1959.

MEIREN, Pierre van der — *Alguns aspectos do desenvolvimento econômico do Brasil*. São Paulo, Escola de Sociologia e Política, 1953.

MELATI'I, Júlio César — *Índios e criadores*: a situação dos Krahó na arca pastoril dos Tocantins. Rio de Janeiro, Edição do Instituto de Ciências Sociais da Universidade Federal do Rio de Janeiro de Janeiro, 1967.

MELO, Mário Lacerda de — *As migrações para o Recife* (estudo geográfico). Recife, Instituto Joaquim Nabuco de Pesquisa Social, 1961.

MELO FRANCO, Afonso Arinos de — *Evolução da crise brasileira*. São Paulo, Cia. Editora Nacional, 1965. — *História e teoria do partido político no direito constitucional brasileiro*. Rio de Janeiro, 1948 (edição do autor) — *Introdução à realidade brasileira*. Rio de Janeiro, Schmidt, 1933.

MENDES DE ALMEIDA, Cândido Antônio — *Nacionalismo e desenvolvimento*. Rio de Janeiro, Instituto Brasileiro de Estudos Afro-Asiáticos, 1963 — "O governo Castelo Branco: paradigma e prognose", *Dados*, 2-3, 1967, pp. 63-111. — "Sistema político e modelos de no Brasil", *Dados*, 1, 1966, pp. 7-41. — "Política externa e nação em processo", *Tempo Brasileiro*, n. 1, 1962, pp. 40-64.

MENDES DE ALMEIDA, F.H. (org.) — *Constituições do Brasil*. São Paulo, Saraiva, 1954.

MENEZES, Djacir — *O outro Nordeste*. Rio de Janeiro, José Olympio, 1937.

MERCADANTE, Paulo — *A consciência conservadora no Brasil*. Rio de Janeiro, Saga, 1956 [Rio de Janeiro, Topbooks, 2003].

MILLIET DE SAINT-ADOLPHE, J. C. R. — *Dicionário geográfico, histórico e descritivo do Império do Brasil*, trad. do dr. Caetano Lopes de Moura. Paris, Aillaud, 1845 (2 vols.).

MILLIET, Sérgio — *Roteiro do café e outros ensaios*. São Paulo, Departamento de Cultura da Prefeitura de São Paulo, 3ª ed., revista e aumentada, 1941.

MONBEIG, Pierre — *Pionniers et planteurs de São Paulo*. Paris, Armand Colin, 1952. — *La croissance de la vilie de São Paulo*. Grenoble, Institut et Revue de Géographie Alpine, 1953.

MONIZ, Edmundo — *O golpe de abril*. Rio de Janeiro, Civilização Brasileira, 1965.

MONTEIRO, Duglas Teixeira — *Os errantes do novo século*. Um estudo sobre o surto milenarista no contestado. São Paulo, Livr. Duas Cidades, 1974. — "Estrutura social e vida econômica em uma área de pequena propriedade e monocultura", *Revista Brasileira de Estudos Políticos*, n°12, 1961, pp. 47-63.

MONTEIRO, Tobias do Rego — *História do Império. A elaboração da independência*. Brasília, Instituto Nacional do Livro, Ministério de Janeiro de Educação e ed., 1972 [Belo Horizonte, Itatiaia, s.d.]. — *História do Império*. Primeiro reinado. Rio de Janeiro, Briguiet, 1939-1946 (2 vols.) [Belo Horizonte, Itatiaia, s.d.].

MORAES, Alexandre José de Mello — *Corografia, nobiliaria e política do Império do Brasil*. Rio de Janeiro, Tipografia Americana de José Soares de Pinho, 5 vols. (vol. 1, 2ª ed., 1866; vols. 2-3, 1859; vol. 4, 1860; vol. 5, 1863); *História do Brasil-Reino e do Brasil-Império*, compreendendo: a história circunstanciada dos ministérios, pela ordem cronológica dos gabinetes ministeriais, seus programas, revoluções políticas que se deram e cores com que apareceram desde o dia 10 de março de 1808 até 1871; a da conquista de Caiena, da Independência do Brasil, e das Constituições Políticas, desde 1 789 até 1834. Rio de Janeiro, Tipografia Pinheiro & Cia., 1873 (2 vols.).

MORAES, Augusto — *Introdução ao estudo do capital financeiro e da oligarquia financeira no Brasil*. São Paulo, edição mimeografada do autor, 1972.

BIBLIOGRAFIA SELECIONADA

MORAES, Clodomir — "Peasant leagues in Brasil", em Stavenhagen, Rodolfo (org.) *Agrarian problems and peasant moments in Latin America* (ver acima; pp. 453-501)

MORAES, Evaristo de — *A campanha abolicionista (1879-1888)*. Rio de Janeiro, Livr. Leite Ribeiro, 1924.

MORAES FILHO, Evaristo — *O problema do sindicato único no Brasil. Seus fundamentos sociológicos*. Rio de Janeiro, Ed. "A Noite", 1952 [São Paulo, Alfa-Ômega, 1978]. — "A regulamentação das relações de trabalho no Brasil", *Revista Brasileira de Ciências Sociais*, 111-2, 1963, pp. 3-30. — "Aspirações atuais do Brasil - Análise sociológica", *Revista do Instituto de Ciências Sociais da Universidade do Brasil*, 11, 1962, pp. 19-66.

MORAIS, Pessoa de — *Sociologia da revolução brasileira*. Rio de Janeiro, Leitura, 1965.

MORAZÉ, Charles — *Les trois ages du Brésil*. Paris, A. Colin, 1954.

MOREIRA, J. Roberto — *Educação e desenvolvimento no Brasil*. Rio de Janeiro, Centro Latino-Americano de Pesquisas em Ciências Sociais, 1960.

MORSE, Richard — *Formação histórica de São Paulo* (de comunidade a metrópole). São Paulo, Difusão Européia do Livro, 2ª ed., 1970 — *Brazil urban development colony and empire*, comunicação para o simpósio sobre "Historical dimensions of modem Brazil" John Hopkins University, 18-19 de outubro de 1972 (ed. mimeog.). — "São Paulo in the nineteenth century: economic roots of the metropolis", *Inter-American Economic Affairs*, 5-3, 1951, pp. 3-39 — "São Paulo in the twentieth century: social and economic aspects" *Inter-American Economic Affairs*, 8-1, 1954, pp. 3-60.

MORTARA, Giórgio — como coordenador e principal autor, *Contribuições para o estudo da Demografia do Brasil*. Rio de Janeiro, IBGE, 1961 — "Pesquisas sobre populações americanas", *Estudos Brasileiros de Demografia*, nº 3, 1947 (pp.1-227).

MOTA, Carlos Guilherme — *Nordeste 1817. Estruturas e argumentos*. São Paulo, Perspectiva, 1972. — *Atitudes de inovação no Brasil 1789-1801*. Lisboa, Livros Horizonte, 1971. — "Europeus no Brasil na época da independência. Um estudo", separata dos *Anais do Museu Paulista*, tomo XIX, 1965, pp. 11-25.

MOTA, Carlos Guilherme (Org.) — *1822: Dimensões*. São Paulo, Ed. Perspectiva, 1972 (com um estudo históriográfico e uma bibliografia de GIselda Mota, pp. 377-464). — *Brasil em perspectiva*, prefácio de João Cruz Costa. São Paulo, Difusão Européia do Livro, 1968.

MOTTA, Albérico — *Classes sociais e poder político*. Salvador, Instituto de Ciências Sociais, Universidade Federal da Bahia, 1966.

MOTTA SOBRINHO, Alves — *A civilização do café (1820-1920)*, prefácio de Caio Prado Jr. São Paulo, Brasiliense, 1967.

MOURA, Aristóteles — *Capitais estrangeiros no Brasil*. São Paulo, Brasiliense, 1959.

MUSSOLINI, Gioconda — "Persistência e mudança em sociedades de folk no Brasil", *Anais do XXXI Congresso de Americanistas*. São Paulo, Anhembi, 1955 (vol. 1, pp 333 - 355).

NABUCO, Carolina — *A vida de Joaquim Nabuco*. São Paulo, Cia. Editora Nacional, 1928.

NABUCO, Joaquim — *Um estadista do Império*. Nabuco de Araújo: sua vida, suas opiniões, sua época. São Paulo, Companhia Editora Nacional, 2ª ed., 1936 (2 vols.) [Rio de Janeiro, Topbooks, 1997]. — *O abolicionismo*. Londres, Tipografia de Abraham Kingdon & Cia., 1883 [Brasília, UnB, 2003]. — *Minha formação*. São Paulo, Instituto Progresso Editorial, 1947 (vol. I das *Obras Completas*) [Rio de Janeiro, Topbooks, 1999].

NOGUEIRA, Oracy — *Contribuição ao estudo das profissões de nível universitário no Estado de São Paulo*. Osasco, Faculdade Municipal de Ciências Econômicas e Administrativas, 1967 (2 vols., ed. mimeog.). — "O desenvolvimento de São Paulo através de índices demográfico-sanitários ("vitais") e educacionais", *Revista de Administração*, n° 30, 1963, pp. 1-140.

NOGUEIRA FILHO, Paulo — *Ideais e lutas de um burguês progressista, O Partido Democrático e a Revolução de 1930*. São Paulo, Ed. Anhembi, 1958 (2 vols.). — *A guerra cívica*, 1932. Rio de Janeiro, José Olympio, 1965 (12 vol.).

NORMANO, F. F. — *Evolução econômica do Brasil*, tradução de T. Quartim Barbosa, R. Peake Rodrigues e L. Brandão Teixeira. São Paulo, Cia. Editora Nacional, 2ª ed., 1945.

NOVAIS, Fernando Antônio — "Colonização e sistema colonial: discussão de conceitos e perspectiva histórica", em *Colonização e migração*. São Paulo, Coleção da *Revista de História*, 1969, pp. 243-262. "A proibição das manufaturas no Brasil e a política econômica portuguesa no mim do século XVIII", *Revista de História*, 33-67, 1966, pp. 145-166.

OLIVEIRA, Américo Barbosa de e SÁ CARVALHO, José Zacarias — *A formação de pessoal de nível superior e o desenvolvimento econômico*. Rio de Janeiro, APES, 1960.

OLIVEIRA, Francisco de — "A economia brasileira: crítica à razão dualista", *Estudos Cebrap*, n° 2, 1972, pp. 3-82 [*Crítica à razão dualista* — O ornitorrinco, São Paulo, Boitempo, 2003].
OLIVEIRA, Francisco de e REICHSTUL, Henri-Philippe — "Mudanças na divisão inter-regional do trabalho no Brasil", *Estudos Cebrap*, n° 4, 1973, pp. 131-168.
OLIVEIRA, Franklin de. — *Que é a revolução brasileira?* Rio de Janeiro, Civilização Brasileira, 1963. — *Revolução e contra-revolução no Brasil*, Rio de Janeiro, Civilização Brasileira, 2° ed., 1962.
OLIVEIRA, Roberto Cardoso — *Urbanização e tribalismo*. A integração dos índios Terena numa sociedade de classes. Rio de Janeiro, Zahar, 1968.
OLIVEIRA LIMA, Manuel — *O movimento da Independência, o Império brasileiro. (1821-1889)*. São Paulo, Melhoramentos, 2ª ed., 1962. — *Dom João VI no Brasil, 1808-1821*, prefácio de Otávio Tarquínio de Sousa. Rio de Janeiro, José Olympio, 2ª ed., 1945 (3 vols.).
OLIVEIRA MARTINS, J. P. — *O Brasil e as colônias portuguesas*. Lisboa, Bertrand, 2ª ed. emendada, 1881.
OLIVEIRA TORRES, João Camilo de — *Estratificação social no Brasil*. São Paulo, Difusão Européia do Livro e Centro Latino-Americano de Pesquisas em Ciências Sociais, 1965. — *A democracia coroada* (teoria política do Império do Brasil), Rio de Janeiro, José Olympio, 1957.
ONODY, Oliver — *A inflação brasileira (1820-1958)*. Rio de Janeiro, [s.e.], 1960.
D'ORBIGNY, M. Alcide — *Voyage dans les deux*: Amériques Paris, nouvelle edition revue et corrigée. Farne, Jouvet et Cie., éditeurs, 1867.

PAIM, Gilberto — *Industrialzação e economia natural*. Rio de Janeiro, Instituto Superior de Estudos Brasileiros, 1957.
PAOLI, Maria Célia Pinheiro Machado — *Desenvolvimento e marginalidade*. Um estudo de caso. Departamento de Ciências Sociais, Faculdade de Filosofia, Letras e Ciências Humanas da Universidade de São Paulo, 1972 (ed. mimeog.).
PATROCÍNIO, José — *Conferência pública do jornalista José do Patrocínio feita no Teatro Politeama em sessão da Confederação Abolicionista de 17 de maio de 1885*, Folheto n° 8. Rio de Janeiro, Tipografia Central, 1882 (sic).
PAULA, Eurípedes Simões de (org.) — *Trabalho livre e trabalho escravo, anais do VI Simpósio Nacional dos Professores Universitários de História*, São Paulo, 1973 (vol. XLIII, Coleção da *Revista de História*) —

Portos, rotas e comércio, **Anais do V Simpósio Nacional dos Professores Universitários de História,** São Paulo, 1971, 2 vols. (vol XXXV, Coleção da *Revista de História*).

PAULA SOUSA, Conselheiro — "Carta ao dr. César Zama, deputado pela Bahia", *A Província de São Paulo,* 8-4-1888.

PEDREIRA, Fernando — *Março, 31* - Civis e militares no processo da crise brasileira. Rio de Janeiro, José Álvaro, 1964.

PEREIRA, Francisco José — *Dependance et militarisme au Brésil.* Louvain, Edição mimeografada do autor, 1971.

PEREIRA, João Baptista Borges — *Italianos no mundo rural paulista.* São Paulo, Liv. Pioneira, Instituto de Estudos Brasileiros da Universidade de São Paulo, 1974 [São Paulo, Edusp, 2002]. — *Cor, profissão e mobilidade. O negro na rádio de São Paulo.* São Paulo, Liv. Pioneira, 1967 [São Paulo, Edusp, 2001].

PEREIRA, José Carlos — *Empresa industrial e desenvolvimento econômico no Brasil de pós-guerra.* São Paulo, Faculdade de Filosofia, Letras e Ciências Humanas da Universidade de São Paulo, 1970 (ed. mimeog.). — *Expansão e evolução da indústria em São Paulo.* São Paulo, Cia. Editora Nacional, 1967. — "A estrutura do sistema industrial de São Paulo", *Revista Brasileira de Ciências Sociais,* IV-1, 1966, pp. 75-116. — "Considerações sobre a formação da grande empresa industrial em São Paulo", *Revista Brasiliense,* n°47, 1963, pp. 42-60.

PEREIRA, Luiz — *Ensaios de sociologia do desenvolvimento.* São Paulo, Liv. Pioneira, 1972. — *Estudos sobre o Brasil contemporâneo.* São Paulo, Liv. Pioneira, 1971. — *Trabalho e desenvolvimento no Brasil.* São Paulo, Difusão Européia do Livro, 1965. — *O magistério primário na sociedade de classes.* São Paulo, Faculdade de Filosofia, Ciências e Letras da Universidade de São Paulo, 1963. — *A escola numa área metropolitana.* São Paulo, Faculdade de Filosofia, Ciências e Letras da Universidade de São Paulo, 1960.

PEREIRA, Luiz Carlos Bresser — *Desenvolvimento e crise no Brasil entre 1930 e 1967.* Rio de Janeiro, Zahar, 1968 [*Desenvolvimento e crise no Brasil,* São Paulo, Editora 34, 2003]. — "Origens étnicas e sociais do empresário Brasileiro", *Revista de Administração de Empresas,* IV-11, 1964.

PEREIRA, Osny — "O ISEB. O desenvolvimento e as reformas de base", *Revista Brasiliense,* n° 47, 1963, pp. 23-41.

PEREIRA DA SILVA, João Manuel — *Memórias do meu tempo.* Rio de Janeiro, E. L. Garnier, Editor, 1895-1896 (2 vols.). — *História da fundação do Império brasileiro.* Rio de Janeiro, E. L. Garnier, 1864-

1868 (7 vols.). — *Situation sociale, politique et economique de l'empire du Brésil*. Rio de Janeiro, E. L. Garnier, 1865.

PEREIRA DE QUEIROZ, Maria Izaura — *Bairros rurais paulistas. Dinâmica das relações bairro rural-cidade*. São Paulo, Liv. Duas Cidades, 1973. — *O mandonismo local na vida política brasileira*. São Paulo, Instituto de Estudos Brasileiros da Universidade de São Paulo, 2ª ed., 1969. — *Os cangaceiros. Les bandits d'honneur brésiliens*. Paris, Julliard, 1968. — *O messianismo no Brasil e no mundo*. São Paulo, Dominus, 1965 (esp. segunda parte, caps. II e III) [São Paulo, Alfa-Omega, 2003]; *La "guerre sainte" au Brésil. Le mouvement messianique du "contestado"*. São Paulo, Faculdade de Filosofia, Ciências e Letras da Universidade de São Paulo, 1957. — "Les classes sociales dans le Brésil actuel", *Cahiers Internationaux de Sociologie*, XXXIX, 1965, pp. 137-169. — "A estratificação e a mobilidade social nas comunidades agrárias do Vale do Paraíba, entre 1850 e 1880", separata da *Revista de História*, nº 2, 1950, pp. 195-218.

PESSOA, Reinaldo Xavier Carneiro (org.) — *A ideia republicana no Brasil, Através dos documentos*. São Paulo, Alfa-Omega, 1973.

PESTANA, Paulo R. — *A expansão econômica do Estado de São Paulo num século (1822-1922)*. São Paulo, Secretaria de Agricultura, Comércio e Obras Públicas do Estado de São Paulo, 1923.

PETRONE, Maria Thereza Scherer — *A lavoura canavieira em São Paulo*, São Paulo, Difusão Européia do Livro, 1968.

PETRONE, Pasquale — "As indústrias paulistas e os fatores de sua expansão", *Boletim Paulista de Geografia*, 14, 1953, pp. 26-37.

PICCAROLO, dott. Antonio — *L'emigrazione italiana nello stato di S. Paolo*. São Paulo, Livraria Magalhães, 1911.

PIERSON, Donald — *Brancos e pretos na Bahia*. São Paulo, Cia. Editora Nacional, 1945.

PINHO, Diva Benevides — *Cooperativas e desenvolvimento econômico. O cooperativismo na promoção do desenvolvimento econômico no Brasil*. São Paulo, Faculdade de Filosofia, Ciências e Letras da Universidade de São Paulo, 1963.

PINTO, Álvaro Vieira — *Consciência e realidade nacional*. Rio de Janeiro, Instituto Superior de Estudos Brasileiros, 1960 (2 vols.). — *Ideologia e desenvolvimento nacional*. Rio de Janeiro, Instituto Superior de Estudos Brasileiros, 1960.

PINTO, Ferreira — "Os partidos políticos no Brasil e seu desenvolvimento histórico", *Revista Brasiliense*, nº 36, 1961, pp. 132-150.

POMPERMAYER, Malori José — *Authoritarianism in Brazil*, comunicação ao *"workshop on Brazilian development"*, Yale University e 25 de abril de 1971), ed. mimeog.
POPINO, Rollie E. — "O processo político no Brasil: 1929-1945", *Revista Brasileira de Estudos Políticos*, n°- 17, 1964, pp. 83-94.
PRADO, Antônio — *Antônio Prado no Império e na República*. Seus discursos e atos coligidos e apresentados por sua filha Nazareth Prado, prefácio de Graça Aranha. Rio de Janeiro, Briguiet, 1929.
PRADO, Antônio da Silva — *1° centenário do conselheiro Antônio da Silva Prado*. São Paulo, Revista dos Tribunais, 1946.
PRADO JÚNIOR, Caio — *História e desenvolvimento*. A contribuição da historiografia para a teoria e a prática do desenvolvimento brasileiro. São Paulo, Brasiliense, 1972 [1999]. — *A revolução brasileira*. São Paulo, Brasiliense, 1966 [2000]. — *Evolução política do Brasil e outros estudos*. São Paulo, Brasiliense, 3ª ed., 1953 [1999]. — *História econômica do Brasil*. São Paulo, Brasiliense, 2ª ed., 1949 [1976]. — *Formação do Brasil contemporâneo*. Colônia, São Paulo, Martins, 1942 [São Paulo, Brasiliense, 1996]. — "Nova contribuição para a análise da questão agrária no Brasil", *Revista Brasiliense*, n°- 43, 1962, pp. 11-52. - "Contribuição para a análise da questão agrária no Brasil", Revista Brasiliense, n° 28, 1960, pp. 165-238.

QUEIRÓS, José Antônio Pessoa de — "Os grupos bilionários estrangeiros (de I a 4 bilhões)", *Revista do Instituto de Ciências Sociais*, 2ª ed., 1965, pp. 117-185.
QUEIROZ, Maurício Vinhas de — *Grupos econômicos e o modelo brasileiro*. São Paulo, Faculdade de Filosofia, Letras e Ciências Humanas da Universidade de São Paulo, 1972 (ed. mimeog.). — *Paixão e morte de Silva Jardim*. Rio de Janeiro, Civilização Brasileira, 1967. — *Messianismo e conflito social* (A guerra sertaneja do Contestado: 1912-1916). Rio de Janeiro, Civilização Brasileira, 1966 [São Paulo, Ática, 1981]. — "Os grupos multibilionários", *Revista do Instituto de Ciências Sociais*, 2-1, 1965, pp. 47-77. — "Brasil e Japão; analogias e contrastes históricos", *Debate e Crítica*, n° 1, 1973, pp. 95-122.

RAMOS, Alberto Guerreiro — *Mito e verdade na revolução brasileira*. Rio de Janeiro, Zahar, 1963. — *A crise do poder no Brasil*. Rio de Janeiro, Zahar, 1961. — *Cartilha brasileira do aprendiz de sociólogo*.

Rio de Janeiro, Andes, 1954. — "A dinâmica da sociedade política no Brasil", *Revista Brasileira de Estudos Políticos*, 1-1, 1956, pp. 23-38.

RANGEL, Ignacio — *A inflação brasileira*. Rio de Janeiro, Tempo Brasileiro, 1963 [*Obras reunidas*, Rio de Janeiro, Contraponto, 2005].
— *Recursos ociosos na economia brasileira*. Rio de Janeiro, Instituto Superior de Estudos Brasileiros, 1960. — *Introdução ao estudo do desenvolvimento econômico Brasileiro*. Salvador, Liv. Progresso, 1957.
— "Perspectivas econômicas brasileiras para a próxima década", *Estudos Cebrap*, n° 4, 1973, pp. 107-130. "A dinâmica da dualidade brasileira", *Revista Brasileira de Ciências Sociais*, 11-2, pp. 215-235. -"A questão agrária brasileira", *in* F. Santiago (org.), em *Textos básicos*, Departamento de Ciências Econômicas da Faculdade de Filosofia, Ciências e Letras da Universidade de Minas Gerais, 1961, pp. 55-157.

RATTNER, Heinrich — *Tradição e mudança*. A Comunidade judaica em São Paulo. São Paulo, Faculdade de Filosofia, Letras e Ciências Humanas da Universidade de São Paulo, 1970 (ed. mimeog.). — *Localização da indústria e concentração econômica em São Paulo*. São Paulo. Faculdade de Filosofia, Letras e Ciências Humanas da Universidade de São Paulo, 1969 (ed. mimeog.).
— "Contrastes regionais no desenvolvimento econômico brasileiro", separata da *Revista de Administração de Empresas*, n° 11, 1964, pp. 133-160.

REALE, Miguel — *Parlamentarismo brasileiro*. São Paulo, Saraiva, 2ª ed., 1962. — "O sistema de representação proporcional e o regime presidencial brasileiro", *Revista Brasileira de Estudos Políticos*, n° 7, 1959, pp. 9-44.

RIBEIRO, Benedito e GUIMARÃES, Mário Mazzei — *História dos bancos e do desenvolvimento financeiro do Brasil*. São Paulo, Pro-Service, 1967.

RIBEIRO, Darcy — *A política indigenista brasileira*. Rio de Janeiro, Ministério da Agricultura, 1962.

RIBEIRO, João — *História do Brasil*. Rio de Janeiro, Francisco Alves, 4ª ed. revista e melhorada, 1912 [Belo Horizonte, Itatiaia, 2001].

RIBEIRO, José Jacintho — *Cronologia paulista* ou relação histórica dos fatos mais importantes ocorridos em São Paulo desde a chegada de Martim Afonso de Sousa a São Vicente até 1898, editada pelo Governo de São Paulo e impressa nas oficinas do *Diário Oficial*. São Paulo, 1901 (3 vols.).

RIBEYROLLES, Charles — *Brasil pitoresco*. História Descrições - Viagens - Colonização - Instituições, ilustrada por Victor Frond; trad. e notas de Gastão Penalva; prefácio de Afonso de E. Taunay. São Paulo, Martins, 1941 (2 vols.).

RICHERS, Raimar; BOUZAN, Ary; MACHLINE, Claude; CARVALHO, Ary Ribeiro de; BARIANI, Haroldo — *O impacto da ação do governo sobre as empresas brasileiras*. Rio de Janeiro, Fundação Getúlio Vargas, 1963.

RIOS, José Arthur — *Aspectos políticos da assimilação de italianos no Brasil*. São Paulo, Fundação da Escola de Sociologia e Política de São Paulo, 1959.

RIOS, José Arthur, com a colaboração de MEDINA, Carlos Alberto e MODESTO, Hélio — *Aspectos humanos da favela carioca*, dois suplementos especiais de O *Estado de S. Paulo*, 13 e 15 de abril de 1960.

ROBOCK, Stefan H. — *Brazil's developing Northeast*. A study of regional planning and foreign aid. Washington, D. C., The Brookings Institution, 1963.

ROCHA, Joaquim da Silva — *História da colonização do Brasil*. Rio de Janeiro, Imprensa Nacional, 1919 (1. vol.).

ROCHA DINIZ, Osório da — *A política que convém ao Brasil*. São Paulo, Cia. Editora Nacional, 1937.

ROCHE, Jean — *A colonização alemã no Espírito Santo*, trad. de Joel Rufino dos Santos. São Paulo, Difusão Européia do Livro — Editora da Universidade de São Paulo, 1968. — *La Colonisation allemande et le Rio Grande do Sul*. Paris, Institut des Hautes Etudes de l'Amérique Latine, 1959. — "Porto Alegre, metrópole do Brasil meridional", *Boletim Paulista de Geografia*, 19, 195 5, pp. 30-51.

RODRIGUES, José Albertino — *Sindicato e desenvolvimento no Brasil*. São Paulo, Difusão Européia do Livro, 1966. — "Movimento sindical e situação da classe operária", *Debate e Crítica*, n° 2, 1974, pp. 98-111.

RODRIGUES, José Honório — *Interesse nacional e política externa*. Rio de Janeiro, Civilização Brasileira, 1966. — *Conciliação e reforma no Brasil, um desafio histórico-cultural*. Rio de Janeiro, Civilização Brasileira, 1965. — *Aspirações nacionais. Interpretação histórico-política*. São Paulo. Ed. Fulgor, 1963.

RODRIGUES, Paulo de Almeida — "As empresas industriais de economia mista", *Revista Brasiliense*, n° 13, 1957, pp. 10-35.

RODRIGUES NETTO, Leôncio Martins — *Trabalhadores e sindicatos no processo de industrialização*. São Paulo, Faculdade de Filosofia, Letras e Ciências Humanas da Universidade de São Paulo, 1972 (ed. mirneog.), segunda parte. — *Industrialização e atitudes operárias*. São Paulo, Brasiliense, 1970. — *Conflito industrial e sindicalismo no Brasil*. São Paulo, Difusão Européia do Livro, 1966.

ROMERO, Sílvio — *História da literatura Brasileira*, 3ª ed. aumentada, organizada e prefaciada por Nelson Romero. Rio de Janeiro, José Olympio, 1943 (5 vols.) [Rio de Janeiro, Imago, 2001 (vv. 1 e 2)].

RUGENDAS, João Maurício — *Viagem pitoresca através do Brasil*, trad. de Sérgio Milliet. São Paulo, Martins, 1940.

SAFADY, Jorge S. — *O Líbano no Brasil*. São Paulo, Ed. Comercial Safady, 1956.

SAFADY, Wadih — *Cenas e cenários dos caminhos de minha vida. Contribuição para o estudo da imigração árabe no Brasil*. Belo Horizonte, Estabelecimentos Gráficos Santa Maria, 1966.

SAFFIOTTI, Heleieth Yara Bongiovani — *A mulher na sociedade de classes. Mito e realidade*. São Paulo, Livr. Quatro Artes, 1969. — *Profissionalização feminina: professoras primárias e operárias*. Araraquara, Faculdade de Filosofia, Ciências e Letras de Araraquara, 1969 (ed. mimeog.).

SAINT-HILAIRE, Auguste de — *Voiage dons les provinces de Saint--Paul et Sainte-Catherine*. Paris, Arthur Berthand, 1851 (2 vols.). — *Voyage dans les provinces de Rio de Janeiro et Minas Gerais*. Paris, Grimbert et Dorez, 1830 (2 vols.). — *Voyage dans les districts de diamans et sur le litoral du Brésil*. Paris, Librairie Gide, 1833 (2 vols.).

SAITO, Hiroshi — *O japonês no Brasil*. São Paulo, Ed. Sociologia e Política, 1961. — *O cooperativismo e a comunidade*. Caso da Cooperativa Agrícola de Cotia. São Paulo, Ed. Sociologia e Política, s.d. — *O cooperativismo na região de Cotia: estudo de transplantação cultural*. São Paulo, Escola de Sociologia e Política, 1956. — *Contenda: assimilação dos poloneses no Paraná*. São Paulo, Ed. Sociologia e Política, 1963. — "Mobilidade de ocupação e de status de um grupo de imigrantes", *Sociologia*, XXII-3, 1960, pp. 241-253.

SANTA ROSA, Virgínio — *O sentido do tenentismo*. Rio de Janeiro, Schmidt Editor, 1933.

SANTOS, Ézio Távora dos — "Mercado interno e desenvolvimento", *Revista Brasileira de Ciências Sociais*, 11-1, 1962, pp. 57-84.

SANTOS, Joel Rufino dos; MELLO, Maurício Martins de; SODRÉ, Nélson Werneck; FIGUEIRA, Pedro de Alcântara; CAVAL-

CANTI NETO, Pedro C. Uchoa; FERNANDES, Rubens César — *História nova do Brasil*. São Paulo, Brasiliense, 1964 (vol. 4).

SANTOS, Milton — *Les Villes du tiers monde*. Paris, Editions M. Th. Génin, 1971. — *Zona do cacau*: Introdução ao estudo geográfico. Salvador, Artes Gráficas, 1955.

SANTOS, Roberto — "O equilíbrio da firma aviadora e a significação econômico institucional do aviamento", *Pará Desenvolvimento*, IDESP, n° 3, 1968, pp. 9-30.

SANTOS FILHO, Lycurgo — *Uma comunidade rural do Brasil antigo* (Aspectos da vida patriarcal no sertão da Bahia nos séculos XVIIl e XIX). São Paulo, Cia. Editora Nacional, 1956.

SCHAITAN, Salomão — "Estrutura econômica na agricultura paulista", *Revista Brasileira de Estudos Políticos*, n° 12, 1961, pp. 85-119. "Reforma agrária", *Revista Brasiliense*, n°1, 1955, pp. 88-100.

SCHLICHTHORST, C. — *O Rio de Janeiro como é. 1824-1826* (Uma vez e nunca mais), trad. de Emmy Dodt e Gustavo Barroso, com prefácio e notas deste último. Rio de Janeiro, Ed. Getúlio Costa, 1943.

SCHLITLER SILVA, Hélio — "Comércio exterior do Brasil e desenvolvimento econômico", *Revista Brasileira de Ciências Sociais*, 11-1, 1962, pp. 107-174. "Índices de preços no comércio exterior do Brasil", *Revista Brasileira de Economia*, 6-2, 1952, pp. 71-103.

SCHMIITER, Philippe — *Interest, conflict and political change in Brazil*. Stanford, California, Stanford University Press, 1971.

SCHNEIDER, Ronald M. — *The political system of Brazil*. Emergence of a "modernizm" authoritarian regime, 1964-1970. Nova York e Londres, Columbia University Press, 1971.

SCHWARTZMAN; Simon — "Representação e cooptação política no Brasil", *Dados*, 7, 1970, pp. 9-40.

SCULLY, William — *Brazil*. Its provinces and chief cities. The manners and customs of the people; agricultural, commercial and other statistics taken from lhe latest official documents; with a useful and entertaining knowledge, both for the merchant and the emigrant. Londres, Murray & Co., 1866.

SERRA, José "A reconcentração da renda: crítica a algumas Interpretações", *Estudos Cebrap*, n° 5, 1973, pp. 131-155. - "El milagro econômico brasilero. Realidad o mito?", *Revista Latinoamericana de Ciencias Sociales*, n°3, 1972, pp. l 71-215. Em colaboração com Maria Conceição Tavares (ver adiante).

BIBLIOGRAFIA SELECIONADA

SHERWOOD, Frank P. — *Institutionalizing the grass roots in Brasil.* A study in comparative local government. San Francisco, Califórnia, Chandler Publishing Co., 1967.

SILVA, Hélio Ribeiro — *O ciclo de Vargas.* Rio de Janeiro, Civilização Brasileira, 1964-1969 (7 vols.).

SILVA DIAS, Maria Odila da — "Aspectos da ilustração no Brasil", *Revista do Instituto Histórico e Geográfico Brasileiro*, 278, 1968, pp. 105-170.

SILVEIRA, Cid — *Café, um drama na economia nacional.* Análise do mercado exportador. Rio de Janeiro, Civilização Brasileira, 1962.

SIMÃO, Aziz — *Sindicato e Estado.* São Paulo, Dominus Editora/Ed. da Universidade de São Paulo, 1966. — "Funções do sindicato na sociedade moderna brasileira', *Revista de Estudos Sócio-Econômicos*, 1-1, 1961. "O voto operário em São Paulo", separata dos *Anais do l Congresso Brasileiro de Sociologia*, São Paulo, 1955.

SIMONSEN, Mário Henrique — *A experiência inflacionária no Brasil.* Rio de Janeiro, Instituto de Pesquisas e Estudos Sociais, 1954.

SIMONSEN, Roberto C. — *Evolução industrial do Brasil e outros estudos*, seleção, notas e bibliografia de Edgard Carone, São Paulo, Cia. Editora Nacional, 1973. — *História econômica do Brasil, 1500-1820.* São Paulo, Cia. Editora Nacional, 1937 (2 vols.).

SINGER, H. W. — *Estudo sobre o desenvolvimento econômico do Nordeste.* Recife, Comissão de Desenvolvimento Econômico de Pernambuco, 1962.

SINGER, Paul I. — *Economia política da urbanização.* São Paulo, Ed. Brasiliense - Edições Cebrap, 1973. — *O "milagre brasileiro": causas e conseqüências.* São Paulo, *Cadernos Cebrap*, n° 6, 1972. — *Força de trabalho e emprego no Brasil. 1920-1969.* São Paulo, *Cadernos Cebrap*, n° 3, 1971. — *Desenvolvimento econômico e evolução urbana.* São Paulo, Cia. Editora Nacional Editora da Universidade de São Paulo, 1968. — *Desenvolvimento e crise.* São Paulo, Difusão Européia do Livro, 1968 [São Paulo, Paz e Terra, 1982]. — "Desenvolvimento e repartição da renda no Brasil", *Debate e Crítica*, n°2 1, 1973, pp. 67-94. "As contradições do milagre", em *Estudos Cebrap*, n.2 6, 1973, pp. 57-77. - "Agricultura e desenvolvimento econômico", *Revista Brasileira de Estudos Políticos*, n°12, 1961, pp. 64-84.

SINGER Paul I. e CARDOSO, Fernando Henrique — *A cidade e o campo.* São Paulo, Cadernos Cebrap, n°7, 1972.

SKIDMORE, Thomas E. — *Politics in Brazil, 1930-1964.* An experiment in democracy. Nova York, Oxford University Press, 1967.

SZMERECSÁNY I, Tamas. — *Mudança social e mudança educacional.* São Paulo, Faculdade de Filosofia, Ciências e Letras da Universidade de São Paulo, 1968.
SOARES, Glaucio Ary Dillon — *Sociedade e política no Brasil.* São Paulo, Difusão Européia do Livro, 1973. — "A nova industrialização e o sistema político brasileiro", *Dados,* 2 e 3, 1967, pp. 31-50. — "Desenvolvimento econômico e radicalismo político", *Boletim do Centro Latino-Americano de Pesquisas em Ciências Sociais,* 2-IV, 1961, pp. 117-157. — "Classes sociais, strata sociais e as eleições presidenciais de 1960", *Sociologia,* XXIII-3, 1961, pp. 217-238.
SODRÉ, Nélson Wemeck — *Memórias de um soldado.* Rio de Janeiro, Civilização Brasileira, 1967. — *As razões da independência.* Rio de Janeiro, Civilização Brasileira, 2ª ed., 1969 [Rio de Janeiro, Graphia, 2002]. — *História militar do Brasil.* Rio de Janeiro, Civilização Brasileira, 1965. — *História da burguesia brasileira.* Rio de Janeiro, Civilização Brasileira, 1964. — *Raízes históricas do nacionalismo brasileiro.* Rio de Janeiro, Instituto Superior de Estudos Brasileiros, 1960. — *Formação da sociedade brasileira.* Rio de Janeiro, José Olympio, 1944. — *Oeste.* Ensaio sobre a grande propriedade pastoril. Rio de Janeiro, José Olympio, 1941.
SOUSA, Otávio Tarqúinio de — *História dos fundadores do Império do Brasil.* Rio de Janeiro, José Olympio, 1957 (vols. 1 a 9) e 1958 (vol. 10)
SOUSA CARVALHO, A. A. — *O Brasil em 1870.* Rio de Janeiro, B. L. Garnier, 1870.
SOUSA REIS, E T. — "Desenvolvimento comercial do Brasil", *Jornal de Economia Política,* 1-2, 1913, pp. 230 ss.
SOUTHEY, Robert — *História do Brasil,* trad. do dr. Luiz Joaquim de Oliveira e Castro, anotada por J. C. Fernandes Pinheiro, Brasil Bandecchi e Leonardo Arroyo. São Paulo, Ed. Obelisco, 1965 (vol. 6, cap. 6).
SPIEGL, Henry W, — *The brazilian economy.* Filadélfia, Blakiston, 1949.
SPIX. J. B. von e MARTIUS, C. E. P. von — *Viagem pelo Brasil,* trad. de Lucia Furquim Lahmeyer, revisão de B. F. Ramiz Galvão e Basílio de Magalhães (com notas deste último). Rio de Janeiro, Imprensa Nacional, 1938 (2 vols.) [Belo Horizonte, Itatiaia, 1981].
STEIN, Stanley J. — *Grandeza e decadência do café no Vale do Paraíba,* trad. de E. Magalhães. São Paulo, Brasiliense, 1961. — *The brazilian cotton manufacture.* Textile enterprise in an underde-

veloped area, 1850-1950. Cambridge, Massachusetts, Harvard University Press, 1957.

STEPAN, Alfred — *The military in politics. Changing patterns in Brazil.* Princeton, New Jersey, Princeton University Press, 1971.

STEPAN, Alfred (org.) — *Authoritarian Brazil. Origins, policies and future.* New Haven, Yale University Press, 1973.

STRATEN-PONTHOZ, le comte Auguste von der — *Le budget du Brésil, ou recherches sur les ressources de cet empire dans leurs rapports avec les intérêts européens du commerce e de l'emigration.* Paris, Librairie d'Amyot, Editeur, 1854 (3 vols.).

TAUNAY, Afonso de E. — *História do café no Brasil.* Rio de Janeiro, Edição do Departamento Nacional do Café, 1939-1943 (15 vols.).

TAUNAY, Hippolyte e DENIS, Ferdinand. — *Le Brésil ou histoire, moeurs, usages et coutumes des habitants de ce royaume.* Ouvrage orné eles nombreuses gravures d'apres les dessins faites dans le pays par M. H. Taunay. Paris, Nepveu, 1822.

TAVARES, Maria Conceição — *Da substituição de importações ao capitalismo financeiro Ensaios sobre economia brasileira.* Rio de Janeiro, Zahar, 1972. (O ensaio "Além da estagnação", pp. 153-207, foi preparado em colaboração com José Serra.)

TEIXEIRA, Anísio S. — *A educação não é privilégio.* Rio de Janeiro, José Olympio, 1957 [Rio de Janeiro, UFRJ Editora, 1994]. — *A educação e a crise brasileira.* São Paulo, Cia. Editora Nacional, 1956.

TELLES, Jover — *O movimento sindical no Brasil.* Rio de Janeiro, Editorial Vitória, 1962.

TOLLENARE, L. F. de — *Notas dominicais.* Salvador, Livr. Progresso, 1956.

TORRES, Alberto — *O problema nacional brasileiro.* Introdução a um programa de organização nacional. São Paulo, Cia. Editora Nacional, 3ª ed., 1938. — *A organização nacional.* Rio de Janeiro, Imprensa Nacional, 1914.

TOURAINE, Alain — "Industrialisation et conscience ouvrière à São Paulo", *Sociologie du Travail*, n° 4, 1961, pp. 77-95.

TRINDADE, Hélgio — *Integralismo* (O fascismo brasileiro na década de 30). São Paulo e Porto Alegre, Difusão Europeia do Livro/Editora da Universidade Federal do Rio Grande do Sul, 1974.

TROSCO, Barbara — *The liberto in Bahia before abolition.* (Ms., 1968) submitted in partial fulfillment of the requirement for the of Master of Arts, in the Faculty of Philosophy, Columbia University.

TSHUDI, Johann Jakob von — *Viagem às províncias do Rio de Janeiro e São Paulo*, trad. de Eduardo de Lima Castro. São Paulo, Martins, 1953.

UNZER DE ALMEIDA, Vicente — *Agricultura e desenvolvimento econômico em São Paulo*. São Paulo, Escola de Sociologia e Política, 1961. — *Condições de vida do pequeno agricultor no município de Registro*. São Paulo, Escola de Sociologia e Política, 1957.

UNZER DE ALHEIDA, V. e MENDES SOBRINHO, O. T. — *Migração rural urbana*. São Paulo, Secretaria da Agricultura, 1951.

VALÉRIO, Gianina — "A emigração italiana para o Brasil (notas e observações)", *Revista de História*, n° 40, 1959, pp. 385-429.

VALVERDE, Orlando — *Geografia agrária do Brasil*. Rio de Janeiro, Centro Brasileiro de Pesquisas Educacionais, 1964.

VARGAS, Getúlio — *A nova política do Brasil*. Rio de José Olympio, 1938-1943 (9 vols.). — *A política trabalhista no Brasil*. Rio de Janeiro, José Olympio, 1950.

VARNHAGEN, Francisco Adolfo de. — *História da Independência do Brasil até ao reconhecimento pela antiga metrópole, compreendendo separadamente a dos sucessos ocorridos em algumas províncias até esta data*. Rio de Janeiro, Imprensa Nacional, 1917.

VAUTHIER — *Diário íntimo do engenheiro Vauthier*, prefácio e notas de Gilberto Freyre. Rio de Janeiro, José Olympio, 1961.

VEIGA FILHO, João Pedro da — *Estudo econômico e financeiro sobre o estado de São Paulo*. São Paulo, Tipografia do Diário Oficial, 1896. — *Monografia sobre tarifas aduaneiras*. São Paulo, Spindola Siqueira & Cia., 1896.

VELHO, Gilberto — *A utopia urbana. Um estudo de antropologia social*. Rio de Janeiro, Zahar, 1973 [1989].

VELHO, Octavio Guilherme — *Frentes de expansão e estrutura agrária*. Estudo do processo de penetração numa área transamazônica. Rio de Janeiro, Zahar, 1972.

VELOZO DE OLIVEIRA, Antônio Rodrigues — *Memórias sobre o melhoramento da Província do São Paulo, Aplicável em grande parte a todas as províncias do Brasil*. Rio de Janeiro, Tipografia Nacional, 1822.

VIANA, Hélio — *Da maioridade à conciliação. 1840-1857*. Rio de Janeiro, Faculdade Nacional de Filosofia da Universidade do Brasil, 1945.

VIANA, F. J. Oliveira — *Instituições políticas do Brasil*. Rio de Janeiro, José Olympio, 1949 (2 vols.) [*Instituições políticas do brasileiras*, Belo Horizonte, Itatiaia, 1987]. — *O ocaso do Império*. São Paulo, Melhoramentos, 2ª-ed., 1925. — *O idealismo da Constituição*. São

Paulo, Cia. Editora Nacional, 2ª ed. aumentada, 1939. — *Pequenos estudos de psicologia social*. São Paulo, Cia. Editora Nacional, 3ª ed. aumentada, 1942. — *Populações meridionais do Brasil*. Rio de Janeiro, José Olympio, 1º vol., 5ª ed., 1952, 2º vol., 1952 [Belo Horizonte, Itatiaia, 1987]. — *Evolução do povo brasileiro*. São Paulo, Cia. Editora Nacional, 2ª ed., 1933. — *Introdução à história social da economia pré-capitalista no Brasil*. Rio de Janeiro, José Olympio, 1958.

VIANA, Victor — *Histórico da formação econômica do Brasil*. Rio de Janeiro, Imprensa Oficial, 1922.

VICTOR, Mário — *Cinco anos que abalaram o Brasil* (de Jânio Quadros ao marechal Castelo Branco). Rio de Janeiro, Civilização Brasileira, 1965.

VIEIRA, Dorival Teixeira — *Evolução do sistema monetário Brasileiro*. São Paulo, Faculdade de Ciências Econômicas e Administrativas da Universidade de São Paulo, 1962. — *O desenvolvimento econômico do Brasil e a inflação*. São Paulo, Faculdade de Ciências Econômicas e Administrativas da Universidade de São Paulo, 1962. — *Problemas econômicos do Brasil* - São Paulo, Faculdade de Ciências Econômicas e Administrativas da Universidade de São Paulo, 1955 (ed. mimeog.). — *O problema monetário Brasileiro*. São Paulo, Instituto de Economia Gastão Vidigal, 1952.

VIEIRA, Francisca Isabel Schurig — *O japonês na frente da expansão paulista*. São Paulo, Livr. Pioneira, 1973.

VIEIRA SOUTO, Rafael — *Notes sur le commerce international de navigotion et les finances du Brésil*. Rio de Janeiro, M. Orosco & Cia., 1907.

VILAÇA, Marcos Vinicius e ALBUQUERQUE, Roberto C. — *Coronel, coronéis*. Rio de Janeiro, Tempo Brasileiro, 1965 [Rio de Janeiro, Bertrand Brasil, 2003].

VILHENA, Luis dos Santos — *Recopilação de notícias da Capitania de São Paulo*. Dividida em duas partes e acompanhada de duas plantas geográficas interessantes e pouco vulgares para servir na parte que convier de elementos para a história brasílica. Bahia, Imprensa do Estado, 1935.

VILLELA, Annibal — "As empresas do Governo Federal e sua importância na economia nacional: 1956-1960", *Revista Brasileira de Economia*, março de 1962.

VILLELA, Annibal e SUZIGAN, Wilson Villanova — *Política do governo e crescimento da economia brasileira. 1889-1945*. Rio de Janeiro, Instituto de Planejamento Econômico e Social e Instituto de Pesquisas, 1973.

VINHAS, M. — *Estudos sobre o proletariado brasileiro*. Rio de Janeiro, Civilização Brasileira, 1970. — *Problemas agrário-camponeses no Brasil*. Rio de Janeiro, Civilização Brasileira, 1968.

WAGLEY, Charles — *An introduction to Brazil*. Nova York e Londres, Columbia University Press, 1963.

WAGLEY, Charles; HUTCHINSON, Harry W.; BARRIS, Marvin; ZIMMERMAN, Ben — *Races et classes dans le Brésil rural*. Paris, Unesco, 5ª ed.

WAIBEL, Leo — *Capítulos de geografia tropical e do Brasil*. Rio de Janeiro, Conselho Nacional de Geografia, 1958. — "Princípios da colonização europeia no sul do Brasil", *Revista Brasileira de Geografia*, XI-2, 1949, 159-222. — "As zonas pioneiras do Brasil", *Revista Brasileira de Geografia*, XVII-4, 1955, pp. 389-417.

WALSH, rev. R. — *Notices of Brazil in 1828 and 1829*. Londres, Frederick Westley and A. H. Davis, 1830 (2 vols.).

WANDERLEY, Alberto — *Transportes no Brasil*. Belo Horizonte, Faculdade de Ciências Econômicas da Universidade de Minas Gerais. 1959.

WEFFORT: Francisco C. — *Sindicatos e política*. Faculdade de Filosofia, Letras e Ciências Humanas da Universidade de São Paulo, 1972 (ed. mimeog.). — *Participação e conflito industrial: Contagem e Osasco, 1968*. São Paulo, *Cadernos Cebrap*, n° 5, 1972. — *Classes populares e política*. Contribuição ao estudo do populismo. São Paulo, Faculdade de Filosofia, Ciências e Letras da Universidade de São Paulo, 1968 (ed. mimeog.). — "Origens do sindicalismo populista no Brasil (a conjuntura do após-guerra)", *Estudos Cebrap*, n° 4, 1973, pp. 65-105. — "Le populisme dans la politique Brésilienne", *Les Temps Modernes*, n° 257, 1967. - "Raízes sociais do populismo em São Paulo", *Revista Civilização Brasileira*, n°2, 1965, pp. 5-14.

WELLS, John — "Eurodólares, dívida externa e o milagre brasileiro", *Estudos Cebrap*, n° 6, 1973, pp. 5-34.

WELLS, John e SAMPAIO, J. — "Endividamento externo etc. — "Uma nota para discussão", *Estudos Cebrap*, n° 6, 1973, pp. 35-55.

WEREBE, Maria José Garcia — *Grandezas e misérias do ensino brasileiro*. São Paulo, Difusão Europeia do Livro, 1963.

WERNECK, Francisco Peixoto de Lacerda (barão do Paty do Alferes) — *Memória sobre a fundação e o custeio de uma fazenda na Província do Rio de Janeiro*, anotada pelo dr. Luis Peixoto de Lacerda Werneck. Rio de Janeiro, Eduardo & Henrique Lemmert, 3ª ed., 1878.

BIBLIOGRAFIA SELECIONADA

WIED-NEUWIED, Maximiliano, príncipe de — *Viagem ao Brasil*, trad. de Edgard Sussekind de Mendonça e Flávio Poppe de Figueiredo, refundida e anotada por Olivério Pinto. São Paulo, Cia. Editora Nacional, 1940.
WILLEMS, Emílio — *Followers of the new faith. Culture change and the rise of protestantism in Brasil and Chile*. Nashville, Vanderbilt University, 1967. — *A aculturação dos alemães no Brasil*. São Paulo, Cia. Editora Nacional, 1946. — *Aspectos da aculturação dos japoneses no estado de São Paulo*. São Paulo, Faculdade de Filosofia, Ciências e Letras da Universidade de São Paulo, 1948. — *Assimilação e populações marginais no Brasil*. São Paulo, Cia. Editora Nacional, 1940.
WIRTH, John D. — *A política de desenvolvimento na era de Vargas*, trad. de Jefferson Barata. Rio de Janeiro, Fundação Getúlio Vargas, 1973.

ZALUAR, Augusto Emílio — *Peregrinação pela Província de São Paulo (1860-1861)*. Rio de Janeiro, Livr. de B. L. Garnier, 1862 [Belo Horizonte, Itatiaia, s.d.].
ZEMELLA, Mafalda — *O abastecimento das capitanias das Minas Gerais no século XVIII*. São Paulo, Faculdade de Filosofia, Ciências e Letras da Universidade de São Paulo, 1951.

Confederação Nacional das Indústrias — *Anais do seminário de janeiro para o desenvolvimento do Nordeste*. Rio de Janeiro, 1959, 2 vols.
Conjuntura Econômica. Rio de Janeiro, Fundação Getúlio Vargas.
Conselho Nacional de Economia, especialmente: 1) *Exposição geral da situação econômica do Brasil* (1955). Rio de Janeiro, 1956; 2) *Exposição geral da situação econômica do Brasil* (1958). Rio de Janeiro, 1959.
Constituição de 1967: "A Nova Constituição" (*Folha de S.Paulo*, Ano XLVI, 25-1-1967, suplemento especial).

Departamento Estadual do Trabalho — *Dados para a história da imigração e da colonização em São Paulo*. São Paulo, Tipografia Brasil de Rotschild & Cia., 1916.
Desenvolvimento e Conjuntura. Rio de Janeiro, Confederação Nacional da Indústria. Editora Banas. — *O capital estrangeiro no Brasil*. São Paulo, 3ª ed., junho de 1961.
Estudos demográficos Laboratório de Estatística do Conselho Nacional de Estatística, IBGE.

Governo Carvalho Pinto — *Plano de ação, 1959-1963*. São Paulo, Imprensa Oficial do Estado, 1959.
Governo Lomanto Júnior — *Reforma administrativa do Estado*. Salvador, Imprensa Oficial da Bahia, 1956.
IBGE — *Produção industrial brasileira* (1958). Rio de Janeiro, Conselho Nacional de Estatística, 1961.
Instituto de Economia da Fundação Mauá — *Migrações internas*. Rio de Janeiro, 1952 (ed. mimeog.).
Instituto de Sociologia e Política — *Estudo sociopolítico da vida nacional*. São Paulo, Federação do Comércio do Estado de São Paulo, 1958.
Lei de Segurança — Decreto-Lei de 1 5-3-1967 (*Folha da Manhã*, 1-4-67). "Manifesto republicano sobre a abolição" (*A Província de São Paulo*, 16-7-1887).
Ministério do Planejamento e Coordenação Econômica — *O programa de ação e as reformas de base*. Rio de Janeiro, Documentos EPEA, n°3, 1965, 2 vols.
Presidência da República — *Plano trienal de desenvolvimento econômico e social, 1963-1965*. Rio de Janeiro, Departamento de Imprensa Nacional, 1962.
Problemas brasileiros. São Paulo, Conselho Regional do Serviço do Comércio. *Revista Brasileira de Economia*, Rio de Janeiro.
Revista Brasileira de Estudos Políticos. Belo Horizonte (em especial: n° 8, 1960, dedicado às eleições de 1958; e n°16, 1964, dedicado às eleições de 1962)
Revista Visão. São Paulo (em particular: os números especiais, *Quem é quem no Brasil*).
Simpósios de políticas governamentais, Salvador, Instituto de Serviço Público da Universidade da Bahia, 1965.
Societá Editrice Italiana — *Cinquant'ani di lavara degli italiani in Brazile*. São Paulo, 1936.
Sudene — *Primeiro plano diretor de desenvolvimento econômico e social*. Recife, Superintendência do Desenvolvimento do Nordeste, 1960.
— *Plano diretor em execução*. Recife, Superintendência do Desenvolvimento do Nordeste, 1962.

FLORESTAN FERNANDES 100 ANOS